[CURSUS

André **Fortin**

Professeur
à l'Université Laval

D1408652

Analyse numérique pour ingénieurs

Cinquième édition

PRESSES
INTERNATIONALES
POLYTECHNIQUE

Analyse numérique pour ingénieurs, cinquième édition
André Fortin

Couverture : Cyclone Design

Pour connaître nos distributeurs et nos points de vente, veuillez consulter notre site Web à l'adresse suivante : www.pressespoly.ca

Courriel des Presses internationales Polytechnique : pip@polymtl.ca

Nous reconnaissons l'appui financier du gouvernement du Canada.
We acknowledge the financial support of the Government of Canada.

Canadä

Gouvernement du Québec – Programme de crédit d'impôt pour l'édition de livres et Programme d'aide aux entreprises du livre et de l'édition spécialisée – Gestion SODEC.

Québec
Crédit d'impôt
livres
Gestion
SODEC

Société
de développement
des entreprises
culturelles
Québec

Dépôt légal : 4e trimestre 2015
Bibliothèque et Archives nationales du Québec
Bibliothèque et Archives Canada

ISBN 978-2-553-01680-6
Imprimé au Canada

À mon épouse Marie
et mes fils Michel
et Jean-Philippe

Une pensée spéciale
pour mon père et
pour Line et Marc
ainsi que pour ma mère
qui nous a quittés

Avant-propos à la cinquième édition

L'analyse numérique est maintenant solidement établie comme l'une des disciplines fondamentales en sciences appliquées et en ingénierie. La vaste majorité des facultés de génie offrent au moins un cours d'introduction à cette discipline, suivi très souvent d'un second cours plus avancé.

Ce manuel reflète mon expérience comme professeur d'analyse numérique aux ingénieurs, d'abord à l'École Polytechnique de Montréal et, par la suite, à l'Université Laval à Québec. On y propose un survol des principales méthodes numériques élémentaires et plus particulièrement des sujets suivants :

— analyse d'erreurs ;

— racines d'une équation algébrique ;

— systèmes d'équations linéaires et non linéaires ;

— méthodes itératives et systèmes dynamiques ;

— interpolation ;

— différentiation et intégration numériques ;

— équations différentielles ordinaires.

L'approche pédagogique de ce manuel repose sur une compréhension profonde des méthodes plutôt que sur l'aspect calculatoire. Cela signifie que les exemples choisis cherchent avant tout à illustrer différents aspects des méthodes et à souligner leurs avantages et leurs inconvénients. Cette approche est justifiée en partie par le fait que de plus en plus d'ingénieurs utilisent des outils logiciels commerciaux. L'objectif de ce manuel est donc de faire des étudiants des utilisateurs avertis, en ce sens qu'ils sauront exactement à quoi s'attendre de chaque méthode et qu'ils seront en mesure de valider leurs résultats.

Le *prix francophone du livre et de la technologie*, ou *prix Roberval*, décerné par l'Université de Compiègne en France, est venu récompenser mes efforts en 1996. Ce fut une belle récompense, mais il demeure que rien ne vaut les commentaires des principaux intéressés, les étudiants. Bien entendu, on ne peut plaire à tous, et cet ouvrage ne fait pas exception, mais j'ai quand même senti un accueil largement favorable. C'est un encouragement à poursuivre le travail entrepris, à améliorer la présentation et à rechercher d'autres exemples et applications.

Certains exercices plus élaborés sont maintenant identifiés par le symbole et nécessitent l'emploi de l'ordinateur. Pour résoudre ces exercices, la plupart des méthodes décrites sont disponibles sous forme de programmes en langage Matlab à l'adresse Internet suivante :

http ://www.giref.ulaval.ca/afortin/livre-ananum.html

Ces programmes constituent un complément fort utile pour explorer les possibilités et limites des différentes méthodes présentées. L'aide en ligne permettra au lecteur de reprendre certains des exemples décrits dans ce manuel et ainsi de s'initier à l'utilisation des différentes méthodes qui y sont décrites. On peut également s'en servir comme outil pour d'éventuels travaux pratiques en laboratoire ou pour des devoirs.

Il s'est écoulé près de vingt ans depuis la parution de la première édition de cet ouvrage. Dans cette cinquième édition, il m'a semblé pertinent de procéder à une cure de rajeunissement de sa présentation. La majeure partie du texte est restée intacte mais certaines parties ont été légèrement retouchées, ici et là, pour en faciliter la lecture ou encore pour les rendre plus actuelles. Les figures ont été complètement refaites en couleur et de nouveaux exemples ont été ajoutés. On pourra maintenant naviguer par un simple clic dans la version électronique pour retrouver une équation d'intérêt, une référence précise ou pour voir une figure particulière.

De nombreuses personnes ont contribué directement à l'élaboration de cette cinquième édition. Mes collègues de l'Université Laval, José Urquiza, Jean Deteix et Sophie Léger m'ont suggéré plusieurs améliorations ainsi que corrigé quelques erreurs mineures. Ibrahima Dione a contribué à l'élaboration de plusieurs des nouvelles figures et Cristian Tibirna, avec son souci du détail habituel, m'a donné un précieux coup de main pour la mise en page LaTeX du document final. Je me dois d'admettre que leurs contributions ont été essentielles et je les remercie tous vivement.

Enfin, je ne peux passer sous silence l'appui inconditionnel de mon épouse Marie et de mes fils Michel et Jean-Philippe. Lorsque j'ai commencé la rédaction de cet ouvrage, je ne me serais jamais douté que mes deux fils l'utiliseraient eux-mêmes dans l'un de leurs cours.

Que chacun et chacune veuillent bien trouver ici l'expression de ma plus profonde reconnaissance.

André Fortin

Table des matières

Chapitre 1

Analyse d'erreurs

1.1 Introduction

Les cours traditionnels de mathématiques nous familiarisent avec des théories et des méthodes qui permettent de résoudre de façon *analytique* un certain nombre de problèmes. C'est le cas notamment des techniques d'intégration et de résolution d'équations algébriques ou différentielles. Bien que l'on puisse proposer plusieurs méthodes pour résoudre un problème donné, celles-ci conduisent à un même résultat, normalement exempt d'erreur.

C'est ici que l'analyse numérique se distingue des autres champs plus classiques des mathématiques. En effet, pour un problème donné, il est possible d'utiliser plusieurs techniques de résolution qui résultent en différents algorithmes.[1] Ces algorithmes dépendent de certains paramètres qui influent sur la précision du résultat. De plus, on utilise en cours de calcul des approximations plus ou moins précises. Par exemple, on peut remplacer une dérivée par une différence finie de façon à transformer une équation différentielle en une équation algébrique. Le résultat final et son ordre de précision dépendent des choix que l'on fait.

Une partie importante de l'analyse numérique consiste donc à contenir les effets des erreurs ainsi introduites, qui proviennent de trois sources principales :

— les erreurs de modélisation ;

— les erreurs de représentation sur ordinateur ;

— les erreurs de troncature.

Les erreurs de modélisation, comme leur nom l'indique, proviennent de l'étape de mathématisation du phénomène physique auquel on s'intéresse. Cette étape consiste à faire ressortir les causes les plus déterminantes du phénomène observé et à les mettre sous forme d'équations (différentielles le plus souvent). Si le phénomène observé est très complexe, il faut simplifier et négliger ses composantes qui paraissent moins importantes ou qui rendent la résolution numérique trop difficile. C'est ce que l'on appelle les *erreurs de modélisation*.

---

1. Le mot algorithme vient du mathématicien arabe Al-Khuwārizmī ($\overline{\text{VIII}}^{e}$ siècle après J.-C.) qui fut l'un des premiers à utiliser une séquence de calculs simples pour résoudre certaines équations quadratiques. Il est l'un des pionniers de l'«al-jabr» (l'algèbre).

La deuxième catégorie d'erreurs est liée à l'utilisation de l'ordinateur. En effet, la représentation sur ordinateur (généralement binaire) des nombres introduit souvent des erreurs. Même infimes au départ, ces erreurs peuvent s'accumuler lorsque l'on effectue un très grand nombre d'opérations. Par exemple, la fraction $\frac{1}{3}$ n'a pas de représentation binaire finie, pas plus qu'elle ne possède de représentation décimale finie. On ne pourra donc pas représenter exactement cette fraction, ce qui introduit une erreur. Ces erreurs se propagent au fil des calculs et peuvent compromettre la précision du résultat final.

Enfin, les *erreurs de troncature* proviennent principalement de l'utilisation du développement de Taylor, qui permet par exemple de remplacer une équation différentielle par une équation algébrique. Le développement de Taylor est le principal outil mathématique du numéricien. Il est primordial d'en maîtriser l'énoncé et ses conséquences.

Ce chapitre traite donc principalement d'erreurs numériques, et non des inévitables erreurs de programmation qui font, hélas, partie du quotidien du numéricien. Il devrait permettre au lecteur de mieux gérer les erreurs au sein des processus numériques afin d'être en mesure de mieux interpréter les résultats. Introduisons d'abord un peu de terminologie qui nous permettra éventuellement de quantifier les erreurs.

Définition 1.1: Erreur absolue

Soit x, un nombre, et x^*, une approximation de ce nombre. L'*erreur absolue* est définie par :
$$\Delta x = |x - x^*| \tag{1.1}$$

Définition 1.2: Erreur relative

Soit x, un nombre, et x^*, une approximation de ce nombre. L'*erreur relative* est définie par :
$$E_r(x^*) = \frac{|x - x^*|}{|x|} = \frac{\Delta x}{|x|} \simeq \frac{\Delta x}{|x^*|} \tag{1.2}$$

En multipliant par $100\,\%$, on obtient l'*erreur relative en pourcentage*.

En pratique, il est difficile d'évaluer les erreurs absolue et relative, car on ne connaît généralement pas la valeur exacte de x et l'on n'a que x^*. C'est pourquoi on utilise l'approximation $\Delta x/|x^*|$ pour l'erreur relative. Dans le cas de quantités mesurées expérimentalement dont on ne connaît que la valeur approximative, on dispose souvent d'une borne supérieure pour l'erreur absolue qui dépend de la précision des instruments de mesure utilisés. Cette borne est quand même appelée erreur absolue, alors qu'en fait on a seulement l'inégalité $|x - x^*| \leq \Delta x$, qui peut également s'écrire :
$$x^* - \Delta x \leq x \leq x^* + \Delta x \tag{1.3}$$
et que l'on note parfois $x = x^* \pm \Delta x$. On peut interpréter ce résultat en disant

que l'on a estimé la valeur exacte x à partir de x^* avec une incertitude de Δx de part et d'autre.

Remarque 1.3. Virgule décimale

Dans cet ouvrage, nous utiliserons, comme il se doit en français, la virgule décimale (et non le point décimal) pour représenter les nombres. Ainsi $1/10$ sera noté $0,1$ (sans espace entre le 0, la virgule et le 1) et non 0.1. Cette notation n'est pas sans poser quelques difficultés, notamment pour les coordonnées des points dans l'espace à plusieurs dimensions. Ainsi, que représente $(0,1,0,2)$? Est-ce le point $(1/10, 2/10)$ en dimension 2 ou encore le point $(0, 1, 0, 2)$ de l'espace à 4 dimensions ? Dans les cas où il pourrait y avoir confusion, on utilisera un séparateur spécial noté « **,** » qui n'est rien d'autre qu'une virgule en caractère gras encadrée par deux espaces. Ainsi, on notera respectivement $(0,1 \ \textbf{,} \ 0,2)$ et $(0 \ \textbf{,} \ 1 \ \textbf{,} \ 0 \ \textbf{,} \ 2)$ les deux points précédents. On peut voir clairement les espaces ainsi que la virgule séparatrice. S'il n'y a aucun risque d'ambiguïté, on mettra une virgule ordinaire. ◀

L'erreur absolue donne une mesure quantitative de l'erreur commise et l'erreur relative en mesure l'importance. Par exemple, si l'on fait usage d'un chronomètre dont la précision est de l'ordre du dixième de seconde, l'erreur absolue est bornée par $0,1$ s. Mais est-ce une erreur importante ? Dans le contexte d'un marathon d'une durée approximative de $2\,h\,15\,min$, l'erreur relative liée au chronométrage est très faible $\frac{0,1}{2\times 60\times 60+15\times 60}$, soit $0,0012\,\%$ et ne devrait pas avoir de conséquence sur le classement des coureurs. Par contre, s'il s'agit d'une course de $100\,m$ d'une durée d'environ $10\,s$, l'erreur relative est beaucoup plus importante $\frac{0,1}{10,0} = 0,01$ soit $1\,\%$ du temps de course. Avec une telle erreur, on ne pourra vraisemblablement pas distinguer le premier du dernier coureur. Cela nous amène à parler de précision et de *chiffres significatifs* au sens de la définition suivante.

Définition 1.4: Chiffre significatif

Si l'erreur absolue vérifie :

$$\Delta x \leq 0,5 \times 10^{m}$$

alors le chiffre correspondant à la m^{e} puissance de 10 est dit *significatif* et tous ceux à sa gauche, correspondant aux puissances de 10 supérieures à m, le sont aussi. On arrête le compte au dernier chiffre non nul. Il existe une exception à la règle. Si le chiffre correspondant à la m^{e} puissance de 10 est nul **ainsi** que tous ceux à sa gauche, on dit qu'il n'y a aucun chiffre significatif.

Inversement, si un nombre est donné avec n chiffres significatifs, on commence à compter à partir du premier chiffre non nul à gauche et l'erreur absolue est inférieure à 0,5 fois la puissance de 10 correspondant au dernier chiffre significatif.

Remarque 1.5. En pratique, on cherchera à déterminer une borne pour Δx aussi petite que possible et donc la valeur de m la plus petite possible. ◀

Exemple 1.6. On obtient une approximation de π ($x = \pi$) au moyen de la quantité $\frac{22}{7}$ ($x^* = \frac{22}{7} = 3,142\,857\cdots$). On en conclut que :

$$\Delta x = \left| \pi - \frac{22}{7} \right| = 0,001\,26\cdots \simeq 0,126 \times 10^{-2}$$

Puisque l'erreur absolue est plus petite que $0,5 \times 10^{-2}$, le chiffre des centièmes est significatif et on a en tout 3 chiffres significatifs (3,14). ♦

Exemple 1.7. Si l'on retient 3,1416 comme approximation de π, on a :

$$\Delta x = |\pi - 3,1416| \simeq 0,73 \times 10^{-5}$$

et l'erreur absolue est inférieure à $0,5 \times 10^{-4}$. Le chiffre correspondant à cette puissance de 10 (6) est significatif au sens de la définition, ainsi que tous les chiffres situés à sa gauche. Il est à remarquer que le chiffre 6 dans 3,1416 est significatif même si la quatrième décimale de π est un 5 ($3,141\,59\cdots$). L'approximation 3,1416 possède bien 5 chiffres significatifs. ♦

Exemple 1.8. On a mesuré le poids d'une personne et trouvé 90,567 kg. On vous assure que l'appareil utilisé est suffisamment précis pour que tous les chiffres fournis soient significatifs. En vertu de la remarque précédente, puisque le dernier chiffre significatif correspond aux millièmes (milligrammes), cela signifie que $\Delta x \leq 0,5 \times 10^{-3}$ kg. En pratique, on conclut que $\Delta x = 0,5 \times 10^{-3}$ kg. ♦

1.2   Erreurs de modélisation

La première étape de la résolution d'un problème, et peut-être la plus délicate, consiste à modéliser le phénomène observé. Il s'agit en gros d'identifier tous les facteurs internes et externes qui influent (ou que l'on soupçonne d'influer) sur les résultats. Dans le cas d'un phénomène physique, on fait l'inventaire des forces en présence : gravitationnelle, de friction, électrique, etc. On a par la suite recours aux lois de conservation de la masse, de l'énergie, de la quantité de mouvement et à d'autres principes mathématiques pour traduire l'influence de ces différents facteurs sous forme d'équations. Le plus souvent, on obtient des équations différentielles ou aux dérivées partielles.

L'effort de modélisation produit en général des systèmes d'équations complexes qui comprennent un grand nombre de variables inconnues. Pour réussir à les résoudre, il faut simplifier certaines composantes et négliger les moins importantes. On fait alors une première erreur de modélisation.

De plus, même bien décomposé, un phénomène physique peut être difficile à mettre sous forme d'équations. On introduit alors un modèle qui décrit au mieux son influence, mais qui demeure une approximation de la réalité. On commet alors une deuxième erreur de modélisation. Illustrons cette démarche à l'aide d'un exemple.

Exemple 1.9. Le problème du pendule est connu depuis très longtemps (voir par exemple Simmons, réf. [41]). Une masse m est suspendue à une corde de longueur l (voir la figure 1.1). Au temps $t = 0$, on suppose que l'angle $\theta(0)$

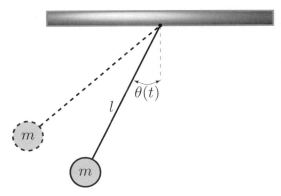

Figure 1.1 – Problème du pendule

entre la corde et la verticale est θ_0 et que sa vitesse angulaire $\theta'(0)$ est θ_0'. Les forces en présence sont, d'une part, la gravité agissant sur la masse et la corde et, d'autre part, la friction de l'air agissant sur tout le système.

Suivant la deuxième loi de Newton, la force due à l'accélération tangentielle $ml\theta''(t)$ est équilibrée par la composante tangentielle de l'accélération gravitationnelle $mg\sin(\theta(t))$ et par la force de friction F_f qui s'oppose au mouvement. On a alors :

$$ml\theta''(t) = -mg\sin(\theta(t)) - F_f$$

Pour connaître comment se comporte la force de friction F_f en fonction de $\theta(t)$, il faut recourir à des mesures expérimentales, qui démontrent que la friction est à peu près proportionnelle à la vitesse $l\theta'(t)$ avec un coefficient de proportionnalité c_f. Il est important de remarquer que cette loi est approximative et que le coefficient c_f est obtenu avec une précision limitée. Tout cela entraîne des erreurs de modélisation.

On obtient une équation différentielle du second ordre :

$$\begin{cases} \theta''(t) &=& \dfrac{-c_f\theta'(t)}{m} - \dfrac{g\sin(\theta(t))}{l} \\ \theta(0) &=& \theta_0 \\ \theta'(0) &=& \theta_0' \end{cases} \qquad (1.4)$$

L'équation différentielle 1.4 est non linéaire et l'on démontre qu'elle ne possède pas de solution analytique simple.

Une brève analyse montre qu'il est raisonnable de négliger la friction de l'air, car les vitesses de mouvement sont faibles. Il s'agit encore d'une erreur de modélisation, qui paraît acceptable à cette étape de l'analyse. Si les résultats se révèlent insatisfaisants, il faudra revenir en arrière et identifier, parmi les forces négligées, celle qui était la plus importante. Une analyse adimensionnelle est souvent nécessaire pour y arriver.

Même en négligeant la friction, ce qui revient à poser $c_f = 0$, l'équation résultante ne possède toujours pas de solution simple. En effet, sa résolution fait intervenir les intégrales elliptiques (Simmons, réf. [41]) qui ne peuvent s'exprimer en fonctions élémentaires. Puisque tel est le but, on doit encore simplifier le problème. On peut par exemple supposer que les angles sont petits et que $\sin(\theta(t)) \approx \theta(t)$. Il en résulte le problème simplifié suivant :

$$\begin{cases} \theta''(t) &= \dfrac{-g\,\theta(t)}{l} \\ \theta(0) &= \theta_0 \\ \theta'(0) &= \theta_0' \end{cases} \tag{1.5}$$

qui possède la solution périodique classique :

$$\theta(t) = A\cos(\omega t) + B\sin(\omega t) \tag{1.6}$$

où $\omega^2 = \frac{g}{l}$ et les constantes A et B sont déterminées par les conditions initiales ($A = \theta_0$, $B = \frac{\theta_0'}{\omega}$). La figure 1.2 permet la comparaison entre les solutions des équations différentielles 1.4 et 1.5 dans le cas où $\theta_0 = 0{,}1$ et $\theta_0' = 0$. L'équation 1.6 est la solution analytique de l'équation différentielle 1.5, alors que l'équation différentielle 1.4 ne possède qu'une solution numérique (nous la reverrons au chapitre 7). On remarque immédiatement que la solution numérique (où la friction n'est pas négligée) prévoit l'amortissement du mouvement avec le temps, tandis que la solution analytique reste parfaitement périodique. La solution numérique est de toute évidence plus près de ce que l'on observe pour un pendule. ◆

Remarque 1.10. La modélisation de même que l'étude des erreurs de modélisation, quoique très importantes, ne font pas partie des objectifs de ce livre. Nous faisons l'hypothèse que les problèmes étudiés sont bien modélisés, bien que ce ne soit pas toujours le cas en pratique. ◄

1.3 Représentation des nombres sur ordinateur

Un ordinateur ne peut traiter les nombres de la même manière que l'être humain. Il doit d'abord les représenter dans un système qui permet l'exécution efficace des diverses opérations. Cela peut entraîner des erreurs de *représentation sur ordinateur*, qui sont inévitables et dont il est très important de comprendre l'origine afin de mieux en maîtriser les effets. Cette section présente les principaux éléments d'un modèle de représentation des nombres sur ordinateur. Ce modèle est utile pour comprendre le fonctionnement type des ordinateurs ; il ne peut bien entendu tenir compte des caractéristiques sans cesse changeantes des ordinateurs modernes.

La structure interne de la plupart des ordinateurs s'appuie sur le système binaire. L'unité d'information ou *bit* prend la valeur 0 ou 1. Évidemment, très peu d'information peut être accumulée au moyen d'un seul bit. On regroupe alors les bits en *mots* de longueur variable (les longueurs de 8, de 16, de 32 ou de 64 bits sont les plus courantes). Les nombres, entiers et réels, sont représentés de cette manière, bien que leur mode précis de représentation soit variable.

Puisque le système binaire est à la base de la représentation des nombres dans la vaste majorité des ordinateurs, nous rappelons brièvement comment convertir des entiers positifs et des fractions décimales en notation binaire.

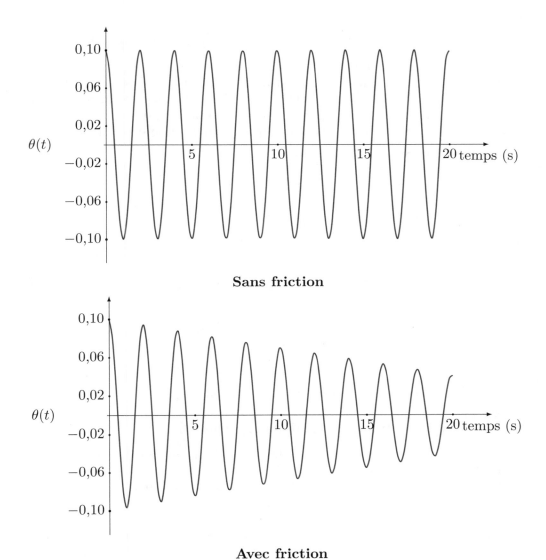

Sans friction

Avec friction

Figure 1.2 – Deux solutions au problème du pendule

Représentation des entiers positifs en binaire

Pour transformer un entier positif N dans sa représentation binaire habituelle, il faut déterminer les a_i tels que :

$$(N)_{10} = (a_{n-1}a_{n-2}a_{n-3}\cdots a_2 a_1 a_0)_2$$

ou encore :

$$N = a_{n-1} \times 2^{n-1} + a_{n-2} \times 2^{n-2} + a_{n-3} \times 2^{n-3} + \cdots + a_2 \times 2^2 + a_1 \times 2^1 + a_0 \times 2^0$$

Dans ce qui précède, l'indice inférieur indique la base utilisée. On obtient la valeur des a_i en suivant la démarche suivante : en divisant N par 2, on obtient a_0 (le reste de la division) plus un entier ; on refait le même raisonnement avec la partie entière de $\frac{N}{2}$ (en négligeant la partie fractionnaire ou reste) pour obtenir a_1 ; on continue ainsi jusqu'à ce que la partie entière soit nulle.

Exemple 1.11. Si $N = (1000)_{10}$, on a :

$$\begin{array}{llllll}
\frac{1000}{2} & = & 500 & \text{reste } 0 & \text{c.-à-d.} & a_0 = 0 \\
\frac{500}{2} & = & 250 & \text{reste } 0 & \text{c.-à-d.} & a_1 = 0 \\
\frac{250}{2} & = & 125 & \text{reste } 0 & \text{c.-à-d.} & a_2 = 0 \\
\frac{125}{2} & = & 62 & \text{reste } 1 & \text{c.-à-d.} & a_3 = 1 \\
\frac{62}{2} & = & 31 & \text{reste } 0 & \text{c.-à-d.} & a_4 = 0 \\
\frac{31}{2} & = & 15 & \text{reste } 1 & \text{c.-à-d.} & a_5 = 1 \\
\frac{15}{2} & = & 7 & \text{reste } 1 & \text{c.-à-d.} & a_6 = 1 \\
\frac{7}{2} & = & 3 & \text{reste } 1 & \text{c.-à-d.} & a_7 = 1 \\
\frac{3}{2} & = & 1 & \text{reste } 1 & \text{c.-à-d.} & a_8 = 1 \\
\frac{1}{2} & = & 0 & \text{reste } 1 & \text{c.-à-d.} & a_9 = 1
\end{array}$$

Ainsi, l'entier décimal 1000 s'écrit 11 1110 1000 en base 2. ◆

Conversion d'une fraction décimale en valeur binaire

La méthode de conversion d'une fraction décimale en valeur binaire est similaire à celle que l'on utilise dans le cas des entiers. Soit f, une fraction décimale comprise entre 0 et 1. Il faut donc trouver les d_i tels que :

$$(f)_{10} = (0,d_1 d_2 d_3 \cdots)_2 = d_1 \times 2^{-1} + d_2 \times 2^{-2} + d_3 \times 2^{-3} + \cdots$$

On doit donc évaluer la suite $d_1 d_2 d_3 \cdots$ aussi appelée la mantisse. Si l'on multiplie f par 2, on obtient d_1 plus une fraction. En appliquant le même raisonnement à $(2f - d_1)$, on obtient d_2. On poursuit ainsi jusqu'à ce que la partie fractionnaire soit nulle ou que l'on ait atteint le nombre maximal de chiffres de la mantisse.

Exemple 1.12. Si $f = 0,0625$, on a :

$$\begin{array}{llll}
0,0625 \times 2 & = & 0,1250 & \text{c.-à-d.} & d_1 = 0 \\
0,1250 \times 2 & = & 0,2500 & \text{c.-à-d.} & d_2 = 0 \\
0,2500 \times 2 & = & 0,5000 & \text{c.-à-d.} & d_3 = 0 \\
0,5000 \times 2 & = & 1,0000 & \text{c.-à-d.} & d_4 = 1
\end{array}$$

ce qui signifie que $(0,0625)_{10} = (0,0001)_2$. ♦

Exemple 1.13. Si $f = \frac{1}{3}$, on a :

$$
\begin{array}{lll}
\frac{1}{3} \times 2 = 0 + \frac{2}{3} & \text{c.-à-d.} & d_1 = 0 \\[4pt]
\frac{2}{3} \times 2 = 1 + \frac{1}{3} & \text{c.-à-d.} & d_2 = 1 \\[4pt]
\frac{1}{3} \times 2 = 0 + \frac{2}{3} & \text{c.-à-d.} & d_3 = 0 \\[4pt]
\frac{2}{3} \times 2 = 1 + \frac{1}{3} & \text{c.-à-d.} & d_4 = 1 \\[4pt]
\;\;\vdots & \;\;\vdots & \;\;\vdots
\end{array}
$$

On peut poursuivre la conversion à l'infini et démontrer que :

$$
\frac{1}{3} = (0{,}010\,101\cdots)_2
$$

En pratique, puisque l'on n'utilise qu'un nombre fini de chiffres dans la mantisse, il faudra s'arrêter après n bits. ♦

Remarque 1.14. Lorsqu'un nombre ne peut pas être représenté exactement avec le nombre de chiffres (bits) prévus dans la mantisse, il faut recourir à la *troncature* ou à l'*arrondi*. Si l'on travaille en notation décimale et si l'on souhaite utiliser la troncature avec 4 chiffres dans la mantisse (n dans le cas général), on coupe les décimales restantes à partir de la cinquième $((n+1)^e)$. Pour arrondir, on ajoute 5 unités au cinquième $((n+1)^e)$ chiffre de la mantisse et l'on tronque le résultat. Par exemple, le nombre $0{,}123\,4672$ devient tout simplement $0{,}1234$ par troncature. Pour arrondir, on ajoute 5 au cinquième chiffre de la mantisse qui devient alors $0{,}123\,5172$ que l'on tronque pour obtenir $0{,}1235$.

En base 2, la procédure est similaire puisque l'on néglige les bits à compter du $(n+1)^e$ pour la troncature. Pour arrondir, on ajoute 1 au $(n+1)^e$ bit et l'on tronque le résultat. ◄

1.3.1   Représentation des entiers signés

Pour les entiers signés, il faut tenir compte du signe de l'entier. Nous traiterons de deux formes parmi les plus courantes de représentation des entiers signés sur ordinateur. Il importe de connaître celle qui est utilisée par le processeur afin de pouvoir s'y retrouver.

Nous étudierons la représentation en complément à 2 et la représentation par excès. Ces variantes présentent toutes un certain nombre d'avantages et d'inconvénients au regard de l'exécution des opérations arithmétiques élémentaires. Il en existe d'autres comme la *représentation en complément à 1*. Notre but n'étant pas d'en donner une liste exhaustive, nous nous limitons à ces deux formes.

Représentation en complément à 2

La représentation en complément à 2 est très fréquemment utilisée. C'est le cas pour le langage Java qui l'utilise pour les entiers signés. Si l'on dispose de n bits pour exprimer l'entier N, on pose :

$$
N = -a_{n-1} \times 2^{n-1} + a_{n-2} \times 2^{n-2} + a_{n-3} \times 2^{n-3} + \cdots + a_2 \times 2^2 + a_1 \times 2^1 + a_0 \times 2^0
$$

Il faut remarquer le signe négatif devant le terme a_{n-1}. On constate facilement que $a_{n-1} = 0$ pour tous les entiers positifs car 2^{n-1} est forcément plus grand que toute combinaison de puissances de 2 inférieures à $n-1$.

Un entier positif est donc représenté par 0 suivi de son expression binaire habituelle en $(n-1)$ bits. Pour obtenir la représentation d'un nombre négatif N, il suffit de lui ajouter 2^{n-1} et de transformer le résultat en forme binaire. Le résultat final est donc 1 suivi de la représentation sur $(n-1)$ bits de $N + 2^{n-1}$.

Exemple 1.15. La représentation en complément à 2 sur 4 bits de 0101 vaut :

$$-0 \times 2^3 + 1 \times 2^2 + 0 \times 2^1 + 1 \times 2^0$$

soit 5 en forme décimale. Par contre, 1101 vaut :

$$-1 \times 2^3 + 1 \times 2^2 + 0 \times 2^1 + 1 \times 2^0$$

c'est-à-dire $-8 + 5 = -3$.

Inversement, la représentation binaire de -6 sera 1 suivi de la représentation sur 3 bits de $-6 + 2^3 = 2$ qui est 010. On aura donc $(-6)_{10} = (1010)_2$ dans la représentation en complément à 2. ♦

Représentation par excès

Illustrons la représentation par excès en prenant pour exemple un mot de 4 bits ($n = 4$). On peut alors représenter au plus 2^4 (2^n dans le cas général) entiers différents, y compris les entiers négatifs. Si l'on veut exprimer un entier décimal N, il suffit de lui ajouter un excès d et de donner le résultat sous forme binaire. Inversement, si l'on a la représentation binaire par excès d'un entier, il suffit de calculer sa valeur en base 10 et de soustraire d pour obtenir l'entier recherché.

La représentation par excès a l'avantage d'ordonner la représentation binaire en assignant à 0000 le plus petit entier décimal représentable, à savoir $-d$. En général, la valeur de d est 2^{n-1} ou $2^{n-1} - 1$ (2^3 ou $2^3 - 1$ sur 4 bits). Ainsi, avec 4 bits et $d = 2^3$, on obtient :

Représentation par excès : $d = 2^3$	
Forme binaire	Forme décimale
0000	-8
0001	-7
$\vdots$	$\vdots$
1110	$+6$
1111	$+7$

Pour obtenir ce tableau, il suffit de remarquer que, par exemple, 1111 vaut 15 en décimal, auquel on soustrait 2^3 pour obtenir 7.

Exemple 1.16. Soit un mot de 8 bits et un excès $d = 2^7 - 1 = 127$. Pour représenter $(-100)_{10}$, il suffit de lui ajouter 127, ce qui donne 27, et d'exprimer le résultat sur 8 bits, soit 0001 1011. On se servira de cette représentation pour exprimer les exposants dans les nombres réels à la section 1.4. ♦

1.3.2 Représentation des nombres réels

La tâche de représentation est plus complexe dans le cas des nombres réels. En effet, dans le système décimal, nous avons l'habitude de représenter un nombre x sous la forme :

$$x = \pm m \times 10^l$$

où m est la *mantisse*, l est l'*exposant* et 10 est la *base*. De façon générale, selon une base b quelconque, on peut écrire :

$$x = \pm m \times b^l$$

On appelle cette représentation la *notation flottante* ou notation en *point flottant* ou encore en *virgule flottante*. La forme générale de la mantisse est la suivante :

$$m = 0,d_1 d_2 d_3 \cdots d_n \cdots$$

ce qui signifie que :

$$m = d_1 \times b^{-1} + d_2 \times b^{-2} + d_3 \times b^{-3} + \cdots + d_n \times b^{-n} + \cdots$$

Puisqu'il n'est pas possible de mettre en mémoire une mantisse de longueur infinie, on recourt à la troncature ou à l'arrondi pour réduire la mantisse à n chiffres et l'on aura alors :

$$m = d_1 \times b^{-1} + d_2 \times b^{-2} + d_3 \times b^{-3} + \cdots + d_n \times b^{-n}$$

Les d_i vérifient :

$$1 \leq d_1 \leq (b-1) \tag{1.7}$$
$$0 \leq d_i \leq (b-1) \text{ pour } i = 2, 3, \cdots, n \tag{1.8}$$

La première inégalité signifie que la mantisse est *normalisée*, c'est-à-dire que son premier chiffre est toujours différent de 0. La normalisation permet d'assurer l'unicité de la représentation et d'éviter les ambiguïtés entre :

$$0,1020 \times 10^2 \text{ et } 0,0102 \times 10^3$$

pour représenter 10,2. La dernière expression n'est pas retenue. Dans cet exemple, on a utilisé la base $b = 10$ et $n = 4$ chiffres dans la mantisse. Ainsi, la mantisse satisfait toujours :

$$\frac{1}{b} \leq m < 1$$

car la plus petite mantisse possible est 0,1000, qui vaut $\frac{1}{b}$.

Ces considérations servent de lignes directrices pour la représentation d'un nombre réel sur ordinateur. Dans le cas qui nous intéresse, la base sera généralement 2 ($b = 2$). Il faut donc trouver un moyen de représenter la mantisse (une fraction), l'exposant (un entier signé) et le signe de ce nombre.

Remarque 1.17. Les calculatrices de poche se distinguent des ordinateurs principalement par le fait qu'elles utilisent la base 10 ($b = 10$) et une mantisse d'une longueur d'environ 10 ($n = 10$). L'exposant l varie généralement entre -100 et 100. ◄

1.3.3   Erreurs dues à la représentation

Le fait d'utiliser un nombre limité de bits pour représenter un nombre réel a des conséquences importantes. D'une part, on introduit ainsi une erreur de représentation qui, comme on le verra, peut avoir des répercussions significatives sur la précision des résultats. D'autre part :

— quel que soit le nombre de bits utilisés, il existe un plus petit et un plus grand nombres positifs représentables (de même pour les nombres négatifs) ;

— à l'intérieur de cet intervalle fini, seulement un nombre fini de nombres sont représentables exactement, et l'on doit recourir à la troncature ou à l'arrondi pour représenter les autres réels.

La représentation en virgule flottante induit une erreur relative qui dépend du nombre de bits de la mantisse, de l'utilisation de la troncature ou de l'arrondi ainsi que du nombre x que l'on veut représenter. En effet, nous avons vu l'importance sur la précision du nombre de bits de la mantisse et nous avons également constaté qu'un nombre fini seulement de réels peuvent être représentés exactement. L'intervalle entre les nombres représentables varie en longueur selon l'exposant devant la mantisse.

Définition 1.18: Précision machine

La précision machine ϵ_m est la plus grande erreur relative que l'on puisse commettre en représentant un nombre réel sur ordinateur en utilisant la troncature. Si l'on utilise l'arrondi, la plus grande erreur relative que l'on puisse commettre est alors $\frac{\epsilon_m}{2}$.

Proposition 1.19: Borne pour la précision machine

La précision machine vérifie :

$$\epsilon_m \leq b^{1-n} \tag{1.9}$$

où b est la base utilisée et n le nombre de chiffres (bits si $b = 2$) de la mantisse.

Démonstration. Soit x, un nombre quelconque. Sa représentation exacte en base b est donc de la forme :

$$x = \pm 0{,}d_1 d_2 d_3 \cdots d_n d_{n+1} d_{n+2} \cdots \times b^l$$

ce qui entraîne que l'erreur absolue commise par troncature est :

$$\begin{aligned}
\Delta x &= 0{,}0000 \cdots 0 d_{n+1} d_{n+2} \cdots \times b^l \\
&= 0{,}d_{n+1} d_{n+2} d_{n+3} \cdots \times b^{l-n} \quad \leq b^{l-n}
\end{aligned}$$

en vertu de l'équation 1.8. L'erreur relative satisfait donc :

$$E_r(x) \quad = \quad \frac{\Delta x}{|x|} \quad \leq \quad \frac{b^{l-n}}{0{,}d_1 d_2 d_3 \cdots d_n d_{n+1} d_{n+2} \cdots \times b^l}$$

$$\leq \quad \frac{b^{l-n}}{0{,}100\,000 \cdots \times b^l} \quad = b^{1-n}$$

∎

Il est facile de montrer que cette borne est presque atteinte pour tous les nombres x de développement en base b de la forme :

$$x = 0{,}100\,000 \cdots 0(b-1)(b-1)\cdots \times b^l \tag{1.10}$$

c'est-à-dire dont le 1 est suivi de $(n-1)$ zéros et ensuite d'une infinité de chiffres valant $(b-1)$. L'erreur relative est alors :

$$E_r(x) = \frac{0{,}(b-1)(b-1)\cdots \times b^{l-n}}{0{,}100\,000 \cdots 0(b-1)(b-1)\cdots \times b^l}$$

qui est très près de b^{1-n}.

Remarque 1.20. On peut aussi définir la précision machine ϵ_m comme étant la distance entre le nombre réel 1 qui s'écrit :

$$0{,}100\,000 \cdots 000 \times b^1 \quad \text{(la mantisse est 1 suivi de } n-1 \text{ zéros)}$$

et le nombre suivant le plus près soit :

$$0{,}100\,000 \cdots 001 \times b^1$$

La distance est alors :

$$0{,}000\,000 \cdots 001 \times b^1 = b^{1-n}$$

Cette constatation est à la base de l'algorithme 1.22 que nous verrons un peu plus loin. Pour cette raison, nous ne ferons plus la distinction entre la précision machine ϵ_m et sa borne supérieure b^{1-n}, bien que ces deux quantités soient légèrement différentes. ◄

1.4 Norme IEEE-754

L'Institute of Electrical and Electronic Engineers (IEEE) a uniformisé la représentation des nombres sur ordinateur (voir la référence [28]) et en particulier celle des nombres réels en *simple précision* sur 32 bits et en *double précision* sur 64 bits (convention IEEE-754). Les représentations en simple et double précisions sont construites comme suit. Le premier bit témoigne du signe du nombre, les 8 bits suivants (11 en double précision) déterminent l'exposant avec un excès de 127 ou $2^{8-1}-1$ (1023 ou $2^{11-1}-1$ en double précision) et les 23 derniers bits (52 en double précision) sont pour la mantisse normalisée. Puisque l'on normalise la mantisse, le premier bit est toujours 1 et il n'est pas nécessaire de le garder en mémoire. La mantisse normalisée peut donc commencer par un 0 tout en conservant la même précision qu'avec 24 bits (53 en double précision).

La norme IEEE-754 en simple précision est basée sur la représentation :

$$(d_1 d_2 d_3 \cdots d_{31} d_{32})_2 = (-1)^{d_1} 2^{(d_2 d_3 \cdots d_9)_2} 2^{-127} (1{,}d_{10} d_{11} \cdots d_{32})_2 \qquad (1.11)$$

avec une expression similaire pour la double précision :

$$(d_1 d_2 d_3 \cdots d_{63} d_{64})_2 = (-1)^{d_1} 2^{(d_2 d_3 \cdots d_{12})_2} 2^{-1023} (1{,}d_{13} d_{14} \cdots d_{64})_2 \qquad (1.12)$$

Exemple 1.21. Les 32 bits suivants (en simple précision) :

$$1100\ 0001\ 1110\ 0100\ 0000\ 0000\ 0000\ 0000$$

se décomposent en :

$$(-1)^1 \times 2^{(1000\,0011)_2} \times 2^{-127} \times (1{,}11001)_2$$

$$= -(2^{131}) \times 2^{-127} \times (1 + 2^{-1} + 2^{-2} + 2^{-5})$$

$$= -(2^4) \times (1 + 2^{-1} + 2^{-2} + 2^{-5}) = -(2^4 + 2^3 + 2^2 + 2^{-1}) = -28{,}5$$

On obtient la représentation du nombre décimal $(30{,}0625)_{10}$ en simple précision au moyen de l'opération inverse. Tout d'abord, la partie entière $(30)_{10}$ devient $(11\,110)_2$ sous forme binaire et la partie fractionnaire $(0{,}0625)_{10}$ est tout simplement $(0{,}0001)_2$. Ainsi, on a :

$$(30{,}0625)_{10} = (11\,110{,}0001)_2 = 1{,}111\,000\,01 \times 2^4$$

Dans la dernière expression, la mantisse est normalisée et le bit 1 à la gauche de la virgule n'est pas conservé en mémoire. L'exposant 4 est décalé de 127 pour devenir 131. La représentation de 131 sur 8 bits est $(1000\,0011)_2$. Puisque le nombre $(30{,}0625)_{10}$ est positif, sa représentation en simple précision IEEE-754 sera :

$$0\ \ 1000\,0011\ \ 1110\,0001\,0000\,0000\,0000\,000$$

♦

Suivant la norme IEEE-754, la mantisse d'un réel contient donc 23 bits en simple précision (52 bits en double précision), mais avec une précision de 24 bits (53 en double précision) puisque, après la normalisation, le premier 1 n'est pas gardé en mémoire. La précision machine vaut alors :

$$2^{1-24} = 0{,}119 \times 10^{-6}$$

en simple précision et :

$$2^{1-53} = 0{,}222 \times 10^{-15}$$

en double précision.

Ce résultat peut être vérifié directement sur ordinateur au moyen de l'algorithme qui suit (voir Chapra et Canale, réf. [8]). Cet algorithme permet de construire une suite de nombres de forme similaire à celle de l'équation 1.10. L'algorithme est également consistant avec la remarque 1.20 donnant une autre définition de la précision machine.

Algorithme 1.22: Précision machine

1. La variable *eps* contiendra la précision machine.
2. Initialisation : $eps = 1$.
3. Tant et aussi longtemps que $(1 + eps) > 1$, effectuer :
   3.1. Division de *eps* par 2 : $eps = \dfrac{eps}{2}$.
4. On a divisé une fois de trop : $eps = 2 \times eps$.
5. La précision machine est *eps*.

Il va de soi que dans un tel algorithme, l'égalité $eps = \frac{eps}{2}$ de l'étape 3.1 ne doit pas être prise au sens mathématique mais signifie que l'on remplace la variable *eps* par $\frac{eps}{2}$. On utilise parfois la notation $eps \leftarrow \frac{eps}{2}$ mais nous nous en abstiendrons pour ne pas alourdir la présentation.

Dans l'algorithme précédent, la variable $(1 + eps)$ prend successivement les valeurs suivantes :

Valeurs de $(1 + eps)$	
Forme décimale	Forme binaire
2	$0{,}1 \times 2^2$
1,5	$0{,}11 \times 2^1$
1,25	$0{,}101 \times 2^1$
1,125	$0{,}1001 \times 2^1$
1,0625	$0{,}100\,01 \times 2^1$
$\vdots$	$\vdots$

Cette suite continue jusqu'à ce que le nombre de zéros intercalés dans la représentation binaire soit trop grand et dépasse la longueur de la mantisse. On aura alors $1 + eps = 1$ et l'algorithme s'arrêtera. Il est à noter qu'au cours des itérations, la représentation binaire de $1 + eps$ est de la forme 1.10. Un court programme, en langage Matlab par exemple, permet d'établir aisément la concordance entre le résultat de cet algorithme et l'équation 1.9. On notera enfin que la constante «eps» est définie dans Matlab et prend la valeur que nous avons obtenue soit $0{,}222 \times 10^{-15}$.

1.4.1 Exceptions

La représentation 1.11 comporte quelques exceptions notables. Dans tous les cas qui suivent, le bit de signe peut être indifféremment 1 ou 0. La première exception importante est la représentation du nombre 0 pour lequel tous les bits de l'exposant et de la mantisse sont nuls. Cela constitue une exception, car la mantisse n'est pas normalisée comme pour les autres nombres réels et la représentation de 0 n'obéit donc pas à la relation 1.11.

Il est très utile de pouvoir représenter l'infini que l'on obtient par exemple en divisant un nombre non nul par 0. On exprime $\pm\infty$ en posant à 1 les 8 bits de l'exposant (11 bits en double précision). La mantisse ne comporte que des 0.

Enfin, on représente un nombre non valide NaN («*Not a Number*») en posant à 1 tous les bits de l'exposant **pourvu que la mantisse comporte au moins un bit non nul**. On obtient un nombre non valide en effectuant des opérations mathématiquement interdites comme $\frac{0}{0}$ ou $\frac{\infty}{\infty}$. En résumé, on a le tableau suivant :

Exceptions IEEE								
	$\pm$	**Exposant**		**Mantisse**				
$+0$	0	0000	0000	0000	0000	0000	0000	0000	000
-0	1	0000	0000	0000	0000	0000	0000	0000	000
$+\infty$	0	1111	1111	0000	0000	0000	0000	0000	000
$-\infty$	1	1111	1111	0000	0000	0000	0000	0000	000
$+NaN$	0	1111	1111	$xxxx$	$xxxx$	$xxxx$	$xxxx$	$xxxx$	xxx
$-NaN$	1	1111	1111	$xxxx$	$xxxx$	$xxxx$	$xxxx$	$xxxx$	xxx

Compte tenu de ces exceptions, le plus petit exposant que l'on puisse utiliser dans la relation 1.11 est donc 0000 0001, ce qui, selon la représentation par excès de 127, représente $1 - 127 = -126$ (-1022 en double précision). De même, le plus grand exposant est 1111 1110 qui représente (en tenant compte de l'excès de 127) le nombre décimal 127. Ainsi, on représente le plus petit nombre réel positif x_{min} et le plus grand nombre réel positif x_{max} par :

Représentations IEEE de x_{min} et x_{max}								
	$\pm$	**Exposant**		**Mantisse**				
x_{min}	0	0000	0001	0000	0000	0000	0000	0000	000
x_{max}	0	1111	1110	1111	1111	1111	1111	1111	111

Ces nombres valent respectivement 2^{-126} et $(2 - 2^{-23}) \times 2^{127}$. Le tableau suivant résume la situation, incluant également les valeurs obtenues de manière similaire en double précision.

Valeurs décimales de x_{min} et x_{max}		
	Simple précision	Double précision
x_{min}	$1{,}2 \times 10^{-38}$	$2{,}2 \times 10^{-308}$
x_{max}	$3{,}4 \times 10^{+38}$	$1{,}8 \times 10^{+308}$

1.4.2 Nombres non normalisés

Bien que petites, les valeurs de x_{min} en simple ou double précision ne sont pas suffisantes dans bon nombre d'applications. On a ainsi introduit les *nombres non normalisés* que l'on représente en posant à 0 tous les bits de l'exposant et en s'assurant que la mantisse comporte au moins 1 bit non nul (valant 1).

	±	Exposant	Mantisse					
+	0	0000 0000	$xxxx$ $xxxx$	$xxxx$	$xxxx$	$xxxx$	xxx	
−	1	0000 0000	$xxxx$ $xxxx$	$xxxx$	$xxxx$	$xxxx$	xxx	

(table titre : **Nombres non normalisés**)

Les nombres non normalisés sont utiles pour remplir partiellement l'intervalle entre 0 et x_{min}, le plus petit nombre représentable par l'équation 1.11. Pour les nombres non normalisés, on remplace la convention 1.11 par une autre convention :

$$(d_1 00000000 d_{10} \cdots d_{31} d_{32})_2 = (-1)^{d_1} 2^{-126} (0{,}d_{10} d_{11} \cdots d_{32})_2 \qquad (1.13)$$

ce qui revient à ne pas normaliser la mantisse et à utiliser le plus petit exposant possible à savoir -126 en simple précision et -1022 en double précision. Ainsi, en vertu de ces exceptions, on représente le plus petit nombre non normalisé en simple précision sous la forme :

$$(0\ 0000\ 0000\ 0000\ 0000\ 0000\ 0000\ 0000\ 001)$$

qui, suivant la convention 1.13, vaut $2^{-126} 2^{-23} = 2^{-149} \simeq 1{,}4 \times 10^{-45}$. En double précision, on remplace ces valeurs par $2^{-1022} 2^{-52} = 2^{-1074} \simeq 4{,}9 \times 10^{-324}$. En raison de la procédure d'arrondi généralement utilisée, tout nombre inférieur à la moitié de cette quantité sera identifié à 0.

Plus petit nombre non normalisé	
Simple précision	Double précision
$1{,}4 \times 10^{-45}$	$4{,}9 \times 10^{-324}$

Ces exceptions concernant les nombres non normalisés n'étaient pas toujours disponibles par le passé mais le sont maintenant. Cela permet de diminuer encore l'intervalle entre 0 et le plus petit nombre représentable. On peut donc accéder à une plage de nombres réels très vaste, particulièrement en double précision. En conséquence, on préfère généralement la double précision dans les calculs scientifiques.

Terminons cette section par deux exemples illustrant les effets parfois étonnants de la représentation binaire.

Exemple 1.23. Si l'on convertit la fraction décimale 0,1 en sa valeur binaire, on a :

$$
\begin{aligned}
0,1 \times 2 &= 0,2 \quad \text{c.-à-d.} \quad d_1 = 0 \\
0,2 \times 2 &= 0,4 \quad \text{c.-à-d.} \quad d_2 = 0 \\
0,4 \times 2 &= 0,8 \quad \text{c.-à-d.} \quad d_3 = 0 \\
0,8 \times 2 &= 1,6 \quad \text{c.-à-d.} \quad d_4 = 1 \\
0,6 \times 2 &= 1,2 \quad \text{c.-à-d.} \quad d_5 = 1 \\
0,2 \times 2 &= 0,4 \quad \text{c.-à-d.} \quad d_6 = 0 \\
\vdots \qquad & \qquad \vdots \qquad\qquad \vdots
\end{aligned}
$$

ou encore :

$$
(0,1)_{10} = (0,000\,110\,011\,00\cdots)_2
$$

Ainsi, une fraction ayant un développement décimal fini peut avoir un développement binaire illimité. ◆

Lorsque l'on utilise un nombre fini de bits dans la mantisse pour représenter $(0,1)_{10}$, l'importance de l'erreur commise dépend du nombre de bits utilisés.

Exemple 1.24. Le problème consiste à sommer 10 000 fois le nombre $(1,0)_{10}$, qui possède un développement binaire fini, et le nombre $(0,1)_{10}$, qui n'a pas de représentation exacte sur un nombre fini de bits. On obtient, à l'aide d'un programme très simple en langage Matlab, les résultats suivants :

$$
10\,000{,}000\,000\,000\,000 \quad \text{et} \quad 1\,000{,}000\,000\,000\,159
$$

en double précision. Cela démontre l'effet des erreurs de représentation sur ordinateur. Des opérations en apparence identiques donnent, dans un cas, un résultat exact et, dans l'autre, un résultat erroné dont la précision augmente avec le nombre de bits de la mantisse. ◆

1.5   Arithmétique flottante

Dans cette section, nous suivrons l'évolution des erreurs au fil des opérations élémentaires. Afin de simplifier l'exposé, nous utilisons le système décimal, mais les effets décrits valent également pour les autres bases. Tout nombre réel x s'écrit sous la forme :

$$
x = \pm 0{,}d_1 d_2 d_3 \cdots d_n d_{n+1} \cdots \times 10^l
$$

Définition 1.25: Représentation flottante

Soit x, un nombre réel. On note $\mathrm{fl}(x)$ sa représentation en notation flottante à n chiffres définie par :

$$
\mathrm{fl}(x) = \pm 0{,}d_1 d_2 d_3 \cdots d_n \times 10^l
$$

La notation flottante d'un nombre dépend du nombre n de chiffres dans la mantisse, mais aussi du procédé retenu pour éliminer les derniers chiffres à savoir la troncature ou l'arrondi. La troncature est dite *biaisée*, car on a toujours, pour des nombres positifs, $\text{fl}(x) \le x$. Par contre, l'arrondi est non biaisé, car on a tour à tour $x \le \text{fl}(x)$ ou $x \ge \text{fl}(x)$. La convention IEEE-754 impose l'utilisation de l'arrondi dans la représentation binaire des nombres réels. Nous utilisons donc l'arrondi dans les exemples qui suivent.

Notons de plus qu'en vertu de la définition 1.18 de la précision machine ϵ_m, on peut toujours écrire :

$$\text{fl}(x) = x(1 + \delta) \tag{1.14}$$

où δ est un nombre réel vérifiant $|\delta| \le \epsilon_m/2$. En effet, l'équation 1.14 peut aussi s'écrire sous la forme :

$$\left| \frac{\text{fl}(x) - x}{x} \right| = |\delta|$$

Puisque nous utilisons l'arrondi, $\epsilon_m/2$ est la plus grande erreur relative que l'on puisse commettre et on a forcément que $|\delta| \le \epsilon_m/2$.

Exemple 1.26. Si l'on choisit $n = 4$, alors on a :

$$
\begin{aligned}
\text{fl}(\tfrac{1}{3}) &= 0{,}3333 \times 10^0 \\
\text{fl}(\pi) &= 0{,}3142 \times 10^1 \\
\text{fl}(12{,}4551) &= 0{,}1246 \times 10^2
\end{aligned}
$$

$\blacklozenge$

1.5.1   Opérations élémentaires

Les opérations élémentaires sont l'addition, la soustraction, la multiplication et la division. Soit x et y, deux nombres réels. On effectue ces opérations en arithmétique flottante de la façon suivante :

$$
\begin{aligned}
x + y &\rightarrow \text{fl}(\text{fl}(x) + \text{fl}(y)) \\
x - y &\rightarrow \text{fl}(\text{fl}(x) - \text{fl}(y)) \\
x \div y &\rightarrow \text{fl}(\text{fl}(x) \div \text{fl}(y)) \\
x \times y &\rightarrow \text{fl}(\text{fl}(x) \times \text{fl}(y))
\end{aligned}
$$

En un mot, on doit d'abord représenter les deux opérandes en notation flottante, effectuer l'opération de la façon habituelle et exprimer le résultat en notation flottante.

À des fins pédagogiques, nous allons illustrer ces opérations élémentaires en utilisant le système décimal avec seulement 3 ou 4 chiffres dans la mantisse. Dans le cas des opérations dites risquées (voir la section 1.5.2), cela nous permettra aussi d'amplifier les inévitables erreurs dues à l'arithmétique flottante. Ces exemples très simples seront vite suivis d'applications plus réalistes, effectuées en double précision, où les mêmes phénomènes se produisent, quoique d'amplitude plus faible, mais répétées un grand nombre de fois. On verra que si aucune attention n'est portée à ces questions, des résultats catastrophiques peuvent en résulter.

Exemple 1.27. Si l'on prend $n = 4$, alors on a :

$$
\begin{aligned}
\tfrac{1}{3} \times 3 \quad &\rightarrow \quad \mathrm{fl}(\mathrm{fl}(\tfrac{1}{3}) \times \mathrm{fl}(3)) \\
&= \quad \mathrm{fl}((0{,}3333 \times 10^0) \times (0{,}3000 \times 10^1)) \\
&= \quad \mathrm{fl}(0{,}099\,990\,00 \times 10^1) \\
&= \quad 0{,}9999 \times 10^0
\end{aligned}
$$

On remarque une légère perte de précision par rapport à la valeur exacte de cette opération qui est 1. ♦

La multiplication et la division sont particulièrement simples en arithmétique flottante en raison de la loi des exposants.

Exemple 1.28. Toujours avec $n = 4$, effectuer les opérations suivantes :
a) $(0{,}4035 \times 10^6) \times (0{,}1978 \times 10^{-1})$

$$
\begin{aligned}
&= \quad \mathrm{fl}(0{,}4035 \times 10^6 \times 0{,}1978 \times 10^{-1}) \\
&= \quad \mathrm{fl}(0{,}079\,8123 \times 10^5) \\
&= \quad \mathrm{fl}(0{,}798\,123 \times 10^4) \\
&= \quad 0{,}7981 \times 10^4
\end{aligned}
$$

b) $(0{,}567\,89 \times 10^4) \div (0{,}123\,4321 \times 10^{-3})$

$$
\begin{aligned}
&= \quad \mathrm{fl}(0{,}5679 \times 10^4 \div 0{,}1234 \times 10^{-3}) \\
&= \quad \mathrm{fl}(4{,}602\,106\,969 \times 10^7) \\
&= \quad \mathrm{fl}(0{,}460\,210\,6969 \times 10^8) \\
&= \quad 0{,}4602 \times 10^8
\end{aligned}
$$

♦

Par contre, il faut être plus prudent avec l'addition et la soustraction. On ajoute d'abord des zéros à la mantisse du nombre ayant le plus petit exposant de telle sorte que les deux exposants soient égaux. On effectue ensuite l'opération habituelle et l'on ramène le résultat en notation flottante.

Exemple 1.29. Toujours avec $n = 4$, effectuer les opérations suivantes :
a) $(0{,}4035 \times 10^6) + (0{,}1978 \times 10^4)$

$$
\begin{aligned}
&= \quad \mathrm{fl}(0{,}4035 \times 10^6 + 0{,}1978 \times 10^4) \\
&= \quad \mathrm{fl}(0{,}4035 \times 10^6 + 0{,}001\,978 \times 10^6) \\
&= \quad \mathrm{fl}(0{,}405\,478 \times 10^6) \\
&= \quad 0{,}4055 \times 10^6
\end{aligned}
$$

b) $(0{,}567\,89 \times 10^4) - (0{,}123\,4321 \times 10^6)$

$$
\begin{aligned}
&= \quad \mathrm{fl}(0{,}5679 \times 10^4 - 0{,}1234 \times 10^6) \\
&= \quad \mathrm{fl}(0{,}005\,679 \times 10^6 - 0{,}1234 \times 10^6) \\
&= \quad -\mathrm{fl}(0{,}117\,72 \times 10^6) \\
&= \quad -0{,}1177 \times 10^6
\end{aligned}
$$

On constate qu'il est primordial de décaler la mantisse avant d'effectuer l'addition ou la soustraction. ♦

Remarque 1.30. Il faut bien remarquer que des opérations mathématiquement équivalentes ne le sont pas forcément en arithmétique flottante. *L'ordre des opérations est très important.* En voici un exemple. ◄

Exemple 1.31. La propriété de distributivité de la multiplication sur l'addition n'est pas toujours respectée en arithmétique flottante. En effet, en arithmétique exacte :

$$122 \times (333 + 695) = (122 \times 333) + (122 \times 695) = 125\,416$$

En arithmétique flottante avec $n = 3$, on obtient d'une part :

$$
\begin{aligned}
122 \times (333 + 695) &= \text{fl}[(0{,}122 \times 10^3) \times \text{fl}(0{,}333 \times 10^3 + 0{,}695 \times 10^3)] \\
&= \text{fl}[(0{,}122 \times 10^3) \times \text{fl}(1{,}028 \times 10^3)] \\
&= \text{fl}[(0{,}122 \times 10^3) \times (0{,}103 \times 10^4)] \\
&= \text{fl}(0{,}012\,566 \times 10^7) \\
&= 0{,}126 \times 10^6
\end{aligned}
$$

et d'autre part :

$$
\begin{aligned}
(122 \times 333) + (122 \times 695) &= \text{fl}[\text{fl}((0{,}122 \times 10^3) \times (0{,}333 \times 10^3)) \\
&\quad + \text{fl}((0{,}122 \times 10^3) \times (0{,}695 \times 10^3))] \\
&= \text{fl}[\text{fl}(0{,}040\,626 \times 10^6) + \text{fl}(0{,}084\,79 \times 10^6)] \\
&= \text{fl}[(0{,}406 \times 10^5) + (0{,}848 \times 10^5)] \\
&= \text{fl}(1{,}254 \times 10^5) \\
&= 0{,}125 \times 10^6
\end{aligned}
$$

On constate donc une légère différence entre les deux résultats, ce qui indique bien que les deux façons d'effectuer les opérations ne sont pas équivalentes en arithmétique flottante. ♦

1.5.2 Opérations risquées

Un certain nombre de calculs sont particulièrement sensibles aux erreurs d'arrondi. Nous présentons maintenant deux types d'opérations élémentaires à éviter dans la mesure du possible.

Exemple 1.32. Additionner deux nombres dont les ordres de grandeur sont très différents comme dans $(0{,}4000 \times 10^4) + (0{,}4000 \times 10^0)$:

$$
\begin{aligned}
&= \text{fl}(0{,}4000 \times 10^4 + 0{,}1000 \times 10^0) \\
&= \text{fl}(0{,}4000 \times 10^4 + 0{,}0000\,4 \times 10^4) \\
&= \text{fl}(0{,}4000\,4 \times 10^4) \\
&= 0{,}4000 \times 10^4
\end{aligned}
$$

La loi des exposants et l'arrondi font en sorte que le petit nombre disparaît complètement devant le plus grand. La somme d'un grand nombre et d'un petit est donc délicate. Ainsi, si l'on voulait sommer les composantes du vecteur :

$$[0{,}4000 \times 10^4 \quad 0{,}4000 \times 10^0 \quad 0{,}4000 \times 10^0]$$

dans cet ordre et toujours en arithmétique flottante à 4 chiffres, on trouverait encore $0{,}4000 \times 10^4$ et les deux dernières composantes du vecteur seraient donc perdues. Le mieux que l'on puisse espérer pour cette somme est $0{,}4001 \times 10^4$. C'est d'ailleurs ce que l'on obtiendrait si on sommait à rebours. ♦

L'algorithme de Kahan ci-dessous permet de récupérer, à tout le moins partiellement, les chiffres significatifs potentiellement perdus lors de la sommation des composantes d'un vecteur. On prêtera particulièrement attention à l'étape 3.3.

Algorithme 1.33: Somme de Kahan

1. Étant donné un vecteur V dont on veut sommer les composantes.
2. Initialisation :
   — $Som = 0$. La variable Som contiendra la somme recherchée.
   — $Rec = 0$. La variable Rec, initialement nulle, permettra d'accumuler les chiffres les moins significatifs qui sont potentiellement perdus en cours de sommation.
3. Pour i allant de 1 jusqu'à la longueur du vecteur V, effectuer :
   3.1. $Ajo = V(i) + Rec$. C'est le terme à ajouter à cette étape.
   3.2. $Tem = Som + Ajo$. Si la variable Som est grande et la nouvelle entrée Ajo est petite, on perd des chiffres significatifs dans la somme. On place le total dans la variable temporaire Tem.
   3.3. $Rec = Ajo - (Tem - Som)$. Si tout va bien, la variable Rec devrait être encore nulle. Sinon, on récupère ici une partie des chiffres significatifs perdus et qui seront ajoutés à la prochaine valeur de i (étape 3.1).
   3.4. $Som = Tem$. Mise à jour de la somme.

Pour illustrer comment l'algorithme fonctionne, reprenons l'exemple de la sommation des composantes du vecteur :

$$V = [0{,}4000 \times 10^4 \quad 0{,}4000 \times 10^0 \quad 0{,}4000 \times 10^0]$$

L'algorithme de Kahan passera par les étapes suivantes. Pour $i = 1$, on a au départ $Som = 0$ et $Rec = 0$ et par la suite :

$$
\begin{array}{llll}
Ajo & = & 0{,}4000 \times 10^4 + 0 & \rightarrow \quad 0{,}4000 \times 10^4 \\
Tem & = & 0 + 0{,}4000 \times 10^4 & \rightarrow \quad 0{,}4000 \times 10^4 \\
Rec & = & 0{,}4000 \times 10^4 - (0{,}4000 \times 10^4 - 0) & \rightarrow \quad 0 \\
Som & = & 0{,}4000 \times 10^4 &
\end{array}
$$

Pour $i = 2$, on a au départ $Som = 0{,}4000 \times 10^4$ et $Rec = 0$ et par la suite :

$$
\begin{array}{llll}
Ajo & = & 0{,}4000 \times 10^4 + 0 & \rightarrow \quad 0{,}4000 \times 10^4 \\
Tem & = & 0{,}4000 \times 10^4 + 0{,}4000 \times 10^0 & \rightarrow \quad 0{,}4000 \times 10^4 \\
Rec & = & 0{,}4000 \times 10^0 - (0{,}4000 \times 10^4 - 0{,}4000 \times 10^4) & \rightarrow \quad 0{,}4000 \times 10^0 \\
Som & = & 0{,}4000 \times 10^4 &
\end{array}
$$

À l'étape précédente, l'addition de la deuxième composante du vecteur n'a aucunement modifié la variable Tem. Par contre, cette perte est récupérée dans la variable *Rec* et sera ajoutée à la prochaine étape. Pour $i = 3$, on a au départ $Som = 0{,}4000 \times 10^4$ et $Rec = 0{,}4000 \times 10^0$ et on trouve enfin :

$$
\begin{aligned}
Ajo &= 0{,}4000 \times 10^0 + 0{,}4000 \times 10^0 & &\rightarrow & &+0{,}8000 \times 10^0 \\
Tem &= 0{,}4000 \times 10^4 + 0{,}8000 \times 10^0 & &\rightarrow & &+0{,}4001 \times 10^4 \\
Rec &= 0{,}4000 \times 10^0 - (0{,}4001 \times 10^4 - 0{,}4000 \times 10^4) & &\rightarrow & &-0{,}6000 \times 10^0 \\
Som &= 0{,}4001 \times 10^4
\end{aligned}
$$

L'algorithme de Kahan donne donc un meilleur résultat que la sommation ordinaire. L'exemple qui suit va dans le même sens mais pour une somme de termes beaucoup plus importante.

Exemple 1.34. Calculer une somme de termes positifs :

$$
S_n = 1 + \sum_{i=1}^{n-1} \frac{1}{i(i+1)} \tag{1.15}
$$

On peut évaluer analytiquement cette série en utilisant les fractions partielles. En effet :

$$
\begin{aligned}
S_n = 1 + \sum_{i=1}^{n-1} \frac{1}{i(i+1)} &= 1 + \sum_{i=1}^{n-1} \left(\frac{1}{i} - \frac{1}{i+1} \right) \\
&= 1 + \left(1 - \frac{1}{2} \right) + \left(\frac{1}{2} - \frac{1}{3} \right) + \cdots + \left(\frac{1}{n-1} - \frac{1}{n} \right) \\
&= 2 - \frac{1}{n}
\end{aligned}
$$

Ceci nous permettra d'évaluer l'erreur commise lorsque l'on calcule S_n de différentes manières. Dans un premier temps, on peut calculer S_n directement c.-à-d. dans l'ordre initial :

$$
S_{1,n} = 1 + \frac{1}{2} + \frac{1}{6} + \cdots + \frac{1}{(n-1)n}
$$

et on va évaluer dans ce qui suit la quantité $E(n) = 2 - S_{1,n}$ pour différentes valeurs de n. On devrait trouver tout simplement $E(n) = 1/n$ et en traçant sur un graphique logarithmique, obtenir une droite de pente (-1) car $\log(E(n)) = -\log(n)$. Les résultats calculés en double précision sont présentés à la figure 1.3.

On note dans un premier temps que la somme directe $S_{1,n}$ donne de mauvais résultats à partir de $n = 10^8$ (et même 10^7) où l'on perd la convergence vers 0. Ce qui se produit est qu'au fur et à mesure que l'on somme, on cumule le résultat qui devient de plus en plus près de 2 et donc de plus en plus grand par rapport aux termes ajoutés $(1/i(i+1))$. On additionne donc systématiquement un très grand nombre à un petit. Il se produit exactement le même phénomène que celui observé dans l'exemple 1.32. Pour n assez grand, la somme ne change plus puisque les termes ajoutés sont complètement négligeables devant la somme cumulée. Par contre, l'algorithme de Kahan appliqué

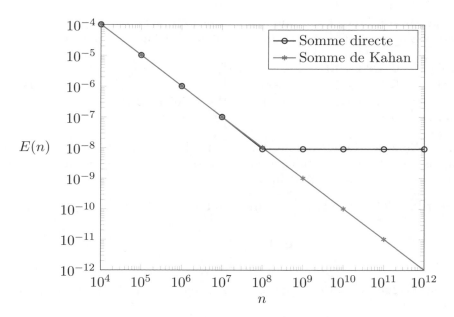

Figure 1.3 – Stabilité de l'évaluation d'une série

à $S_{1,n}$ donne d'excellents résultats et ce, même pour des valeurs de n très grandes (10^{12}). C'est donc une méthode beaucoup plus stable.

Notons enfin que dans cet exemple, on pourrait sommer à rebours c.-à-d. :

$$S_{2,n} = \frac{1}{(n-1)n} + \cdots + \frac{1}{6} + \frac{1}{2} + 1$$

et également obtenir de très bons résultats. Dans ce cas, les sommes intermédiaires augmentent encore, mais les termes qui s'ajoutent au fil de la sommation croissent également. On additionne ainsi des nombres qui sont davantage du même ordre de sorte que le phénomène précédent ne se produit pas.

Malheureusement, cette approche ne donne pas toujours d'aussi bons résultats. D'une part, il n'est pas toujours possible de déterminer un ordre croissant ou décroissant dans une somme quelconque. Il faut de plus connaître à l'avance le nombre de termes que l'on veut sommer, ce qui exclut la possibilité de sommer une série jusqu'à ce que l'on obtienne une précision donnée. D'autre part, l'exemple suivant (voir [1]) illustre que la somme de Kahan est véritablement une alternative intéressante pour sommer avec précision un grand nombre de termes. On peut en effet montrer (voir par exemple Rainville [36]) que la série harmonique vérifie :

$$\lim_{n \to \infty} \sum_{i=1}^{n} \frac{1}{i} = \ln(n) + \gamma$$

où γ est la constante dite d'Euler :

$$\gamma = 0{,}577\,215\,664\,901\,532\,860\,60$$

Nous allons vérifier la convergence pour des valeurs de n très grandes et évaluer

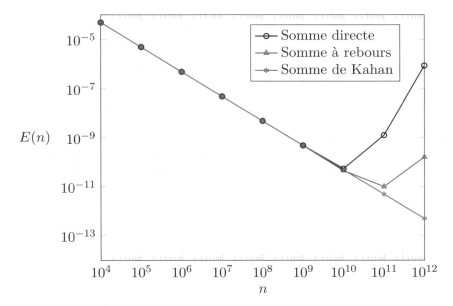

Figure 1.4 – Série harmonique et somme de Kahan

tout simplement :

$$E(n) = \left| \ln(n) + \gamma - \sum_{i=1}^{n} \frac{1}{i} \right|$$

La courbe de $E(n)$ en fonction de n devrait, encore ici, converger vers 0. La difficulté est bien sûr d'évaluer le plus précisément possible la série harmonique. Nous allons cette fois considérer trois manières différentes.

— Somme directe : $\displaystyle\sum_{i=1}^{n} \frac{1}{i} = 1 + \frac{1}{2} + \frac{1}{3} + \cdots + \frac{1}{n} = S_{1,n}$;

— Somme directe en utilisant l'algorithme de Kahan ;

— Somme à rebours : $\displaystyle\sum_{i=1}^{n} \frac{1}{i} = \frac{1}{n} + \frac{1}{n-1} + \cdots + \frac{1}{2} + 1 = S_{2,n}$.

Les résultats sont illustrés à la figure 1.4 où l'on constate que la somme directe devient instable pour $n > 10^9$, la somme à rebours pour $n > 10^{10}$ tandis que la somme de Kahan reste parfaitement stable jusqu'à $n = 10^{12}$. Bien que la somme à rebours performe un peu mieux que la somme directe, la somme de Kahan est encore beaucoup plus stable. ♦

Exemple 1.35. Soustraire deux nombres presque identiques :
$$(0{,}5678 \times 10^6) - (0{,}5677 \times 10^6)$$

$$\begin{aligned} &= \ \text{fl}(0{,}5678 \times 10^6 - 0{,}5677 \times 10^6) \\ &= \ \text{fl}(0{,}0001 \times 10^6) \\ &= \ 0{,}1000 \times 10^3 \end{aligned}$$

La soustraction de ces 2 nombres de valeur très proche fait apparaître trois 0 non significatifs dans la mantisse du résultat. On appelle ce phénomène l'*élimination par soustraction des chiffres significatifs*. L'exemple suivant en illustre les conséquences possibles. ◆

Exemple 1.36. On souhaite calculer les racines de $ax^2 + bx + c$ qui sont bien sûr :

$$r_1 = \frac{-b + \sqrt{b^2 - 4ac}}{2a} \text{ et } r_2 = \frac{-b - \sqrt{b^2 - 4ac}}{2a}$$

On considère le cas où $a = 1$, $c = 3$ et $b = 3 \times 10^n + 10^{-n}$ pour différentes valeurs de n. Ainsi b prendra la valeur 3000,001 si $n = 3$, 30 000,0001 si $n = 4$ et ainsi de suite. On vérifie facilement que les racines exactes sont $r_1 = -10^{-n}$ et $r_2 = -3 \times 10^n$. Un calcul en double précision avec Matlab donne les résultats suivants :

Évaluation des racines d'une fonction quadratique			
n	r_1	r_2	r_1^*
3	$-9{,}999\,999\,999\,763\,531 \times 10^{-4}$ $(2{,}3 \times 10^{-11})$	$-3{,}0 \times 10^3$	$-1{,}0 \times 10^{-3}$
5	$-9{,}999\,988\,833\,442\,330 \times 10^{-6}$ $(1{,}1 \times 10^{-6})$	$-3{,}0 \times 10^5$	$-1{,}0 \times 10^{-5}$
7	$-1{,}005\,828\,380\,584\,717 \times 10^{-7}$ $(5{,}8 \times 10^{-3})$	$-3{,}0 \times 10^7$	$-1{,}0 \times 10^{-7}$

On constate que la deuxième racine (r_2) est obtenue sans erreur mais que la première est entachée d'une erreur relative (indiquée entre parenthèses) qui croît avec n. Le calcul de r_2 ne pose aucune difficulté particulière. L'erreur relative liée à r_1 provient de l'addition de $(-b)$ et de $\sqrt{b^2 - 4ac}$ qui revient à soustraire des nombres très proches. Pour éviter cela, on peut multiplier r_1 par son conjugué et calculer :

$$r_1^* = \left(\frac{-b + \sqrt{b^2 - 4ac}}{2a}\right)\left(\frac{-b - \sqrt{b^2 - 4ac}}{-b - \sqrt{b^2 - 4ac}}\right) = \frac{-2c}{b + \sqrt{b^2 - 4ac}}$$

On évite ainsi de soustraire des nombres voisins et on obtient de cette manière la dernière colonne du tableau montrant une erreur relative nulle. ◆

Exemple 1.37. Voici un exemple de calcul simple qui aboutit rapidement en résultats erronés. On définit la suite p_n pour $n \geq 1$ par l'expression :

$$p_n = \int_0^1 x^n e^x \, dx \tag{1.16}$$

Il est alors facile de vérifier (en exercice) que $p_1 = 1$. Chaque terme de la suite est positif puisqu'il s'agit de l'intégrale d'une fonction positive. De plus, la suite p_n est décroissante, c.-à-d. $p_n > p_{n+1}$ puisque dans l'intervalle $]0\,,1[$, on a $x^n > x^{n+1}$. Enfin, en intégrant par parties, on trouve (encore en exercice) :

$$p_{n+1} = e - (n + 1)p_n \tag{1.17}$$

ce qui constitue une formule de récurrence permettant d'évaluer successivement toute la suite. Rappelons de ce qui précède que tous les termes de la suite p_n sont dans l'intervalle $[0\,,1]$. Regardons maintenant ce qui se passe sur le plan numérique. En se servant de la formule de récurrence 1.17 et en travaillant en double précision, on trouve :

	Récurrence 1.17		
n	p_n	n	p_n
1	$1,000\,000\,000 \times 10^0$	11	$+2,102\,651\,602 \times 10^{-1}$
2	$7,182\,818\,284 \times 10^{-1}$	12	$+1,950\,999\,056 \times 10^{-1}$
3	$5,634\,363\,430 \times 10^{-1}$	13	$+1,819\,830\,545 \times 10^{-1}$
4	$4,645\,364\,561 \times 10^{-1}$	14	$+1,705\,190\,649 \times 10^{-1}$
5	$3,955\,995\,478 \times 10^{-1}$	15	$+1,604\,958\,541 \times 10^{-1}$
6	$3,446\,845\,416 \times 10^{-1}$	16	$+1,503\,481\,618 \times 10^{-1}$
7	$3,054\,900\,369 \times 10^{-1}$	17	$+1,623\,630\,772 \times 10^{-1}$
8	$2,743\,615\,330 \times 10^{-1}$	18	$-2,042\,535\,615 \times 10^{-1}$
9	$2,490\,280\,313 \times 10^{-1}$	19	$+6,599\,099\,498 \times 10^{+0}$
10	$2,280\,015\,152 \times 10^{-1}$	20	$-1,292\,637\,081 \times 10^{+2}$

On constate qu'à partir du terme p_{17}, la suite cesse d'être décroissante, devient même négative et prend des valeurs aberrantes. Pour expliquer ce phénomène, il suffit de regarder attentivement ce qui se passe à chaque fois que l'on utilise la récurrence 1.17. Ainsi, elle nécessite la soustraction de deux nombres voisins et il y a donc élimination par soustraction des chiffres significatifs. Cela montre bien que même la double précision n'est pas toujours suffisante.

Nous verrons à l'exemple 6.31 du chapitre 6 comment éviter ce problème en calculant directement la valeur de p_n de l'équation 1.16 en recourant à l'intégration numérique. On évitera ainsi d'utiliser la récurrence 1.17. ◆

1.5.3 Évaluation des polynômes

Il est très fréquent d'avoir à évaluer des polynômes de degré élevé en analyse numérique. Il est donc important de pouvoir les évaluer rapidement et de la façon la plus stable possible du point de vue de l'arithmétique flottante. C'est ce que permet l'*algorithme de Horner* appelé aussi *algorithme de multiplication imbriquée*. Pour évaluer un polynôme de la forme :

$$p(x) = a_0 + a_1 x + a_2 x^2 + a_3 x^3 + \cdots + a_n x^n$$

en un point x quelconque, il suffit de regrouper judicieusement les termes de la façon suivante :

$$p(x) = a_0 + x(a_1 + x(a_2 + x(a_3 + \cdots + x(a_{n-1} + a_n x) \cdots))) \qquad (1.18)$$

Exemple 1.38. Soit le polynôme :

$$p(x) = 2 + 4x + 5x^2 + 3x^3$$

qui nécessite 6 multiplications et 3 additions. En suivant le mode de regroupement de l'équation 1.18, on obtient :

$$p(x) = 2 + x(4 + x(5 + 3x))$$

qui nécessite seulement 3 multiplications et 3 additions (et aucune élévation de puissance). On réduit donc substantiellement le nombre d'opérations nécessaires et, de plus, cette nouvelle expression est moins sensible aux effets de l'arithmétique flottante. ◆

On programme la méthode de Horner grâce à l'algorithme suivant.

Algorithme 1.39: Méthode de Horner

1. Étant donnés :
   — les coefficients a_i d'un polynôme $p(x)$ de degré n ;
   — une abscisse x ;
   — la variable p_n qui contiendra la valeur du polynôme en x.
2. Initialisation : $p_n = a_n$.
3. Pour $i = n, n-1, n-2, \cdots, 2, 1$, effectuer :

   3.1. $p_n = a_{i-1} + p_n x$.
4. Écrire x, $p(x) = p_n$.

1.6   Erreurs de troncature

Les erreurs de troncature constituent la principale catégorie d'erreurs. Tout au long de ce manuel, nous abordons des méthodes de résolution qui comportent des erreurs de troncature plus ou moins importantes. L'*ordre* d'une méthode dépend du nombre de termes utilisés dans les développements de Taylor appropriés. Il est donc essentiel de revoir en détail le développement de Taylor, car il constitue l'outil fondamental de l'analyse numérique.

Remarque 1.40. Il est important de ne pas confondre les erreurs de troncature traitées dans cette section et la troncature utilisée pour la représentation des nombres sur ordinateur. ◄

1.6.1   Développement de Taylor en une variable

Il existe plusieurs façons d'introduire le développement de Taylor. Une façon très simple consiste à le présenter formellement comme un problème d'approximation au voisinage d'un point x_0. On se demande alors quel est le polynôme de degré 0 (noté $P_0(x)$) qui donne la meilleure approximation d'une fonction $f(x)$ donnée dans le voisinage du point x_0. Selon la figure 1.5, ce polynôme est :

$$P_0(x) = f(x_0)$$

On peut pousser plus loin l'analyse et chercher le meilleur polynôme de degré 1 de la forme :

$$P_1(x) = a_0 + a_1(x - x_0) \tag{1.19}$$

On pourrait tout aussi bien chercher un polynôme de forme plus classique :

$$P_1(x) = b_0 + b_1\, x$$

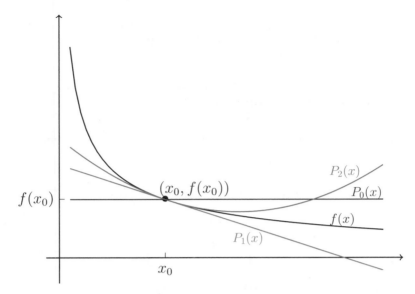

Figure 1.5 – Approximation de $f(x)$ au voisinage de x_0

Ces deux expressions sont équivalentes et aboutissent au même résultat. La forme 1.19 est plus pratique et plus naturelle puisqu'elle s'articule autour du point x_0.

On doit introduire deux conditions pour déterminer les deux constantes. Intuitivement, la meilleure droite (polynôme de degré 1) est celle qui passe par $(x_0, f(x_0))$ et dont la pente est celle de la fonction $f(x)$ en x_0, ce qui entraîne que :

$$\begin{cases} P_1(x_0) &= f(x_0) \\ P_1'(x_0) &= f'(x_0) \end{cases}$$

ou encore :

$$\begin{cases} a_0 &= f(x_0) \\ a_1 &= f'(x_0) \end{cases}$$

Il en résulte l'expression suivante :

$$P_1(x) = f(x_0) + f'(x_0)\,(x - x_0)$$

On peut bien sûr poursuivre ce raisonnement à condition que la fonction $f(x)$ soit suffisamment dérivable. Dans le cas d'un polynôme de degré 2, on imposerait :

$$\begin{cases} P_2(x_0) &= f(x_0) \\ P_2'(x_0) &= f'(x_0) \\ P_2''(x_0) &= f''(x_0) \end{cases}$$

pour obtenir facilement :

$$P_2(x) = f(x_0) + f'(x_0)\,(x - x_0) + \frac{f''(x_0)\,(x - x_0)^2}{2}$$

On peut constater facilement à la figure 1.5 que plus le degré du polynôme augmente, mieux il épouse la forme de la fonction $f(x)$ au voisinage du point $(x_0, f(x_0))$, ce qui est précisément l'effet recherché. En poursuivant ce raisonnement jusqu'à l'ordre n, c'est-à-dire en imposant l'égalité des dérivées jusqu'à l'ordre n, on obtient le *polynôme de Taylor de degré n* de la fonction $f(x)$ autour de x_0.

Définition 1.41: Polynôme de Taylor

Le polynôme de Taylor de degré n de la fonction $f(x)$ autour de x_0 est défini par :

$$
P_n(x) = f(x_0) + f'(x_0)\,(x - x_0) + \frac{f''(x_0)\,(x - x_0)^2}{2!}
$$

$$
+ \frac{f'''(x_0)\,(x - x_0)^3}{3!} + \cdots + \frac{f^{(n)}(x_0)\,(x - x_0)^n}{n!}
\tag{1.20}
$$

où $f^{(n)}(x_0)$ désigne la dérivée d'ordre n de $f(x)$ en x_0.

Ce polynôme donne une approximation de la fonction $f(x)$ au voisinage de x_0. Il n'y a cependant pas égalité en ce sens que, si l'on utilise l'équation 1.20 pour estimer $f(x)$, on commettra une erreur.

Remarque 1.42. On choisit généralement le point x_0 où l'on développe le polynôme de Taylor de façon à ce que l'on puisse facilement évaluer la fonction $f(x)$ ainsi que ses dérivées. ◄

Le résultat suivant quantifie l'erreur commise lorsque l'on utilise le polynôme de Taylor (Thomas et Finney, réf. [44]).

Théorème 1.43: Développement de Taylor

Soit $f(x)$, une fonction dont les dérivées jusqu'à l'ordre $(n + 1)$ existent au voisinage du point x_0. On a l'égalité suivante :

$$
f(x) = P_n(x) + R_n(x)
\tag{1.21}
$$

où $P_n(x)$ est le polynôme de Taylor 1.20 et $R_n(x)$ est l'erreur commise (parfois appelé le reste), qui est donnée par :

$$
R_n(x) = \frac{f^{(n+1)}(\xi(x))\,(x - x_0)^{n+1}}{(n + 1)!}
\tag{1.22}
$$

pour un certain $\xi(x)$ compris entre x_0 et x.

Remarque 1.44. L'équation 1.21 est une égalité et ne devient une approximation que lorsque le terme d'erreur $R_n(x)$ est négligé. Le terme d'erreur de l'équation 1.22 a tendance à augmenter lorsque x s'éloigne de x_0 en raison du terme $(x - x_0)^{n+1}$ (voir la figure 1.5). Inversement, pour une valeur de x près de x_0, le terme d'erreur 1.22 est de plus en plus petit lorsque n augmente.

Tout ce que l'on peut dire du point $\xi(x)$ est qu'il existe et qu'il varie avec x, mais on ne connaît pas sa valeur exacte. Il n'est donc pas possible d'évaluer le terme d'erreur exactement. On peut tout au plus lui trouver une borne supérieure dans certains cas.

Enfin, on commet une *erreur de troncature* chaque fois que l'on utilise le développement de Taylor et que l'on néglige le terme d'erreur 1.22. ◀

Un cas particulier du théorème précédent est le premier *théorème de la moyenne*, qui équivaut à poser $n = 0$ dans le développement de Taylor.

Corollaire 1.45: Théorème de la moyenne

Soit $f(x)$, une fonction dérivable dans l'intervalle $[x_0, x]$. Alors il existe ξ dans $[x_0, x]$ tel que :

$$f(x) = f(x_0) + f'(\xi)(x - x_0) \quad \text{ou bien} \quad f(x) - f(x_0) = f'(\xi)(x - x_0) \quad (1.23)$$

On crée une forme plus pratique du développement de Taylor en remplaçant x par $x_0 + h$ ou encore l'expression $x - x_0$ par h. On obtient ainsi :

$$f(x_0 + h) = P_n(h) + R_n(h) \quad (1.24)$$

où :

$$P_n(h) \;=\; f(x_0) + f'(x_0)\, h + \frac{f''(x_0)\, h^2}{2!} + \cdots + \frac{f^{(n)}(x_0)\, h^n}{n!} \quad (1.25)$$

et :

$$R_n(h) = \frac{f^{(n+1)}(\xi(h))\, h^{n+1}}{(n+1)!} \quad (1.26)$$

pour $\xi(h)$ compris entre x_0 et $x_0 + h$. Le plus souvent, nous utiliserons des valeurs de h positives mais rien n'interdit que h ne puisse être négatif. Si $h > 0$, on aura $\xi(h) \in [x_0, x_0 + h]$ et dans le cas contraire, ce sera $\xi(h) \in [x_0 + h, x_0]$.

Exemple 1.46. On considère la fonction $f(x) = e^x$ au voisinage de $x_0 = 0$. Puisque toutes les dérivées de e^x sont égales à e^x et valent 1 en $x_0 = 0$, le développement de Taylor de degré n devient :

$$e^{x_0 + h} = e^h \simeq P_n(h) = 1 + h + \frac{h^2}{2!} + \frac{h^3}{3!} + \cdots + \frac{h^n}{n!}$$

et l'expression du terme d'erreur de l'équation 1.26 est :

$$R_n(h) = \frac{e^{\xi(h)} h^{n+1}}{(n+1)!}$$

où $\xi(h)$ est compris entre 0 et h. On peut dans ce cas déterminer une borne supérieure pour le terme d'erreur. Si $h > 0$, alors $\xi(h) \in [0, h]$ et puisque la fonction exponentielle est croissante, on a $e^{\xi(h)} \leq e^h$ et l'on conclut que :

$$|R_n(h)| \leq \frac{e^h h^{n+1}}{(n+1)!} \quad (1.27)$$

Par contre, si h est négatif, alors $\xi(h) \in [h, 0]$ et on a $e^{\xi(h)} \leq e^0 = 1$ et la borne devient :

$$|R_n(h)| \leq \frac{e^0 |h|^{n+1}}{(n+1)!} = \frac{|h|^{n+1}}{(n+1)!}$$

On peut utiliser le développement de Taylor de l'exponentielle pour estimer la valeur de $e^{0,1}$ en prenant $h = 0,1$. Puisque h est positif, on peut utiliser la borne 1.27 et pour différentes valeurs de n, on obtient le tableau suivant :

		Évaluation de exp (0,1)		
n	$P_n(0,1)$	Erreur absolue	Nombre de chiffres significatifs	Borne 1.27 pour le terme d'erreur
0	1,000 0000	$0,105 \times 10^0$	1	$0,111 \times 10^0$
1	1,100 0000	$0,517 \times 10^{-2}$	2	$0,552 \times 10^{-2}$
2	1,105 0000	$0,171 \times 10^{-3}$	4	$0,184 \times 10^{-3}$
3	1,105 1667	$0,420 \times 10^{-5}$	6	$0,460 \times 10^{-5}$

On obtient l'erreur absolue simplement en comparant le résultat avec la valeur exacte $1,105\,170\,918$, tandis que la borne supérieure de l'erreur provient de l'équation 1.27 avec $h = 0,1$. Enfin, si l'on prend $h = 0,05$ et $n = 3$ pour estimer $e^{0,05}$, on obtient $P_3(0,05) = 1,051\,270\,833$ et une erreur absolue d'environ $0,263 \times 10^{-6}$. On remarque de plus que le rapport des erreurs absolues liées à $P_3(h)$ est :

$$\frac{|P_3(0,1) - e^{0,1}|}{|P_3(0,05) - e^{0,05}|} = \frac{0,4245 \times 10^{-5}}{0,263 \times 10^{-6}} = 16,14$$

La valeur de ce rapport n'est pas fortuite. La définition suivante permet de comprendre d'où provient cette valeur (Bourdeau et Gélinas, réf. [4]). ♦

Définition 1.47: Grand ordre

Une fonction $f(h)$ est un grand ordre de h^n au voisinage de 0 (noté $f(h) = O(h^n)$) s'il existe une constante positive C telle que :

$$\left| \frac{f(h)}{h^n} \right| \leq C$$

au voisinage de 0.

Bien qu'imprécise, cette définition exprime assez bien les caractéristiques d'une fonction de type $O(h^n)$. Lorsque h est assez petit, la fonction $O(h^n)$ décroît comme Ch^n. Plus n est grand, plus la décroissance est rapide. Ainsi, une fonction $O(h^3)$ décroît plus vite qu'une fonction $O(h^2)$, qui elle-même décroît plus vite qu'une fonction $O(h)$. Pour avoir une idée du comportement d'une fonction de type $O(h^n)$, il suffit de remarquer que, lorsque h est divisé par 2, la fonction $O(h^n)$ diminue selon un facteur approximatif de 2^n. En effet, si l'on remplace h par $\frac{h}{2}$ dans Ch^n, on obtient :

$$C\left(\frac{h}{2}\right)^n = \frac{Ch^n}{2^n}$$

Remarque 1.48. Le terme d'erreur du polynôme de Taylor de degré n est généralement de type $O(h^{n+1})$. Cela explique le rapport de 16,14 obtenu dans l'exemple précédent. En effet, on y trouve un polynôme de Taylor de degré 3 dont le terme d'erreur est de type $O(h^4)$. En passant de $h = 0,1$ à $h = 0,05$, on divise h par un facteur de 2, d'où une diminution selon un facteur de $2^4 = 16$ de l'erreur. Bien sûr, le facteur de 16 est approximatif et n'est atteint qu'à des valeurs de h très petites. Dans le cas général, on note :

$$f(x_0 + h) = P_n(h) + O(h^{n+1})$$

de sorte que l'ordre du terme d'erreur, au sens de la définition qui suit, soit clairement indiqué. ◄

Définition 1.49: Ordre d'une approximation

Une approximation dont le terme d'erreur est un grand ordre de h^n ($O(h^n)$) est dite d'ordre n.

Remarque 1.50. Suivant cette définition, le polynôme de Taylor de degré n est généralement (*mais pas toujours*) une approximation d'ordre $(n + 1)$ de $f(x)$. Par exemple, le développement de Taylor de degré n de e^x autour de $x = 0$ est d'ordre $(n+1)$. L'ordre est également le degré du premier terme non nul du terme d'erreur.

Dans certains manuels, il y a confusion entre le degré et l'ordre du polynôme de Taylor. Il faut s'assurer de bien distinguer ces deux notions. ◄

Exemple 1.51. Calculer le développement de Taylor d'ordre 5 de la fonction $\sin x$ autour de $x_0 = 0$. Les dérivées de la fonction sont respectivement :

$$\begin{array}{rclcl}
f(x) & = & \sin x, & f(0) & = & 0 \\
f'(x) & = & \cos x, & f'(0) & = & 1 \\
f''(x) & = & -\sin x, & f''(0) & = & 0 \\
f'''(x) & = & -\cos x, & f'''(0) & = & -1 \\
f^{(4)}(x) & = & \sin x, & f^{(4)}(0) & = & 0 \\
f^{(5)}(x) & = & \cos x, & f^{(5)}(0) & = & 1 \neq 0
\end{array}$$

Le développement de Taylor est donc :

$$\sin(x_0 + h) = \sin(h) = h - \frac{h^3}{3!} + \frac{\cos(\xi(h))h^5}{5!}$$

Il suffit de calculer le polynôme de Taylor de degré 3 ($P_3(h)$) pour obtenir une approximation d'ordre 5 de la fonction $\sin x$. Puisque la fonction $\cos x$ est bornée en valeur absolue par 1, on note immédiatement que :

$$|R_3(h)| \leq \frac{|h|^5}{5!}$$

en rappelant que h peut éventuellement être négatif. Si l'on prend maintenant $h = 0,1$, on peut obtenir l'approximation :

$$\sin(0,1) \simeq 0,1 - \frac{(0,1)^3}{3!} = 0,099\,833\,333$$

soit une erreur absolue de $0,8332 \times 10^{-7}$. Il est à noter que la borne supérieure de l'erreur vaut $0,8333 \times 10^{-7}$, ce qui est très près de la valeur exacte. Si l'on prend $h = 0,2$, on trouve :

$$\sin(0,2) \simeq 0,2 - \frac{(0,2)^3}{3!} = 0,198\,666\,6667$$

et une erreur absolue de $0,2664 \times 10^{-5}$. On remarque de plus que le rapport entre les deux erreurs absolues est :

$$\frac{0,2664 \times 10^{-5}}{0,8332 \times 10^{-7}} = 31,97$$

ce qui confirme que cette approximation est bien d'ordre 5. En prenant une valeur de h deux fois plus grande, on trouve une erreur à peu près $2^5 = 32$ fois plus grande. Cet exemple montre que le polynôme de Taylor de degré 3 de la fonction $f(x) = \sin x$ est d'ordre 5. ♦

Exemple 1.52. Calculer le développement de Taylor de degré 3 de la fonction $\frac{1}{\sqrt{x}}$ autour de $x_0 = 1$. Les dérivées de la fonction sont respectivement :

$$
\begin{array}{rclcrcl}
f(x) & = & x^{-1/2}, & \quad & f(1) & = & 1 \\[2mm]
f'(x) & = & -\frac{1}{2}x^{-3/2}, & & f'(1) & = & -\frac{1}{2} \\[2mm]
f''(x) & = & \frac{3}{4}x^{-5/2}, & & f''(1) & = & \frac{3}{4} \\[2mm]
f'''(x) & = & -\frac{15}{8}x^{-7/2}, & & f'''(1) & = & -\frac{15}{8} \\[2mm]
f^{(4)}(x) & = & \frac{105}{16}x^{-9/2}, & & f^{(4)}(1) & = & \frac{105}{16} \neq 0
\end{array}
$$

Notons en premier lieu qu'il ne serait pas possible de faire le développement autour de $x_0 = 0$ car la fonction n'y est pas définie. Si on utilise la forme 1.21, le développement de Taylor est donc :

$$f(x) = \frac{1}{\sqrt{x}} = 1 - \frac{1}{2}(x-1) + \frac{3}{8}(x-1)^2 - \frac{15}{48}(x-1)^3 + \frac{105}{384}(\xi(x))^{-9/2}(x-1)^4 \tag{1.28}$$

pour un certain $\xi(x)$ entre 1 et x. Le dernier terme à droite est bien sûr le terme d'erreur $R_3(x)$ suivant la notation de l'équation 1.22. Ce développement est de degré 3 et d'ordre 4 et n'est valide qu'au voisinage de 1 c.-à-d. pour des valeurs de x près de 1.

En posant $h = x - 1$, on peut retrouver la forme équivalente 1.24 :

$$f(x_0 + h) = f(1 + h) = \frac{1}{\sqrt{1+h}} = 1 - \frac{1}{2}h + \frac{3}{8}h^2 - \frac{15}{48}h^3 + \frac{105}{384}(\xi(h))^{-9/2}h^4 \tag{1.29}$$

pour un certain $\xi(h)$ entre 1 et $1 + h$. Ce développement est valide, quant à lui, pour des valeurs de h près de 0 et donc, encore ici, pour des valeurs de x près de 1. Les deux développements sont donc complètement équivalents et on peut utiliser l'un ou l'autre au besoin.

On peut par exemple estimer la valeur de $1/\sqrt{0{,}9}$. Dans le premier cas (forme 1.28), on pose simplement $x = 0{,}9$ et on remplace, en négligeant le terme d'erreur, pour obtenir 1,054 0625. Pour la forme 1.29, on pose $h = 0{,}9 - 1 = -0{,}1$ et on trouve évidemment le même résultat.

Majorons enfin le terme d'erreur. Pour $\xi(h) \in [0{,}9, 1]$ on a :

$$|R_3(h)| = \left| \frac{105}{384}(\xi(h))^{-9/2} h^4 \right| \le \frac{105}{384}(0{,}9)^{-9/2}|h|^4$$

où l'on a utilisé le fait que la fonction $x^{-9/2}$ est décroissante dans l'intervalle $[0{,}9, 1]$. Pour $h = -0{,}1$ cette borne vaut $4{,}39 \times 10^{-5}$ alors que la véritable erreur est environ $3{,}0 \times 10^{-5}$. ◆

1.6.2 Développement de Taylor en plusieurs variables

Dans le cas des fonctions de plusieurs variables, on peut reprendre le raisonnement qui a mené au développement de Taylor d'une variable. Nous nous limitons, pour les fins de l'exposé, à trois variables, le cas général étant similaire.

Théorème 1.53: Développement de Taylor en 3 variables

Soit $f(x_1, x_2, x_3)$, une fonction de trois variables, que l'on suppose suffisamment différentiable. Au voisinage du point (x_1^0, x_2^0, x_3^0), on a :

$$f(x_1^0 + h_1, x_2^0 + h_2, x_3^0 + h_3) = f(x_1^0, x_2^0, x_3^0)$$

$$+ \left(\frac{\partial f(x_1^0, x_2^0, x_3^0)}{\partial x_1} h_1 + \frac{\partial f(x_1^0, x_2^0, x_3^0)}{\partial x_2} h_2 + \frac{\partial f(x_1^0, x_2^0, x_3^0)}{\partial x_3} h_3 \right)$$

$$+ \frac{1}{2!} \left(\frac{\partial^2 f(x_1^0, x_2^0, x_3^0)}{\partial x_1^2} h_1^2 + \frac{\partial^2 f(x_1^0, x_2^0, x_3^0)}{\partial x_2^2} h_2^2 + \frac{\partial^2 f(x_1^0, x_2^0, x_3^0)}{\partial x_3^2} h_3^2 \right)$$

$$+ \left(\frac{\partial^2 f(x_1^0, x_2^0, x_3^0)}{\partial x_1 \partial x_2} h_1 h_2 + \frac{\partial^2 f(x_1^0, x_2^0, x_3^0)}{\partial x_1 \partial x_3} h_1 h_3 + \frac{\partial^2 f(x_1^0, x_2^0, x_3^0)}{\partial x_2 \partial x_3} h_2 h_3 \right)$$

$$+ \cdots$$

Les termes suivants (désignés par les pointillés) feraient intervenir les différentes dérivées partielles d'ordre 3, 4, 5, ... de la fonction.

On voit bien la similitude avec le cas d'une variable. En pratique, on utilise principalement le développement de degré 1, qui ne fait intervenir que les dérivées partielles d'ordre 1.

Exemple 1.54. Soit la fonction de deux variables :

$$f(x_1, x_2) = x_1^2 + x_1 \sin x_2$$

que l'on développe autour de $(x_1^0, x_2^0) = (1\ ,\ 0)$. On a alors $f(1\ ,\ 0) = 1$. De plus, les dérivées partielles du premier ordre de f sont :

$$\frac{\partial f(x_1, x_2)}{\partial x_1} = 2x_1 + \sin x_2 \qquad \frac{\partial f(x_1, x_2)}{\partial x_2} = x_1 \cos x_2$$

et celles du deuxième ordre sont :

$$\frac{\partial^2 f(x_1, x_2)}{\partial x_1^2} = 2 \qquad \frac{\partial^2 f(x_1, x_2)}{\partial x_2^2} = -x_1 \sin x_2 \qquad \frac{\partial^2 f(x_1, x_2)}{\partial x_1 \partial x_2} = \cos x_2$$

Au point $(1\ ,\ 0)$, ces dérivées partielles valent :

$$\frac{\partial f(1\ ,\ 0)}{\partial x_1} = 2 \qquad \frac{\partial f(1\ ,\ 0)}{\partial x_2} = 1$$

et :

$$\frac{\partial^2 f(1\ ,\ 0)}{\partial x_1^2} = 2 \qquad \frac{\partial^2 f(1\ ,\ 0)}{\partial x_2^2} = 0 \qquad \frac{\partial^2 f(1\ ,\ 0)}{\partial x_1 \partial x_2} = 1$$

Le développement de Taylor de degré 2 de cette fonction de deux variables autour du point $(1\ ,\ 0)$ est donc :

$$f(1 + h_1, 0 + h_2) \simeq 1 + 2h_1 + 1h_2 + \frac{1}{2}(2h_1^2 + 0h_2^2) + (1h_1 h_2)$$

c'est-à-dire :

$$f(1 + h_1, h_2) \simeq 1 + 2h_1 + h_2 + h_1^2 + h_1 h_2$$

En choisissant par exemple $h_1 = h_2 = 0{,}1$, on obtient l'approximation suivante :

$$f(1{,}1\ ,\ 0{,}1) \simeq 1{,}32$$

qui est proche de la valeur exacte $1{,}319\,816\,758$ avec une erreur absolue d'environ $0{,}000\,183$. Si l'on prend maintenant $h_1 = h_2 = 0{,}05$, on obtient une approximation de $f(1{,}05\ ,\ 0{,}05)$ qui vaut $1{,}155$. L'erreur absolue dans ce dernier cas est d'environ $0{,}000\,021\,825$, qui est environ $8{,}4$ fois plus petite qu'avec $h_1 = h_2 = 0{,}1$. Ce facteur de 8 s'explique par le choix d'un développement de degré 2 (et d'ordre 3) et par la division des valeurs de h_1 et h_2 par 2. ◆

1.6.3   Propagation d'erreurs dans le cas général

Nous approfondissons dans cette section plusieurs notions vues précédemment. Que peut-on dire, par exemple, de la précision des résultats obtenus lorsque l'on additionne ou que l'on multiplie des valeurs connues avec une précision limitée ? Plus généralement, si l'on a :

$$\begin{aligned} x &= x^* \pm \Delta x \\ y &= y^* \pm \Delta y \end{aligned}$$

quelle sera la précision de la fonction d'une variable $f(x^*)$ ou de la fonction de deux variables $g(x^*, y^*)$? Ici encore, le développement de Taylor apporte une solution. Considérons d'abord le cas d'une variable. Une quantité x inconnue est approchée par une valeur approximative x^* avec une erreur absolue Δx. On estime la valeur inconnue $f(x)$ par l'approximation $f(x^*)$. L'erreur absolue liée à ce résultat est :

$$\Delta f = |f(x) - f(x^*)|$$

On a de plus :

$$f(x) = f(x^* \pm \Delta x) = f(x^*) \pm f'(x^*) \, \Delta x + O((\Delta x)^2)$$

En négligeant les termes d'ordre plus grand ou égal à 2, on obtient :

$$\Delta f \simeq |f'(x^*)| \, \Delta x$$

que l'on peut également écrire :

$$f(x) = f(x^*) \pm |f'(x^*)|\Delta x \tag{1.30}$$

Exemple 1.55. On a mesuré la longueur d'un côté d'une boîte cubique et obtenu $l^* = 10{,}2$ cm avec une précision de l'ordre du millimètre ($\Delta l = 0{,}1$ cm). On cherche le volume v de cette boîte. Dans ce cas, $f(l) = l^3 = v$ et l'erreur liée au volume est :

$$\Delta v \simeq |f'(l^*)| \, \Delta l = 3 \, (10{,}2)^2 \times 0{,}1 = 31{,}212 \leq 0{,}5 \times 10^2$$

La valeur approximative du volume est $(10{,}2)^3 = 1061{,}2$ cm^3, dont seuls les deux premiers chiffres (1 et 0) sont significatifs. ◆

On traite les fonctions de plusieurs variables en faisant appel au développement de Taylor en plusieurs variables. Nous donnons le résultat en dimension 3 seulement, car le cas général ne pose aucune difficulté supplémentaire.

Remarque 1.56. En pratique, si $f(x, y, z)$ est une fonction de trois variables x, y et z elles-mêmes approchées par x^*, y^* et z^* avec une précision de Δx, de Δy et de Δz respectivement, alors l'erreur absolue Δf est estimée par :

$$\Delta f \simeq \left|\frac{\partial f(x^*, y^*, z^*)}{\partial x}\right| \Delta x + \left|\frac{\partial f(x^*, y^*, z^*)}{\partial y}\right| \Delta y + \left|\frac{\partial f(x^*, y^*, z^*)}{\partial z}\right| \Delta z \tag{1.31}$$

◄

Exemple 1.57. Un signal électrique est donné par :

$$V = A \, \sin(\omega t - \phi)$$

où V est la tension, A est l'amplitude du signal ($A^* = 100$ V), ω est la fréquence ($\omega^* = 3$ rad/s), ϕ est le déphasage ($\phi^* = 0{,}55$ rad) et t est le temps ($t^* = 0{,}001$ s). En supposant que A et ω sont connus exactement ($A = A^*$, $\omega = \omega^*$) et que ϕ^* et t^* possèdent respectivement 2 et 1 chiffres significatifs, il s'agit d'évaluer l'erreur absolue liée à V ainsi que le nombre de chiffres significatifs.

Puisque A et ω sont connus exactement, on sait immédiatement que ΔA et $\Delta \omega$ sont nuls et qu'ils n'ont aucune contribution à l'erreur liée à V. Par ailleurs :

$$\Delta t = 0{,}5 \times 10^{-3} \quad \text{et} \quad \Delta \phi = 0{,}5 \times 10^{-2}$$

de sorte que l'erreur totale est :

$$\Delta V \simeq \left| \frac{\partial V(t^*, \phi^*)}{\partial t} \right| \Delta t + \left| \frac{\partial V(t^*, \phi^*)}{\partial \phi} \right| \Delta \phi$$

c'est-à-dire :

$$\Delta V \simeq |A^* \omega^* \cos(\omega^* t^* - \phi^*)| \times (0,5 \times 10^{-3}) + |-A^* \cos(\omega^* t^* - \phi^*)| \times (0,5 \times 10^{-2})$$

ce qui donne :

$$\begin{aligned} \Delta V &\simeq 256,226\,662\,35 \times (0,5 \times 10^{-3}) + |-85,408\,874\,5| \times (0,5 \times 10^{-2}) \\ &= 0,555\,157\,684 \end{aligned}$$

La tension approximative est $V^* = A^* \sin(\omega^* t^* - \phi^*) = -52,012\,730\,71$ et puisque $\Delta V \leq 0,5 \times 10^1$, ce nombre n'a qu'un seul chiffre significatif. ♦

Quelques cas particuliers méritent notre l'attention. De l'équation 1.31, on peut déduire la façon dont se propagent les erreurs dans les opérations élémentaires. En effet, en prenant par exemple $f(x, y) = x \div y$, on trouve :

$$\Delta f \simeq \left| \frac{1}{y^*} \right| \Delta x + \left| \frac{-x^*}{(y^*)^2} \right| \Delta y = \frac{|y^*| \Delta x + |x^*| \Delta y}{(y^*)^2}$$

ou encore :

$$\Delta(x \div y) \simeq \frac{|y^*| \Delta x + |x^*| \Delta y}{(y^*)^2}$$

On obtient ainsi le tableau suivant à partir de l'équation 1.31.

Opérations élémentaires		
Opération	Erreur absolue	Erreur relative
$x + y$	$\Delta x + \Delta y$	$\dfrac{\Delta x + \Delta y}{\|x^* + y^*\|}$
$x - y$	$\Delta x + \Delta y$	$\dfrac{\Delta x + \Delta y}{\|x^* - y^*\|}$
$x \times y$	$\|y^*\|\Delta x + \|x^*\|\Delta y$	$\dfrac{\Delta x}{\|x^*\|} + \dfrac{\Delta y}{\|y^*\|}$
$x \div y$	$\dfrac{\|y^*\|\Delta x + \|x^*\|\Delta y}{\|y^*\|^2}$	$\dfrac{\Delta x}{\|x^*\|} + \dfrac{\Delta y}{\|y^*\|}$

$$(1.32)$$

On remarque que les erreurs absolues pour la soustraction s'*additionnent*. Le tableau montre également la similitude entre la propagation d'erreurs et la différentiation d'une somme, d'une différence, d'un produit et d'un quotient de deux fonctions. Notons enfin que l'erreur relative sur le produit ou le quotient de 2 nombres est tout simplement la somme des erreurs relatives sur chacun de ces nombres.

1.7 Évaluation de l'exponentielle

Une calculatrice, ou plus généralement un ordinateur moderne, ne peut essentiellement effectuer que les opérations arithmétiques élémentaires : addition, soustraction, multiplication et division. Pour effectuer des tâches plus complexes comme l'évaluation des fonctions trigonométriques, exponentielles, logarithmiques, etc., l'ordinateur doit recourir à des approximations qui ne nécessitent que l'utilisation de ces quatre opérations élémentaires. On constate immédiatement que les polynômes, par l'entremise du schéma de Horner, sont d'excellents candidats pour l'approximation de fonctions plus complexes. On croit souvent que c'est en utilisant les développements de Taylor que l'on évalue ces fonctions mais nous verrons un peu plus loin dans cette section une façon beaucoup plus précise et beaucoup plus efficace. Voyons tout de même ce que le développement de Taylor peut faire dans le cas de la fonction exponentielle.

1.7.1 Une première approche

Rappelons que le développement de Taylor de la fonction e^x autour de 0 est :

$$e^x \;=\; 1 + x + \frac{x^2}{2!} + \frac{x^3}{3!} + \cdots + \frac{x^n}{n!} + \cdots = S_n + \cdots \tag{1.33}$$

On pourrait montrer que cette série est convergente pour tout x. Dans l'expression 1.33, S_n désigne la somme des $(n+1)$ premiers termes de la série et on peut se servir de cette somme partielle pour approcher l'exponentielle comme nous l'avons fait dans l'exemple 1.46. En absence d'erreur d'arrondi, plus n est grand, plus S_n devrait s'approcher de e^x. Il reste donc à évaluer S_n et c'est précisément le rôle de l'algorithme suivant.

Algorithme 1.58: Évaluation de l'exponentielle

1. Étant donnés :
   — Le degré n du polynôme de Taylor 1.33 ;
   — Une abscisse x où on souhaite évaluer ce polynôme.
2. Initialisations :
   — $S_n = 1$. Le premier terme de la série.
   — $a_i = 1$. Cette variable contiendra $1/i!$.
   — $x^i = 1$. Première puissance de x (x^0).
3. Pour i allant de 1 à n, effectuer :
   3.1. $a_i = a_i/i$. Évaluation de $(1/i!)$.
   3.2. $x^i = x^i\,x$. Évaluation de la puissance de x.
   3.3. $S_n = S_n + a_i\,x^i$. Mise à jour de la somme partielle.
4. Imprimer la valeur finale S_n.

On peut aisément traduire cet algorithme dans Matlab. Par exemple, en choisissant $x = 2$, on trouve les valeurs suivantes pour S_n ainsi que l'erreur commise :

Évaluation de $e^2 = 7{,}389\,056\,098\,930\,650$		
n	S_n	$|S_n - e^2|$
10	$7{,}388\,994\,708\,994\,708$	$6{,}13 \times 10^{-5}$
20	$7{,}389\,056\,098\,930\,604$	$4{,}61 \times 10^{-14}$

On constate facilement que l'erreur diminue avec n. Il en est de même en $x = -2$:

Évaluation de $e^{-2} = 1{,}353\,352\,832\,366\,127 \times 10^{-1}$		
n	S_n	$|S_n - e^{-2}|$
10	$1{,}353\,791\,887\,125\,221 \times 10^{-1}$	$4{,}39 \times 10^{-5}$
20	$1{,}353\,352\,832\,366\,504 \times 10^{-1}$	$3{,}76 \times 10^{-14}$

Tout semble donc bien fonctionner. Essayons maintenant en $x = 20$.

Évaluation de $e^{20} = 4{,}851\,651\,954\,097\,903 \times 10^8$		
n	S_n	$|S_n - e^{20}|$
20	$2{,}712\,522\,628\,807\,555 \times 10^8$	$2{,}13 \times 10^{+8}$
40	$4{,}851\,528\,594\,451\,357 \times 10^8$	$1{,}24 \times 10^{+4}$
60	$4{,}851\,651\,954\,097\,233 \times 10^8$	$6{,}69 \times 10^{-5}$
80	$4{,}851\,651\,954\,097\,902 \times 10^8$	$1{,}19 \times 10^{-7}$

Il faut cette fois des valeurs de n beaucoup plus grandes pour avoir une précision acceptable. Rappelons que le développement de Taylor 1.33 a été fait autour de $x_0 = 0$ et que 20 n'est pas tout près de 0. Par contre, si on essaie d'évaluer e^{-20} ($x = -20$), on trouve :

Évaluation de $e^{-20} = 2{,}061\,153\,622\,438\,558 \times 10^{-9}$		
n	S_n	$|S_n - e^{-20}|$
40	$+4{,}442\,034\,363\,115\,643 \times 10^{+3}$	$4{,}44 \times 10^{+3}$
60	$+3{,}430\,788\,116\,680\,141 \times 10^{-5}$	$3{,}43 \times 10^{-5}$
70	$-7{,}168\,916\,404\,823\,115 \times 10^{-9}$	$9{,}23 \times 10^{-9}$
80	$-7{,}386\,049\,611\,859\,184 \times 10^{-9}$	$9{,}44 \times 10^{-9}$

Les résultats sont plus que décevants. Il ne faut pas se laisser berner par le fait que l'erreur en valeur absolue est faible pour $n = 70$ et $n = 80$. Les approximations obtenues sont négatives et donc absurdes puisque l'exponentielle est positive quelle que soit la valeur de x. C'est un bon exemple de calcul instable.

L'explication vient principalement de l'alternance des signes des puissances successives de x (puisque x est négatif) et le phénomène d'élimination par soustraction des chiffres significatifs (voir la section 1.5.2) se produit de façon systématique.

Une façon de contourner ce problème est de n'utiliser le développement de Taylor que pour des valeurs de x positives et de poser, pour $x > 0$:

$$e^{-x} = \frac{1}{e^x}$$

On évite ainsi l'alternance des signes dans la somme partielle et on obtient des résultats beaucoup plus précis au prix d'une division supplémentaire.

On en conclut que, sous sa forme actuelle, le développement de Taylor n'est pas une méthode fiable et qu'elle est peu efficace, à tout le moins pour les grandes valeurs de $|x|$. Il faut en effet dans ce cas de grandes valeurs de n pour obtenir une bonne précision. Comme nous le verrons maintenant, le développement de Taylor sera quand même utile pour obtenir une méthode beaucoup plus performante.

1.7.2 Une meilleure approche

Voyons maintenant comment obtenir une valeur numérique précise de la fonction exponentielle, et ce, pour toute valeur de x sur la droite réelle. Des procédures similaires à celle que nous décrivons ici existent pour les fonctions trigonométriques, logarithmiques, etc. Nous nous servirons des *approximations rationnelles de Padé* dont nous ferons une très brève et incomplète description. [2]

La première difficulté vient du fait que l'on doit pouvoir calculer l'exponentielle pour toute valeur de x. Il faut donc impérativement réduire la longueur de l'intervalle sur lequel on doit travailler. Pour ce faire, on remarque que, quel que soit le nombre x dans $] - \infty , \infty[$, on peut toujours écrire :

$$x = N^* \ln 2 + g$$

où N^* est un entier (éventuellement négatif) et g un nombre réel appartenant à l'intervalle $] - \frac{\ln 2}{2} , \frac{\ln 2}{2}[$. En effet, il suffit de diviser le nombre x par la quantité $\ln 2$ pour obtenir :

$$\frac{x}{\ln 2} = N + f \ \text{ ou encore } \ x = N \ln 2 + f \ln 2$$

où N est la partie entière et f la partie fractionnaire du résultat de la division. On distingue alors 2 cas : si f est dans l'intervalle $[0 , \frac{1}{2}]$, on prend $N^* = N$ et $g = f \ln 2$ et il est clair que $g \in [0 , \frac{\ln 2}{2}]$.

Par contre, si f est dans l'intervalle $[\frac{1}{2} , 1[$, on écrit dans ce cas :

$$x = (N + 1) \ln 2 + (f - 1) \ln 2$$

et l'on pose $N^* = N + 1$ et $g = (f - 1) \ln 2$. On vérifie alors facilement que $g \in] - \frac{\ln 2}{2} , 0[$. Si le nombre x est négatif, on effectue la procédure précédente avec le nombre positif $|x|$ et on multiplie le résultat par -1.

Par exemple, si $x = 10$, alors :

$$\frac{10}{\ln 2} = 14{,}426\,950\,408\,889\,635$$

et $N = 14$ et $f = 0{,}426\,950\,408\,889\,635$. Puisque f est dans l'intervalle $[0 , \frac{1}{2}]$, on a :

$$10 = 14 \ln 2 + 0{,}426\,950\,408\,889\,635(\ln 2) = 14 \ln 2 + 0{,}295\,939\,472\,160\,766$$

---

2. Henri Eugène Padé (1863-1953) était un mathématicien français connu pour ses travaux sur l'approximation des fonctions par des fonctions rationnelles et qui fut l'élève de Charles Hermite.

ce qui entraîne que $N^* = 14$ et $g = 0,295\,939\,472\,160\,766$. Par contre, pour $x = -20$, on a :

$$\frac{20}{\ln 2} = 28,853\,900\,817\,779\,27$$

Puisque la partie fractionnaire est supérieure à $\frac{1}{2}$, on a :

$$
\begin{aligned}
20 &= 28\ln 2 + 0,853\,900\,817\,779\,27(\ln 2)\\
&= 29\ln 2 + (0,853\,900\,817\,779\,27 - 1)\ln 2\\
&= 29\ln 2 - 0,101\,268\,236\,238\,4147
\end{aligned}
$$

et en multipliant par (-1), on a $N^* = -29$ et $g = 0,101\,268\,236\,238\,4147$.

Une fois cette décomposition obtenue, on évalue l'exponentielle à l'aide de la relation :

$$e^x = e^{N^*\ln 2 + g} = e^g \times 2^{N^*} \tag{1.34}$$

Puisque l'ordinateur travaille très souvent en base 2, cette forme est idéale. Il ne reste plus qu'à obtenir une approximation de e^g pour $g \in\,]-\frac{\ln 2}{2}\,,\,\frac{\ln 2}{2}[$, ce qui est quand même plus facile. Nous allons considérer une approximation rationnelle, qui n'est rien d'autre qu'un quotient de polynômes, de la forme :

$$r(x) = \frac{a_0 + a_1 x + a_2 x^2}{1 + b_1 x + b_2 x^2}$$

En se servant du développement de Taylor de degré 4 ($p_4(x)$) de l'exponentielle, on peut déterminer les différentes constantes a_i et b_i en posant :

$$e^x = 1 + x + \frac{x^2}{2!} + \frac{x^3}{3!} + \frac{x^4}{4!} + O(x^5) \simeq \frac{a_0 + a_1 x + a_2 x^2}{1 + b_1 x + b_2 x^2}$$

En développant cette égalité, on obtient :

$$\left(1 + x + \frac{x^2}{2!} + \frac{x^3}{3!} + \frac{x^4}{4!} + O(x^5)\right)\left(1 + b_1 x + b_2 x^2\right) = a_0 + a_1 x + a_2 x^2$$

et en négligeant tous les termes de degré supérieur à 4 :

$$
\begin{aligned}
a_0 + a_1 x + a_2 x^2 &= 1 + (b_1 + 1)\,x + \left(\frac{1}{2} + b_1 + b_2\right) x^2 \\
&\quad + \left(\frac{1}{6} + \frac{b_1}{2} + b_2\right) x^3 + \left(\frac{1}{24} + \frac{b_1}{6} + \frac{b_2}{2}\right) x^4
\end{aligned}
$$

Une telle égalité n'est possible pour tout x que si les coefficients des puissances de x de part et d'autre de l'égalité sont égaux. En commençant par ceux de x^3 et x^4, on peut déterminer facilement b_1 et b_2 et par la suite a_0, a_1 et a_2. On obtient alors l'approximation d'ordre 5 suivante :

$$r(x) = \frac{1 + \frac{x}{2} + \frac{x^2}{12}}{1 - \frac{x}{2} + \frac{x^2}{12}} = \frac{x^2 + 6x + 12}{x^2 - 6x + 12}$$

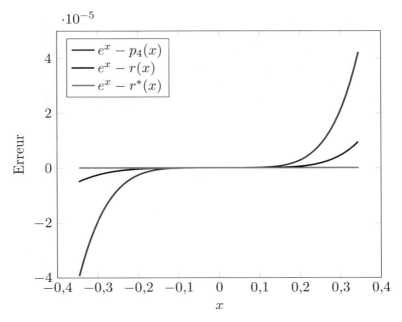

Figure 1.6 – Erreurs commises en approchant e^x par $p_4(x)$, $r(x)$ et $r^*(x)$

de la fonction e^x dans l'intervalle $]-\frac{\ln 2}{2}, \frac{\ln 2}{2}[$. Nous avons tracé à la figure 1.6 l'erreur commise en utilisant le polynôme de Taylor et la fonction rationnelle $r(x)$. On constate que l'erreur maximale commise en utilisant la fonction rationnelle est plus faible que celle obtenue par le développement de Taylor. Les deux erreurs ainsi commises sont de l'ordre de 10^{-5}. En se servant du développement fait en page 42 pour obtenir g et N^* ainsi que de la relation 1.34,

$$
\begin{aligned}
e^{-20} &= e^{0,101\,268\,236\,238\,4147} \times 2^{-29} \\
&\simeq r(0,101\,268\,236\,238\,4147) \times 2^{-29} \\
&= 1,106\,573\,408\,672\,009 \times 2^{-29} \\
&= 2,061\,153\,591\,930\,884 \times 10^{-9}
\end{aligned}
$$

et donc une valeur assez proche de la valeur exacte. Rappelons que l'utilisation directe du développement de Taylor à la page 40 nous avait donné une valeur négative...

Ce n'est certes pas suffisamment précis pour que l'on puisse se servir de cette approximation dans un ordinateur. D'autres approximations rationnelles sont encore plus précises. Considérons par exemple (voir Cody et Waite [10]) :

$$
r^*(x) = \frac{Q(x) + xP(x)}{Q(x) - xP(x)}
$$

où :

$$
\begin{aligned}
P(x) &= 0,249\,999\,999\,999\,999\,993 + 0,694\,360\,001\,511\,792\,852 \times 10^{-2}\,x^2 \\
&\quad + 0,165\,203\,300\,268\,279\,130 \times 10^{-4}\,x^4
\end{aligned}
$$

$$
\begin{aligned}
Q(x) &= 0,5 + 0,555\,538\,666\,969\,001\,188 \times 10^{-1}\,x^2 \\
&\quad + 0,495\,862\,884\,905\,441\,294 \times 10^{-3}\,x^4
\end{aligned}
$$

À la figure 1.6, on peut constater que l'erreur commise avec cette approximation est très faible, de l'ordre de 10^{-16}, ce qui est suffisant si l'on travaille en double précision. On remarque cependant qu'il s'agit d'un quotient de 2 polynômes de degré 5 en x, ce qui explique la grande précision. Aux fins de comparaison, la figure indique également les erreurs commises en utilisant le polynôme de Taylor de degré 4 ($p_4(x)$) et la fonction rationnelle $r(x)$.

Exercices

1.1 Tous les chiffres des nombres suivants sont significatifs. Donner une borne supérieure de l'erreur absolue et estimer l'erreur relative.

a) $0,1234$ b) $8,760$ c) $3,141\,56$
d) $0,112\,35 \times 10^{-3}$ e) $8,000$ f) $0,223\,56 \times 10^8$

1.2 Exprimer les nombres décimaux suivants en représentation binaire classique.

a) 32 b) 125 c) 1231 d) 876 e) 999 f) $12\,345$

1.3 Exprimer les entiers signés 125, -125, 0, 175 et -100 dans une forme binaire sur 8 bits en utilisant :

(a) le complément à 2.

(b) la représentation par excès $(d = 2^7)$.

1.4 Traduire les nombres binaires $0000\,0011$, $1000\,0001$ et $1111\,1111$ dans la forme décimale selon que la représentation utilisée est :

(a) la représentation binaire classique

(b) le complément à 2

(c) la représentation par excès $(d = 2^7)$

1.5 Convertir en forme binaire les fractions décimales suivantes.

a) $0,5$ b) $0,2$ c) $0,9$ d) $\frac{1}{3}$ e) $0,25$ f) $\frac{3}{8}$

1.6 Convertir les nombres suivants en simple précision IEEE-754.

a) $-52,234\,375$ b) $7112,0$ c) $16,2$

Vérifier les réponses en les retransformant en nombres décimaux. Évaluer l'erreur de représentation commise en c).

1.7 On vous propose la convention fictive IEEE-FICT pour les nombres réels normalisés qui utilise exactement les mêmes principes que la convention IEEE-754 mais sur 8 bits. Le premier bit est le bit de signe, les 3 bits suivants représentent l'exposant par excès de 3 et les 4 derniers bits sont pour la mantisse normalisée (le premier bit de la mantisse normalisée n'est pas mis en mémoire). Notons enfin que les exposants 000 et 111 sont réservés aux exceptions (nombres non normalisés) et ne peuvent donc pas être utilisés.

(a) Donner les valeurs binaires et décimales de tous les exposants possibles dans cette représentation (en excluant les exceptions).

(b) Donner le plus petit nombre positif possible dans cette représentation (indiquer la représentation binaire IEEE-FICT sur 8 bits et la valeur correspondante en décimal).

(c) Donner la précision machine pour cette représentation.

(d) Exprimer le nombre 3,25 dans la représentation IEEE-FICT.

1.8 Donner la représentation en notation flottante en base 10 des nombres suivants (arrondir en conservant 4 chiffres dans la mantisse).

$$\text{a) } e \qquad\qquad \text{b) } \tfrac{1}{6} \qquad \text{c) } \tfrac{2}{3}$$

$$\text{d) } 12{,}487 \times 10^5 \quad \text{e) } 213\,456 \quad \text{f) } 2000{,}1$$

1.9 Montrer que la loi d'associativité de l'addition n'est pas toujours respectée en arithmétique flottante. Utiliser l'arithmétique flottante à 3 chiffres et les nombres suivants : $x = 0{,}854 \times 10^3$, $y = 0{,}251 \times 10^3$ et $z = 0{,}852 \times 10^3$.

1.10 Effectuer les opérations suivantes en arithmétique flottante à 3 chiffres.

$$\text{a) } \pi\left(\tfrac{1}{\pi}\right) \qquad\quad \text{b) } 2136\,(9993 + 0{,}004\,567) \quad \text{c) } (1{,}235)^4$$

$$\text{d) } 10\,200 + 341 \quad \text{e) } (10\,200 + 341) - 9800 \qquad \text{f) } (125 \times 25) + (10 \times 2{,}5)$$

1.11 On considère l'expression :

$$x = (((((((0{,}1 \times 10^0 + 0{,}1 \times 10^{-3}) + 0{,}4 \times 10^{-3}) + 0{,}2 \times 10^{-3}) + 0{,}1 \times 10^{-3}) \\ + 0{,}2 \times 10^{-3}) + 0{,}1 \times 10^{-3})$$

(a) Calculer la valeur de x en arithmétique exacte, puis en arithmétique flottante à 3 chiffres avec arrondi, en respectant l'ordre prescrit par les parenthèses. Expliquer la différence entre les résultats. Déterminer l'erreur relative.

(b) Proposer une modification de l'ordre de sommation qui permette d'obtenir une réponse plus précise en arithmétique flottante à 3 chiffres. Valider votre réponse en calculant de nouveau l'erreur relative.

1.12 On souhaite évaluer la somme $\displaystyle\sum_{i=1}^{10} \frac{1}{i^2}$ en arithmétique flottante à 3 chiffres avec troncature de deux façons différentes.

(a) Évaluer $1/1 + 1/4 + \cdots + 1/100$;

(b) Évaluer $1/100 + 1/81 + \cdots + 1/1$.

Déterminer le résultat le plus précis en justifiant votre réponse.

1.13 Est-ce que $(x \div y)$ est équivalent à $(x \times (1 \div y))$ en arithmétique flottante ?

1.14 Combien de nombres différents peut-on représenter en arithmétique flottante à 3 chiffres (base 10) si l'exposant l est compris entre -9 et 9 ? On supposera comme il se doit que la mantisse est normalisée et l'on traitera le nombre 0 comme une exception.

1.15 On doit effectuer l'opération $1 - \cos x$ pour des valeurs de x voisines de 0. Expliquer ce qui risque de se produire du point de vue de l'arithmétique flottante et proposer une solution de rechange.

1.16 Donner une façon d'évaluer les expressions suivantes qui permette d'éviter le plus possible les erreurs dues à l'arithmétique flottante.

(a) $\cos^2\theta - \sin^2\theta$ pour des valeurs de θ autour de $\frac{\pi}{4}$

(b) $p(2)$, où $p(x) = 1 - 2x + 3x^2 - 4x^3$

(c) $\displaystyle\sum_{i=1}^{100} \frac{1}{i^2}$

1.17 La série divergente $\displaystyle\sum_{n=1}^{\infty} \frac{1}{n}$ devient convergente en arithmétique flottante. Expliquer brièvement pourquoi.

1.18 Démontrer que l'erreur relative liée à la multiplication et à la division de deux nombres est la somme des erreurs relatives liées à chacun des nombres (voir les relations 1.32).

1.19 Soit $x^* = 0{,}25 \times 10^{-2}$ une approximation de x à trois chiffres significatifs. Trouver une borne inférieure et une borne supérieure, aussi précises que possible, pour la valeur de x.
Suggestion : voir l'inégalité 1.3.

1.20 Effectuer les développements de Taylor suivants à l'ordre demandé. Utiliser la forme de l'équation 1.25. Donner l'expression analytique du terme d'erreur. Donner également une borne supérieure de l'erreur lorsque c'est possible.

(a) $f(x) = \cos(x)$ autour de $x_0 = 0$ (ordre 8)

(b) $f(x) = \sin(x)$ autour de $x_0 = 0$ (ordre 9)

(c) $f(x) = \frac{1}{x}$ autour de $x_0 = 1$ (ordre 4)

(d) $f(x) = \cos(x)$ autour de $x_0 = \frac{\pi}{2}$ (ordre 7)

1.21 Estimer les erreurs commises dans l'évaluation des fonctions suivantes. Tous les chiffres fournis sont significatifs. Indiquer le nombre de chiffres significatifs du résultat.

(a) $f(x) = \ln(x)$ en $x^* = 2{,}01$

(b) $f(x) = \arctan(x)$ en $x^* = 1{,}0100$

(c) $f(x) = x^8$ en $x^* = 1{,}123$

(d) $f(x) = (\sin(x))^2$ en $x^* = 0{,}11$

1.22 Estimer les erreurs commises dans l'évaluation des fonctions de plusieurs variables suivantes. Tous les chiffres fournis sont significatifs. Indiquer le nombre de chiffres significatifs du résultat.

(a) $f(x,y) = x^2 y^3$ en $x^* = 12{,}1$, $y^* = 3{,}721$

(b) $f(x,y,z) = -xyz$ en $x^* = 1{,}260$, $y^* = 0{,}5 \times 10^{-3}$, $z^* = 12{,}93$

1.23 La déflexion y du sommet du mât d'un voilier sous le poids de la voilure est donnée par la formule $y = \dfrac{FL^4}{8EI}$ où :

$$
\begin{aligned}
F &= \quad 750 \text{ N/m} &&\text{est la charge (supposée uniforme)}\,; \\
L &= \quad 11{,}0 \text{ m} &&\text{est la hauteur du mât}\,; \\
E &= \quad 0{,}675 \times 10^{10} \text{ Pa} &&\text{est le module d'élasticité}\,; \\
I &= \quad 0{,}75 \times 10^{-3} \text{ m}^4 &&\text{est le moment d'inertie.}
\end{aligned}
$$

On supposera que tous les chiffres fournis sont significatifs. Évaluer le nombre de chiffres significatifs de la déflexion y du sommet du mât.

1.24 Dans la revue *Science & Vie* [21] de septembre 1996, on fournit les données suivantes pour le satellite Titania d'Uranus :

$$\text{Rayon :} \quad R = 800\,000 \pm 5\,000 \text{ m}$$
$$\text{Densité :} \quad \rho = 1\,590 \pm 90 \text{ kg/m}^3$$

(a) Donner le nombre de chiffres significatifs du rayon R et de la densité ρ.

(b) En supposant que Titania soit parfaitement sphérique (de volume $V = \frac{4\pi R^3}{3}$), trouver une approximation de la masse de Titania et donner le nombre de chiffres significatifs de votre résultat.

1.25 À l'aide d'une méthode numérique, on a évalué la dérivée d'une fonction pour deux valeurs de h.

h	$f'(x_0)$	Erreur absolue
0,1	25,3121	0,0004
0,05	25,312\,475	0,000\,025

(a) Donner le nombre de chiffres significatifs de chaque approximation et arrondir au dernier chiffre significatif.

(b) Quel est l'ordre de la méthode de différentiation numérique utilisée ?

1.26 [3] Écrire un programme qui évalue la formule suivante :

$$(\sin x)' = \cos x \approx \frac{1}{h}\left(\sin(x+h) - \sin x\right)$$

au point $x = 0{,}5$ en utilisant les valeurs de $h = 10^{-p}$ avec $p = 1, 2, \cdots, 20$. Expliquer les résultats obtenus en comparant avec la valeur exacte de $\cos(0{,}5)$.

1.27 On considère la suite $\{x_n\}_{n=1}^{\infty}$ définie par :

$$x_n = \left(\frac{3\beta - \alpha}{11}\right)4^n + \left(\frac{12\alpha - 3\beta}{11}\right)\frac{1}{3^n}$$

où α et β sont des constantes.

(a) En posant $\alpha = 1$ et $\beta = \frac{1}{3}$, écrire un programme pour calculer $x_1, x_2, \cdots, x_{50}$.

(b) On perturbe maintenant légèrement la suite en posant :

$$y_n = \left(\frac{3\beta - \alpha}{11} + \epsilon\right)4^n + \left(\frac{12\alpha - 3\beta}{11} + \epsilon\right)\frac{1}{3^n}$$

En choisissant toujours $\alpha = 1$ et $\beta = \frac{1}{3}$, calculer $y_1, y_2, \cdots, y_{50}$ pour $\epsilon = 10^{-12}$ et $\epsilon = 10^{-50}$ respectivement.

(c) Expliquer les résultats.

---

3. Les exercices précédés du symbole [icône] nécessitent l'utilisation d'un ordinateur. Pour faciliter la tâche de programmation, nous recommandons le logiciel Matlab® qui possède toutes les fonctionnalités de base nécessaires à l'apprentissage des méthodes numériques.

1.28 🖥 Soit $S_n = \int_0^\pi \left(\dfrac{x}{\pi}\right)^{2n} \sin x \, dx$. Cette suite est positive car l'intégrand est une fonction positive dans l'intervalle considéré.

(a) Montrer que l'on obtient la relation de récurrence :

$$S_n = 1 - \frac{2n(2n-1)}{\pi^2} S_{n-1}, \quad n = 1, 2, \cdots$$

(b) Il est facile de s'assurer que $S_0 = 2$. Montrer expérimentalement que cette récurrence est instable en calculant $S_1, S_2..., S_{16}$. L'instabilité se traduira par l'apparition de valeurs négatives.

(c) On pourrait facilement montrer S_n tend vers 0. Utiliser cette fois la récurrence inverse, en partant de $S_{15} = 0$, pour calculer :

$$S_{14}, S_{13}, \cdots, S_0$$

Que constatez-vous ?

1.29 On utilise souvent l'approximation $\sin x \simeq x$ comme nous l'avons fait pour le problème du pendule. D'où vient cette approximation et quel est son ordre de précision ?

1.30 On peut obtenir une approximation de la fonction exponentielle $f(x) = e^x$ à l'aide de la fonction rationnelle :

$$r(x) = \frac{x^2 + 6x + 12}{x^2 - 6x + 12}$$

En comparant $r(x)$ avec les valeurs exactes de l'exponentielle en $x = 0{,}2$ et en $x = 0{,}1$, déterminer l'ordre de cette approximation.

1.31 (a) Calculer le développement de Taylor d'ordre 5, c'est-à-dire dont le terme d'erreur est de type $O(h^5)$, de la fonction $f(x) = \ln(x)$ autour de $x_0 = 1$. Donner l'expression analytique du terme d'erreur.

(b) À l'aide de ce développement, donner une approximation de $\ln(1{,}1)$. Par comparaison avec la valeur exacte ($\ln 1{,}1 = 0{,}095\,310\,179\,8$), donner le nombre de chiffres significatifs de l'approximation.

(c) Par quel facteur approximatif l'erreur obtenue en b) serait-elle réduite si l'on évaluait $\ln(1{,}025)$ au moyen du développement de Taylor obtenu en a) ? (Ne pas faire les calculs.)

1.32 En se servant d'un développement de Taylor de la fonction $\arctan x$ autour de $x_0 = 0$, on a obtenu les résultats suivants :

$$\arctan(0{,}4) = 0{,}380\,714\,667 \quad (\text{erreur absolue } = 0{,}208\,29 \times 10^{-3})$$
$$\arctan(0{,}1) = 0{,}099\,668\,667 \quad (\text{erreur absolue } = 0{,}1418 \times 10^{-7})$$

Quel était l'ordre du développement de Taylor utilisé ?

1.33 (a) Obtenir le développement de Taylor autour de $x_0 = 0$ de la fonction :

$$f(x) = \frac{1}{1-x}$$

en utilisant la forme 1.20.

(b) Poser $x = -t^2$ dans le développement obtenu en a) et obtenir le développement de Taylor de :

$$g(t) = \frac{1}{1 + t^2}$$

(c) Intégrer l'expression obtenue en b) et obtenir le développement de Taylor de la fonction $\arctan t$.

(d) Utiliser l'expression obtenue en a) et obtenir le développement de Taylor de $\ln(1 + x)$. (Remplacer x par $-x$ en premier lieu.)

1.34 La fonction d'erreur $f(x)$ est définie par :

$$f(x) = \frac{2}{\sqrt{\pi}} \int_0^x e^{-t^2} dt$$

Pour en obtenir le développement de Taylor, on peut suivre les étapes suivantes :

(a) Obtenir le développement de Taylor de e^{-x} en utilisant la forme 1.20 (limiter le développement aux 6 premiers termes).

(b) Déduire de a) le développement de Taylor de e^{-t^2}.

(c) Déduire de b) le développement de Taylor de $f(x)$.

(d) Donner une approximation de $f(1)$ en utilisant les 4 premiers termes de son développement de Taylor.

(e) Quel est l'ordre de l'approximation obtenue en d) ?

(f) Donner le nombre de chiffres significatifs de l'approximation obtenue en d) en la comparant avec la valeur exacte $f(1) = 0{,}842\,701$.

1.35 (a) Obtenir le développement de Taylor d'ordre 3 de la fonction :

$$f(x) = \sqrt{1 + x}$$

autour de $x_0 = 0$.

(b) Donner l'expression analytique du terme d'erreur pour le développement obtenu en a).

(c) À l'aide du polynôme trouvé en a), donner des approximations de $\sqrt{1{,}1}$ et $\sqrt{1{,}025}$ et calculer les erreurs absolues e_1 et e_2 commises en comparant avec les valeurs exactes correspondantes. Donner le nombre de chiffres significatifs de chaque approximation.

(d) Effectuer le rapport $\left| \frac{e_1}{e_2} \right|$ et expliquer le résultat.

1.36 Si $f(x) = \sqrt{4 + x}$.

(a) Trouver le développement de Taylor de degré 2 de la fonction $f(x)$ au voisinage de $x_0 = 0$.

(b) En utilisant le polynôme obtenu en a), donner une approximation de $\sqrt{3{,}9}$. En utilisant la valeur «exacte» de $\sqrt{3{,}9}$ (donnée par votre calculatrice par exemple), estimer l'erreur absolue et l'erreur relative commises.

(c) Quels sont les chiffres significatifs de l'approximation obtenue en a) ?

Chapitre 2

Équations non linéaires

2.1 Introduction

De nombreux problèmes pratiques nécessitent la résolution d'équations algébriques de la forme :

$$f(x) = 0 \qquad (2.1)$$

et ce, dans toutes sortes de contextes. Introduisons dès maintenant la terminologie qui nous sera utile pour traiter ce problème.

Définition 2.1: Zéro ou racine d'une fonction

Une valeur de x solution de $f(x) = 0$ est appelée une *racine* ou un *zéro* de la fonction $f(x)$ et est notée r.

Nous avons tous appris au secondaire comment résoudre l'équation du second degré :

$$ax^2 + bx + c = 0$$

dont les deux racines sont :

$$\frac{-b \pm \sqrt{b^2 - 4ac}}{2a}$$

Certains ont également vu comment calculer les racines d'une équation du troisième ordre et se souviennent que la formule est beaucoup plus complexe. On peut aussi obtenir une formule générale pour le quatrième degré. Par contre, on ignore souvent qu'il n'existe pas de formule permettant de trouver les racines des polynômes de degré plus grand ou égal à 5. Non pas que les mathématiciens ne l'aient pas encore trouvée, mais Abel[1] et par la suite Galois[2] ont démontré qu'une telle formule n'existe pas.

Puisqu'il n'existe pas de formule générale pour des fonctions aussi simples que des polynômes, il est peu probable que l'on puisse résoudre analytiquement

---

[1]. Le mathématicien norvégien Niels Henrik Abel (1802-1829) fut à l'origine de la première démonstration de cet important résultat.

[2]. Le mathématicien Évariste Galois (1811-1832) fut tué dans un duel à l'âge de 21 ans, non sans avoir eu le temps d'apporter une contribution considérable à la théorie des groupes.

l'équation 2.1 dans tous les cas qui nous intéressent. Il faudra donc recourir aux méthodes numériques. Dans ce qui suit, nous présentons plusieurs techniques de résolution, chacune ayant ses avantages et ses inconvénients. Nous tâcherons de les mettre en évidence de façon à tirer le meilleur parti de chacune des méthodes proposées. Il faudra également se souvenir des enseignements du chapitre précédent pour éviter de développer des algorithmes numériquement instables.

2.2 Méthode de la bissection

La méthode de la bissection repose sur une idée toute simple : en général, de part et d'autre d'une racine, une fonction continue $f(x)$ change de signe et passe du positif au négatif ou vice versa (fig. 2.1). De toute évidence, ce n'est pas toujours le cas puisque la fonction $f(x)$ peut aussi être tangente à l'axe des x. Nous reviendrons plus loin sur ces situations particulières (fig. 2.2).

Supposons pour l'instant qu'il y ait effectivement un changement de signe dans un intervalle $[x_1, x_2]$ autour d'une racine r de $f(x)$ c'est-à-dire :

$$f(x_1) \times f(x_2) < 0$$

On pose alors :

$$x_m = \frac{x_1 + x_2}{2}$$

qui est bien sûr le point milieu de l'intervalle. Il suffit alors de déterminer, entre les intervalles $[x_1, x_m]$ et $[x_m, x_2]$, celui qui possède encore un changement de signe. La racine se trouvera forcément dans cet intervalle.

La situation est présentée à la figure 2.1 pour la fonction $f(x) = e^{-x} - x$ possédant une racine dans l'intervalle $[-2 \ , \ 2]$. On constate aisément que le changement de signe pour la première itération se situe dans l'intervalle $[0 \ , \ 2]$. À la deuxième itération (deuxième graphique de la figure 2.1), on choisirait l'intervalle $[0 \ , \ 1]$ tandis qu'à la troisième, ce serait l'intervalle $[0,5 \ , \ 1]$ et ainsi de suite. L'algorithme qui suit fait la synthèse des principales étapes à suivre.

Algorithme 2.2: Méthode de la bissection

1. Étant donnés :
   — un intervalle $[x_1, x_2]$ où $f(x)$ présente un changement de signe ;
   — un critère d'arrêt ϵ_a ;
   — un nombre maximal d'itérations N ;
   — la précision machine ϵ_m.

2. Jusqu'à convergence, effectuer :

   2.1. Calcul du point milieu : $x_m = \dfrac{x_1 + x_2}{2}$

   2.2. Si $\dfrac{|x_2 - x_1|}{2|x_m| + \epsilon_m} < \epsilon_a$:
      — convergence atteinte ;

— écrire la racine x_m ainsi que la valeur de $f(x_m)$;

— arrêt.

2.3. Écrire $x_1, x_2, x_m, f(x_1), f(x_2), f(x_m)$.

2.4. Si $f(x_1) \times f(x_m) < 0$, alors $x_2 = x_m$.

2.5. Si $f(x_m) \times f(x_2) < 0$, alors $x_1 = x_m$.

2.6. Si le nombre maximal d'itérations N est atteint :

— convergence non atteinte en N itérations ;

— arrêt.

L'expression :

$$\frac{|x_2 - x_1|}{2|x_m| + \epsilon_m} \tag{2.2}$$

est une approximation de l'erreur relative. En effet, à l'étape 2.2 de l'algorithme de la bissection, la racine recherchée est soit dans l'intervalle $[x_1, x_m]$ ou dans l'intervalle $[x_m, x_2]$, qui sont tous deux de longueur $(x_2 - x_1)/2$, ce qui constitue une borne supérieure de l'erreur absolue. En divisant par $|x_m|$, on obtient une approximation de l'erreur relative. On notera l'ajout au dénominateur de la précision machine ϵ_m ($2{,}22 \times 10^{-16}$ en double précision) pour éviter une division par 0 si jamais x_m devenait nul au cours des itérations. Si x_m est non nul, ce terme n'aura que peu ou pas d'influence sur la valeur de l'erreur relative. On prendra cette précaution dans tous les algorithmes de ce chapitre.

Remarque 2.3. Il est parfois utile d'introduire un critère d'arrêt sur la valeur de $f(x)$, qui doit tendre également vers 0. ◄

Exemple 2.4. La fonction $f(x) = x^3 + x^2 - 3x - 3$ possède un zéro dans l'intervalle $[1 , 2]$. En effet :

$$f(1) \times f(2) = -4{,}0 \times 3{,}0 = -12{,}0 < 0$$

On a alors $x_m = 1{,}5$ et $f(1{,}5) = -1{,}875$. L'intervalle $[1{,}5 , 2]$ possède encore un changement de signe, ce qui n'est pas le cas pour l'intervalle $[1 , 1{,}5]$. Le nouvel intervalle de travail est donc $[1{,}5 , 2]$, dont le point milieu est $x_m = 1{,}75$. Puisque $f(1{,}75) = 0{,}171\,87$, on prendra l'intervalle $[1{,}5 , 1{,}75]$ et ainsi de suite. Le tableau suivant résume les résultats.

Méthode de la bissection : $f(x) = x^3 + x^2 - 3x - 3$						
x_1	x_2	x_m	$f(x_1)$	$f(x_2)$	$f(x_m)$	Erreur relative (formule 2.2)
1,0000	2,00	1,500 00	$-4{,}000\,00$	3,000 00	$-1{,}875\,00$	0,333
1,5000	2,00	1,750 00	$-1{,}875\,00$	3,000 00	$+0{,}171\,87$	0,142
1,5000	1,75	1,625 00	$-1{,}875\,00$	0,171 87	$-0{,}943\,35$	0,076
1,6250	1,75	1,687 50	$-0{,}943\,35$	0,171 87	$-0{,}409\,42$	0,037
1,6875	1,75	1,718 75	$-0{,}409\,42$	0,171 87	$-0{,}124\,78$	0,018

On notera la convergence (lente) de $f(x_m)$ vers 0 de même que de l'erreur relative 2.2. ♦

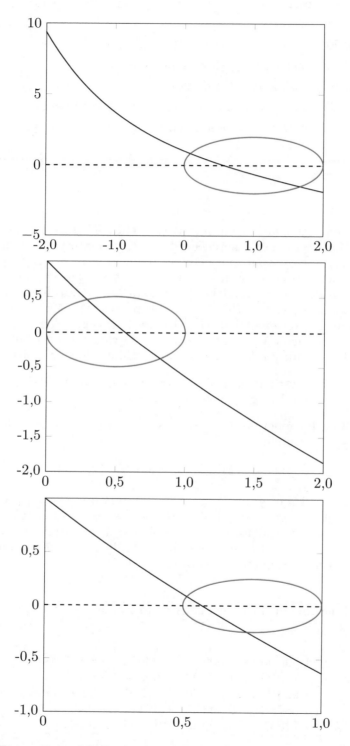

Figure 2.1 – Méthode de la bissection : $f(x) = e^{-x} - x$

On remarque aisément que la longueur de l'intervalle entourant la racine est divisée par deux à chaque itération. Cette constatation permet de déterminer à l'avance le nombre d'itérations nécessaire pour obtenir une certaine erreur absolue Δr sur la racine r. Soit $L = x_2 - x_1$, la longueur de l'intervalle de départ. Après une itération, le nouvel intervalle est de longueur $\frac{L}{2}$ et après n itérations, la longueur de l'intervalle est $L/2^n$. Si l'on veut connaître la valeur de n nécessaire pour avoir :

$$\frac{L}{2^n} < \Delta r$$

il suffit de résoudre cette équation en fonction de n et l'on trouve la condition :

$$n > \frac{\ln\left(\frac{L}{\Delta r}\right)}{\ln 2} \tag{2.3}$$

Il est clair que, sur le plan pratique, on doit prendre pour valeur de n le plus petit entier vérifiant cette condition. On a aussi tout intérêt à bien cerner la racine recherchée et à prendre, dès le départ, un intervalle de longueur aussi petite que possible.

Exemple 2.5. Dans l'exemple 2.4, $L = 2{,}0 - 1{,}0$. Si l'on veut une erreur absolue plus petite que $0{,}5 \times 10^{-2}$, ce qui revient à s'assurer que le chiffre des centièmes est significatif, il faut effectuer au moins :

$$\frac{\ln\left(\frac{1{,}0}{0{,}5 \times 10^{-2}}\right)}{\ln 2} = 7{,}64 \ \text{itérations}$$

On fera donc 8 itérations pour s'assurer de cette précision. On peut aisément vérifier qu'après 8 itérations l'erreur maximale liée à x_m est de $0{,}003\,906\,25$ et que la véritable erreur est $0{,}001\,582$. ♦

Exemple 2.6. On souhaite calculer $\sqrt{2}$ avec une calculatrice dotée seulement des 4 opérations élémentaires. Cela revient à résoudre :

$$x^2 - 2 = 0$$

Cette fonction présente un changement de signe dans l'intervalle $[1\ ,\ 2]$. L'algorithme de la bissection donne les résultats suivants.

Méthode de la bissection : $f(x) = x^2 - 2$						
x_1	x_2	x_m	$f(x_1)$	$f(x_2)$	$f(x_m)$	$(x_m)_2$
1,0000	2,0000	1,5000	$-1{,}0000$	2,000 00	$+0{,}250\,00$	1,100 0000
1,0000	1,5000	1,2500	$-1{,}0000$	0,250 00	$-0{,}437\,50$	1,010 0000
1,2500	1,5000	1,3750	$-0{,}4375$	0,250 00	$-0{,}109\,40$	1,011 0000
1,3750	1,5000	1,4375	$-0{,}1094$	0,250 00	$+0{,}066\,41$	1,011 1000
1,3750	1,4375	1,4062	$-0{,}1094$	0,066 41	$-0{,}022\,46$	1,011 0100
1,4062	1,4375	1,4219	$-0{,}022\,46$	0,066 41	$+0{,}021\,73$	1,011 0110
1,4062	1,4219	1,4141	$-0{,}022\,46$	0,021 73	$-0{,}000\,43$	1,011 0101

On a arrondi à 5 chiffres les résultats de ce tableau. En poursuivant plus avant les itérations, on se rapprocherait de plus en plus de $\sqrt{2}$. On peut également ajouter une remarque intéressante du point de vue de la représentation binaire. En effet, l'intervalle de départ étant [1 , 2], chaque itération de la méthode de la bissection permet de fixer 1 bit de la représentation binaire de la racine. À la $(n+1)^e$ itération, on est assuré que les n premiers bits de la mantisse de x_m sont exacts. On peut constater ce phénomène à la dernière colonne du tableau, qui contient la représentation binaire de x_m. ♦

Remarque 2.7. La convergence de la méthode de la bissection n'est pas très rapide, mais elle est sûre à partir du moment où on a un intervalle avec changement de signe. On parle alors de *méthode fermée*, car on travaille dans un intervalle fermé. C'est également le cas de la *méthode de la fausse position* (voir les exercices de fin de chapitre). Les méthodes des sections qui suivent sont dites *ouvertes* en ce sens qu'il n'y a pas d'intervalle à déterminer ayant un changement de signe. Au contraire des méthodes fermées, les méthodes ouvertes ne garantissent nullement la convergence, mais elles présentent d'autres avantages. ◄

Remarque 2.8. La méthode de la bissection ne fonctionne pas dans certains cas illustrés à la figure 2.2. On considère ici l'intervalle $[-2 , 2]$. La première situation critique est celle où la fonction $f(x)$ est tangente à l'axe des x et ne présente donc pas de changement de signe. Il y a aussi celle où deux racines (ou un nombre pair de racines) sont présentes dans l'intervalle de départ ; il n'y a alors toujours pas de changement de signe. Enfin, si l'intervalle de départ contient un nombre impair de racines, $f(x)$ change de signe, mais l'algorithme peut avoir des difficultés à choisir parmi ces racines. On peut assez facilement éviter ces écueils en illustrant graphiquement la fonction $f(x)$ pour mieux choisir l'intervalle de départ. ◄

2.3   Méthodes des points fixes

On peut aussi résoudre des équations algébriques non linéaires à l'aide des méthodes dites des points fixes. Définissons d'abord ce qu'est un point fixe d'une fonction.

Définition 2.9: Point fixe d'une fonction

Un point fixe d'une fonction $g(x)$ est une valeur de x qui reste invariante pour cette fonction, c'est-à-dire toute solution de :

$$x = g(x) \qquad (2.4)$$

est un point fixe de la fonction $g(x)$.

Il existe un algorithme très simple permettant de déterminer des points fixes. Il suffit en effet d'effectuer les itérations de la façon suivante :

$$x_{n+1} = g(x_n) \text{ pour } n \geq 0 \qquad (2.5)$$

à partir d'une valeur estimée initiale x_0. L'intérêt de cet algorithme réside dans sa généralité et dans la relative facilité avec laquelle on peut en faire l'analyse de convergence. Il en résulte l'algorithme plus complet suivant.

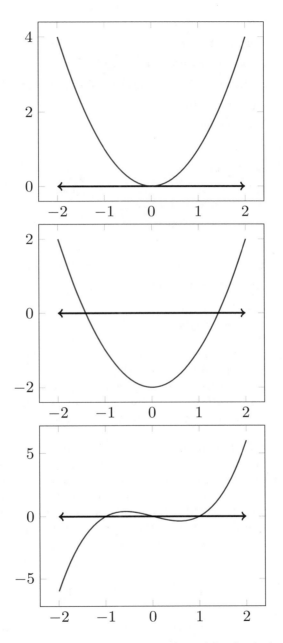

Figure 2.2 – Cas pathologiques pour la méthode de la bissection

---

Algorithme 2.10: Méthode des points fixes

1. Étant donnés :
   — un critère d'arrêt ϵ_a ;
   — un nombre maximal d'itérations N ;
   — une valeur estimée initiale du point fixe x_0 ;
   — la précision machine ϵ_m.

2. Pour $n \geq 0$, effectuer :

   2.1. $x_{n+1} = g(x_n)$

   2.2. Si $\dfrac{|x_{n+1} - x_n|}{|x_{n+1}| + \epsilon_m} < \epsilon_a$:
   — convergence atteinte ;
   — écrire la solution x_{n+1} ;
   — arrêt.

   2.3. Si le nombre maximal d'itérations N est atteint :
   — convergence non atteinte en N itérations ;
   — arrêt.

   2.4. Incrémenter la valeur de n.

On peut résoudre des équations non linéaires de la forme $f(x) = 0$ en utilisant l'algorithme des points fixes. Il suffit pour ce faire de transformer l'équation $f(x) = 0$ en un *problème équivalent* de la forme $x = g(x)$. L'ennui est qu'il y a une infinité de façons différentes de le faire. Nous verrons que certains choix donnent lieu à des algorithmes convergents et d'autres pas.

Exemple 2.11. Commençons par un exemple simple. On cherche à résoudre l'équation du second degré $x^2 - 2x - 3 = 0$. Il n'est pas nécessaire de recourir aux méthodes numériques pour résoudre ce problème, dont les deux solutions sont $r_1 = 3$ et $r_2 = -1$. Cet exemple permet cependant de mieux comprendre ce qui se passe lorsque l'on utilise l'algorithme des points fixes. Puisqu'il y a une infinité de façons différentes de transformer cette équation sous la forme $x = g(x)$, nous en choisissons trois au hasard.

$$
\begin{aligned}
x &= \sqrt{2x + 3} &&= g_1(x) \quad \text{(en isolant } x^2\text{)} \\[2mm]
x &= \frac{3}{x - 2} &&= g_2(x) \quad \text{(en écrivant } x(x - 2) - 3 = 0\text{)} \\[2mm]
x &= \frac{x^2 - 3}{2} &&= g_3(x) \quad \text{(en isolant le } x \text{ de } -2x\text{)}
\end{aligned}
\tag{2.6}
$$

Si l'on applique l'algorithme des points fixes à chacune des fonctions $g_i(x)$ en partant de $x_0 = 4$, on obtient pour $g_1(x)$:

$$
\begin{aligned}
x_1 &= g_1(4) &&= \sqrt{2 \times 4 + 3} &&= 3{,}316\,6248 \\
x_2 &= g_1(3{,}316\,6248) &&= \sqrt{2 \times 3{,}316\,6248 + 3} &&= 3{,}103\,7477 \\
x_3 &= g_1(3{,}103\,7477) &&= \sqrt{2 \times 3{,}103\,7477 + 3} &&= 3{,}034\,3855 \\
x_4 &= g_1(3{,}034\,3855) &&= \sqrt{2 \times 3{,}034\,3855 + 3} &&= 3{,}011\,4402 \\
&\ \vdots &&\quad\vdots &&\quad\vdots \\
x_{10} &= g_1(3{,}000\,0470) &&= \sqrt{2 \times 3{,}000\,0470 + 3} &&= 3{,}000\,0157
\end{aligned}
$$

L'algorithme semble donc converger vers la racine $r_1 = 3$. Reprenons l'exercice avec $g_2(x)$, toujours en partant de $x_0 = 4$:

$$
\begin{aligned}
x_1 &= g_2(4) &&= \frac{3}{4-2} &&= 1{,}5 \\[2mm]
x_2 &= g_2(1{,}5) &&= \frac{3}{1{,}5-2} &&= -6{,}0 \\[2mm]
x_3 &= g_2(-6{,}0) &&= \frac{3}{-6{,}0-2} &&= -0{,}375 \\[2mm]
x_4 &= g_2(-0{,}375) &&= \frac{3}{-0{,}375-2} &&= -1{,}263\,1579 \\[2mm]
&\ \vdots &&\quad\vdots &&\quad\vdots \\
x_{10} &= g_2(-0{,}998\,9841) &&= \frac{3}{-0{,}998\,9841-2} &&= -1{,}000\,3387
\end{aligned}
$$

On remarque que, contrairement au cas précédent, les itérations convergent vers la racine $r_2 = -1$, en ignorant la racine $r_1 = 3$ qui était pourtant plus près de notre point de départ. En dernier lieu, essayons l'algorithme avec la fonction $g_3(x)$:

$$
\begin{aligned}
x_1 &= g_3(4) &&= \frac{(4)^2 - 3}{2} &&= 6{,}5 \\[2mm]
x_2 &= g_3(6{,}5) &&= \frac{(6{,}5)^2 - 3}{2} &&= 19{,}625 \\[2mm]
x_3 &= g_3(19{,}625) &&= \frac{(19{,}625)^2 - 3}{2} &&= 191{,}0703 \\[2mm]
x_4 &= g_3(191{,}0703) &&= \frac{(191{,}0703)^2 - 3}{2} &&= 18\,252{,}43 \\[2mm]
&\ \vdots &&\quad\vdots &&\quad\vdots
\end{aligned}
$$

Visiblement, les itérations tendent vers l'infini et aucune des deux solutions possibles ne sera atteinte.

Cet exemple montre clairement que l'algorithme des points fixes, selon le choix de la fonction itérative $g(x)$, converge vers l'une ou l'autre des racines et peut même diverger complètement dans certains cas. Il faut donc une analyse plus fine afin de déterminer dans quelles conditions la méthode des points fixes est convergente. ◆

2.3.1   Convergence de la méthode des points fixes

Nous nous intéressons dans cette section au comportement de la méthode des points fixes pour la résolution de l'équation $f(x) = 0$. On a d'abord transformé cette équation sous la forme équivalente $x = g(x)$. Soit r, une valeur qui est à la fois une racine de $f(x)$ et un point fixe de la fonction $g(x)$, c'est-à-dire qui vérifie $f(r) = 0$ et :

$$r = g(r) \tag{2.7}$$

On définit l'erreur à l'étape n comme étant :

$$e_n = x_n - r$$

On cherche à déterminer sous quelles conditions l'algorithme des points fixes converge vers la racine r. Ce sera bien sûr le cas si l'erreur e_n tend vers 0 lorsque n devient grand. Il est intéressant de suivre le comportement de l'erreur au fil des itérations. On a en vertu des relations 2.5 et 2.7 :

$$e_{n+1} = x_{n+1} - r = g(x_n) - g(r) \tag{2.8}$$

et on constate aisément que :

$$x_n = r + (x_n - r) = r + e_n$$

On peut alors utiliser un développement de Taylor de la fonction $g(x)$ autour de la racine r. La relation 2.8 devient alors :

$$
\begin{aligned}
e_{n+1} &= g(r + e_n) - g(r) \\
&= \left(g(r) + g'(r)e_n + \frac{g''(r)e_n^2}{2!} + \frac{g'''(r)e_n^3}{3!} + \cdots \right) - g(r)
\end{aligned}
$$

On en conclut que :

$$e_{n+1} = g'(r)e_n + \frac{g''(r)e_n^2}{2} + \frac{g'''(r)e_n^3}{3!} + \cdots \tag{2.9}$$

L'étude de la relation 2.9 est fondamentale pour la compréhension de la méthode des points fixes. Au voisinage de la racine r, le premier terme non nul de l'expression de droite sera déterminant pour la convergence.

Selon l'équation 2.9, si $g'(r) \neq 0$ et si l'on néglige les termes d'ordre supérieur ou égal à 2 en e_n, on a :

$$e_{n+1} \simeq g'(r)e_n \tag{2.10}$$

On voit que l'erreur à l'étape $(n+1)$ est directement proportionnelle à l'erreur à l'étape n. L'erreur ne pourra donc diminuer que si :

$$|g'(r)| < 1 \tag{2.11}$$

La condition 2.11 est une condition nécessaire de convergence d'une méthode des points fixes. On remarque également que le signe de $g'(r)$ a une influence sur la convergence. En effet, si :

$$-1 < g'(r) < 0$$

l'erreur changera de signe à chaque itération en vertu de l'équation 2.10 et les valeurs de x_n oscilleront de part et d'autre de r. La convergence n'en sera pas moins assurée.

La relation 2.10 donne de plus la vitesse à laquelle l'erreur diminue. En effet, plus $g'(r)$ est petit, plus l'erreur diminue vite et donc plus la convergence est rapide. Cela nous amène à la définition suivante.

Définition 2.12: Taux de convergence

Le taux de convergence d'une méthode des points fixes est donné par $|g'(r)|$.

Plus le taux de convergence est petit, plus la convergence est rapide. Le cas limite est celui où $g'(r) = 0$. Dans ce cas, on déduit de l'équation 2.9 que l'erreur e_{n+1} est proportionnelle à e_n^2. Cela nous amène à une autre définition.

Définition 2.13: Ordre de convergence

On dit qu'une méthode des points fixes converge à l'ordre p si :

$$|e_{n+1}| \simeq C\, |e_n|^p \tag{2.12}$$

où C est une constante. La convergence d'ordre 1 est également dite *linéaire*, tandis que celle d'ordre 2 est dite *quadratique*.

Ainsi, si $|g'(r)| < 1$ et $g'(r) \neq 0$, la méthode des points fixes converge à l'ordre 1. Si $g'(r) = 0$ et $g''(r) \neq 0$, on a une convergence quadratique ; si $g'(r) = g''(r) = 0$ et $g'''(r) \neq 0$, la convergence est d'ordre 3 ; et ainsi de suite.

Remarque 2.14. La convergence d'une méthode des points fixes est également assujettie au choix de la valeur initiale x_0. En effet, un mauvais choix de x_0 peut résulter en un algorithme divergent même si la condition 2.11 est respectée. ◄

Cela nous amène à définir le bassin d'attraction d'une racine r.

Définition 2.15: Bassin d'attraction

Le bassin d'attraction de la racine r pour la méthode des points fixes $x_{n+1} = g(x_n)$ est l'ensemble des valeurs initiales x_0 pour lesquelles x_n tend vers r lorsque n tend vers l'infini.

En d'autres termes, le bassin d'attraction de r comprend tous les points x_0 pour lesquels la méthode des points fixes converge vers r. Pour s'assurer de la convergence, il faut donc choisir x_0 dans le bassin d'attraction de r. Intuitivement, on choisit x_0 aussi près que possible de r en utilisant par exemple une méthode graphique. Il faut aussi se souvenir que les problèmes rencontrés proviennent le plus souvent de l'ingénierie et que le numéricien doit utiliser ses connaissances pour estimer x_0. Par exemple, si la racine que l'on cherche correspond à une longueur ou à une concentration, il serait peu raisonnable de prendre une valeur négative de x_0. Très souvent, le simple bon sens permet de choisir x_0 avec succès.

Définition 2.16: Point fixe attractif

Un point fixe r de la fonction $g(x)$ est dit attractif si $|g'(r)| < 1$ et répulsif si $|g'(r)| > 1$. Le cas où $|g'(r)| = 1$ est indéterminé.

Exemple 2.17. Considérons la fonction $g(x) = x^2$ qui possède les points fixes $x = 0$ et $x = 1$. Ce dernier est répulsif, car la dérivée de $g(x)$ $(2x)$ vaut 2 en $x = 1$. Le seul point fixe intéressant est donc $x = 0$. La méthode des points fixes engendre, à partir de la valeur initiale x_0, la suite :

$$x_0, \quad x_0^2, \quad x_0^4, \quad x_0^8, \quad x_0^{16}, \quad x_0^{32} \quad \cdots$$

Cette suite convergera vers 0 seulement si $x_0 \in\ ]-1\ ,\ 1[$. Ce dernier intervalle constitue donc le bassin d'attraction de ce point fixe. Toute valeur de x_0 choisie à l'extérieur de cet intervalle résultera en un algorithme divergent. ◆

Remarque 2.18. Dans le cas d'un point fixe répulsif, le bassin d'attraction se réduit à peu de choses, le plus souvent à l'ensemble $\{r\}$ constitué d'un seul point. ◄

Le résultat suivant permet dans certains cas de s'assurer de la convergence.

Théorème 2.19: des points fixes

Soit $g(x)$, une fonction continue dans l'intervalle $I = [a, b]$ et telle que $g(x) \in I$ pour tout x dans I. Si de plus $g'(x)$ existe et si :

$$|g'(x)| \leq k < 1$$

pour tout x dans l'intervalle ouvert (a, b), alors tous les points x_0 de l'intervalle I appartiennent au bassin d'attraction de l'*unique* point fixe r de I.

Démonstration. Voir Burden et Faires, réf. [6]. ∎

Remarque 2.20. Il est possible que la méthode des points fixes converge dans le cas où :

$$|g'(r)| = 1$$

Il s'agit d'un cas limite intéressant. Nous verrons plus loin un exemple de cette situation. La convergence dans ce cas est au mieux extrêmement lente, car le taux de convergence est près de 1. ◄

Exemple 2.21. Revenons aux trois fonctions $g_i(x)$ de l'exemple précédent. On veut s'assurer que la condition 2.11 se vérifie à l'une ou l'autre des racines $r_1 = 3$ et $r_2 = -1$. On doit d'abord calculer les dérivées :

$$g_1'(x) = \frac{1}{\sqrt{2x+3}}, \qquad g_2'(x) = \frac{-3}{(x-2)^2}, \qquad g_3'(x) = x$$

Les résultats sont compilés dans le tableau suivant.

Taux de convergence		
	$r_1 = 3$	$r_2 = -1$
$g_1'(r)$	0,333 33	1
$g_2'(r)$	-3	$-0,333\,33$
$g_3'(r)$	3	-1

Ce tableau aide à comprendre les résultats obtenus précédemment. La méthode des points fixes appliquée à $g_1(x)$ a convergé vers $r_1 = 3$, puisque $|g_1'(3)| < 1$. De même, avec $g_2(x)$, la méthode des points fixes ne peut converger vers $r_1 = 3$, car la valeur absolue de la dérivée de $g_2(x)$ en ce point est plus grande que 1. Les itérations ignorent r_1 et convergent vers r_2, où la valeur absolue de la dérivée est inférieure à 1.

Enfin, la fonction $g_3(x)$ a également une dérivée plus grande que 1 en r_1. L'analyse de la convergence autour de $r_2 = -1$ est plus subtile. En effet, puisque $g_3'(x) = x$, on constate que la valeur absolue de la dérivée est inférieure à 1 à droite de r_2 et supérieure à 1 à gauche de r_2. De plus, cette dérivée est négative, ce qui signifie que la méthode des points fixes oscillera de part et d'autre de la racine. À une itération, la pente $g'(x_n)$ sera inférieure à 1 et, à l'itération suivante, la pente $g'(x_{n+1})$ sera supérieure à 1 en valeur absolue. On en conclut que l'algorithme des points fixes s'approchera légèrement de r_2 à une itération et s'en éloignera à la suivante. En un mot, l'algorithme piétinera. On peut vérifier ce raisonnement en effectuant les itérations à partir de $x_0 = -0,95$. On obtient après 10 000 itérations la valeur $x_{10\,000} = -0,986\,36$, ce qui signifie que la convergence est extrêmement lente. ◆

2.3.2   Interprétation géométrique

L'algorithme des points fixes possède une interprétation géométrique très élégante qui permet d'illustrer la convergence ou la divergence. La figure 2.3 présente les différents cas possibles : $0 < g'(r) < 1$ (Cas 1), $-1 < g'(r) < 0$ (Cas 2) et $g'(r) > 1$ (Cas 3). On peut interpréter cette figure de la manière suivante. Les courbes $y = x$ et $y = g(x)$ sont représentées et les points fixes sont bien entendu à l'intersection de ces deux courbes. À partir de la valeur initiale x_0, on se rend sur la courbe $y = g(x)$ au point $(x_0, g(x_0))$ et, de là, sur la droite $y = x$ au point $(g(x_0), g(x_0))$, qui est en fait (x_1, x_1). On recommence le même processus à partir de x_1 pour se rendre à $(x_1, g(x_1))$ et, de là, sur la droite $y = x$ au point $(g(x_1), g(x_1)) = (x_2, x_2)$. On répète ce trajet jusqu'à la convergence (ou la divergence) de l'algorithme.

On voit immédiatement la différence de comportement entre les deux cas convergents $0 < g'(r) < 1$ et $-1 < g'(r) < 0$. Dans le premier cas, les itérations se dirigent directement vers le point fixe recherché tandis que dans le deuxième

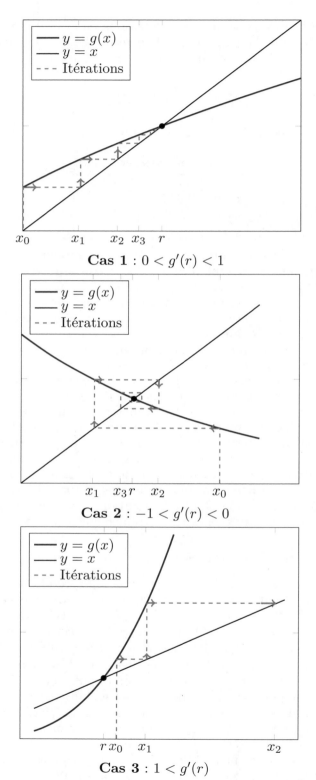

Figure 2.3 – Interprétation géométrique de la méthode des points fixes

cas, les itérations oscillent de part et d'autre du point fixe mais la convergence n'en est pas moins assurée. Par contre, lorsque la pente $g'(r)$ est supérieure à 1, les itérations s'éloignent du point fixe recherché et ce, même en choisissant une valeur de x_0 tout près de r (Cas 3). On obtiendrait un résultat similaire dans le cas où $g'(r) < -1$; les itérations s'éloigneraient de la racine en oscillant de part et d'autre de la racine.

Nous terminons cette section par un dernier exemple qui illustre la convergence généralement linéaire des méthodes des points fixes.

Exemple 2.22. On considère la résolution de $e^{-x} - x = 0$, que l'on transforme en un problème de points fixes $x = e^{-x}$. En partant de $x_0 = 0$ et en posant $e_n = x_n - r$, l'erreur à l'étape n, on obtient le tableau suivant.

Méthode des points fixes : $g(x) = e^{-x}$			
n	x_n	$|e_n|$	$\left|\frac{e_{n+1}}{e_n}\right|$
1	1,000 000 000	$0,4328 \times 10^{+0}$	0,4603
2	0,367 879 441	$0,1992 \times 10^{+0}$	0,6276
3	0,692 200 627	$0,1250 \times 10^{+0}$	0,5331
4	0,500 473 500	$0,6667 \times 10^{-1}$	0,5864
5	0,606 243 535	$0,3910 \times 10^{-1}$	0,5562
6	0,545 395 785	$0,2174 \times 10^{-1}$	0,5733
7	0,579 612 335	$0,1246 \times 10^{-1}$	—
⋮	⋮	⋮	⋮
14	0,566 908 911	$0,2344 \times 10^{-3}$	0,5670
15	0,567 276 232	$0,1329 \times 10^{-3}$	0,5672
⋮	⋮	⋮	⋮
35	0,567 143 290	$\simeq 0$	0,5671

Pour remplir ce tableau, on a d'abord calculé la racine $r = 0,567\,143\,290$, ce qui a permis d'évaluer les erreurs absolues ($|e_n|$ à la troisième colonne du tableau) par la suite. L'analyse de ce tableau illustre plusieurs points déjà discutés. En premier lieu, on constate la convergence vers la racine $r = 0,567\,143\,290$ puisque l'erreur e_n tend vers 0. Fait plus important encore, la quatrième colonne contenant le rapport $\left|\frac{e_{n+1}}{e_n}\right|$ converge vers environ 0,5671. Ce nombre n'est pas le fruit du hasart. En effet, en vertu de la relation 2.10, ce rapport doit converger vers $|g'(r)|$, qui vaut plus précisément 0,567 143 dans cet exemple. ♦

Remarque 2.23. Le calcul de la suite $e_n = x_n - r$ permettant d'obtenir la dernière colonne du tableau précédent requiert bien entendu de connaître la racine r et donc d'avoir complété les itérations jusqu'à convergence. On peut cependant éviter cela en procédant comme suit. Puisque :

$$e_{n+1} \simeq g'(r)e_n$$

et :

$$e_{n+2} \simeq g'(r)e_{n+1}$$

on a immédiatement en divisant que :

$$\frac{e_{n+2}}{e_{n+1}} \simeq \frac{e_{n+1}}{e_n}$$

c'est-à-dire :

$$\frac{x_{n+2} - r}{x_{n+1} - r} \simeq \frac{x_{n+1} - r}{x_n - r}$$

En isolant r, on trouve facilement que :

$$r \simeq \frac{x_{n+2} x_n - x_{n+1}^2}{x_{n+2} - 2x_{n+1} + x_n}$$

qui est une formule numériquement instable. On lui préférera l'expression équivalente :

$$r \simeq x_n - \frac{(x_{n+1} - x_n)^2}{x_{n+2} - 2x_{n+1} + x_n} \tag{2.13}$$

Partant de là, on a donc également :

$$\frac{e_{n+1}}{e_n} = \frac{x_{n+1} - r}{x_n - r} \simeq \frac{x_{n+1} - x_{n+2}}{x_n - x_{n+1}} = \frac{E_{n+1}}{E_n}$$

où on a remplacé r à l'aide de l'expression 2.13. On a aussi introduit les écarts successifs entre deux itérations :

$$E_n = x_n - x_{n+1}$$

On peut ainsi calculer les écarts E_n sans connaître la valeur de r. On peut donc remplacer la colonne $\left|\frac{e_{n+1}}{e_n}\right|$ par la colonne $\left|\frac{E_{n+1}}{E_n}\right|$. De même, nous utiliserons un peu plus loin des rapports de la forme $\left|\frac{e_{n+1}}{(e_n)^k}\right|$ que nous pourrons, au besoin, remplacer par $\left|\frac{E_{n+1}}{(E_n)^k}\right|$. Reprenons l'exemple précédent en nous basant cette fois sur les écarts pour faire l'analyse. On obtient :

Méthode des points fixes : $g(x) = e^{-x}$			
n	x_n	$\lvert E_n \rvert$	$\left\lvert\frac{E_{n+1}}{E_n}\right\rvert$
1	$1,000\,000\,000$	$0,6321 \times 10^{+0}$	$0,5131$
2	$0,367\,879\,441$	$0,3243 \times 10^{+0}$	$0,5912$
3	$0,692\,200\,627$	$0,1917 \times 10^{+0}$	$0,5517$
4	$0,500\,473\,500$	$0,1058 \times 10^{+0}$	$0,5753$
5	$0,606\,243\,535$	$0,6085 \times 10^{-1}$	$0,5623$
6	$0,545\,395\,785$	$0,3422 \times 10^{-1}$	$0,5698$
7	$0,579\,612\,335$	$0,1950 \times 10^{-1}$	—
$\vdots$	$\vdots$	$\vdots$	$\vdots$
14	$0,566\,908\,911$	$0,3673 \times 10^{-3}$	$0,5672$
15	$0,567\,276\,232$	$0,2083 \times 10^{-3}$	$0,5671$
$\vdots$	$\vdots$	$\vdots$	$\vdots$
35	$0,567\,143\,290$	$0,2469 \times 10^{-8}$	$0,5671$

On constate aisément que les conclusions restent les mêmes. En pratique, on pourra se servir des e_n ou des E_n pour effectuer ce type d'analyse, avec une légère préférence pour l'utilisation de e_n lorsque la racine r est connue. ◀

2.3.3   Extrapolation d'Aitken

À partir d'une méthode des points fixes convergeant à l'ordre 1, on peut obtenir une méthode convergeant à l'ordre 2. Il suffit de remarquer que si on pose $n = 0$ dans la relation 2.13, on trouve :

$$r \simeq x_0 - \frac{(x_1 - x_0)^2}{x_2 - 2x_1 + x_0} \tag{2.14}$$

La relation 2.14 est dite *formule d'extrapolation d'Aitken* et permet d'obtenir à partir de x_0, x_1 et x_2 une meilleure approximation du point fixe r. Cela peut résulter en un algorithme qui accélère grandement la convergence d'une méthode des points fixes. C'est l'*algorithme de Steffenson*.

Algorithme 2.24: de Steffenson

1. Étant donnés :
   — un critère d'arrêt ϵ_a ;
   — un nombre maximal d'itérations N ;
   — une valeur estimée initiale du point fixe x_0 ;
   — la précision machine ϵ_m.
2. Jusqu'à convergence, effectuer :
   2.1. $x_1 = g(x_0)$.
   2.2. $x_2 = g(x_1)$.
   2.3. $x_e = x_0 - \dfrac{(x_1 - x_0)^2}{x_2 - 2x_1 + x_0}$.
   2.4. Si $\dfrac{|x_e - x_0|}{|x_e| + \epsilon_m} < \epsilon_a$:
      — convergence atteinte ;
      — écrire la solution x_e ;
      — arrêt.
   2.5. Si le nombre maximal d'itérations N est atteint :
      — convergence non atteinte en N itérations ;
      — arrêt.
   2.6. $x_0 = x_e$.

Exemple 2.25. Reprenons l'exemple précédent de la méthode des points fixes :

$$x_{n+1} = g(x_n) = e^{-x_n}$$

en partant de $x_0 = 0$. L'algorithme de Steffenson consiste à faire deux itérations de points fixes, à extrapoler pour obtenir x_e, à faire deux nouvelles itérations de points fixes à partir de x_e, à extrapoler à nouveau et ainsi de suite. On obtient dans ce cas :

$$\begin{aligned} x_1 &= e^0 &= 1{,}0 \\ x_2 &= e^{-1} &= 0{,}367\,879\,441 \end{aligned}$$

La valeur extrapolée est alors :

$$x_e = 0 - \frac{(1-0)^2}{0{,}367\,879\,441 - 2(1) + 0} = 0{,}612\,699\,836$$

À partir de cette nouvelle valeur, on fait deux itérations de points fixes :

$$\begin{aligned} x_1 &= e^{-0{,}612\,699\,836} &= 0{,}541\,885\,889 \\ x_2 &= e^{-0{,}541\,885\,889} &= 0{,}581\,650\,289 \end{aligned}$$

La valeur extrapolée est alors :

$$\begin{aligned} x_e &= 0{,}612\,699\,836 - \frac{(0{,}541\,885\,889 - 0{,}612\,699\,836)^2}{0{,}581\,650\,289 - 2(0{,}541\,885\,889) + 0{,}612\,699\,836} \\ &= 0{,}567\,350\,857 \end{aligned}$$

En continuant ainsi, on obtient :

Méthode de Steffenson : $g(x) = e^{-x}$			
x_0	x_1	x_2	x_e
$0{,}567\,350\,857$	$0{,}567\,025\,582$	$0{,}567\,210\,051$	$0{,}567\,143\,294$
$0{,}567\,143\,294$	$0{,}567\,143\,287$	$0{,}567\,143\,291$	$0{,}567\,143\,290$

On remarque que la convergence est plus rapide avec l'algorithme de Steffenson qu'avec la méthode des points fixes dont elle est issue. Quatre itérations suffisent pour obtenir la même précision. On peut montrer en fait que la convergence est quadratique. On note toutefois que chaque itération de l'algorithme de Steffenson demande plus de calculs qu'une méthode des points fixes. Il y a un prix à payer pour obtenir une convergence quadratique. ◆

2.4   Méthode de Newton

La méthode de Newton[3] est l'une des méthodes les plus utilisées pour la résolution des équations non linéaires. Cette méthode possède également une belle interprétation géométrique. Nous commençons cependant par donner une première façon d'en obtenir l'algorithme, basée sur l'utilisation du développement de Taylor. Cette approche est également valable pour les systèmes d'équations non linéaires que nous verrons au chapitre 3.

Soit une équation à résoudre de la forme $f(x) = 0$. À partir d'une valeur initiale x_0 de la solution, on cherche une correction δx telle que :

$$0 = f(x_0 + \delta x)$$

---

3. Sir Isaac Newton (1642-1727) fut l'un des plus brillants esprits de son époque. Ses contributions en mathématiques, en optique et en mécanique céleste en ont fait l'un des plus célèbres mathématiciens de tous les temps.

En faisant un développement de Taylor autour de $x = x_0$, on trouve :

$$0 = f(x_0) + f'(x_0)\delta x + \frac{f''(x_0)(\delta x)^2}{2!} + \frac{f'''(x_0)(\delta x)^3}{3!} + \cdots$$

Il suffit maintenant de négliger les termes d'ordre supérieur ou égal à 2 en δx pour obtenir :

$$0 \simeq f(x_0) + f'(x_0)\delta x$$

On peut alors isoler la correction recherchée :

$$\delta x = -\frac{f(x_0)}{f'(x_0)}$$

La correction δx est en principe la quantité que l'on doit ajouter à x_0 pour annuler la fonction $f(x)$. Puisque nous avons négligé les termes d'ordre supérieur ou égal à 2 dans le développement de Taylor, cette correction n'est pas parfaite et l'on pose :

$$x_1 = x_0 + \delta x$$

On recommence le processus en cherchant à corriger x_1 d'une nouvelle quantité δx. On obtient alors l'algorithme suivant.

Algorithme 2.26: Méthode de Newton

1. Étant donnés :
   - un critère d'arrêt ϵ_a ;
   - un nombre maximal d'itérations N ;
   - une valeur estimée initiale de la racine x_0 ;
   - la précision machine ϵ_m.

2. Pour $n \geq 0$, effectuer :

   2.1. $x_{n+1} = x_n - \dfrac{f(x_n)}{f'(x_n)}$

   2.2. Si $\dfrac{|x_{n+1} - x_n|}{|x_{n+1}| + \epsilon_m} < \epsilon_a$:
   - convergence atteinte ;
   - écrire la solution x_{n+1} ;
   - arrêt.

   2.3. Si le nombre maximal d'itérations N est atteint :
   - convergence non atteinte en N itérations ;
   - arrêt.

   2.4. Incrémenter la valeur de n.

Exemple 2.27. On cherche à résoudre l'équation $f(x) = e^{-x} - x = 0$. Pour utiliser la méthode de Newton, calculons la dérivée de cette fonction, qui est

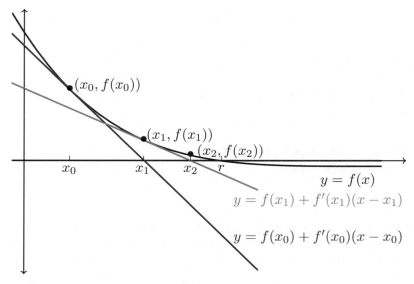

Figure 2.4 – Interprétation géométrique de la méthode de Newton

$f'(x) = -e^{-x} - 1$. L'algorithme se résume à :

$$x_{n+1} = x_n - \frac{f(x_n)}{f'(x_n)} = x_n - \frac{e^{-x_n} - x_n}{-e^{-x_n} - 1}$$

Les résultats sont compilés dans le tableau suivant à partir de $x_0 = 0$.

Méthode de Newton : $f(x) = e^{-x} - x$			
n	x_n	$|e_n|$	$\frac{e_{n+1}}{e_n}$
0	0,000 000 000	$0{,}5671 \times 10^{+0}$	$0{,}1183 \times 10^{+0}$
1	0,500 000 000	$0{,}6714 \times 10^{-1}$	$0{,}1239 \times 10^{-1}$
2	0,566 311 003	$0{,}8323 \times 10^{-3}$	$0{,}1506 \times 10^{-3}$
3	0,567 143 165	$0{,}1254 \times 10^{-6}$	$0{,}2302 \times 10^{-7}$
4	0,567 143 290	$0{,}288 \times 10^{-14}$	$\simeq 0$
5	0,567 143 290	$\simeq 0$	—

On remarque la convergence très rapide de cette méthode. Il suffit en effet pour s'en convaincre de comparer ces valeurs avec les résultats obtenus avec la méthode des points fixes à l'exemple 2.22 pour le même problème. On note également que le nombre de chiffres significatifs double à chaque itération. Ce phénomène est caractéristique de la méthode de Newton et nous en verrons la raison au moment de l'analyse de convergence. La dernière colonne, qui converge vers 0, donne une indication à ce sujet qui semble indiquer que la convergence est quadratique. ♦

2.4.1   Interprétation géométrique

La figure 2.4 permet de donner une interprétation géométrique assez simple de la méthode de Newton. Sur cette figure, on a représenté la courbe $y = f(x)$, la valeur initiale x_0 et le point $(x_0, f(x_0))$ qui est sur la courbe. La droite tangente à la courbe en ce point est de pente $f'(x_0)$ et a pour équation :

$$y = f(x_0) + f'(x_0)(x - x_0)$$

qui correspond au développement de Taylor de degré 1 autour de x_0. Cette droite coupe l'axe des x lorsque $y = 0$, c'est-à-dire en :

$$x_1 = x_0 - \frac{f(x_0)}{f'(x_0)}$$

qui devient la nouvelle valeur estimée de la solution. On reprend ensuite le même raisonnement à partir du point $(x_1, f(x_1))$. La droite :

$$y = f(x_1) + f'(x_1)(x - x_1)$$

coupe l'axe des x en :

$$x_2 = x_1 - \frac{f(x_1)}{f'(x_1)}$$

et ainsi de suite.

2.4.2   Analyse de convergence

La méthode de Newton est un cas particulier de la méthode des points fixes où :

$$g(x) = x - \frac{f(x)}{f'(x)}$$

Il n'est donc pas nécessaire de reprendre l'analyse de convergence à zéro. En effet, on sait que la convergence dépend de $g'(r)$ et l'on a dans ce cas précis :

$$g'(x) = 1 - \frac{(f'(x))^2 - f(x)f''(x)}{(f'(x))^2} = \frac{f(x)f''(x)}{(f'(x))^2} \tag{2.15}$$

Puisque $f(r) = 0$, r étant une racine, on a immédiatement $g'(r) = 0$ et donc une convergence au moins quadratique en vertu de la relation 2.9.

Remarque 2.28. Il faut noter que, dans le cas où $f'(r)$ est également nul, le résultat précédent n'est plus vrai dans la mesure où $g'(r)$ pourra être différent de 0. Nous étudierons cette question en détail un peu plus loin. ◄

Pour s'assurer que la convergence de la méthode de Newton est bel et bien quadratique en général, il suffit de calculer $g''(r)$. On a, en vertu de l'équation 2.15 :

$$g''(x) = \frac{[f'(x)f''(x) + f(x)f'''(x)](f'(x))^2 - 2f(x)f'(x)(f''(x))^2}{(f'(x))^4} \tag{2.16}$$

On en conclut que puisque $f(r) = 0$:

$$g''(r) = \frac{f''(r)}{f'(r)}$$

et que $g''(r)$ n'a *a priori* aucune raison d'être nul. Il reste que l'on a supposé que $f'(r) \neq 0$, ce qui n'est pas toujours vrai. Enfin, de la relation 2.9, on déduit :

$$e_{n+1} \simeq \frac{g''(r)}{2} e_n^2 = \frac{f''(r)}{2f'(r)} e_n^2 \tag{2.17}$$

qui démontre bien la convergence quadratique (si $f'(r) \neq 0$).

Exemple 2.29. Reprenons l'exemple 2.6 où l'on a calculé $\sqrt{2}$ en résolvant :

$$f(x) = x^2 - 2 = 0$$

mais cette fois par la méthode de Newton. Dans ce cas, $f'(x) = 2x$ et $f'(\sqrt{2}) = 2\sqrt{2} \neq 0$. On doit donc s'attendre à une convergence quadratique, ce que l'on peut constater dans le tableau suivant.

\multicolumn{6}{c}{**Méthode de Newton : $f(x) = x^2 - 2$**}
n	x_n	$\lvert e_n \rvert$	$\left\lvert \frac{e_{n+1}}{e_n} \right\rvert$		$\left\lvert \frac{e_{n+1}}{e_n^2} \right\rvert$
0	2,000 000 000	$0,5858 \times 10^{+0}$	$0,1464 \times 10^{+0}$		0,2499
1	1,500 000 000	$0,8578 \times 10^{-1}$	$0,2860 \times 10^{-1}$		0,3333
2	1,416 666 666	$0,2453 \times 10^{-2}$	$0,8658 \times 10^{-3}$		0,3529
3	1,414 215 686	$0,2124 \times 10^{-5}$	$0,7508 \times 10^{-6}$		0,3535
4	1,414 213 562	$0,1594 \times 10^{-11}$	—		—

Le tableau précédent est encore une fois très instructif. On remarque que e_n tend vers 0 et que le rapport $\left\lvert \frac{e_{n+1}}{e_n} \right\rvert$ tend aussi vers 0 (c'est-à-dire vers $g'(r)$, qui est 0 dans ce cas). De plus, le rapport $\left\lvert \frac{e_{n+1}}{e_n^2} \right\rvert$ tend vers à peu près 0,3535. Encore une fois, ce nombre n'est pas arbitraire et correspond à :

$$\frac{f''(r)}{2f'(r)} = \frac{f''(\sqrt{2})}{2f'(\sqrt{2})} = \frac{1}{2\sqrt{2}} \simeq 0,353\,553$$

en vertu de la relation 2.17. ◆

Remarque 2.30. Tout comme c'était le cas avec la méthode des points fixes, la convergence de la méthode de Newton dépend de la valeur initiale x_0. Malgré ses belles propriétés de convergence, une mauvaise valeur initiale peut provoquer la divergence de cette méthode. ◄

Exemple 2.31. Au chapitre précédent, nous avons vu comment un ordinateur utilise une approximation rationnelle pour évaluer la fonction exponentielle. Nous allons maintenant voir comment l'ordinateur évalue les racines carrées. C'est la méthode de Newton qui est à la base de l'algorithme. Par souci d'efficacité, il est toutefois nécessaire d'introduire quelques étapes intermédiaires. On pourrait en effet se servir de la méthode de Newton pour résoudre :

$$x^2 - q = 0$$

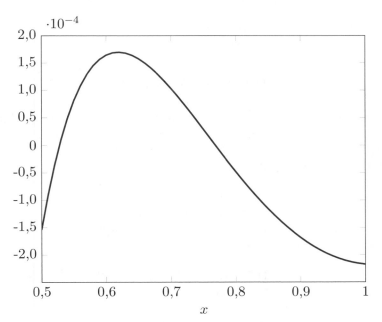

Figure 2.5 – Fonction $\sqrt{x} - \left(1{,}272\,353\,67 + 0{,}242\,693\,281x - \frac{1{,}029\,660\,39}{1+x}\right)$

ce qui permettrait d'évaluer $\sqrt{q}$ pour $q > 0$. La difficulté est de fournir une valeur initiale x_0 qui soit suffisamment près de $\sqrt{q}$ pour que la méthode de Newton converge très rapidement. Cela est très difficile si l'on considère tout l'intervalle $[0\,,\,\infty[$. On va donc réduire la longueur de l'intervalle de travail. Nous avons vu au chapitre 1, lors de la représentation des nombres réels en binaire, que tout nombre peut s'écrire sous la forme $q = m \times 2^N$. La normalisation de la mantisse m nous assure que $\frac{1}{2} \leq m < 1$. On a alors à distinguer 2 cas :

1. si N est pair, on a :
$$\sqrt{q} = \sqrt{m} \times 2^{\frac{N}{2}}$$

2. si N est impair, on a :
$$\sqrt{q} = \frac{\sqrt{m}}{\sqrt{2}} \times 2^{\frac{(N+1)}{2}}$$

Il reste seulement à définir un algorithme efficace pour évaluer la racine carrée d'un nombre réel m dans l'intervalle $[\frac{1}{2}\,,\,1]$. On note cependant que le nombre $\sqrt{2}$ doit être calculé une fois pour toutes et mis en mémoire. À cette étape, on peut utiliser la méthode de Newton pour résoudre :
$$f(x) = x^2 - m = 0$$

L'algorithme de base devient :
$$x_{n+1} = x_n - \frac{f(x_n)}{f'(x_n)} = x_n - \frac{(x_n^2 - m)}{2x_n} = \frac{1}{2}\left(x_n + \frac{m}{x_n}\right)$$

Cependant, le problème de la valeur x_0 de départ se pose encore. Suivant Cheney et Kincaid [9], la courbe :

$$y = 1{,}272\,353\,67 + 0{,}242\,693\,281x - \frac{1{,}029\,660\,39}{1 + x}$$

est une bonne approximation de la fonction $\sqrt{x}$ mais uniquement dans l'intervalle $[\frac{1}{2}\,,\,1]$. C'est ce que l'on peut constater à la figure 2.5 où on a tracé la différence entre ces 2 fonctions. Cela nous permet d'utiliser cette expression pour déterminer l'approximation initiale x_0 de la racine et de nous assurer ainsi qu'elle est très près de la racine recherchée puisque l'erreur maximale commise est de moins de $2{,}0 \times 10^{-4}$.

Ainsi, si l'on veut calculer par exemple $\sqrt{8{,}8528}$, on écrit d'abord que $8{,}8528 = 0{,}5533 \times 2^4$. On doit dans un premier temps calculer la racine carrée de $0{,}5533$. Pour ce faire, on pose :

$$\begin{aligned} x_0 &= 1{,}272\,353\,67 + (0{,}242\,693\,281)(0{,}5533) - \tfrac{1{,}029\,660\,39}{1+0{,}5533} \\ &= 0{,}743\,750\,141\,653\,6794 \end{aligned}$$

Les itérations de la méthode de Newton donnent ensuite, à partir de ce x_0 particulier :

$$\begin{aligned} x_1 &= 0{,}743\,841\,386\,537\,2300 \\ x_2 &= 0{,}743\,841\,380\,940\,8563 \\ x_3 &= 0{,}743\,841\,380\,940\,8563 \end{aligned}$$

et l'on constate que 2 itérations ont suffi (le calcul de x_3 était inutile). On a alors que $\sqrt{8{,}8528} = 0{,}743\,841\,380\,940\,8563 \times 2^2 = 2{,}975\,365\,523\,763\,425$ qui est le résultat exact en double précision. On en arrive à l'algorithme suivant. ◆

Algorithme 2.32: Calcul d'une racine carrée

1. Étant donné un nombre q dont on veut extraire la racine.

2. On exprime q sous la forme $q = m \times 2^N$.

3. Calcul de $\sqrt{m}$:

   3.1. Estimé initial : $x_0 = 1{,}272\,353\,67 + 0{,}242\,693\,281m - \dfrac{1{,}029\,660\,39}{1 + m}$

   3.2. Pour $n \geq 1$ et jusqu'à convergence, itérer : $x_{n+1} = \dfrac{1}{2}\left(x_n + \dfrac{m}{x_n}\right)$

4. On note r la racine obtenue ($r = \sqrt{m}$).

5. On évalue la racine carrée :

$$\sqrt{q} = \begin{cases} r \times 2^{\frac{N}{2}} & \text{si } N \text{ est pair ;} \\[2mm] \dfrac{r}{\sqrt{2}} \times 2^{\frac{(N+1)}{2}} & \text{si } N \text{ est impair.} \end{cases}$$

2.4.3 Cas des racines multiples

Il arrive parfois que la méthode de Newton ne converge pas quadratiquement. Cela est souvent le signe d'une *racine multiple*, dont nous rappelons la définition.

Définition 2.33: Multiplicité d'une racine

Une racine r de la fonction $f(x)$ est dite de multiplicité m si la fonction $f(x)$ peut s'écrire sous la forme :

$$f(x) = (x - r)^m h(x) \qquad (2.18)$$

et ce, pour une fonction $h(x)$ vérifiant $\lim_{x \to r} h(x) = h(r) \neq 0$.

Si l'on a une racine de multiplicité m en $x = r$, on peut mettre en facteur un terme de la forme $(x - r)^m$ de telle sorte que le reste $h(x)$ ne s'annule pas ou ne présente pas une division par zéro en $x = r$. On peut caractériser plus précisément les racines multiples à l'aide du résultat suivant.

Proposition 2.34: Caractérisation d'une racine multiple

Une racine r est de multiplicité m (où m est un entier) si et seulement si :

$$f(r) = f'(r) = f''(r) = \cdots = f^{(m-1)}(r) = 0, \quad f^{(m)}(r) \neq 0 \qquad (2.19)$$

c'est-à-dire si la fonction de même que ses $(m - 1)$ premières dérivées s'annulent en r. La dérivée d'ordre m ne doit cependant pas s'annuler en r.

Démonstration. Supposons que la condition 2.19 est vraie. Alors le développement de Taylor de la fonction $f(x)$ autour de r s'écrit :

$$
\begin{aligned}
f(x) &= \frac{f^m(r)}{m!}(x - r)^m + \frac{f^{m+1}(r)}{(m+1)!}(x - r)^{m+1} + \frac{f^{m+2}(r)}{(m+2)!}(x - r)^{m+2} + \cdots \\
&= (x - r)^m \left(\frac{f^m(r)}{m!} + \frac{f^{m+1}(r)}{(m+1)!}(x - r) + \frac{f^{m+2}(r)}{(m+2)!}(x - r)^2 + \cdots \right) \\
&= (x - r)^m h(x)
\end{aligned}
$$

et on constate facilement que, telle que définie, la fonction $h(x)$ ne s'annule pas en r. Inversement, si r est une racine de multiplicité m alors :

$$
\begin{array}{llll}
f(x) & = & (x-r)^m h(x) & (f(r) = 0) \\
f'(x) & = & m(x-r)^{m-1} h(x) + (x-r)^m h'(x) & (f'(r) = 0) \\
f''(x) & = & m(m-1)(x-r)^{m-2} h(x) + 2m(x-r)^{m-1} h'(x) & \\
& & +(x-r)^m h''(x) & (f''(r) = 0)
\end{array}
$$

$$\vdots$$

$$
\begin{array}{llll}
f^{(m-1)}(x) & = & m!(x-r) + \text{ termes s'annulant en } x = r & (f^{m-1}(r) = 0) \\
f^{(m)}(x) & = & m! + \text{ termes s'annulant en } x = r & (f^m(r) \neq 0)
\end{array}
$$

$\blacksquare$

Exemple 2.35. La fonction $f(x) = x \sin x$ possède une racine de multiplicité 2 en $x = 0$. En effet :

$$
\begin{array}{lll}
f(x) & = & x \sin x \\
f'(x) & = & \sin x + x \cos x \\
f''(x) & = & 2 \cos x - x \sin x
\end{array}
$$

et l'on conclut aisément que $f(0) = 0$, $f'(0) = 0$ et $f''(0) \neq 0$. $\blacklozenge$

Qu'arrive-t-il si l'on applique la méthode de Newton à ce cas ? Rappelons que :

$$g'(x) = \frac{f(x) f''(x)}{(f'(x))^2}$$

et que, si l'on est en présence d'une racine de multiplicité m, on a :

$$
\begin{array}{lll}
f(x) & = & (x-r)^m h(x) \\
f'(x) & = & m(x-r)^{m-1} h(x) + (x-r)^m h'(x) \\
f''(x) & = & m(m-1)(x-r)^{m-2} h(x) \\
& & + 2m(x-r)^{m-1} h'(x) + (x-r)^m h''(x)
\end{array}
$$

En remplaçant et en simplifiant le facteur $(x-r)^{2m-2}$, on trouve :

$$g'(x) = \frac{h(x)[m(m-1)h(x) + 2m(x-r)h'(x) + (x-r)^2 h''(x)]}{[mh(x) + (x-r)h'(x)]^2}$$

ce qui entraîne que :

$$g'(r) = \frac{h(r)[m(m-1)h(r) + 0]}{m^2 (h(r))^2}$$

Puisque $h(r) \neq 0$, on peut simplifier cette relation et obtenir :

$$g'(r) = 1 - \frac{1}{m}$$

On constate maintenant que $g'(r) = 0$ seulement si $m = 1$, c'est-à-dire si l'on a une racine simple (de multiplicité 1). La convergence ne sera donc quadratique que pour les racines simples. Si $m \neq 1$, la méthode de Newton converge linéairement avec un taux de convergence de $1 - \frac{1}{m}$. On remarque aussi que, plus m est grand, plus la convergence est lente, car le taux de convergence $g'(r)$ (voir la définition 2.12) est de plus en plus près de 1.

Exemple 2.36. On considère la résolution de :

$$f(x) = x^3 - 5x^2 + 7x - 3 = 0$$

En partant de $x_0 = 0$, on obtient le tableau suivant.

Méthode de Newton : $f(x) = x^3 - 5x^2 + 7x - 3$					
n	x_n	$\|e_n\|$	$\dfrac{e_{n+1}}{e_n}$		$\dfrac{e_{n+1}}{e_n^2}$
0	0,000 000 000	1,0000	0,5714		0,5714
1	0,428 571 428	0,5714	0,5499		0,9625
2	0,685 714 340	0,3142	0,5318		1,6926
3	0,832 865 400	0,1671	0,5185		3,1017
4	0,913 329 893	0,0866	0,5102		5,8864
5	0,955 783 292	0,0442	0,5053		11,429
6	0,977 655 101	0,0223	—		—

On voit tout de suite que la convergence vers la racine $r = 1$ est lente. On vérifie aisément que $f(1) = f'(1) = 0$ et donc que 1 est une racine de multiplicité 2 ($m = 2$). Cela est confirmé par la quatrième colonne du tableau, qui doit normalement converger vers $1 - \frac{1}{m}$, c'est-à-dire vers 0,5 dans ce cas précis. On note enfin que les valeurs de la dernière colonne semblent augmenter sans cesse et tendre vers l'infini. Cela indique une fois de plus que la convergence est linéaire et non quadratique. ◆

Il existe des moyens de récupérer la convergence quadratique dans le cas de racines multiples. Il suffit en effet de transformer le problème en un problème équivalent ayant les mêmes racines, mais de multiplicité 1. Dans cette optique, considérons la fonction :

$$u(x) = \frac{f(x)}{f'(x)}$$

On a immédiatement :

$$u(x) = \frac{(x-r)^m h(x)}{m(x-r)^{m-1}h(x) + (x-r)^m h'(x)} = \frac{(x-r)h(x)}{mh(x) + (x-r)h'(x)}$$

et :

$$u'(x) = \frac{[h(x) + (x-r)h'(x)][mh(x) + (x-r)h'(x)]}{[mh(x) + (x-r)h'(x)]^2}$$

$$- \frac{[(x-r)h(x)][mh'(x) + h'(x) + (x-r)h''(x)]}{[mh(x) + (x-r)h'(x)]^2}$$

Puisque $h(r) \neq 0$, on a $u(r) = 0$ mais aussi $u'(r) = \frac{1}{m} \neq 0$. r est donc une racine simple de $u(x)$, bien qu'elle soit une racine multiple de $f(x)$. On peut dès lors appliquer l'algorithme de Newton non pas à la fonction $f(x)$ mais bien à la fonction $u(x)$ pour trouver cette racine. L'algorithme devient :

$$x_{n+1} = x_n - \frac{u(x_n)}{u'(x_n)} = x_n - \frac{\frac{f(x_n)}{f'(x_n)}}{\frac{(f'(x_n))^2 - f(x_n)f''(x_n)}{(f'(x_n))^2}}$$

ou plus succinctement :

$$x_{n+1} = x_n - \frac{f(x_n)f'(x_n)}{(f'(x_n))^2 - f(x_n)f''(x_n)} \tag{2.20}$$

On note que cet algorithme requiert la connaissance de $f(x)$, de $f'(x)$ et de $f''(x)$, ce qui peut rendre laborieux le processus de résolution. Si l'on reprend le problème de l'exemple 2.36 en utilisant cette fois la méthode itérative 2.20, on retrouve la convergence quadratique, comme en témoignent les résultats suivants.

\multicolumn{5}{c}{**Méthode de Newton** : $u(x) = \frac{f(x)}{f'(x)}$}
n	x_n	$|e_n|$	$\frac{e_{n+1}}{e_n}$	$\frac{e_{n+1}}{e_n^2}$
0	$0,000\,000\,000$	$0,1000 \times 10^{+1}$	$0,1052 \times 10^{+0}$	$0,1053$
1	$1,105\,263\,157$	$0,1053 \times 10^{+0}$	$0,2927 \times 10^{-1}$	$0,2781$
2	$1,003\,081\,664$	$0,3081 \times 10^{-2}$	$0,7727 \times 10^{-3}$	$0,2508$
3	$1,000\,002\,381$	$0,2382 \times 10^{-5}$	$0,1566 \times 10^{-4}$	—
4	$1,000\,000\,000$	$0,373 \times 10^{-10}$	—	—

Remarque 2.37. Il existe un autre algorithme qui permet de récupérer la convergence quadratique de la méthode de Newton, mais il exige de connaître à l'avance la multiplicité m de la racine recherchée. Cela est évidemment très rare en pratique. On retrouvera cet algorithme dans les exercices de fin de chapitre. ◀

Remarque 2.38. On retiendra que pour obtenir la convergence de la méthode de Newton, le choix de la valeur initiale x_0 est primordial. Un bon choix et on observera une convergence quadratique, à moins de s'approcher d'une racine multiple, auquel cas la convergence sera linéaire. Un mauvais choix, et la méthode peut diverger lamentablement. ◀

2.5   Méthode de la sécante

La méthode de Newton possède de grands avantages, mais elle nécessite le calcul de la dérivée de $f(x)$. Si la fonction $f(x)$ est complexe, cette dérivée peut être difficile à évaluer et peut résulter en une expression complexe. On contourne cette difficulté en remplaçant le calcul de la pente $f'(x_n)$ de la droite tangente à la courbe par l'expression suivante :

$$f'(x_n) \simeq \frac{f(x_n) - f(x_{n-1})}{x_n - x_{n-1}}$$

Cela revient à utiliser la droite sécante passant par les points $(x_n, f(x_n))$ et $(x_{n-1}, f(x_{n-1}))$:

$$y = f(x_n) + \frac{(f(x_n) - f(x_{n-1}))}{(x_n - x_{n-1})}(x - x_n)$$

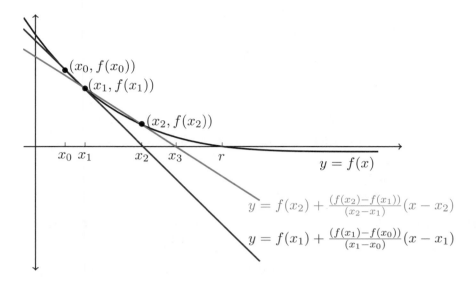

Figure 2.6 – Interprétation géométrique de la méthode de la sécante

plutôt que la droite tangente passant par $(x_n, f(x_n))$. Partant des points $(x_0, f(x_0))$ et $(x_1, f(x_1))$, on construit la droite sécante (voir la figure 2.6) :

$$y = f(x_1) + \frac{(f(x_1) - f(x_0))}{(x_1 - x_0)}(x - x_1)$$

qui coupe l'axe des x lorsque $y = 0$ c'est-à-dire en :

$$x_2 = x_1 - \frac{f(x_1)(x_1 - x_0)}{(f(x_1) - f(x_0))}$$

On répète ensuite le processus à partir de $(x_1, f(x_1))$ et $(x_2, f(x_2))$ en construisant une nouvelle droite sécante :

$$y = f(x_2) + \frac{(f(x_2) - f(x_1))}{(x_2 - x_1)}(x - x_2)$$

illustrée également à la figure 2.6. Il en résulte l'algorithme suivant.

Algorithme 2.39: Méthode de la sécante

1. Étant donnés :
   — un critère d'arrêt ϵ_a ;
   — un nombre maximal d'itérations N ;
   — deux valeurs estimées initiales x_0 et x_1 de la racine ;
   — la précision machine ϵ_m.
2. Pour $n \geq 1$, effectuer :
   2.1.
   $$x_{n+1} = x_n - \frac{f(x_n)(x_n - x_{n-1})}{(f(x_n) - f(x_{n-1}))} \tag{2.21}$$

2.2. Si $\dfrac{|x_{n+1} - x_n|}{|x_{n+1}| + \epsilon_m} < \epsilon_a$:

— convergence atteinte ;

— écrire la solution x_{n+1} ;

— arrêt.

2.3. Si le nombre maximal d'itérations N est atteint :

— convergence non atteinte en N itérations ;

— arrêt.

2.4. Incrémenter la valeur de n.

Remarque 2.40. Plusieurs remarques s'imposent au sujet de cet algorithme.

1. La dérivée de $f(x)$ n'apparaît plus dans l'algorithme.

2. Il faut fournir au départ 2 valeurs initiales. C'est ce que l'on appelle un *algorithme à deux pas*.

3. On choisit les valeurs initiales le plus près possible de la racine recherchée. *Il n'est cependant pas nécessaire qu'il y ait un changement de signe dans l'intervalle* $[x_0, x_1]$, comme c'est le cas avec la méthode de la bissection.

◀

Convergence de la méthode de la sécante

On ne peut pas se servir ici de l'analyse d'erreur élaborée pour les méthodes des points fixes parce que la méthode de la sécante n'est pas une méthode des points fixes au sens de l'équation 2.5. Il s'agit d'une méthode à deux pas puisque l'on a besoin de x_{n-1} et x_n pour calculer x_{n+1}. L'analyse d'erreur est cependant similaire si l'on suit l'approche proposée par Gander et Gruntz [24]. En effet, en soustrayant r de chaque côté de la relation 2.21, on trouve :

$$
\begin{aligned}
(x_{n+1} - r) &= (x_n - r) - \frac{f(x_n)(x_n - x_{n-1})}{f(x_n) - f(x_{n-1})} \\[2mm]
&= (x_n - r) - \frac{f(r + (x_n - r))((x_n - r) - (x_{n-1} - r))}{f(r + (x_n - r)) - f(r + (x_{n-1} - r))} \\[2mm]
&= e_n - \frac{f(r + e_n)(e_n - e_{n-1})}{f(r + e_n) - f(r + e_{n-1})}
\end{aligned}
$$

On effectue ensuite les développements de Taylor appropriés :

$$
e_{n+1} = e_n -
$$

$$
\frac{\left[f(r) + f'(r)e_n + \left(\frac{f''(r)}{2} \right) e_n^2 + \cdots \right] (e_n - e_{n-1})}{\left[f(r) + f'(r)e_n + \left(\frac{f''(r)}{2} \right) e_n^2 \cdots \right] - \left[f(r) + f'(r)e_{n-1} + \left(\frac{f''(r)}{2} \right) e_{n-1}^2 \cdots \right]}
$$

Puisque r est une racine, $f(r) = 0$ et nous supposerons par la suite que r est une racine simple ($f'(r) \neq 0$), mais aussi que $f''(r) \neq 0$. On a ainsi :

$$
\begin{aligned}
e_{n+1} &= e_n - \frac{\left[f'(r)e_n + \left(\frac{f''(r)}{2}\right)e_n^2 + \cdots\right](e_n - e_{n-1})}{\left[f'(r)(e_n - e_{n-1}) + \left(\frac{f''(r)}{2}\right)(e_n^2 - e_{n-1}^2) + \cdots\right]} \\[2mm]
&= e_n - \frac{\left[f'(r)e_n + \left(\frac{f''(r)}{2}\right)e_n^2 + \cdots\right]}{\left[f'(r) + \left(\frac{f''(r)}{2}\right)(e_n + e_{n-1}) + \cdots\right]} \\[2mm]
&= \frac{\left[\left(\frac{f''(r)}{2}\right)e_n e_{n-1} + \cdots\right]}{\left[f'(r) + \left(\frac{f''(r)}{2}\right)(e_n + e_{n-1}) + \cdots\right]}
\end{aligned}
$$

On garde ensuite seulement les termes dominants au numérateur et au dénominateur pour obtenir :

$$
e_{n+1} \simeq \frac{[f''(r)e_n e_{n-1}]}{2f'(r)} \tag{2.22}
$$

Notons l'analogie avec la relation 2.17 caractérisant la méthode de Newton. On cherche maintenant à déterminer l'exposant p de sorte que :

$$
e_n \simeq C e_{n-1}^p
$$

On aura alors :

$$
e_{n+1} \simeq C e_n^p \simeq C(C e_{n-1}^p)^p = C^{p+1} e_{n-1}^{p^2}
$$

de sorte qu'en remplaçant les expressions de e_{n+1} et e_n en fonction de e_{n-1} dans la relation 2.22, on a :

$$
C^{p+1} e_{n-1}^{p^2} \simeq \frac{[f''(r)(C e_{n-1}^p e_{n-1})]}{2f'(r)} = \frac{\left[f''(r)(C e_{n-1}^{p+1})\right]}{2f'(r)}
$$

ou encore, en isolant à gauche tous les termes en p :

$$
e_{n-1}^{p^2-p-1} \simeq C^{-p} \frac{f''(r)}{2f'(r)}
$$

Cette relation doit être vérifiée quelle que soit la valeur de e_{n-1}, c'est-à-dire quelle que soit l'erreur de départ. Le terme de droite étant indépendant de e_{n-1}, cette relation n'est possible que si le terme de gauche est également indépendant de e_{n-1}, ce qui ne peut se produire que si :

$$
p^2 - p - 1 = 0
$$

de sorte que :

$$
p = \frac{1 + \sqrt{5}}{2} \quad \text{ou} \quad \frac{1 - \sqrt{5}}{2}
$$

La dernière valeur étant négative, on retient que l'ordre de convergence de la méthode de la sécante est le nombre d'or $\alpha = \frac{1+\sqrt{5}}{2}$. La convergence n'est donc pas quadratique, mais elle est plus que linéaire. On parle alors de convergence superlinéaire. Illustrons tout ceci à l'aide d'un exemple.

Exemple 2.41. On cherche à résoudre :

$$e^{-x} - x = 0$$

que nous avons déjà abordé par d'autres méthodes. En prenant $x_0 = 0$ et $x_1 = 1$, on trouve à la première itération :

$$
\begin{aligned}
x_2 &= x_1 - \frac{(e^{-x_1} - x_1)(x_1 - x_0)}{(e^{-x_1} - x_1) - (e^{-x_0} - x_0)} \\[2mm]
&= 1 - \frac{(e^{-1} - 1)(1 - 0)}{(e^{-1} - 1) - (e^0 - 0)} = 0{,}612\,699\,836
\end{aligned}
$$

Les résultats sont compilés dans le tableau suivant.

\multicolumn{6}{c}{**Méthode de la sécante : $f(x) = e^{-x} - x$**}
n	x_n	$|e_n|$	$\frac{e_{n+1}}{e_n}$	$\frac{e_{n+1}}{e_n^\alpha}$	$\frac{e_{n+1}}{e_n^2}$
0	0,000 000 000	$0{,}5671 \times 10^{+0}$	$0{,}7632 \times 10^{+0}$	1,0835	1,345
1	1,000 000 000	$0{,}4328 \times 10^{+0}$	$0{,}1052 \times 10^{+0}$	0,1766	0,243
2	0,612 699 836	$0{,}4555 \times 10^{-1}$	$0{,}7254 \times 10^{-1}$	0,4894	1,592
3	0,563 838 389	$0{,}3305 \times 10^{-2}$	$0{,}8190 \times 10^{-2}$	0,2796	2,478
4	0,567 170 358	$0{,}2707 \times 10^{-4}$	$0{,}5983 \times 10^{-3}$	0,3979	22,66
5	0,567 143 290	$0{,}1619 \times 10^{-7}$	$0{,}4901 \times 10^{-5}$	0,3200	302,6
6	0,567 143 290	$0{,}793 \times 10^{-13}$	—	—	—

La chose la plus importante à remarquer est que le rapport $\left|\frac{e_{n+1}}{e_n}\right|$ tend vers 0, mais que le rapport $\left|\frac{e_{n+1}}{e_n^2}\right|$ tend vers l'infini, ce qui confirme que l'ordre de convergence se trouve quelque part entre 1 et 2. On remarque que le quotient $\left|\frac{e_{n+1}}{e_n^\alpha}\right|$, où $\alpha = \frac{(1+\sqrt{5})}{2}$ est le nombre d'or, semble se stabiliser autour de 0,4 bien que la précision soit insuffisante pour être plus affirmatif. Il semble bien que cette suite ne tende ni vers 0 ni vers l'infini, ce qui confirme que l'ordre de convergence est bien $\frac{1+\sqrt{5}}{2} \simeq 1{,}618$. ♦

2.6 Applications

Nous présentons dans cette section quelques exemples d'applications des méthodes numériques vues dans ce chapitre à des problèmes d'ingénierie. Chaque problème est brièvement décrit de manière à donner une idée assez précise du contexte, sans toutefois s'attarder sur les détails.

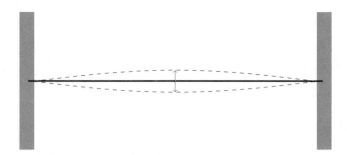

Figure 2.7 – Problème de la poutre encastrée

2.6.1   Modes de vibration d'une poutre

Une poutre de longueur L encastrée aux deux extrémités (fig. 2.7) subit une déformation au temps $t = 0$ et se met par la suite à vibrer. La déformation $u(x, t)$ de la poutre à la position x et au temps t est solution de :

$$\frac{\partial^2 u}{\partial t^2} + c^2 \frac{\partial^4 u}{\partial x^4} = 0 \tag{2.23}$$

qui est une équation aux dérivées partielles d'ordre 4. La constante c dépend de l'élasticité de la poutre. Les conditions aux limites traduisent l'état de la poutre à chaque extrémité. Nous avons choisi le cas où celle-ci est encastrée, ce qui impose les conditions :

$$\begin{array}{ll} u(0, t) = u(L, t) = 0 & \text{(fixée aux 2 extrémités)} \\ u_x(0, t) = u_x(L, t) = 0 & \text{(encastrée aux 2 extrémités)} \end{array} \tag{2.24}$$

Des conditions relatives à la déformation $u(x, 0)$ et à la vitesse $u_t(x, 0)$ initiales complètent ce système.

Une méthode classique de résolution de l'équation 2.23 consiste à séparer les variables (voir Kreyszig, réf. [30]) et à rechercher des solutions de la forme :

$$u(x, t) = F(x)G(t) \tag{2.25}$$

Les conditions aux limites 2.24 imposent des conditions à la fonction $F(x)$, qui sont :

$$\begin{array}{l} F(0) = F(L) = 0 \\ F'(0) = F'(L) = 0 \end{array} \tag{2.26}$$

En remplaçant l'équation 2.25 dans l'équation 2.23, on obtient :

$$\frac{F^{(4)}(x)}{F(x)} = -\frac{G''(t)}{c^2 G(t)}$$

où $F^{(4)}(x)$ désigne la dérivée quatrième de $F(x)$ et où on remarque l'égalité d'une fonction de x et d'une fonction de t, pour tout x et t. Cela n'est possible que si les deux fonctions sont égales à une constante. On peut vérifier que cette constante ne peut être négative ou nulle et nous la notons β^4. On en vient à considérer les deux équations différentielles ordinaires :

$$\begin{array}{l} F^{(4)}(x) - \beta^4 F(x) = 0 \\ G''(t) + c^2 \beta^4 G(t) = 0 \end{array}$$

dont les solutions respectives sont de la forme [4] :

$$F(x) = A\cos(\beta x) + B\sin(\beta x) + C\cosh(\beta x) + D\sinh(\beta x)$$
$$G(t) = a\cos(c\beta^2 t) + b\sin(c\beta^2 t)$$

(2.27)

On conclut de plus que :

$$F'(x) = \beta(-A\sin(\beta x) + B\cos(\beta x) + C\sinh(\beta x) + D\cosh(\beta x))$$

La constante β est pour le moment arbitraire. Les conditions 2.26 imposent les contraintes :

$$F(0) = A + C = 0 \qquad \text{c.-à-d.} \;\; C = -A$$
$$F'(0) = \beta(B + D) = 0 \qquad \text{c.-à-d.} \;\; D = -B$$

La fonction $F(x)$ et sa dérivée $F'(x)$ peuvent alors s'écrire :

$$F(x) \;\; = \;\; A(\cos(\beta x) - \cosh(\beta x)) + B(\sin(\beta x) - \sinh(\beta x))$$

$$F'(x) \;\; = \;\; \beta(A(-\sin(\beta x) - \sinh(\beta x)) + B(\cos(\beta x) - \cosh(\beta x)))$$

Les deux dernières conditions aux limites imposent :

$$F(L) \;\; = \;\; A(\cos(\beta L) - \cosh(\beta L)) + B(\sin(\beta L) - \sinh(\beta L)) = 0$$
$$F'(L) \;\; = \;\; \beta(A(-\sin(\beta L) - \sinh(\beta L)) + B(\cos(\beta L) - \cosh(\beta L))) = 0$$

ce qui peut encore s'exprimer sous la forme du système linéaire :

$$\begin{bmatrix} (\cos(\beta L) - \cosh(\beta L)) & (\sin(\beta L) - \sinh(\beta L)) \\ -\beta(\sin(\beta L) + \sinh(\beta L)) & \beta(\cos(\beta L) - \cosh(\beta L)) \end{bmatrix} \begin{bmatrix} A \\ B \end{bmatrix} = \begin{bmatrix} 0 \\ 0 \end{bmatrix}$$

Si la matrice précédente est inversible, la seule solution possible est $A = B = 0$, ce qui signifie que $F(x) = 0$, qui est une solution triviale. Pour obtenir des solutions non triviales, le déterminant doit être nul, ce qui signifie que :

$$\beta(\cos(\beta L) - \cosh(\beta L))^2 + \beta(\sin(\beta L) - \sinh(\beta L))(\sin(\beta L) + \sinh(\beta L)) = 0$$

c'est-à-dire :

$$1 - \cos(\beta L)\cosh(\beta L) = 0$$

(2.28)

Les seules valeurs intéressantes de β sont celles qui vérifient cette équation non linéaire. On est amené à rechercher les racines de la fonction :

$$f(x) = 1 - \cos x \cosh x$$

---

4. $\cosh x$ et $\sinh x$ sont les fonctions hyperboliques définies par :

$$\cosh x = \frac{e^x + e^{-x}}{2} \quad \text{et} \quad \sinh x = \frac{e^x - e^{-x}}{2}$$

d'où l'on tire les propriétés classiques (à vérifier en exercices) :

$$(\cosh x)' = \sinh x, \qquad (\sinh x)' = \cosh x \;\; \text{et} \;\; \cosh^2 x - \sinh^2 x = 1$$

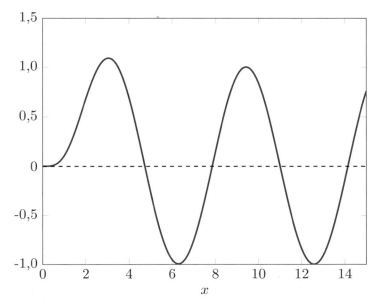

Figure 2.8 – Fonction $f_1(x) = \frac{(1 - \cos x \cosh x)}{\cosh x}$

Cette fonction varie fortement, car $\cosh x$ prend des valeurs très grandes tandis que $\cos x$ oscille du positif au négatif. Pour simplifier le traitement numérique, une bonne stratégie consiste à considérer la fonction :

$$f_1(x) = \frac{1 - \cos x \cosh x}{\cosh x} = \frac{1}{\cosh x} - \cos x$$

qui possède les mêmes racines que $f(x)$ et qui est illustrée à la figure 2.8. Heureusement, il est suffisant de trouver les premières racines seulement, qui correspondent aux modes de vibration les plus importants. Puisque $\frac{1}{\cosh(x)}$ tend vers 0 lorsque x est grand, on peut prendre les racines de la fonction $\cos(x)$ $(\frac{3\pi}{2}, \frac{5\pi}{2}, \cdots)$ comme valeurs de départ de l'algorithme choisi.

On constate aisément à l'aide de la figure qu'il y a un changement de signe dans les intervalles [3 , 5], [6 , 8] et [10 , 12]. La méthode de la bissection appliquée à chacun de ces trois intervalles converge vers $x_1 = 4{,}730$, $x_2 = 7{,}853$ et $x_3 = 10{,}996$, correspondant aux trois premiers modes de vibration. On obtient les valeurs respectives de β en divisant les x_i par la longueur L de la poutre. D'autres méthodes de résolution d'équations non linéaires que nous avons vues dans ce chapitre auraient pu donner des résultats similaires.

2.6.2 Premier modèle de viscosité

Les polymères (plastiques) sont largement utilisés pour la production d'objets de toutes sortes, allant des simples jouets jusqu'à bon nombre de pièces d'automobile. La mise en forme de ces polymères requiert une étape de plastification où le polymère est fondu dans le but de lui donner sa forme finale, très souvent par moulage. Un des paramètres fondamentaux de cette étape est la viscosité. Les rhéologues ont pour tâche de déterminer comment varie cette viscosité η en fonction du taux de cisaillement $\dot{\gamma}$. Des appareils nommés rhéomètres permettent de mesurer la viscosité pour différentes valeurs du taux de cisaillement. On obtient alors des résultats de la forme suivante.

Mesures de viscosité			
Taux de cisaillement $\dot{\gamma}_i(s^{-1})$	Viscosité $\eta_i(Pa \cdot s)$	Taux de cisaillement $\dot{\gamma}_i(s^{-1})$	Viscosité $\eta_i(Pa \cdot s)$
0,0137	3220,0	0,866	223,0
0,0274	2190,0	1,37	163,0
0,0434	1640,0	2,74	104,0
0,0866	1050,0	4,34	76,7
0,137	766,0	5,46	68,1
0,274	490,0	6,88	58,2
0,434	348,0		

Ces valeurs caractérisent une solution de 2 % de polyisobutylène dans du primol 355 (voir Carreau, De Kee et Chhabra, réf. [7]). On cherche ensuite à modéliser cette variation selon une loi aussi simple que possible. Un modèle très populaire est la *loi puissance* de la forme :

$$\eta = \eta_0 \dot{\gamma}^{\beta-1} \tag{2.29}$$

où η_0 est la *consistance* et β est l'*indice de pseudoplasticité*. Ces deux derniers paramètres sont inconnus et doivent être déterminés à partir des données du tableau. On doit choisir ces paramètres de façon à rendre compte le mieux possible des données. Un moyen courant d'y parvenir consiste à minimiser la fonction :

$$F(\eta_0, \beta) = \frac{1}{2} \sum_{i=1}^{npt} (\eta_0 \dot{\gamma}_i^{\beta-1} - \eta_i)^2$$

où *npt* est le nombre de mesures. C'est ce qu'on appelle une méthode de *moindres carrés* qui permet de minimiser la distance entre les points de mesure et la courbe représentée par la relation 2.29.

L'écart minimal est atteint lorsque :

$$\frac{\partial F(\eta_0, \beta)}{\partial \eta_0} = \frac{\partial F(\eta_0, \beta)}{\partial \beta} = 0$$

On obtient ainsi les conditions d'optimalité[5] :

$$\frac{\partial F(\eta_0, \beta)}{\partial \eta_0} = \sum_{i=1}^{npt} (\eta_0 \dot{\gamma}_i^{\beta-1} - \eta_i) \dot{\gamma}_i^{\beta-1} = 0$$

$$\frac{\partial F(\eta_0, \beta)}{\partial \beta} = \sum_{i=1}^{npt} (\eta_0 \dot{\gamma}_i^{\beta-1} - \eta_i) \eta_0 \dot{\gamma}_i^{\beta-1} \ln \dot{\gamma}_i = 0$$

---

5. La dérivée par rapport à x de $a^{f(x)}$ est $a^{f(x)} f'(x) \ln a$.

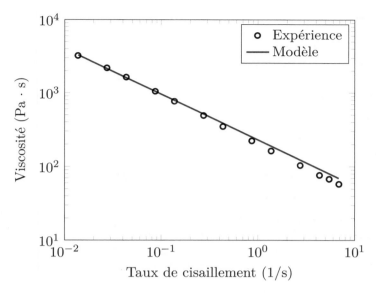

Figure 2.9 – Loi puissance : $\eta = \eta_0 \dot{\gamma}^{\beta-1}$ ($\beta = 0{,}3797$, $\eta_0 = 228{,}34$)

De la première équation, on tire une expression pour η_0 en fonction de β de la forme :

$$\eta_0 = \frac{\displaystyle\sum_{i=1}^{npt} \eta_i \dot{\gamma}_i^{\beta-1}}{\displaystyle\sum_{i=1}^{npt} \dot{\gamma}_i^{2\beta-2}} \tag{2.30}$$

Il reste donc à trouver β, solution de :

$$f(\beta) = \frac{\partial F(\eta_0, \beta)}{\partial \beta} = \sum_{i=1}^{npt} (\eta_0 \dot{\gamma}_i^{\beta-1} - \eta_i) \eta_0 \dot{\gamma}_i^{\beta-1} \ln \dot{\gamma}_i = 0$$

où η_0 est donné par l'équation 2.30. Il n'est pas facile d'établir la dérivée de la fonction $f(\beta)$. Dans le cas présent, la méthode de la sécante est presque aussi efficace que la méthode de Newton. L'indice de pseudoplasticité β est un nombre positif compris entre 0 et 1. À partir des valeurs initiales $\beta_0 = 0{,}5$ et $\beta_1 = 0{,}4$, la méthode de la sécante a convergé en 4 itérations vers $\beta = 0{,}3797$, ce qui donne une valeur $\eta_0 = 228{,}34$ en vertu de l'équation 2.30.

La figure 2.9 trace les points de mesure de même que la courbe de l'équation 2.29 pour ces valeurs. On remarque immédiatement que la correspondance n'est pas parfaite. Nous verrons au prochain chapitre un autre modèle qui colle davantage aux données rhéologiques, mais qui nécessite la résolution d'un système d'équations non linéaires.

Mentionnons enfin que l'on aurait pu simplifier cet exemple en prenant le logarithme de la loi de puissance 2.29 :

$$\ln \eta = \ln \eta_0 + (\beta - 1) \ln \dot{\gamma}$$

L'équation résultante est alors linéaire et beaucoup plus simple à résoudre.

Exercices

2.1 Faire trois itérations de la méthode de la bissection pour les fonctions suivantes et à partir des intervalles indiqués. Déterminer le nombre d'itérations nécessaires pour obtenir une solution dont le chiffre des millièmes est significatif.

(a) $f(x) = -0{,}9x^2 + 1{,}7x + 2{,}5$ dans l'intervalle $[2{,}8 \ , \ 3{,}0]$

(b) $f(x) = \dfrac{1 - 0{,}61x}{x}$ dans l'intervalle $[1{,}5 \ , \ 2{,}0]$

(c) $f(x) = x^2|\sin x| - 4{,}1$ dans l'intervalle $[0 \ , \ 4]$

(d) $f(x) = x^6 - x - 1$ dans l'intervalle $[1 \ , \ 2]$

2.2 Une variante de la méthode de la bissection, appelée *méthode de la fausse position*, consiste à remplacer le point milieu x_m de l'intervalle $[x_1, x_2]$ par le point d'intersection x_m^* de la droite joignant les points $(x_1, f(x_1))$ et $(x_2, f(x_2))$, avec l'axe des x. Illustrer à l'aide d'un graphique cette méthode. Obtenir l'équation de la droite et calculer son point d'intersection x_m^* avec l'axe des x. Modifier l'algorithme de la bissection en remplaçant x_m par x_m^*.

2.3 Reprendre l'exercice 1 en utilisant cette fois la méthode de la fausse position.

2.4 Obtenir la multiplicité m de la racine r des fonctions suivantes.

(a) $f(x) = x^2 - 2x + 1$, en $r = 1$

(b) $f(x) = x^3 - 2x^2 + x$, en $r = 0$

(c) $f(x) = x \sin x$, en $r = 0$

(d) $f(x) = \dfrac{\sin x}{x}$, en $r = 0$

2.5 On considère l'équation :

$$e^x - (x + 5) = 0 \qquad\qquad (2.31)$$

(a) Déterminer le nombre et la position approximative des solutions positives de l'équation 2.31.

(b) Utiliser l'algorithme de la bissection pour déterminer chacune de ces racines avec une erreur absolue inférieure à 10^{-7}.

(c) Déterminer combien d'itérations de la méthode de la bissection seraient nécessaires pour calculer la racine la plus proche de 1 avec une précision de 10^{-8}, en partant de l'intervalle $[0, 2]$. **Ne pas faire les itérations**.

2.6 [6] On considère l'équation :

$$f_1(x) = 729x^6 - 2\,916x^5 + 4\,860x^4 - 4\,320x^3 + 2\,160x^2 - 576x + 64 = 0$$

---

6. Les exercices précédés du symbole nécessitent l'utilisation d'un ordinateur. Pour faciliter la tâche de programmation, nous recommandons le logiciel Matlab® qui possède toutes les fonctionnalités de base nécessaires à l'apprentissage des méthodes numériques.

Déterminer un intervalle de départ que vous pourriez utiliser pour calculer une racine. Que pouvez-vous conclure ? Même question avec l'équation cubique :

$$f_2(x) = x^3 - 1\,000{,}9x^2 - 100{,}095\,8763x - 4{,}127\,835\,052 = 0$$

2.7 Calculer les points fixes des fonctions suivantes et vérifier s'ils sont attractifs ou répulsifs.

(a) $g(x) = 4x - x^2$

(b) $g(x) = \sqrt{x}$

(c) $g(x) = \arcsin x$

(d) $g(x) = 5 + x - x^2$

2.8 Utiliser l'algorithme des points fixes avec les fonctions suivantes. Une fois le point fixe obtenu, calculer $|e_n|$ et $\left|\frac{e_{n+1}}{e_n}\right|$. Obtenir expérimentalement le taux de convergence de la méthode.

(a) $g(x) = 1 - x - \frac{x^2}{5}$ $(x_0 = 5)$

(b) $g(x) = \sqrt{1 + x}$ $(x_0 = 1{,}5)$

2.9 Appliquer la méthode de Steffenson pour accélérer l'algorithme du point fixe :

$$x_{n+1} = \cos x_n,$$

avec $x_0 = 1$ (en radians) comme point de départ. Étudier expérimentalement la convergence à l'aide d'un tableau pour $|E_n| = |x_n - x_{n+1}|$, $\left|\frac{E_{n+1}}{E_n}\right|$, $\left|\frac{E_{n+1}}{E_n^2}\right|$. Déterminer l'ordre de convergence.

N.B. L'évaluation de l'ordre de convergence pourrait se faire de manière équivalente en utilisant les termes d'erreurs e_n au lieu des écarts successifs E_n.

2.10 Utiliser la méthode de Newton pour déterminer les racines des fonctions suivantes. Une fois la racine obtenue, calculer $|e_n|$, $\left|\frac{e_{n+1}}{e_n}\right|$ et $\left|\frac{e_{n+1}}{e_n^2}\right|$. Conclure sur la convergence de la méthode. Si la convergence est linéaire, modifier l'algorithme de façon à récupérer la convergence quadratique.

(a) $f(x) = x^3 - 2x^2 - 5$ $(x_0 = 3)$

(b) $f(x) = 0{,}51x - \sin x$ $(x_0 = 2$; et ensuite à partir de $x_0 = 1)$

(c) $f(x) = x^6 - x - 1$ $(x_0 = 1{,}5)$

(d) $f(x) = x^5 - 3x^4 + 4x^3 - 4x^2 + 3x - 1$ $(x_0 = 1{,}2)$

2.11 Faire 5 itérations de la méthode de la sécante pour les fonctions de l'exercice précédent. Dans chaque cas, prendre le x_0 donné et poser $x_1 = x_0 + 1$.

2.12 Montrer que l'algorithme suivant permet de récupérer la convergence quadratique lorsque la multiplicité m de la racine est connue :

$$x_{n+1} = x_n - m\frac{f(x_n)}{f'(x_n)}$$

Vérifier en premier lieu si cet algorithme converge vers une racine de $f(x)$. Montrer ensuite que la convergence est forcément quadratique.

2.13 On cherche à résoudre l'équation :

$$e^x - 3x^2 = 0$$

qui possède les deux racines $r_1 = -0{,}458\,9623$ et $r_2 = 0{,}91$ ainsi qu'une troisième racine située près de 4. On vous propose les méthodes des points fixes suivantes pour obtenir r_1.

$$
\begin{aligned}
1) \quad x &= g_1(x) = -\sqrt{\frac{e^x}{3}} \\
2) \quad x &= g_2(x) = -\left(\frac{e^x - 3x^2 - 3{,}385\,712\,869x}{3{,}385\,712\,869}\right) \\
3) \quad x &= g_3(x) = -\left(\frac{e^x - 3x^2 - 3{,}761\,89x}{3{,}761\,89}\right)
\end{aligned}
$$

(a) Lesquelles, parmi ces trois méthodes des points fixes, sont susceptibles de converger vers r_1 ? (Ne pas faire les itérations.)

(b) Déterminer celle qui produit une convergence quadratique vers r_1.

(c) La méthode de la bissection convergera-t-elle vers l'une des racines si l'on prend $[-1\,,\,0]$ comme intervalle de départ ?

(d) Utiliser la méthode de Newton pour déterminer la troisième racine avec 4 chiffres significatifs. Quel est l'ordre de convergence de cette méthode ?

2.14 On considère l'équation :

$$\tanh x = x^2 - 1$$

(a) Montrer que cette équation possède deux racines assez proches de 0.

(b) En partant de $x_0 = 2$, écrire un programme afin de comparer expérimentalement le comportement des deux méthodes itératives suivantes :

$$x_{n+1} = \sqrt{1 + \tanh(x_n)}$$

$$x_{n+1} = \operatorname{arcsinh}\left[\cosh(x_n)(x_n^2 - 1)\right]$$

Rappel :

$$\cosh(x) = \frac{e^x + e^{-x}}{2} \;;\; \sinh(x) = \frac{e^x - e^{-x}}{2} \;;\; \tanh(x) = \frac{\sinh(x)}{\cosh(x)}$$

(c) Que se passe-t-il si on part de $x_0 = 0$?

(d) Déterminer expérimentalement un intervalle $I = [0, a]$ pour lequel la première méthode itérative converge quel que soit $x_0 \in I$.

2.15 💻 L'équation :

$$x^4 - 2x^2 - 8 = 0$$

possède deux racines réelles, -2 et 2 et elle peut s'écrire de plusieurs façons sous la forme $x = g(x)$. En choisir deux et répondre aux questions suivantes.

(a) Écrire un programme pour calculer les itérés successifs de l'algorithme du point fixe pour vos deux choix de fonctions $g(x)$. Itérer jusqu'à ce que :

$$\frac{|x_{n+1} - x_n|}{|x_n|} < 10^{-6}$$

(b) Le comportement des deux algorithmes est-il le même pour les deux racines ?

(c) Calculer expérimentalement le taux de convergence dans chaque cas.

(d) Obtenir le taux de convergence théorique dans chaque cas.

(e) Est-ce que la méthode de la bissection serait plus lente que les deux méthodes des points fixes utilisées pour la détermination de la racine 2, si l'intervalle de départ était $[0, 4]$ et la condition d'arrêt était $|b - a| < 10^{-6}$?

2.16 Évaluer la quantité :

$$s = \sqrt[3]{3 + \sqrt[3]{3 + \sqrt[3]{3 + \cdots}}}$$

Suggestion : Mettre cette équation au cube et obtenir une équation de la forme $f(s) = 0$. Résoudre cette dernière à l'aide de la méthode de Newton à partir de $s_0 = 1$.

2.17 On cherche à résoudre l'équation :

$$x^2 - 2 = 0$$

(dont la solution est $\sqrt{2}$) au moyen de la méthode des points fixes :

$$x_{n+1} = g(x_n) = x_n - \rho(x_n^2 - 2)$$

où ρ est une constante.

(a) Pour quelles valeurs de ρ cette méthode des points fixes est-elle convergente à l'ordre 1 (au moins) ?

(b) Quel est l'ordre de convergence pour $\rho = \frac{\sqrt{2}}{4}$?

(c) Quel est l'ordre de convergence si $\rho = 3\sqrt{2}$?

2.18 L'équation $x^2 = 2$ peut être mise sous la forme :

$$x = \frac{2}{x} \tag{2.32}$$

(a) Montrer que l'algorithme du point fixe appliqué à 2.32 ne produit jamais une suite qui converge vers $\sqrt{2}$ sauf si $x_0 = \sqrt{2}$.

(b) Écrire explicitement l'algorithme de Steffenson de la section 2.24 appliqué à 2.32 et vérifier qu'il coïncide avec l'algorithme de Newton appliqué à $x^2 - 2 = 0$.

2.19 On a calculé une racine de :

$$f(x) = x^3 + 4x^2 - 10$$

en utilisant l'algorithme des points fixes :

$$x_{n+1} = \frac{1}{2}\sqrt{10 - x_n^3}$$

On a obtenu les résultats suivants.

$x_{n+1} = \frac{1}{2}\sqrt{10 - x_n^3}$			
n	x_n	$|e_n|$	$\left|\frac{e_{n+1}}{e_n}\right|$
1	1,500 00	0,134 77	0,580 84
2	1,286 95	0,078 28	0,476 62
3	1,402 54	0,037 31	0,529 88
4	1,345 46	0,019 77	0,502 78
5	1,375 17	0,009 94	0,517 10
6	1,360 09	0,005 14	0,509 72
7	1,367 85	0,002 62	0,511 45
8	1,363 89	0,001 34	0,514 92
9	1,365 92	0,000 69	—
⋮	⋮	⋮	⋮
17	1,365 23	0,000 00	—

On a obtenu les résultats des deux dernières colonnes en considérant que la valeur exacte de la racine est $r = 1,365\,23$.

(a) Expliquer pourquoi la méthode itérative précédente a convergé.

(b) Les valeurs de $\left|\frac{e_{n+1}}{e_n}\right|$ semblent converger vers 0,51. Expliquer ce résultat et donner la valeur exacte vers laquelle le quotient $\left|\frac{e_{n+1}}{e_n}\right|$ devrait converger.

(c) Quel est l'ordre de la méthode utilisée ?

2.20 Une équation $f(x) = 0$ possède deux racines $x_1 = -1$ et $x_2 = 2$. En partant de deux points de départ x_0^1 et x_0^2 différents, la méthode de Newton produit les résultats suivants :

n	x_0^1	x_0^2
1	−1,8889	1,6667
2	−1,2789	1,8444
3	−1,0405	1,9244
4	−1,0011	1,9627
5	−1,0000	1,9815
6	−1,0000	1,9908

(a) Déterminer, à partir de ces résultats numériques, si cet algorithme converge linéairement ou quadratiquement et ce, pour chacune des racines. Dans le cas de la convergence linéaire, donner une approximation du taux de convergence.

(b) Que peut-on dire de la multiplicité de chacune des racines ?

2.21 Une variante de la méthode de Newton pour résoudre des équations de la forme $f(x) = 0$ résulte en l'algorithme suivant :

$$\begin{cases} x_0 & \text{donné} \\ \\ x_{n+1} & = \quad x_n - \dfrac{f(x_n)}{f'(x_0)} \end{cases}$$

Note : La valeur de la dérivée apparaissant au dénominateur est fixée à $f'(x_0)$ pour toutes les itérations. Ce n'est donc pas la méthode de Newton.

(a) Donner une interprétation géométrique de cette méthode.

(b) On aimerait se servir de cette méthode pour évaluer la racine $r = \sqrt{2}$ de l'équation :

$$x^2 - 2 = 0$$

Donner une condition nécessaire sur x_0 pour que la méthode converge vers $\sqrt{2}$.

Suggestion : Considérer cette variante de la méthode de Newton comme une méthode des points fixes.

2.22 On vous propose la méthode des points fixes suivante pour évaluer la racine cubique $\sqrt[3]{N}$ d'un nombre N :

$$\begin{cases} x_0 & \text{donné} \\ \\ x_{n+1} & = \quad \dfrac{2x_n}{3} + \dfrac{N}{3x_n^2} \end{cases}$$

(a) Est-ce que $\sqrt[3]{N}$ est un point fixe de cet algorithme ?

(b) Quel est l'ordre de convergence exact (théorique) de cette méthode des points fixes ?

(c) On a appliqué cet algorithme pour le calcul de $\sqrt[3]{100}$ en partant de $x_0 = 5$ et l'on a obtenu le tableau :

$x_{n+1} = \frac{2x_n}{3} + \frac{100}{3x_n^2}$		
n	x_n	$\lvert e_n \rvert$
0	5,000 000 000	$0,358\,41 \times 10^{+0}$
1	4,666 666 667	$0,250\,77 \times 10^{-1}$
2	4,641 723 356	$0,134\,52 \times 10^{-3}$
3	4,641 588 837	$0,389\,86 \times 10^{-8}$
4	4,641 588 833	$-\,-\,-\,-\,-\,-\,-$

On considérera que la valeur x_4 est la valeur exacte de $\sqrt[3]{100}$. En complétant au besoin le tableau précédent, interpréter ces résultats numériques de manière à confirmer (ou infirmer) les résultats théoriques obtenus en b).

2.23 On considère une méthode des points fixes utilisant la fonction :

$$g(x) = \frac{x(x^2 + 3a)}{(3x^2 + a)}$$

où a est un paramètre strictement positif.

(a) Obtenir analytiquement l'unique point fixe de cette fonction dans l'intervalle $]0\,,\infty[$.

(b) Montrer que la méthode des points fixes converge dans ce cas au moins à l'ordre 3 vers le point fixe trouvé en a).

2.24 On considère l'équation :

$$\cos(x) - x = 0$$

(a) Montrer qu'elle possède exactement une racine dans l'intervalle $(0, \infty)$.

(b) Sans faire d'itérés, montrer que l'algorithme $x_{n+1} = \cos(x_n)$ est nécessairement convergent.

(c) Qu'en est-il de l'algorithme $x_{n+1} = \arccos(x_n)$?

2.25 (a) Obtenir tous les points fixes de la fonction :

$$g(x) = \lambda x(1 - x)$$

où λ est un paramètre ($\lambda \neq 0$).

(b) Déterminer pour chaque point fixe trouvé en a) les valeurs de λ pour lesquelles ces points fixes sont attractifs.

(c) Déterminer pour chaque point fixe trouvé en a) la valeur de λ pour laquelle la convergence de la méthode des points fixes sera quadratique.

2.26 (a) Obtenir tous les points fixes de la fonction :

$$g(x) = (\lambda + 1)x - \lambda x^2$$

où λ est un paramètre ($\lambda \neq 0$).

(b) Déterminer pour chaque point fixe trouvé en a) les valeurs de λ pour lesquelles ces points fixes sont attractifs.

(c) Déterminer pour chaque point fixe trouvé en a) la valeur de λ pour laquelle la convergence de la méthode des points fixes sera quadratique.

2.27 L'équation :

$$\ln(1 + x) - 0.5\,x + 1 = 0$$

possède une racine entre 1 et 10.

(a) Écrire un programme pour calculer cette racine par la méthode de la sécante.

(b) Modifier la procédure pour qu'elle donne aussi les écart successifs $|E_n| = |x_n - x_{n+1}|$ entre les itérés.

(c) Faire une représentation graphique log-log de E_{n+1} versus E_n. Pour n grand, quelle est la pente de la droite ?

(d) Quel est le lien entre cette pente et l'ordre de convergence de la méthode ?

N.B. Pour faire cet exercice, on peut utiliser les fonctions *loglog* et *polyfit* de Matlab®.

2.28 Soit $f(x)$ une fonction vérifiant les conditions :

$$\begin{cases} f(r) = 0 \\ f'(r) \neq 0 \\ f''(r) = 0 \\ f'''(r) \neq 0 \end{cases}$$

(a) Quelle est la multiplicité de la racine r de $f(x)$?

(b) Montrer que la méthode de Newton converge à l'ordre 3 au voisinage de cette racine.

2.29 On a utilisé une méthode des points fixes pour une fonction $g(x)$ qui possède un point fixe en $r = -1$. On a indiqué dans le tableau suivant une partie des résultats obtenus :

$x_{n+1} = g(x_n)$	
n	x_n
$\vdots$	$\vdots$
11	$-0,999\,887\,412$
12	$-1,000\,037\,634$
13	$-0,999\,987\,446$
14	$-1,000\,004\,185$
15	$-0,999\,998\,605$
16	$-1,000\,000\,465$
$\vdots$	$\vdots$

(a) Donner une valeur la plus précise possible pour $g(-1)$.

(b) Donner une valeur approximative pour $g'(-1)$.

(c) Expliquer pourquoi les valeurs de x_n sont tour à tour supérieures et inférieures à r.

(d) Quel est l'ordre de convergence de cette méthode des points fixes ?

2.30 L'algorithme suivant est une modification de la méthode de Newton :

$$x_{n+1} = x_n - \frac{f(x_n)}{f'(x_n)} - \frac{1}{2}\frac{f''(x_n)}{f'(x_n)}\left(\frac{f(x_n)}{f'(x_n)}\right)^2$$

(a) On souhaite utiliser cet algorithme pour évaluer $\sqrt{2}$. Donner l'algorithme dans ce cas et simplifier au maximum l'expression de l'algorithme de manière à éviter les calculs inutiles par la suite. De toute évidence, l'algorithme ne peut pas utiliser la fonction racine carrée.

(b) Déterminer analytiquement l'ordre de convergence vers la racine $\sqrt{2}$ de l'algorithme obtenu en a).

(c) Faire 2 itérations de cet algorithme à partir de $x_0 = 2$.

2.31 La demi-épaisseur $t(x)$ d'un profil d'aile d'avion de la classe NACA[7] peut être approchée par :

$$t(x) = T(3{,}7\sqrt{x} - 3{,}4x - 0{,}3x^4)$$

où T est la demi-épaisseur nominale et x varie de $x = 0$ (bord d'attaque) à $x = 1$ (bord de fuite). La demi-épaisseur maximale $t_{\max}$ est légèrement supérieure à T. Un profil avec $T = 0{,}15$ est illustré à la figure 2.10 (les fonctions $t(x)$ et $-t(x)$ ont été tracées pour obtenir le profil complet). Déterminer la valeur de x où l'épaisseur $t(x)$ est maximale. On précisera et justifiera l'approche utilisée et l'on fera au moins 2 itérations de la méthode retenue.

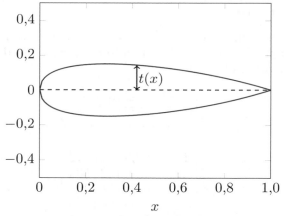

Figure 2.10 – Profil NACA pour $T = 0{,}15$

2.32 On veut évaluer :

$$x = \cfrac{1}{1 + \cfrac{1}{1 + \cfrac{1}{1 + \cdots}}}$$

(a) Déterminer analytiquement la valeur de x.

(b) L'écriture de x suggère naturellement une méthode de points fixes. Laquelle ?

(c) Montrer que la solution analytique est un point fixe attractif de la fonction $g(x)$ trouvée en b).

Chapitre 3

Systèmes d'équations algébriques

3.1 Introduction

Les systèmes d'équations algébriques jouent un rôle très important en ingénierie. Ici encore, les progrès de l'informatique et de l'analyse numérique permettent d'aborder des problèmes de taille prodigieuse. On résout couramment aujourd'hui des systèmes de plusieurs dizaines de millions d'inconnues. On peut classer ces systèmes en deux grandes familles : les systèmes *linéaires* et les systèmes *non linéaires*. On rencontre ces applications en mécanique des fluides et dans l'analyse de structures complexes. On peut par exemple calculer l'écoulement de l'air autour d'un avion ou l'écoulement de l'eau dans une turbine hydraulique complète. On peut également analyser la résistance de la carlingue d'un avion à différentes contraintes extérieures et en vérifier numériquement la solidité.

Ces calculs complexes requièrent des méthodes évoluées comme les méthodes d'éléments finis (voir Reddy, réf. [38]). On obtient généralement des systèmes d'équations non linéaires de taille considérable, que l'on doit résoudre à l'aide de méthodes efficaces qui minimisent le temps de calcul et l'espace-mémoire requis.

Dans ce chapitre, nous allons aborder les principales méthodes de résolution directe des systèmes linéaires, à savoir la méthode d'élimination de Gauss et la décomposition LU. Ces méthodes permettent déjà de résoudre des problèmes de taille considérable allant jusqu'à quelques centaines de milliers d'inconnues. Pour les systèmes de plus grande taille encore, on doit recourir aux méthodes dites itératives dont nous ferons une brève description au chapitre 4.

L'effet des erreurs dues à l'arithmétique flottante sera également étudié et nous introduirons le concept de *conditionnement* d'une matrice. Par la suite, nous verrons comment résoudre les systèmes non linéaires au moyen d'une suite de systèmes linéaires. Nous généraliserons en fait la méthode de Newton que nous avons vue au chapitre 2.

3.2 Systèmes linéaires

De façon générale, un système d'équations linéaires s'écrit sous la forme :

$$
\begin{array}{ccccccccc}
a_{11}x_1 & + & a_{12}x_2 & + & a_{13}x_3 & + & \cdots & + & a_{1n}x_n & = & b_1 \\
a_{21}x_1 & + & a_{22}x_2 & + & a_{23}x_3 & + & \cdots & + & a_{2n}x_n & = & b_2 \\
a_{31}x_1 & + & a_{32}x_2 & + & a_{33}x_3 & + & \cdots & + & a_{3n}x_n & = & b_3 \\
& & & & & \vdots & & & & = & \vdots \\
a_{n1}x_1 & + & a_{n2}x_2 & + & a_{n3}x_3 & + & \cdots & + & a_{nn}x_n & = & b_n
\end{array}
\tag{3.1}
$$

ou encore, en utilisant la notation matricielle, plus pratique et plus compacte :

$$
A\vec{x} = \vec{b} \tag{3.2}
$$

où :

$$
A = \begin{bmatrix}
a_{11} & a_{12} & a_{13} & \cdots & a_{1n} \\
a_{21} & a_{22} & a_{23} & \cdots & a_{2n} \\
a_{31} & a_{32} & a_{33} & \cdots & a_{3n} \\
\vdots & \vdots & \vdots & \ddots & \vdots \\
a_{n1} & a_{n2} & a_{n3} & \cdots & a_{nn}
\end{bmatrix},
\vec{x} = \begin{bmatrix}
x_1 \\ x_2 \\ x_3 \\ \vdots \\ x_n
\end{bmatrix}
\text{ et } \vec{b} = \begin{bmatrix}
b_1 \\ b_2 \\ b_3 \\ \vdots \\ b_n
\end{bmatrix}
$$

La matrice A et le vecteur $\vec{b}$, appelé membre de droite du système, sont supposés connus et on doit déterminer le vecteur colonne d'inconnues $\vec{x}$. On notera parfois aussi $\vec{x} = [x_1\ x_2\ x_3\ \cdots\ x_n]^T$, le symbole «^{T}» désignant la transposée du vecteur.

Le problème 3.1 (ou 3.2) est un système de n équations et n inconnues. En pratique, la valeur de n varie considérablement et peut s'élever jusqu'à plusieurs centaines de milliers. Dans ce chapitre, nous nous limitons à des systèmes de petite taille, mais les stratégies développées sont valides pour des systèmes de très grande taille. Notons toutefois que le coût de la résolution croît rapidement avec n.

Remarque 3.1. Dans la plupart des cas, nous traitons des *matrices non singulières* ou *inversibles*, c'est-à-dire dont la matrice inverse existe. Nous ne faisons pas non plus de révision systématique de l'algèbre linéaire élémentaire que nous supposons connue. Ainsi, la solution de l'équation 3.2 peut s'écrire :

$$
\vec{x} = A^{-1}\vec{b}
$$

et la discussion peut sembler close. Nous verrons cependant que le calcul de la matrice inverse A^{-1} est plus difficile et plus long que la résolution du système linéaire de départ. ◄

Exemple 3.2. Considérons le système linéaire suivant :

$$
\begin{array}{rcl}
2x_1 + 3x_2 & = & 8 \\
3x_1 + 4x_2 & = & 11
\end{array}
$$

Pour le résoudre, on peut utiliser la méthode classique qui consiste à éliminer les équations une à une par *substitution successive*. Dans un premier temps, on isole x_1 de la première équation pour obtenir $x_1 = \frac{8-3x_2}{2}$, que l'on substitue dans la deuxième équation :

$$3\left(\frac{8 - 3x_2}{2}\right) + 4x_2 = 11$$

ou encore $12 - 0{,}5x_2 = 11$. On déduit alors facilement que $x_2 = 2$ et par la suite que $x_1 = 1$. ◆

Il est théoriquement possible d'étendre la substitution successive à des systèmes de grande taille. Il est cependant difficile de transcrire cette façon de faire sous forme algorithmique traduisible dans un langage informatique. Il est donc préférable de recourir à d'autres méthodes pour simplifier le système d'équations.

On peut d'abord se demander quels types de systèmes linéaires sont faciles à résoudre, et ce, même s'ils sont de grande taille. Le cas le plus simple est sans doute celui des *systèmes diagonaux*, c'est-à-dire dont la matrice A n'a de coefficients non nuls que sur la diagonale.

Exemple 3.3. Le système suivant :

$$\begin{bmatrix} 1 & 0 & 0 \\ 0 & 2 & 0 \\ 0 & 0 & 3 \end{bmatrix} \begin{bmatrix} x_1 \\ x_2 \\ x_3 \end{bmatrix} = \begin{bmatrix} 2 \\ 2 \\ 9 \end{bmatrix}$$

est très facile à résoudre. Il suffit de considérer séparément chaque ligne. On obtient ainsi $\vec{x} = \begin{bmatrix} 2 & 1 & 3 \end{bmatrix}^T$. Pour résoudre, il suffit de poser $x_i = \frac{b_i}{a_{ii}}$, pour $i = 1,\ 2, \cdots, n$. On remarque de plus que le système a une solution unique seulement si tous les termes diagonaux sont non nuls. Hélas, on rencontre rarement des systèmes diagonaux en pratique et il faudra travailler un peu plus pour s'attaquer aux applications. ◆

Définition 3.4: Matrice triangulaire

Une matrice est dite triangulaire inférieure (ou supérieure) si tous les a_{ij} (ou tous les a_{ji}) sont nuls pour $i < j$. Elle est donc de la forme :

$$\begin{bmatrix} a_{11} & 0 & 0 & 0 & \cdots & 0 \\ a_{21} & a_{22} & 0 & 0 & \cdots & 0 \\ a_{31} & a_{32} & a_{33} & 0 & \cdots & 0 \\ \vdots & \vdots & \vdots & \ddots & \vdots & \vdots \\ a_{n-1\,1} & a_{n-1\,2} & a_{n-1\,3} & \cdots & a_{n-1\,n} & 0 \\ a_{n1} & a_{n2} & a_{n3} & \cdots & a_{n\,n-1} & a_{nn} \end{bmatrix}$$

Une matrice triangulaire supérieure est tout simplement la transposée d'une matrice triangulaire inférieure.

Les systèmes triangulaires sont également faciles à résoudre. Il suffit en effet de commencer par l'équation qui se trouve à la pointe du triangle (la première pour une matrice triangulaire inférieure et la dernière pour une matrice triangulaire supérieure) et de résoudre une à une les équations. On parle de *descente triangulaire* ou de *remontée triangulaire*, selon le cas.

Exemple 3.5. La descente triangulaire du système :

$$\begin{bmatrix} 3 & 0 & 0 \\ 1 & 2 & 0 \\ 3 & 2 & 1 \end{bmatrix} \begin{bmatrix} x_1 \\ x_2 \\ x_3 \end{bmatrix} = \begin{bmatrix} 9 \\ 7 \\ 14 \end{bmatrix}$$

consiste à résoudre la première équation :

$$x_1 = \frac{b_1}{a_{11}} = \frac{9}{3} = 3$$

Puisque x_1 est maintenant connue, on peut déterminer x_2 :

$$x_2 = \frac{b_2 - a_{21}x_1}{a_{22}} = \frac{7 - (1)(3)}{2} = 2$$

La dernière équation s'écrit :

$$x_3 = \frac{b_3 - a_{31}x_1 - a_{32}x_2}{a_{33}} = \frac{14 - (3)(3) - (2)(2)}{1} = 1$$

♦

De l'exemple précédent, on peut rapidement déduire le cas général pour la descente triangulaire. Il suffit en effet d'isoler x_i en fonction des inconnues précédentes (d'indice plus petit que i) :

$$x_1 = b_1/a_{11}$$

$$x_i = \frac{\left(b_i - \sum_{k=1}^{i-1} a_{ik}x_k \right)}{a_{ii}} \quad \text{pour } i = 2, 3, \cdots, n \tag{3.3}$$

Pour la remontée triangulaire, on a :

$$x_n = b_n/a_{nn}$$

$$x_i = \frac{\left(b_i - \sum_{k=i+1}^{n} a_{ik}x_k \right)}{a_{ii}} \quad \text{pour } i = n-1, n-2, \cdots, 2, 1 \tag{3.4}$$

Remarque 3.6. Les équations 3.3 et 3.4 sont valides si les a_{ii} sont tous non nuls. Dans le cas contraire, la matrice A n'est pas inversible et, donc, le système $A\vec{x} = \vec{b}$ n'a pas une solution unique. On se souvient en effet que le déterminant d'une matrice triangulaire inférieure (ou supérieure) est :

$$\det A_{triangulaire} = \prod_{i=1}^{n} a_{ii} \tag{3.5}$$

En d'autres mots, le déterminant est le produit des termes de la diagonale de A. Le produit est donc non nul seulement si aucun des a_{ii} n'est nul. ◄

Les matrices triangulaires sont primordiales pour la résolution des systèmes linéaires. Dans les sections qui suivent, nous voyons comment ramener un système linéaire quelconque à un ou plusieurs systèmes triangulaires. Nous abordons essentiellement deux méthodes dites *directes* au sens de la définition suivante.

Définition 3.7: Méthode directe

Une méthode de résolution d'un système linéaire est dite directe si la solution du système peut être obtenue par cette méthode en un nombre fini et prédéterminé d'opérations.

Autrement dit, les méthodes directes permettent d'obtenir le résultat après un nombre connu de multiplications, divisions, additions et soustractions. On peut alors en déduire le temps de calcul nécessaire à la résolution (qui peut être très long si n est grand). Les méthodes directes s'opposent sur ce point aux méthodes dites *itératives*, qui peuvent converger en quelques itérations, converger en un très grand nombre d'itérations ou même diverger, selon le cas. Nous présentons quelques exemples de méthodes itératives à la fin du chapitre 4.

Les deux principales méthodes directes sont la *méthode d'élimination de Gauss* et la *décomposition LU*. Il s'agit en fait d'une seule et même méthode puisque la méthode d'élimination de Gauss est un cas particulier de décomposition LU. La stratégie de résolution est basée sur la question suivante : *quelles opérations sont permises sur les lignes du système 3.1 pour le ramener à un système triangulaire ?* Ou encore : pour ramener un système linéaire quelconque à un système triangulaire, quels sont les coups permis, c'est-à-dire *ceux qui ne changent pas la solution du système de départ ?* C'est à ces questions que nous répondons dans la section suivante.

3.3   Opérations élémentaires sur les lignes

Revenons au système 3.2 et voyons comment on peut le transformer sans en modifier la solution. La réponse est toute simple. On peut toujours multiplier (à gauche de chaque côté) les termes de cette relation par une matrice W *inversible*; la solution n'est pas modifiée puisque l'on peut remultiplier par W^{-1} pour revenir au système de départ. Ainsi :

$$W A \vec{x} = W \vec{b}$$

possède la même solution que le système 3.2. Ce résultat n'est plus vrai si la matrice W n'est pas inversible. On ne peut plus en effet revenir en arrière si la matrice W^{-1} n'existe pas.

Exemple 3.8. Nous avons vu que la solution du système :

$$\begin{bmatrix} 3 & 0 & 0 \\ 1 & 2 & 0 \\ 3 & 2 & 1 \end{bmatrix} \begin{bmatrix} x_1 \\ x_2 \\ x_3 \end{bmatrix} = \begin{bmatrix} 9 \\ 7 \\ 14 \end{bmatrix}$$

est $\vec{x} = \begin{bmatrix} 3 & 2 & 1 \end{bmatrix}^T$. Si l'on multiplie ce système par la matrice inversible :

$$W = \begin{bmatrix} 1 & 0 & 0 \\ 1 & 2 & 0 \\ 1 & 2 & 3 \end{bmatrix}$$

on obtient le nouveau système :

$$\begin{bmatrix} 3 & 0 & 0 \\ 5 & 4 & 0 \\ 14 & 10 & 3 \end{bmatrix} \begin{bmatrix} x_1 \\ x_2 \\ x_3 \end{bmatrix} = \begin{bmatrix} 9 \\ 23 \\ 65 \end{bmatrix}$$

dont la solution est toujours $\vec{x} = \begin{bmatrix} 3 & 2 & 1 \end{bmatrix}^T$. Par contre, si l'on multiplie le système de départ par la matrice non inversible :

$$W = \begin{bmatrix} 1 & 0 & 0 \\ 1 & 2 & 0 \\ 1 & 2 & 0 \end{bmatrix}$$

on obtient le système singulier :

$$\begin{bmatrix} 3 & 0 & 0 \\ 5 & 4 & 0 \\ 5 & 4 & 0 \end{bmatrix} \begin{bmatrix} x_1 \\ x_2 \\ x_3 \end{bmatrix} = \begin{bmatrix} 9 \\ 23 \\ 23 \end{bmatrix}$$

qui possède une infinité de solutions, la dernière équation étant redondante.
♦

Pour transformer un système quelconque en système triangulaire, il suffit d'utiliser trois opérations élémentaires sur les lignes de la matrice. Ces trois opérations élémentaires correspondent à trois types différents de matrices W. C'est la base de la méthode d'élimination de Gauss.

L'approche suivie est similaire à celle de Burden et Faires (réf. [6]). On note $\vec{l}_i$, la ligne i de la matrice A. Les trois opérations élémentaires dont on a besoin sont les suivantes :

1. opération $(\vec{l}_i \leftarrow \lambda\vec{l}_i)$: remplacer la ligne i par un multiple d'elle-même ;

2. opération $(\vec{l}_i \leftrightarrow \vec{l}_j)$: intervertir la ligne i et la ligne j ;

3. opération $(\vec{l}_i \leftarrow \vec{l}_i + \lambda\vec{l}_j)$: remplacer la ligne i par la ligne i plus un multiple de la ligne j.

Comme nous pourrons le constater, ces trois opérations élémentaires sont permises, car elles équivalent à multiplier le système 3.2 par une matrice inversible.

3.3.1 Multiplication d'une ligne par un scalaire

Remplacer la ligne i par un multiple d'elle-même $(\vec{l}_i \leftarrow \lambda\vec{l}_i)$ revient à multiplier le système linéaire 3.2 par une matrice $W = M(\vec{l}_i \leftarrow \lambda\vec{l}_i)$, qui est diagonale, inversible et dont tous les éléments diagonaux sont 1, sauf m_{ii}, qui vaut λ. Tous les autres termes sont nuls. Cette matrice a pour effet de multiplier la ligne i par le scalaire λ.

Remarque 3.9. Le déterminant de la matrice diagonale $M(\vec{l_i} \leftarrow \lambda\vec{l_i})$ est λ. La matrice est donc inversible si $\lambda \neq 0$. La matrice inverse de $M(\vec{l_i} \leftarrow \lambda\vec{l_i})$ est simplement $M(\vec{l_i} \leftarrow \lambda^{-1}\vec{l_i})$, c'est-à-dire :

$$M^{-1}(\vec{l_i} \leftarrow \lambda\vec{l_i}) = M(\vec{l_i} \leftarrow (1/\lambda)\vec{l_i}) \tag{3.6}$$

Il suffit donc de remplacer λ par $1/\lambda$ pour inverser la matrice. ◄

Exemple 3.10. Soit le système :

$$\begin{bmatrix} 3 & 1 & 2 \\ 6 & 4 & 1 \\ 5 & 4 & 1 \end{bmatrix} \begin{bmatrix} x_1 \\ x_2 \\ x_3 \end{bmatrix} = \begin{bmatrix} 6 \\ 11 \\ 10 \end{bmatrix} \tag{3.7}$$

dont la solution est $\vec{x} = \begin{bmatrix} 1 & 1 & 1 \end{bmatrix}^T$. Si l'on souhaite multiplier la ligne 2 par un facteur 3, cela revient à multiplier le système par la matrice :

$$M(\vec{l_2} \leftarrow 3\vec{l_2}) = \begin{bmatrix} 1 & 0 & 0 \\ 0 & 3 & 0 \\ 0 & 0 & 1 \end{bmatrix}$$

et l'on obtient :

$$\begin{bmatrix} 3 & 1 & 2 \\ 18 & 12 & 3 \\ 5 & 4 & 1 \end{bmatrix} \begin{bmatrix} x_1 \\ x_2 \\ x_3 \end{bmatrix} = \begin{bmatrix} 6 \\ 33 \\ 10 \end{bmatrix}$$

La solution de ce nouveau système reste la même que celle du système de départ puisque la matrice $M(\vec{l_2} \leftarrow 3\vec{l_2})$ est inversible (et son déterminant est 3). ◆

3.3.2 Permutation de deux lignes

L'opération élémentaire qui consiste à intervertir deux lignes ($\vec{l_i} \leftrightarrow \vec{l_j}$) est également connue sous le nom de *permutation de lignes*. Cette opération est équivalente à la multiplication du système 3.1 par une matrice inversible $W = P(\vec{l_i} \leftrightarrow \vec{l_j})$, obtenue en permutant les lignes i et j de la matrice identité.

Exemple 3.11. On veut intervertir la ligne 2 et la ligne 3 du système de l'exemple précédent. Il suffit de le multiplier par la matrice :

$$P(\vec{l_2} \leftrightarrow \vec{l_3}) = \begin{bmatrix} 1 & 0 & 0 \\ 0 & 0 & 1 \\ 0 & 1 & 0 \end{bmatrix}$$

et l'on obtient :

$$\begin{bmatrix} 3 & 1 & 2 \\ 5 & 4 & 1 \\ 6 & 4 & 1 \end{bmatrix} \begin{bmatrix} x_1 \\ x_2 \\ x_3 \end{bmatrix} = \begin{bmatrix} 6 \\ 10 \\ 11 \end{bmatrix}$$

◆

Remarque 3.12. La matrice $P(\vec{l_i} \leftrightarrow \vec{l_j})$ est inversible. Pour obtenir son inverse, il suffit de réfléchir une seconde. En effet, quelle est l'opération inverse de celle qui inverse deux lignes, sinon l'inversion des deux mêmes lignes ? L'inverse de la matrice $P(\vec{l_i} \leftrightarrow \vec{l_j})$ est donc la matrice $P(\vec{l_i} \leftrightarrow \vec{l_j})$ elle-même, c'est-à-dire :

$$P^{-1}(\vec{l_i} \leftrightarrow \vec{l_j}) = P(\vec{l_i} \leftrightarrow \vec{l_j}) \tag{3.8}$$

Le déterminant de $P(\vec{l_i} \leftrightarrow \vec{l_j})$ est -1. *Lorsque l'on permute deux lignes, le déterminant de la matrice de départ change de signe.* ◄

3.3.3 Opération $(\vec{l_i} \leftarrow \vec{l_i} + \lambda \vec{l_j})$

La dernière opération élémentaire consiste à remplacer la ligne i par la ligne i plus un multiple de la ligne j $(\vec{l_i} \leftarrow \vec{l_i} + \lambda \vec{l_j})$. Cela est encore une fois équivalent à multiplier le système de départ par une matrice inversible $W = T(\vec{l_i} \leftarrow \vec{l_i} + \lambda \vec{l_j})$ qui vaut 1 sur toute la diagonale et 0 partout ailleurs, sauf t_{ij}, qui vaut λ.

Exemple 3.13. Dans le système 3.7, on souhaite remplacer la deuxième ligne par la deuxième ligne $(i = 2)$ moins deux fois $(\lambda = -2)$ la première ligne $(j = 1)$. Il suffit alors de multiplier le système par :

$$T(\vec{l_2} \leftarrow \vec{l_2} - 2\vec{l_1}) = \begin{bmatrix} 1 & 0 & 0 \\ -2 & 1 & 0 \\ 0 & 0 & 1 \end{bmatrix}$$

ce qui donne :

$$\begin{bmatrix} 3 & 1 & 2 \\ 0 & 2 & -3 \\ 5 & 4 & 1 \end{bmatrix} \begin{bmatrix} x_1 \\ x_2 \\ x_3 \end{bmatrix} = \begin{bmatrix} 6 \\ -1 \\ 10 \end{bmatrix}$$

♦

Remarque 3.14. La matrice $T(\vec{l_i} \leftarrow \vec{l_i} + \lambda \vec{l_j})$ est inversible. Pour obtenir son inverse, il suffit de remplacer λ par $-\lambda$, c'est-à-dire :

$$T^{-1}(\vec{l_i} \leftarrow \vec{l_i} + \lambda \vec{l_j}) = T(\vec{l_i} \leftarrow \vec{l_i} - \lambda \vec{l_j}) \tag{3.9}$$

Cela signifie que pour revenir en arrière il suffit de soustraire la ligne que l'on vient d'ajouter. On peut montrer facilement que le déterminant de la matrice $T(\vec{l_i} \leftarrow \vec{l_i} + \lambda \vec{l_j})$ est 1. ◄

Remarque 3.15. Dans cet exemple, en additionnant le bon multiple de la ligne 1 à la ligne 2, on a introduit un 0 à la position a_{21}. En remplaçant la ligne 3 par la ligne 3 moins $(\frac{5}{3})$ fois la ligne 1 (ou encore $\vec{l_3} \leftarrow \vec{l_3} - (\frac{5}{3})\vec{l_1}$), on introduirait un terme 0 à la position a_{31}. On peut ainsi transformer un système linéaire quelconque en système triangulaire. C'est là la base sur laquelle repose la méthode d'élimination de Gauss. ◄

Remarque 3.16. Des trois opérations élémentaires, seule l'opération $(\vec{l_i} \leftarrow \vec{l_i} + \lambda \vec{l_j})$ n'a pas d'effet sur le déterminant. La permutation de deux lignes en change le signe, tandis que la multiplication d'une ligne par un scalaire multiplie le déterminant par ce même scalaire. ◄

3.4   Élimination de Gauss

Tous les outils sont en place pour la résolution d'un système linéaire. Il suffit maintenant d'utiliser systématiquement les opérations élémentaires pour introduire des zéros sous la diagonale de la matrice A et obtenir ainsi un système triangulaire supérieur auquel on peut appliquer l'algorithme 3.4.

La validité de la méthode d'élimination de Gauss [1] repose sur le fait que les opérations élémentaires consistent à multiplier le système de départ par une matrice inversible.

Remarque 3.17. En pratique, on ne multiplie jamais explicitement les systèmes considérés par les différentes matrices W, car ce serait trop long. Il faut cependant garder en tête que les opérations effectuées sur les lignes sont équivalentes à cette multiplication. ◄

La méthode d'élimination de Gauss consiste à éliminer tous les termes sous la diagonale de la matrice A. Avant de considérer un exemple, introduisons la *matrice augmentée*.

Définition 3.18: Matrice augmentée

La matrice augmentée du système linéaire 3.1 est la matrice de dimension n sur $n+1$ que l'on obtient en ajoutant le membre de droite $\vec{b}$ à la matrice A, c'est-à-dire :

$$\left[\begin{array}{ccccc|c}
a_{11} & a_{12} & a_{13} & \cdots & a_{1n} & b_1 \\
a_{21} & a_{22} & a_{23} & \cdots & a_{2n} & b_2 \\
a_{31} & a_{32} & a_{33} & \cdots & a_{3n} & b_3 \\
\vdots & \vdots & \vdots & \vdots & \vdots & \vdots \\
a_{n1} & a_{n2} & a_{n3} & \cdots & a_{nn} & b_n
\end{array}\right] \tag{3.10}$$

Puisque les opérations élémentaires doivent être effectuées à la fois sur les lignes de la matrice A et sur celles du vecteur $\vec{b}$, cette notation est très utile.

Remarque 3.19. Il arrive également que l'on doive résoudre des systèmes de la forme $A\vec{x} = \vec{b}$ avec k seconds membres $\vec{b}$ différents (la matrice A étant toujours la même). On peut alors construire la matrice augmentée contenant les k seconds membres désirés. La matrice augmentée ainsi obtenue est de dimension $n \times (n + k)$. ◄

Exemple 3.20. Considérons l'exemple suivant :

$$\left[\begin{array}{ccc|c}
\boxed{2} & 1 & 2 & 10 \\
6 & 4 & 0 & 26 \\
8 & 5 & 1 & 35
\end{array}\right] \quad \begin{array}{l} T_1(\vec{l_2} \leftarrow \vec{l_2} - (6/\boxed{2})\vec{l_1}) \\ T_2(\vec{l_3} \leftarrow \vec{l_3} - (8/\boxed{2})\vec{l_1}) \end{array}$$

---

1. Carl Friedrich Gauss (1777-1855) a apporté des contributions importantes en théorie des nombres, en algèbre, en probabilité et en analyse et fut certainement l'un des grands mathématiciens de tous les temps.

On a indiqué ci-dessus la matrice augmentée de même que les opérations élémentaires (et les matrices associées) qui sont nécessaires pour éliminer les termes non nuls sous la diagonale de la première colonne. Il est à noter que l'on divise par 2 (a_{11}) les coefficients qui multiplient la ligne 1. On dit alors que 2 est le *pivot*. On obtient, en effectuant les opérations indiquées :

$$\left[\begin{array}{ccc|c} 2 & 1 & 2 & 10 \\ 0 & \boxed{1} & -6 & -4 \\ 0 & 1 & -7 & -5 \end{array}\right] \quad T_3(\vec{l_3} \leftarrow \vec{l_3} - (1/\boxed{1})\vec{l_2})$$

Pour produire une matrice triangulaire supérieure, il suffit maintenant d'introduire des 0 sous la diagonale de la deuxième colonne. L'opération est indiquée ci-dessus et le pivot est 1 puisque maintenant $a_{22} = 1$. On obtient donc :

$$\left[\begin{array}{ccc|c} 2 & 1 & 2 & 10 \\ 0 & 1 & -6 & -4 \\ 0 & 0 & -1 & -1 \end{array}\right] \tag{3.11}$$

Il reste ensuite à faire la remontée triangulaire de l'algorithme 3.4. On obtient :

$$x_3 = \frac{-1}{-1} = 1$$

d'où :

$$x_2 = \frac{-4 - (-6)(1)}{1} = 2$$

et enfin :

$$x_1 = \frac{10 - (1)(2) - (2)(1)}{2} = 3$$

On a construit le système triangulaire 3.11 en effectuant des opérations élémentaires directement sur les lignes de la matrice. La matrice triangulaire obtenue est notée U. Les opérations effectuées pour obtenir U sont équivalentes à multiplier le système de départ par une suite de matrices inversibles. On a en fait :

$$U = T_3 T_2 T_1 A$$

où les matrices T_i correspondent aux différentes opérations effectuées sur les lignes de la matrice. Plus explicitement, on a :

$$\begin{bmatrix} 2 & 1 & 2 \\ 0 & 1 & -6 \\ 0 & 0 & -1 \end{bmatrix} = \begin{bmatrix} 1 & 0 & 0 \\ 0 & 1 & 0 \\ 0 & -1 & 1 \end{bmatrix} \begin{bmatrix} 1 & 0 & 0 \\ 0 & 1 & 0 \\ -4 & 0 & 1 \end{bmatrix} \begin{bmatrix} 1 & 0 & 0 \\ -3 & 1 & 0 \\ 0 & 0 & 1 \end{bmatrix} \begin{bmatrix} 2 & 1 & 2 \\ 6 & 4 & 0 \\ 8 & 5 & 1 \end{bmatrix}$$

Si l'on poursuit le raisonnement, on a également :

$$A = T_1^{-1} T_2^{-1} T_3^{-1} U$$

Puisque l'on sait inverser les matrices T_i, on a immédiatement que :

$$\begin{bmatrix} 2 & 1 & 2 \\ 6 & 4 & 0 \\ 8 & 5 & 1 \end{bmatrix} = \begin{bmatrix} 1 & 0 & 0 \\ 3 & 1 & 0 \\ 0 & 0 & 1 \end{bmatrix} \begin{bmatrix} 1 & 0 & 0 \\ 0 & 1 & 0 \\ 4 & 0 & 1 \end{bmatrix} \begin{bmatrix} 1 & 0 & 0 \\ 0 & 1 & 0 \\ 0 & 1 & 1 \end{bmatrix} \begin{bmatrix} 2 & 1 & 2 \\ 0 & 1 & -6 \\ 0 & 0 & -1 \end{bmatrix}$$

ou encore :

$$\begin{bmatrix} 2 & 1 & 2 \\ 6 & 4 & 0 \\ 8 & 5 & 1 \end{bmatrix} = \begin{bmatrix} 1 & 0 & 0 \\ 3 & 1 & 0 \\ 4 & 1 & 1 \end{bmatrix} \begin{bmatrix} 2 & 1 & 2 \\ 0 & 1 & -6 \\ 0 & 0 & -1 \end{bmatrix}$$

On remarque que les coefficients de la matrice triangulaire inférieure sont ceux qui ont permis d'éliminer les termes non nuls sous la diagonale de la matrice A. Tout cela revient à décomposer la matrice A en un produit d'une matrice triangulaire inférieure, notée L, et d'une matrice triangulaire supérieure U. C'est ce que l'on appelle une *décomposition LU*. ◆

Remarque 3.21. La méthode d'élimination de Gauss revient à factoriser la matrice A en un produit de deux matrices triangulaires L et U *seulement dans le cas où aucune permutation de lignes n'est effectuée*. ◀

Remarque 3.22. Le déterminant de la matrice de départ est le même que celui de la matrice triangulaire 3.11 puisque l'on a effectué que des opérations de la forme $(\vec{l_i} \leftarrow \vec{l_i} + \lambda \vec{l_j})$, ce qui revient à multiplier le système de départ par une matrice dont le déterminant est 1. On a donc :

$$\text{dét } A = (2)(1)(-1) = -2$$

soit le produit des termes diagonaux de la matrice 3.11. Pour être plus précis :

$$\text{dét } A = \text{dét } T_1^{-1} \text{dét } T_2^{-1} \text{dét } T_3^{-1} \text{dét } U = (1)(1)(1)[(2)(1)(-1)]$$

puisque le déterminant des trois matrices T_i est 1. ◀

Exemple 3.23. Soit le système linéaire suivant :

$$\begin{array}{rcrcrcrcr} x_1 & + & x_2 & + & 2x_3 & + & x_4 & = & 2 \\ 2x_1 & + & 2x_2 & + & 5x_3 & + & 3x_4 & = & 4 \\ x_1 & + & 3x_2 & + & 3x_3 & + & 3x_4 & = & -2 \\ x_1 & + & x_2 & + & 4x_3 & + & 5x_4 & = & -2 \end{array}$$

dont la matrice augmentée est :

$$\left[\begin{array}{cccc|c} \boxed{1} & 1 & 2 & 1 & 2 \\ 2 & 2 & 5 & 3 & 4 \\ 1 & 3 & 3 & 3 & -2 \\ 1 & 1 & 4 & 5 & -2 \end{array} \right] \begin{array}{l} T_1(\vec{l_2} \leftarrow \vec{l_2} - (2/\boxed{1})\vec{l_1}) \\ T_2(\vec{l_3} \leftarrow \vec{l_3} - (1/\boxed{1})\vec{l_1}) \\ T_3(\vec{l_4} \leftarrow \vec{l_4} - (1/\boxed{1})\vec{l_1}) \end{array}$$

En faisant les opérations indiquées (le pivot a_{11} est 1), on élimine les termes non nuls sous la diagonale de la première colonne et l'on obtient :

$$\left[\begin{array}{cccc|c} 1 & 1 & 2 & 1 & 2 \\ 0 & \boxed{0} & 1 & 1 & 0 \\ 0 & 2 & 1 & 2 & -4 \\ 0 & 0 & 2 & 4 & -4 \end{array} \right] P_4(\vec{l_2} \leftrightarrow \vec{l_3})$$

Ici, la procédure est interrompue par le fait que le nouveau pivot serait 0 et qu'il n'est pas possible d'éliminer les termes sous ce pivot. Toutefois, on peut encore, parmi les opérations élémentaires, interchanger deux lignes. Le seul choix possible dans cet exemple est d'intervertir la ligne 2 et la ligne 3. On se rend immédiatement compte qu'il n'y a plus que des 0 sous le nouveau pivot et que l'on peut passer à la colonne suivante :

$$
\begin{bmatrix}
1 & 1 & 2 & 1 & | & 2 \\
0 & 2 & 1 & 2 & | & -4 \\
0 & 0 & \boxed{1} & 1 & | & 0 \\
0 & 0 & 2 & 4 & | & -4
\end{bmatrix}
\quad T_5(\vec{l_4} \leftarrow \vec{l_4} - (2/\boxed{1})\vec{l_3})
$$

En effectuant cette dernière opération, on obtient le système triangulaire :

$$
\begin{bmatrix}
1 & 1 & 2 & 1 & | & 2 \\
0 & 2 & 1 & 2 & | & -4 \\
0 & 0 & 1 & 1 & | & 0 \\
0 & 0 & 0 & 2 & | & -4
\end{bmatrix}
$$

La remontée triangulaire (laissée en exercice) donne la solution :

$$
\vec{x} = \begin{bmatrix} 1 & -1 & 2 & -2 \end{bmatrix}^T
$$

Encore ici, la matrice triangulaire est le résultat du produit des opérations élémentaires :

$$
U = T_5 P_4 T_3 T_2 T_1 A
$$

ou encore :

$$
A = T_1^{-1} T_2^{-1} T_3^{-1} P_4^{-1} T_5^{-1} U
$$

qui s'écrit :

$$
\begin{bmatrix}
1 & 1 & 2 & 1 \\
2 & 2 & 5 & 3 \\
1 & 3 & 3 & 3 \\
1 & 1 & 4 & 5
\end{bmatrix}
=
\begin{bmatrix}
1 & 0 & 0 & 0 \\
2 & 0 & 1 & 0 \\
1 & 1 & 0 & 0 \\
1 & 0 & 2 & 1
\end{bmatrix}
\begin{bmatrix}
1 & 1 & 2 & 1 \\
0 & 2 & 1 & 2 \\
0 & 0 & 1 & 1 \\
0 & 0 & 0 & 2
\end{bmatrix}
$$

On remarque que la première matrice du terme de droite *n'est pas triangulaire inférieure*. Cela est dû au fait que l'on a permuté deux lignes. En remultipliant par P_4 des deux côtés la dernière relation, on revient à $P_4 A = LU$ et L est alors triangulaire inférieure. ♦

Remarque 3.24. Le déterminant de la matrice A associée à cet exemple est tout simplement :

$$
\begin{aligned}
\text{dét } A &= \text{dét } T_1^{-1} \text{dét } T_2^{-1} \text{dét } T_3^{-1} \text{dét } P_4^{-1} \text{dét } T_5^{-1} \text{dét } U \\
&= (1)(1)(1)(-1)(1)[(1)(2)(1)(2)] = -4
\end{aligned}
$$

Le déterminant est donc le produit de la diagonale de la matrice triangulaire à un signe près puisque l'on a permuté une fois 2 lignes et que dét $P_4 = -1$.
◄

Nous n'insistons pas davantage sur la méthode d'élimination de Gauss puisque nous avons démontré qu'il s'agit d'un cas particulier de décomposition d'une matrice en un produit d'une matrice triangulaire inférieure et d'une matrice triangulaire supérieure ($A = LU$). Nous abordons maintenant directement cette décomposition.

3.5   Décomposition LU

3.5.1   Principe de la méthode

Supposons un instant que nous ayons réussi à exprimer la matrice A en un produit de deux matrices triangulaires L et U. Comment cela nous permet-il de résoudre le système $A\vec{x} = \vec{b}$? Il suffit de remarquer que :

$$A\vec{x} = LU\vec{x} = \vec{b}$$

et de poser $U\vec{x} = \vec{y}$. La résolution du système linéaire se fait alors en deux étapes :

$$\begin{cases} L\vec{y} &= \vec{b} \\ U\vec{x} &= \vec{y} \end{cases} \tag{3.12}$$

qui sont deux systèmes triangulaires. On utilise d'abord une descente triangulaire sur la matrice L pour obtenir $\vec{y}$ et, par la suite, une remontée triangulaire sur la matrice U pour obtenir la solution recherchée $\vec{x}$.

Il faut tout de suite souligner que la décomposition LU n'est pas unique. On peut en effet écrire un nombre réel comme le produit de deux autres nombres d'une infinité de façons. Il en est de même pour les matrices.

Exemple 3.25. Pour illustrer la non-unicité de la décomposition LU, il suffit de vérifier les égalités :

$$\begin{bmatrix} 2 & -1 & -1 \\ 0 & -4 & 2 \\ 6 & -3 & 1 \end{bmatrix} = \begin{bmatrix} 2 & 0 & 0 \\ 0 & -4 & 0 \\ 6 & 0 & 4 \end{bmatrix} \begin{bmatrix} 1 & -1/2 & -1/2 \\ 0 & 1 & -1/2 \\ 0 & 0 & 1 \end{bmatrix}$$

et :

$$\begin{bmatrix} 2 & -1 & -1 \\ 0 & -4 & 2 \\ 6 & -3 & 1 \end{bmatrix} = \begin{bmatrix} 1 & 0 & 0 \\ 0 & 1 & 0 \\ 3 & 0 & 1 \end{bmatrix} \begin{bmatrix} 2 & -1 & -1 \\ 0 & -4 & 2 \\ 0 & 0 & 4 \end{bmatrix}$$

◆

Remarque 3.26. La décomposition LU n'étant pas unique, il faut faire au préalable des choix arbitraires. Le choix le plus populaire consiste à imposer que la matrice U ait des 1 sur sa diagonale. C'est la *décomposition de Crout*. Certains logiciels comme Matlab [35] préfèrent mettre des 1 sur la diagonale de L. Il en résulte bien sûr une décomposition LU différente de celle de Crout, mais le principe de base reste le même. ◄

3.5.2   Décomposition de Crout

Pour obtenir cette décomposition (ou *factorisation*), nous considérons une matrice de dimension 4 sur 4, le cas général étant similaire. On doit donc déterminer les coefficients l_{ij} et u_{ij} des matrices L et U de telle sorte que $A = LU$. En imposant que la diagonale de U soit composée de 1, on doit avoir :

$$\begin{bmatrix} a_{11} & a_{12} & a_{13} & a_{14} \\ a_{21} & a_{22} & a_{23} & a_{24} \\ a_{31} & a_{32} & a_{33} & a_{34} \\ a_{41} & a_{42} & a_{43} & a_{44} \end{bmatrix} = \begin{bmatrix} l_{11} & 0 & 0 & 0 \\ l_{21} & l_{22} & 0 & 0 \\ l_{31} & l_{32} & l_{33} & 0 \\ l_{41} & l_{42} & l_{43} & l_{44} \end{bmatrix} \begin{bmatrix} 1 & u_{12} & u_{13} & u_{14} \\ 0 & 1 & u_{23} & u_{24} \\ 0 & 0 & 1 & u_{34} \\ 0 & 0 & 0 & 1 \end{bmatrix}$$

Il suffit de procéder de façon systématique par identification des coefficients. On remarque d'abord qu'il y a exactement 16 (n^2 dans le cas général) inconnues à déterminer. On peut faire le produit des matrices L et U et se servir des différents coefficients a_{ij}. On obtient ainsi les 16 (n^2) équations nécessaires pour déterminer les coefficients l_{ij} et u_{ij}.

1. *Produit des lignes de L par la première colonne de U*
   On obtient immédiatement que :

$$l_{11} = a_{11} \quad l_{21} = a_{21} \quad l_{31} = a_{31} \quad l_{41} = a_{41}$$

   et la première colonne de L est tout simplement la première colonne de A.

2. *Produit de la première ligne de L par les colonnes de U*
   On obtient respectivement :

$$l_{11}u_{12} = a_{12} \quad l_{11}u_{13} = a_{13} \quad l_{11}u_{14} = a_{14}$$

   d'où l'on tire que :

$$u_{12} = \frac{a_{12}}{l_{11}} \quad u_{13} = \frac{a_{13}}{l_{11}} \quad u_{14} = \frac{a_{14}}{l_{11}}$$

   On a donc la première ligne de U, si $l_{11} \neq 0$.

3. *Produit des lignes de L par la deuxième colonne de U*
   Les différents produits donnent :

$$
\begin{aligned}
l_{21}u_{12} + l_{22} &= a_{22} \\
l_{31}u_{12} + l_{32} &= a_{32} \\
l_{41}u_{12} + l_{42} &= a_{42}
\end{aligned}
$$

   ou encore :

$$
\begin{aligned}
l_{22} &= a_{22} - l_{21}u_{12} \\
l_{32} &= a_{32} - l_{31}u_{12} \\
l_{42} &= a_{42} - l_{41}u_{12}
\end{aligned}
$$

   et la deuxième colonne de L est connue.

4. *Produit de la deuxième ligne de L par les colonnes de U*
   On trouve immédiatement que :

$$
\begin{aligned}
l_{21}u_{13} + l_{22}u_{23} &= a_{23} \\
l_{21}u_{14} + l_{22}u_{24} &= a_{24}
\end{aligned}
$$

   ce qui donne :

$$
\begin{aligned}
u_{23} &= \frac{a_{23} - l_{21}u_{13}}{l_{22}} \\[2mm]
u_{24} &= \frac{a_{24} - l_{21}u_{14}}{l_{22}}
\end{aligned}
$$

5. *Produit des lignes de L par la troisième colonne de U*
La même suite d'opérations donne :

$$l_{31}u_{13} + l_{32}u_{23} + l_{33} = a_{33}$$
$$l_{41}u_{13} + l_{42}u_{23} + l_{43} = a_{43}$$

ce qui permet d'obtenir la troisième colonne de L :

$$l_{33} = a_{33} - l_{31}u_{13} - l_{32}u_{23}$$
$$l_{43} = a_{43} - l_{41}u_{13} - l_{42}u_{23}$$

6. *Produit de la troisième ligne de L par la quatrième colonne de U*
On voit que :

$$l_{31}u_{14} + l_{32}u_{24} + l_{33}u_{34} = a_{34}$$

ce qui permet d'obtenir :

$$u_{34} = \frac{a_{34} - l_{31}u_{14} - l_{32}u_{24}}{l_{33}}$$

7. *Produit de la quatrième ligne de L par la quatrième colonne de U*
On obtient :

$$l_{41}u_{14} + l_{42}u_{24} + l_{43}u_{34} + l_{44} = a_{44}$$

Le dernier coefficient recherché est donc :

$$l_{44} = a_{44} - l_{41}u_{14} - l_{42}u_{24} - l_{43}u_{34}$$

De façon générale, on a l'algorithme suivant.

Algorithme 3.27: Décomposition de Crout

Décomposition LU de la matrice (sans permutation de lignes)

1. Première colonne de L : $l_{i1} = a_{i1}$ pour $i = 1, 2, \cdots, n$

2. Première ligne de U : $u_{1i} = \dfrac{a_{1i}}{l_{11}}$ pour $i = 2, 3, \cdots, n$

3. Pour $i = 2, 3, 4, \cdots, n-1$:

   3.1. Calcul du pivot :

   $$l_{ii} = a_{ii} - \sum_{k=1}^{i-1} l_{ik}u_{ki} \tag{3.13}$$

   3.2. Pour $j = i+1, i+2, \cdots, n$:

   3.2.1 Calcul de la i^{e} colonne de L :

   $$l_{ji} = a_{ji} - \sum_{k=1}^{i-1} l_{jk}u_{ki} \tag{3.14}$$

3.2.2 Calcul de la i^e ligne de U :

$$u_{ij} = \frac{a_{ij} - \displaystyle\sum_{k=1}^{i-1} l_{ik}u_{kj}}{l_{ii}} \tag{3.15}$$

4. Calcul de l_{nn} :

$$l_{nn} = a_{nn} - \sum_{k=1}^{n-1} l_{nk}u_{kn} \tag{3.16}$$

Descente triangulaire

1. $y_1 = \dfrac{b_1}{l_{11}}$

2. Pour $i = 2,\ 3,\ 4, \cdots, n$:

$$y_i = \frac{b_i - \displaystyle\sum_{k=1}^{i-1} l_{ik}y_k}{l_{ii}} \tag{3.17}$$

Remontée triangulaire

1. $x_n = y_n$

2. Pour $i = n-1,\ n-2, \cdots 2,\ 1$:

$$x_i = y_i - \sum_{k=i+1}^{n} u_{ik}x_k \tag{3.18}$$

Remarque 3.28. L'algorithme précédent ne fonctionne que si les pivots l_{ii} sont tous non nuls. Ce n'est pas toujours le cas et il est possible qu'il faille permuter deux lignes pour éviter cette situation, tout comme pour l'élimination de Gauss. Le coefficient l_{ii} est encore appelé *pivot*. Nous abordons un peu plus loin les techniques de recherche du meilleur pivot. ◄

Remarque 3.29. Une fois utilisés, les coefficients a_{ij} de la matrice A ne servent plus à rien. Ils peuvent donc être détruits au fur et à mesure que la décomposition progresse. De fait, on peut les remplacer par les valeurs de l_{ij} ou u_{ij} selon le cas. C'est ce que l'on nomme la *notation compacte* qui évite du même coup de garder inutilement en mémoire des matrices de grande taille. ◄

> ### Définition 3.30: Notation LU compacte
>
> La notation compacte de la décomposition LU est la matrice de coefficients :
> $$\begin{bmatrix} l_{11} & u_{12} & u_{13} & u_{14} \\ l_{21} & l_{22} & u_{23} & u_{24} \\ l_{31} & l_{32} & l_{33} & u_{34} \\ l_{41} & l_{42} & l_{43} & l_{44} \end{bmatrix} \qquad (3.19)$$
>
> dans le cas d'une matrice de dimension 4 sur 4. La matrice initiale A est tout simplement détruite. *Les coefficients 1 sur la diagonale de la matrice U ne sont pas indiqués explicitement, mais doivent tout de même être pris en compte.* De façon plus rigoureuse, la notation compacte revient à mettre en mémoire la matrice $L + U - I$ et à détruire la matrice A.

Exemple 3.31. Soit le système :
$$\begin{bmatrix} 3 & -1 & 2 \\ 1 & 2 & 3 \\ 2 & -2 & -1 \end{bmatrix} \begin{bmatrix} x_1 \\ x_2 \\ x_3 \end{bmatrix} = \begin{bmatrix} 12 \\ 11 \\ 2 \end{bmatrix}$$

que l'on doit décomposer en un produit LU. Pour illustrer la notation compacte, *on remplace au fur et à mesure les coefficients a_{ij} par les coefficients l_{ij} ou u_{ij} ; les cases soulignent que l'élément a_{ij} correspondant a été détruit.*

1. Première colonne de L

   C'est tout simplement la première colonne de A :
   $$\begin{bmatrix} \boxed{3} & -1 & 2 \\ \boxed{1} & 2 & 3 \\ \boxed{2} & -2 & -1 \end{bmatrix}$$

2. Première ligne de U

   Le pivot de la première ligne est 3. On divise donc la première ligne de A par 3 :
   $$\begin{bmatrix} \boxed{3} & \boxed{-\tfrac{1}{3}} & \boxed{\tfrac{2}{3}} \\ \boxed{1} & 2 & 3 \\ \boxed{2} & -2 & -1 \end{bmatrix}$$

3. Deuxième colonne de L

   De la relation 3.14, on tire :
   $$l_{22} = a_{22} - l_{21}u_{12} = 2 - (1)(-\tfrac{1}{3}) = \tfrac{7}{3}$$
   $$l_{32} = a_{32} - l_{31}u_{12} = -2 - (2)(-\tfrac{1}{3}) = -\tfrac{4}{3}$$

   On a maintenant :
   $$\begin{bmatrix} \boxed{3} & \boxed{-\tfrac{1}{3}} & \boxed{\tfrac{2}{3}} \\ \boxed{1} & \boxed{\tfrac{7}{3}} & 3 \\ \boxed{2} & \boxed{-\tfrac{4}{3}} & -1 \end{bmatrix}$$

4. Deuxième ligne de U

   De la relation 3.15, on tire :

   $$u_{23} = \frac{a_{23} - l_{21}u_{13}}{l_{22}} = \frac{3 - (1)(\frac{2}{3})}{\frac{7}{3}} = 1$$

   La matrice compacte devient :

   $$\begin{bmatrix} \boxed{3} & \boxed{-\frac{1}{3}} & \boxed{\frac{2}{3}} \\ \boxed{1} & \boxed{\frac{7}{3}} & \boxed{1} \\ \boxed{2} & \boxed{-\frac{4}{3}} & -1 \end{bmatrix}$$

5. Calcul de l_{33}

   D'après la relation 3.16, on a :

   $$l_{33} = a_{33} - l_{31}u_{13} - l_{32}u_{23} = -1 - (2)(\tfrac{2}{3}) - (-\tfrac{4}{3})(1) = -1$$

   La matrice compacte est donc :

   $$\begin{bmatrix} \boxed{3} & \boxed{-\frac{1}{3}} & \boxed{\frac{2}{3}} \\ \boxed{1} & \boxed{\frac{7}{3}} & \boxed{1} \\ \boxed{2} & \boxed{-\frac{4}{3}} & \boxed{-1} \end{bmatrix}$$

   La matrice de départ A (maintenant détruite) vérifie nécessairement :

   $$A = \begin{bmatrix} 3 & 0 & 0 \\ 1 & \frac{7}{3} & 0 \\ 2 & -\frac{4}{3} & -1 \end{bmatrix} \begin{bmatrix} 1 & -\frac{1}{3} & \frac{2}{3} \\ 0 & 1 & 1 \\ 0 & 0 & 1 \end{bmatrix}$$

6. Résolution de $L\vec{y} = \vec{b}$

   La descente triangulaire donne :

   $$y_1 = \frac{b_1}{l_{11}} = \frac{12}{3} = 4$$

   $$y_2 = \frac{b_2 - l_{21}y_1}{l_{22}} = \frac{11 - (1)(4)}{\frac{7}{3}} = 3$$

   $$y_3 = \frac{b_3 - l_{31}y_1 - l_{32}y_2}{l_{33}} = \frac{2 - (2)(4) - (-\frac{4}{3})(3)}{(-1)} = 2$$

7. Résolution de $U\vec{x} = \vec{y}$

   $$x_3 = y_3 = 2$$

   $$x_2 = y_2 - u_{23}x_3 = 3 - (1)(2) = 1$$

   $$x_1 = y_1 - u_{12}x_2 - u_{13}x_3 = 4 - (-\tfrac{1}{3})(1) - (\tfrac{2}{3})(2) = 3$$

La solution recherchée est donc $\vec{x} = [\begin{array}{ccc} 3 & 1 & 2 \end{array}]^T$. ◆

3.5.3   Décomposition LU et permutation de lignes

Comme nous l'avons déjà remarqué, l'algorithme de décomposition LU exige que les pivots l_{ii} soient non nuls. Dans le cas contraire, il faut essayer de permuter deux lignes. Contrairement à la méthode d'élimination de Gauss, la décomposition LU n'utilise le membre de droite $\vec{b}$ qu'à la toute fin, au moment de la descente triangulaire $L\vec{y} = \vec{b}$. Si l'on permute des lignes, on doit en garder la trace de façon à effectuer les mêmes permutations sur $\vec{b}$. À cette fin, on introduit un vecteur $\vec{O}$ dit *de permutation* qui contient tout simplement la numérotation des équations.

Remarque 3.32. *Dans une décomposition LU, la permutation de lignes s'effectue toujours après le calcul de chaque colonne de L.* On place en position de pivot *le plus grand terme en valeur absolue de cette colonne (sous le pivot actuel)*, pour des raisons de précision que nous verrons plus loin. Illustrons cela par un exemple. ◄

Exemple 3.33. Soit :

$$\begin{bmatrix} 0 & 2 & 1 \\ 1 & 0 & 0 \\ 3 & 0 & 1 \end{bmatrix} \quad \vec{O} = \begin{bmatrix} 1 \\ 2 \\ 3 \end{bmatrix}$$

Au départ, le vecteur $\vec{O}$ indique que la numérotation des équations n'a pas encore été modifiée.

1. Première colonne de L

   Puisqu'il s'agit de la première colonne de A, on a :

   $$\begin{bmatrix} \boxed{0} & 2 & 1 \\ \boxed{1} & 0 & 0 \\ \boxed{3} & 0 & 1 \end{bmatrix} \quad \vec{O} = \begin{bmatrix} 1 \\ 2 \\ 3 \end{bmatrix}$$

   Le vecteur de permutation n'a pas été modifié, mais on a un pivot nul. On effectue alors l'opération $(\vec{l}_1 \leftrightarrow \vec{l}_3)$. On aurait tout aussi bien pu permuter les lignes 1 et 2, mais on choisit immédiatement le plus grand pivot possible (en valeur absolue). Le vecteur de permutation est alors modifié :

   $$\begin{bmatrix} \boxed{3} & 0 & 1 \\ \boxed{1} & 0 & 0 \\ \boxed{0} & 2 & 1 \end{bmatrix} \quad \vec{O} = \begin{bmatrix} 3 \\ 2 \\ 1 \end{bmatrix}$$

2. Première ligne de U

   Il suffit de diviser cette ligne par le nouveau pivot 3 :

   $$\begin{bmatrix} \boxed{3} & \boxed{0} & \boxed{\frac{1}{3}} \\ \boxed{1} & 0 & 0 \\ \boxed{0} & 2 & 1 \end{bmatrix} \quad \vec{O} = \begin{bmatrix} 3 \\ 2 \\ 1 \end{bmatrix}$$

3. Deuxième colonne de L

De la relation 3.14, on tire :

$$l_{22} \ = \ a_{22} - l_{21}u_{12} \ = \ 0 - (1)(0) \ = \ 0$$

$$l_{32} \ = \ a_{32} - l_{31}u_{12} \ = \ 2 - (0)(0) \ = \ 2$$

On a maintenant :

$$\begin{bmatrix} \boxed{3} & \boxed{0} & \boxed{\frac{1}{3}} \\ \boxed{1} & \boxed{0} & 0 \\ \boxed{0} & \boxed{2} & 1 \end{bmatrix} \ \vec{O} = \begin{bmatrix} 3 \\ 2 \\ 1 \end{bmatrix}$$

et encore un pivot nul, qui oblige à intervertir les lignes 2 et 3 et à modifier $\vec{O}$ en conséquence $(\vec{l_2} \leftrightarrow \vec{l_3})$:

$$\begin{bmatrix} \boxed{3} & \boxed{0} & \boxed{\frac{1}{3}} \\ \boxed{0} & \boxed{2} & 1 \\ \boxed{1} & \boxed{0} & 0 \end{bmatrix} \ \vec{O} = \begin{bmatrix} 3 \\ 1 \\ 2 \end{bmatrix}$$

4. Calcul de u_{23}

La relation 3.15 mène à :

$$u_{23} \ = \ \frac{a_{23} - l_{21}u_{13}}{l_{22}} \ = \ \frac{1 - (0)(\frac{1}{3})}{2} \ = \ \frac{1}{2}$$

et la matrice compacte devient :

$$\begin{bmatrix} \boxed{3} & \boxed{0} & \boxed{\frac{1}{3}} \\ \boxed{0} & \boxed{2} & \boxed{\frac{1}{2}} \\ \boxed{1} & \boxed{0} & 0 \end{bmatrix} \ \vec{O} = \begin{bmatrix} 3 \\ 1 \\ 2 \end{bmatrix}$$

5. Calcul de l_{33}

On calcule enfin :

$$l_{33} \ = \ a_{33} - l_{31}u_{13} - l_{32}u_{23} \ = \ 0 - (1)(\frac{1}{3}) - (0)(\frac{1}{2}) \ = \ -\frac{1}{3}$$

La décomposition LU de la matrice A est donc :

$$\begin{bmatrix} \boxed{3} & \boxed{0} & \boxed{\frac{1}{3}} \\ \boxed{0} & \boxed{2} & \boxed{\frac{1}{2}} \\ \boxed{1} & \boxed{0} & \boxed{-\frac{1}{3}} \end{bmatrix} \ \vec{O} = \begin{bmatrix} 3 \\ 1 \\ 2 \end{bmatrix}$$

Il faut toutefois remarquer que le produit LU donne :

$$\begin{bmatrix} 3 & 0 & 0 \\ 0 & 2 & 0 \\ 1 & 0 & -\frac{1}{3} \end{bmatrix} \begin{bmatrix} 1 & 0 & \frac{1}{3} \\ 0 & 1 & \frac{1}{2} \\ 0 & 0 & 1 \end{bmatrix} = \begin{bmatrix} 3 & 0 & 1 \\ 0 & 2 & 1 \\ 1 & 0 & 0 \end{bmatrix}$$

c'est-à-dire *la matrice A permutée suivant le vecteur $\vec{O}$*. On veut maintenant résoudre :

$$A\vec{x} = \begin{bmatrix} 5 \\ -1 \\ -2 \end{bmatrix}$$

Compte tenu du vecteur $\vec{O}$, on résout d'abord :

$$L\vec{y} = \begin{bmatrix} -2 \\ 5 \\ -1 \end{bmatrix}$$

À noter l'ordre des valeurs dans le membre de droite. La descente triangulaire (laissée en exercice) donne $\vec{y} = \begin{bmatrix} -\frac{2}{3} & \frac{5}{2} & 1 \end{bmatrix}^T$. Il suffit maintenant d'effectuer la remontée triangulaire :

$$U\vec{x} = \begin{bmatrix} -\dfrac{2}{3} \\ \dfrac{5}{2} \\ 1 \end{bmatrix}$$

qui nous donne la solution recherchée $\vec{x} = \begin{bmatrix} -1 & 2 & 1 \end{bmatrix}^T$. ◆

Remarque 3.34. Le déterminant de la matrice A de l'exemple précédent est donné par :

$$\text{dét } A = (-1)(-1)\left[(3)(2)\left(-\frac{1}{3}\right)\right] = -2$$

Comme on a permuté deux lignes deux fois, le déterminant a changé de signe deux fois. Cela nous amène à la proposition suivante. ◄

Proposition 3.35: Calcul du déterminant

On peut calculer le déterminant d'une matrice A à l'aide de la méthode de décomposition LU de Crout de la façon suivante :

$$\text{dét } A = (-1)^N \prod_{i=1}^{n} l_{ii} \tag{3.20}$$

où N est le nombre de fois où on a interverti deux lignes.

Remarque 3.36. Nous venons en fait de montrer que toute matrice inversible A peut être décomposée sous la forme :

$$PA = LU$$

où P est une matrice de permutation. Pour obtenir la matrice P, il suffit de réordonner les lignes de la matrice identité suivant le vecteur de permutation $\vec{O}$. Ainsi dans l'exemple précédent, on avait :

$$\begin{bmatrix} 0 & 0 & 1 \\ 1 & 0 & 0 \\ 0 & 1 & 0 \end{bmatrix} \begin{bmatrix} 0 & 2 & 1 \\ 1 & 0 & 0 \\ 3 & 0 & 1 \end{bmatrix} = \begin{bmatrix} 3 & 0 & 0 \\ 0 & 2 & 0 \\ 1 & 0 & -\frac{1}{3} \end{bmatrix} \begin{bmatrix} 1 & 0 & \frac{1}{3} \\ 0 & 1 & \frac{1}{2} \\ 0 & 0 & 1 \end{bmatrix}$$

◀

Nous avons mentionné que la décomposition LU est une méthode directe, c'est-à-dire que l'on peut prévoir le nombre exact d'opérations arithmétiques nécessaires pour résoudre un système d'équations. On a de fait le résultat suivant (voir Burden et Faires, réf. [6]).

Remarque 3.37. Une décomposition LU pour la résolution d'un système linéaire de dimension n sur n requiert exactement $\frac{n^3-n}{3}$ multiplications/divisions et $\frac{2n^3-3n^2+n}{6}$ additions/soustractions. Les remontée et descente triangulaires nécessitent quant à elles n^2 multiplications/divisions de même que $(n^2 - n)$ additions/soustractions, pour un total de :

$$\frac{n^3 + 3n^2 - n}{3} \text{ multiplications/divisions}$$

et :

$$\frac{2n^3 + 3n^2 - 5n}{6} \text{ additions/soustractions}$$

Du point de vue informatique, une multiplication (ou une division) est une opération plus coûteuse qu'une simple addition (ou soustraction). C'est donc principalement le nombre de multiplications/divisions qui est important. De plus, on note que si n est grand, le nombre total de multiplications/divisions est de l'ordre de $\frac{n^3}{3}$, en négligeant les puissances de n inférieures à 3.

Enfin, et cela est très important, la décomposition de la matrice A en un produit LU coûte beaucoup plus cher ($\simeq \frac{n^3}{3}$ multiplications/divisions) que les remontée et descente triangulaires ($\simeq n^2$ multiplications/divisions). Le gros du travail se trouve donc dans la décomposition elle-même. ◀

3.6   Quelques cas particulièrement intéressants

Certains types de matrices méritent que l'on s'y attarde un moment. L'intérêt de ces matrices peut provenir de leur forme particulière (diagonale, tridiagonale, symétrique, etc.) ou encore parce qu'elles possèdent des propriétés intéressantes comme les matrices définies positives ou à diagonale strictement dominante que nous allons maintenant étudier.

3.6.1 Matrices définies positives et factorisation de Choleski

Définition 3.38: Matrice définie positive

Une matrice symétrique est dite définie positive si :

$$A\vec{x} \cdot \vec{x} = \vec{x}^T A\vec{x} = \sum_{i=1}^{n} \sum_{j=1}^{n} a_{ij} x_i x_j > 0 \ \ \forall \vec{x} \neq 0$$

Une matrice est donc définie positive si le produit scalaire de tout vecteur $\vec{x}$ non nul avec $A\vec{x}$ est strictement positif. Comme la matrice est symétrique, on peut diminuer l'espace mémoire nécessaire à la résolution d'un système linéaire en ne mettant en mémoire que la moitié inférieure de la matrice plus sa diagonale principale.

On peut caractériser les matrices définies positives de bien des façons différentes et équivalentes.

Théorème 3.39: Propriétés des matrices définies positives

Soit A une matrice symétrique. Les énoncés suivants sont équivalents

1. A est une matrice définie positive ;
2. Toutes les valeurs propres de A sont réelles et strictement positives ;
3. Les déterminants de toutes les sous-matrices principales de A sont strictement positifs ;
4. Il existe une factorisation dite de Choleski $A = LL^T$ où L est une matrice triangulaire inférieure dont les termes diagonaux sont tous strictement positifs. La matrice L est donc inversible.

Démonstration. Voir Strang [42]. ■

Nous reviendrons au chapitre 4 sur les valeurs propres. Rappelons également que les sous-matrices principales sont les n matrices :

$$\begin{bmatrix} a_{11} \end{bmatrix}, \begin{bmatrix} a_{11} & a_{12} \\ a_{21} & a_{22} \end{bmatrix}, \begin{bmatrix} a_{11} & a_{12} & a_{13} \\ a_{21} & a_{22} & a_{23} \\ a_{31} & a_{32} & a_{33} \end{bmatrix}, \cdots \begin{bmatrix} a_{11} & a_{12} & \cdots & a_{1n} \\ a_{21} & a_{22} & \cdots & a_{2n} \\ \vdots & \vdots & \ddots & \vdots \\ a_{n1} & a_{n2} & \cdots & a_{nn} \end{bmatrix}$$

dont les déterminants doivent toujours être positifs.

Exemple 3.40. La matrice :

$$A = \begin{bmatrix} 4 & 6 & 2 \\ 6 & 10 & 5 \\ 2 & 5 & 14 \end{bmatrix}$$

est définie positive car elle est bien symétrique et les déterminants des trois sous-matrices principales sont respectivement 4, 4 et 36, tous positifs !

On aurait pu également se servir de la définition même pour le montrer. En effet, on vérifie facilement que :

$$
\begin{aligned}
A\vec{x} \cdot \vec{x} &= \sum_{i=1}^{3} \sum_{j=1}^{3} a_{ij} x_i x_j \\
&= 4x_1^2 + 12x_1 x_2 + 10x_2^2 + 4x_1 x_3 + 10x_2 x_3 + 14x_3^2 \\
&= (2x_1 + 3x_2 + x_3)^2 + (x_2 + 2x_3)^2 + 9x_3^2
\end{aligned}
$$

qui est une somme positive, qui ne peut s'annuler que si $x_1 = x_2 = x_3 = 0$. On verra à l'exemple 3.43 comment nous avons obtenu la dernière somme de carrés. ♦

Le théorème 3.39 affirme également que les matrices symétriques définies positives sont les seules possédant une factorisation dite de Choleski[2]. On peut donc décomposer A sous la forme LL^t où L est une matrice triangulaire inférieure inversible dont les termes diagonaux sont strictement positifs . La matrice triangulaire supérieure U de la décomposition LU est ainsi remplacée par la matrice transposée de L, réduisant de moitié l'espace mémoire requis. Si on souhaite résoudre un système linéaire, on procède encore ici en deux étapes. On résout d'abord le système triangulaire inférieur $L\vec{y} = \vec{b}$ et ensuite le système triangulaire supérieur $L^T \vec{x} = \vec{y}$.

Pour construire la factorisation de Choleski, nous supposons donc que A est une matrice définie positive, ce qui n'est guère facile à vérifier *a priori*. On refait le même raisonnement qui nous a mené à la décomposition LU générale mais cette fois en considérant une matrice A symétrique :

$$
\begin{bmatrix} a_{11} & a_{21} & a_{31} \\ a_{21} & a_{22} & a_{32} \\ a_{31} & a_{32} & a_{33} \end{bmatrix} = \begin{bmatrix} l_{11} & 0 & 0 \\ l_{21} & l_{22} & 0 \\ l_{31} & l_{32} & l_{33} \end{bmatrix} \begin{bmatrix} l_{11} & l_{21} & l_{31} \\ 0 & l_{22} & l_{32} \\ 0 & 0 & l_{33} \end{bmatrix}
$$

En faisant le produit, on trouve facilement :

$$
a_{11} = l_{11}^2 \text{ et donc } l_{11} = \sqrt{a_{11}}
$$

qui a un sens car a_{11} est positif puisque A est définie positive. De même :

$$
a_{21} = l_{21} l_{11} \text{ et } a_{31} = l_{31} l_{11}
$$

d'où :

$$
l_{21} = a_{21}/l_{11} \text{ et } l_{31} = a_{31}/l_{11}
$$

qui complète le calcul de la première colonne de L. Notons que le pivot l_{11} doit être non nul, ce qui est bien le cas. On poursuit avec le calcul de la deuxième colonne :

$$
\begin{aligned}
a_{22} &= l_{21}^2 + l_{22}^2 \\
a_{32} &= l_{31} l_{21} + l_{32} l_{22}
\end{aligned}
$$

---

2. André-Louis Choleski (1875-1918), était mathématicien et officier de l'armée française. Il est mort au combat à la fin de la première guerre mondiale.

d'où :

$$l_{22} = \sqrt{a_{22} - l_{21}^2}$$
$$l_{32} = \frac{a_{32} - l_{31}l_{21}}{l_{22}}$$

Ici encore, la racine carrée définissant l_{22} est bien définie. On note en effet que l'expression sous le radical n'est rien d'autre que le déterminant de la sous-matrice principale 2 par 2 de la matrice A. Enfin $a_{33} = l_{31}^2 + l_{32}^2 + l_{33}^2$, ce qui entraîne que $l_{33} = \sqrt{a_{33} - l_{31}^2 - l_{32}^2}$. Pour une matrice de taille quelconque, on obtient donc l'algorithme :

Algorithme 3.41: Factorisation de Choleski

1. Premier pivot : $l_{11} = \sqrt{a_{11}}$;

2. Première colonne : pour i allant de 2 à n : $l_{i1} = a_{i1}/l_{11}$;

3. Pour k allant de 2 à n :

   3.1. Terme diagonal (pivot) : $l_{kk} = \sqrt{a_{kk} - \sum_{j=1}^{k-1} l_{kj}^2}$

   3.2. Colonne : pour i allant de $k+1$ à n, $l_{ik} = \dfrac{a_{ik} - \sum_{j=1}^{k-1} l_{ij}l_{kj}}{l_{kk}}$

Remarque 3.42. On note que la moitié supérieure de la matrice A n'est jamais utilisée et par conséquent, elle n'est pas mise en mémoire inutilement. On sauve ainsi près de la moitié de l'espace mémoire par rapport à une matrice non symétrique. Tout comme nous l'avons fait pour la décomposition LU, on peut remplacer, au fur et à mesure que les calculs progressent, les éléments utilisés de la matrice A par l'élément correspondant de L .

La factorisation de Choleski n'est pas unique. On a par exemple $A = LL^T = (-L)(-L)^T$ qui sont deux factorisations différentes. On peut s'assurer de l'unicité en imposant $l_{ii} > 0$, ce qui revient au choix naturel de prendre la valeur positive de la racine carrée lors du calcul de l_{ii}. Notons enfin que le déterminant de A est donné par :

$$\text{dét } A = \text{dét } L \, \text{dét } L^T = (\text{dét } L)^2 = \prod_{i=1}^{n} l_{ii}^2$$

◀

Exemple 3.43. Considérons la matrice symétrique et définie positive (voir l'exemple 3.40) :

$$A = \begin{bmatrix} 4 & * & * \\ 6 & 10 & * \\ 2 & 5 & 14 \end{bmatrix}$$

On a remplacé les éléments de la partie supérieure de la matrice par le symbole «$*$» simplement pour indiquer que cette partie de la matrice n'est pas mise en mémoire et ne servira aucunement dans les calculs. En suivant l'algorithme précédent :

$$l_{11} = \sqrt{a_{11}} = 2, \quad l_{21} = a_{21}/l_{11} = 3, \quad l_{31} = a_{31}/l_{11} = 1$$

Sous forme compacte, on a :

$$\begin{bmatrix} \boxed{2} & * & * \\ \boxed{3} & 10 & * \\ \boxed{1} & 5 & 14 \end{bmatrix}$$

Pour la deuxième colonne, on calcule d'abord le pivot l_{22} et ensuite l_{32} :

$$l_{22} = \sqrt{a_{22} - l_{21}^2} = \sqrt{10 - 3^2} = 1, \quad l_{32} = \frac{a_{32} - l_{31}l_{21}}{l_{22}} = \frac{5 - (1)(3)}{1} = 2$$

ce qui donne la forme compacte :

$$\begin{bmatrix} \boxed{2} & * & * \\ \boxed{3} & \boxed{1} & * \\ \boxed{1} & \boxed{2} & 14 \end{bmatrix}$$

Enfin :

$$l_{33} = \sqrt{a_{33} - l_{31}^2 - l_{32}^2} = \sqrt{14 - (1)^2 - (2)^2} = 3$$

et on a la factorisation sous forme compacte :

$$\begin{bmatrix} \boxed{2} & * & * \\ \boxed{3} & \boxed{1} & * \\ \boxed{1} & \boxed{2} & \boxed{3} \end{bmatrix}$$

qui revient à écrire :

$$A = \begin{bmatrix} 4 & 6 & 2 \\ 6 & 10 & 5 \\ 2 & 5 & 14 \end{bmatrix} = \begin{bmatrix} 2 & 0 & 0 \\ 3 & 1 & 0 \\ 1 & 2 & 3 \end{bmatrix} \begin{bmatrix} 2 & 3 & 1 \\ 0 & 1 & 2 \\ 0 & 0 & 3 \end{bmatrix}$$

Revenons maintenant brièvement sur l'exemple 3.40. On peut maintenant écrire :

$$\vec{x}^T A \vec{x} = \vec{x}^T L L^T \vec{x} = \vec{y}^T \vec{y} = y_1^2 + y_2^2 + y_3^2$$

qui est le carré de la norme euclidienne du vecteur :

$$\vec{y} = L^T \vec{x} = \begin{bmatrix} 2x_1 + 3x_2 + x_3 \\ x_2 + 2x_3 \\ 3x_3 \end{bmatrix}$$

qui ne peut qu'être positif. Ce raisonnement montre bien que si une matrice possède une décomposition de Choleski, alors elle est forcément définie positive. ◆

On ne peut malheureusement pas appliquer la factorisation de Choleski à toutes les matrices symétriques et pour s'en convaincre, il suffit de considérer la matrice :

$$A = \begin{bmatrix} -1 & 2 & 3 \\ 2 & 6 & 4 \\ 3 & 4 & 6 \end{bmatrix}$$

qui n'est pas définie positive puisque le déterminant de la première sous-matrice principale $[-1]$ est négatif. L'algorithme s'arrête dès la toute première étape puisque a_{11} est négatif et que l'on ne peut en extraire la racine carrée.

Les critères du théorème 3.39 sont difficiles à vérifier au préalable et il semble bien que la meilleure façon de s'assurer qu'une matrice est définie positive est d'y appliquer l'algorithme de factorisation de Choleski. Le serpent se mord donc la queue puisque nous souhaiterions savoir à l'avance si notre algorithme s'applique.

Remarque 3.44. La factorisation de Choleski peut aussi s'écrire sous la forme $A = L_1 D L_1^T$ où D est une matrice diagonale et où L_1 est toujours triangulaire inférieure, mais dont tous les termes diagonaux valent 1. On peut montrer que la diagonale de D sera strictement positive. Le lien entre cette factorisation et celle de Choleski est le suivant :

$$A = L_1 D L_1^T = L_1 D^{1/2} D^{1/2} L_1^T = L L^T$$

où $D^{1/2}$ désigne la matrice dont les termes diagonaux sont les racines carrées des termes diagonaux de D. La matrice L de la factorisation de Choleski est alors donnée par $D^{1/2} L_1$.

La factorisation d'une matrice symétrique indéfinie (non définie positive) est une question plus difficile qu'elle n'y paraît. La factorisation de Choleski n'est plus possible tandis que la factorisation $L_1 D L_1^T$ n'existe malheureusement pas toujours, même en permutant les lignes. On peut toujours recourir à la décomposition LU mais on y perd les avantages de la symétrie. Il existe cependant d'autres factorisations préservant la symétrie et on se référera à Higham [27] pour une discussion détaillée. ◄

3.6.2 Les systèmes tridiagonaux

Définition 3.45: Matrice tridiagonale

Une matrice est dite tridiagonale si elle est de la forme :

$$\begin{bmatrix} a_{11} & a_{12} & 0 & \cdots & 0 \\ a_{21} & a_{22} & a_{23} & & 0 \\ 0 & a_{32} & a_{33} & \ddots & 0 \\ \vdots & \ddots & \ddots & \ddots & a_{n-1\,n} \\ 0 & 0 & 0 & a_{n\,n-1} & a_{n\,n} \end{bmatrix} \quad \text{ou bien} \quad \begin{bmatrix} D_1 & S_1 & 0 & \cdots & 0 \\ I_1 & D_2 & S_2 & \ddots & 0 \\ 0 & I_2 & D_3 & \ddots & 0 \\ \vdots & \ddots & \ddots & \ddots & S_{n-1} \\ 0 & 0 & 0 & I_{n-1} & D_n \end{bmatrix}$$

Une matrice est donc tridiagonale si ses seuls termes non nuls sont situés sur la diagonale principale et les deux diagonales adjacentes. Tous les autres termes doivent être nuls. C'est un exemple de matrice dite creuse où la vaste majorité des coefficients sont nuls.

Nous verrons un peu plus loin que les méthodes de différences finies (voir la section 7.10) et le calcul des splines cubiques (voir la section 5.6) mènent à des matrices tridiagonales. La forme très particulière de ce type de matrices réduit sensiblement les calculs et l'espace-mémoire requis et mérite donc que l'on s'y attarde quelque peu et que l'on développe un algorithme spécial tenant compte de cette spécificité. Nous allons donc faire le développement complet de leur factorisation LU et montrer par la suite comment la résolution d'un système tridiagonal est facile et rapide.

En pratique, les trois diagonales sont mises en mémoire sous la forme des trois vecteurs $\vec{D}$ (diagonale principale), $\vec{I}$ (diagonale inférieure) et $\vec{S}$ (diagonale supérieure), auxquels on ajoute le terme de droite $\vec{b}$ pour la résolution de $A\vec{x} = \vec{b}$. Tout cela ne requiert que $4n - 2$ nombres réels. C'est encore mieux si la matrice tridiagonale est aussi symétrique et dans ce cas, l'espace mémoire requis est $3n - 1$ nombres réels.

Les systèmes tridiagonaux sont particulièrement faciles à résoudre puisque la décomposition LU se réduit dans ce cas à peu d'opérations. On se réfère donc à la factorisation de Crout qui prendra la forme suivante :

$$\begin{bmatrix} a_{11} & a_{12} & 0 \\ a_{21} & a_{22} & a_{22} \\ 0 & a_{32} & a_{33} \end{bmatrix} = \begin{bmatrix} l_{11} & 0 & 0 \\ l_{21} & l_{22} & 0 \\ 0 & l_{32} & l_{33} \end{bmatrix} \begin{bmatrix} 1 & u_{12} & 0 \\ 0 & 1 & u_{23} \\ 0 & 0 & 1 \end{bmatrix}$$

La première colonne de L est encore ici la première colonne de A. On procède ensuite en alternant entre les lignes de U et les colonnes de L. Il faut voir qu'une ligne de U se réduit au calcul d'un seul terme tandis qu'une colonne de L nécessite le calcul du pivot et d'un seul autre terme. Il suffit d'utiliser une fois de plus les formules 3.13 à 3.16, en constatant qu'elles se réduisent drastiquement. Nous indiquerons entre parenthèses la traduction informatique de l'expression qui réapparaîtra plus loin dans l'algorithme 3.46.

Une colonne de L étant complétée, la ligne de U se réduit à :

$$u_{i-1\,i} = \frac{a_{i-1\,i} - \sum_{k=1}^{i-2} l_{i-1\,k} u_{ki}}{l_{i-1\,i-1}} = \frac{a_{i-1\,i}}{l_{i-1\,i-1}} \quad \left(S_{i-1} \leftarrow \frac{S_{i-1}}{D_{i-1}} \right)$$

On passe ensuite au pivot :

$$l_{ii} = a_{ii} - \sum_{k=1}^{i-1} l_{ik} u_{ki} = a_{ii} - l_{i\,i-1} u_{i-1\,i} \quad (D_i \leftarrow D_i - I_{i-1} S_{i-1})$$

et à la colonne de L réduite à un seul terme :

$$l_{i+1\,i} = a_{i+1\,i} - \sum_{k=1}^{i-1} l_{i+1\,k} u_{ki} = a_{i+1\,i}$$

La diagonale inférieure de A n'est donc pas modifiée par la factorisation. La résolution de $L\vec{y} = \vec{b}$ commence par $y_1 = b_1/l_{11}$ ($y_1 = b_1/D_1$) et par la suite :

$$y_i = \frac{b_i - \sum_{k=1}^{i-1} l_{ik} y_k}{l_{ii}} = \frac{b_i - l_{i\,i-1} y_{i-1}}{l_{ii}} \quad (y_i \leftarrow (b_i - I_{i-1} y_{i-1})/D_i)$$

On constate que cette descente triangulaire peut être effectuée immédiatement après le calcul des colonnes de L. Enfin, la remontée débute par $x_n = y_n$ et se poursuit par :

$$x_i = y_i - \sum_{k=i+1}^{n} u_{ik} x_k = y_i - u_{i\,i+1} x_{i+1} \quad (x_i \leftarrow (y_i - S_i x_{i+1}))$$

Tout cela se traduit directement par un algorithme extrêmement facile à traduire dans un langage informatique quelconque (Matlab en particulier). Le nombre d'opérations y est réduit au minimum et rend cet algorithme extrêmement performant.

Algorithme 3.46: Résolution d'un système tridiagonal

1. Étant donnés :
   — Des vecteurs S, D et I contenant respectivement les diagonales supérieure, principale et inférieure de la matrice A ;
   — Un vecteur b contenant le membre de droite du système ;
   — Un vecteur y qui contiendra la solution de $Ly = b$;
   — Un vecteur x qui contiendra la solution (finale) de $Ux = y$.
2. $y(1) = b(1)/D(1)$;
3. Pour i allant de 2 à n :
   3.1. $S(i-1) = S(i-1)/D(i-1)$.
   3.2. $D(i) = D(i) - I(i-1) * S(i-1)$.
   3.3. $y(i) = (b(i) - I(i-1) * y(i-1))/D(i)$.
4. $x(n) = y(n)$.
5. Pour i allant de $n-1$ à 1 :
   5.1. $x(i) = y(i) - S(i) * x(i+1)$.

3.6.3 Matrices à diagonale strictement dominante

Les matrices dites à diagonale strictement dominante, sont également fréquemment rencontrées en pratique et possèdent des propriétés intéressantes. Contrairement aux matrices définies positives, elles sont aisément reconnaissables de par leur définition même. Comme nous le verrons, elles sont de plus très stables par rapport aux erreurs d'arrondis.

Définition 3.47: Matrice à diagonale strictement dominante

Une matrice A est dite *à diagonale strictement dominante* par lignes si :

$$|a_{ii}| > \sum_{j=1, j \neq i}^{n} |a_{ij}| \quad \forall i$$

ou par colonnes si :

$$|a_{ii}| > \sum_{j=1, j \neq i}^{n} |a_{ji}| \quad \forall i$$

La définition signifie que le terme diagonal a_{ii} de la matrice A est nettement dominant puisque sa valeur absolue est plus grande que la somme des valeurs absolues de tous les autres termes de la ligne ou de la colonne. C'est donc un critère facile à vérifier en pratique. Les matrices suivantes :

$$\begin{bmatrix} 2 & -1 & 0 \\ -1 & -3 & 1 \\ 0 & 4 & 5 \end{bmatrix}, \begin{bmatrix} 2 & -1 & 0 \\ -1 & -3 & -3 \\ 0 & 1 & 5 \end{bmatrix} \text{ et } \begin{bmatrix} 4 & -1 & 0 \\ -1 & 4 & -1 \\ 0 & -1 & 4 \end{bmatrix}$$

sont respectivement à diagonale strictement dominante par ligne, par colonne et dans le dernier cas, par lignes et colonnes en raison de la symétrie.

Proposition 3.48

Si A est une matrice à diagonale strictement dominante par lignes ou par colonnes, alors A est inversible et l'élimination de Gauss peut être effectuée sans pivoter les lignes (c.-à-d. sans jamais rencontrer de pivot nul) et le résultat sera stable par rapport aux erreurs d'arrondis. Il en est donc de même pour la factorisation LU qui pourra être complétée sans permutation de lignes.

Démonstration. Nous nous limiterons à montrer que la matrice A est bien inversible. Supposons donc qu'elle est à diagonale strictement dominante par ligne. Supposons de plus que la matrice n'est pas inversible. Il existe alors un vecteur $\vec{x}$ non nul et solution de $A\vec{x} = \vec{0}$. Puisque $\vec{x}$ est non nul, il existe au moins un indice i tel que :

$$0 < |x_i| = \max_j |x_j|$$

La ligne i de l'équation $A\vec{x} = \vec{0}$ s'écrit alors :

$$0 = \sum_{j=1}^{n} a_{ij} x_j = a_{ii} x_i + \sum_{j=1, j \neq i}^{n} a_{ij} x_j$$

En divisant par x_i de chaque côté, on a :

$$a_{ii} = -\sum_{j=1, j\neq i}^{n} a_{ij}\frac{x_j}{x_i}$$

et en prenant la valeur absolue, on a :

$$|a_{ii}| = \left|\sum_{j=1, j\neq i}^{n} a_{ij}\frac{x_j}{x_i}\right| \leq \sum_{j=1, j\neq i}^{n} |a_{ij}|\left|\frac{x_j}{x_i}\right| \leq \sum_{j=1, j\neq i}^{n} |a_{ij}|$$

car par construction, $|x_j/x_i| \leq 1$. Cela contredit l'hypothèse que la matrice est à diagonale strictement dominante par ligne. Si la matrice est dominante par colonne, on peut reprendre l'argument avec la matrice A^T qui est dominante par ligne. On trouvera la démonstration complète de cette proposition dans [27]. ∎

Exemple 3.49. Soit la matrice :

$$\begin{bmatrix} 2 & -1 & 0 \\ -1 & -3 & 1 \\ 0 & 4 & 5 \end{bmatrix}$$

à diagonale strictement dominante par ligne. On donne dans ce qui suit les étapes de sa décomposition LU. La première colonne de L donne :

$$\begin{bmatrix} \boxed{2} & -1 & 0 \\ \boxed{-1} & -3 & 1 \\ \boxed{0} & 4 & 5 \end{bmatrix}$$

et le pivot (2) est non nul. La première ligne de U est :

$$\begin{bmatrix} \boxed{2} & \boxed{-1/2} & \boxed{0} \\ \boxed{-1} & -3 & 1 \\ \boxed{0} & 4 & 5 \end{bmatrix}$$

On passe à la deuxième colonne de L :

$$\begin{bmatrix} \boxed{2} & \boxed{-1/2} & \boxed{0} \\ \boxed{-1} & \boxed{-7/2} & 1 \\ \boxed{0} & \boxed{4} & 5 \end{bmatrix}$$

avec encore ici un pivot non nul (-7/2). Les deux dernière étapes donnent :

$$\begin{bmatrix} \boxed{2} & \boxed{-1/2} & \boxed{0} \\ \boxed{-1} & \boxed{-7/2} & \boxed{-2/7} \\ \boxed{0} & \boxed{4} & 5 \end{bmatrix} \quad \text{et enfin} \quad \begin{bmatrix} \boxed{2} & \boxed{-1/2} & \boxed{0} \\ \boxed{-1} & \boxed{-7/2} & \boxed{-2/7} \\ \boxed{0} & \boxed{4} & \boxed{43/7} \end{bmatrix}$$

et le dernier pivot (43/7) est encore non nul. ◆

> **Proposition 3.50**
>
> Si A est une matrice symétrique, à diagonale strictement dominante et dont les termes diagonaux sont strictement positifs, alors A est définie positive (et donc inversible) et admet une factorisation de Choleski.

Démonstration. Rappelons que les valeurs propres d'une matrice symétrique sont réelles. La preuve de ce résultat est basée sur le lemme de Gershgorin (voir [42]) qui stipule que toute valeur propre d'une matrice est située dans l'un ou l'autre des disques de centre a_{ii} et de rayon $\sum_{j \neq i} |a_{ij}|$. Puisque les a_{ii} sont positifs et que la matrice est à diagonale strictement dominante, les valeurs propres sont forcément strictement positives. ∎

On notera qu'une matrice définie positive a toujours des termes diagonaux strictement positifs. Il suffit en effet de prendre $\vec{x} = \vec{e_i}$ (le vecteur dont tous les termes sont nuls sauf le i-ième qui vaut 1) dans la définition 3.38. Par contre, une matrice définie positive n'est pas forcément à diagonale strictement dominante comme en fait foi la matrice de l'exemple 3.40.

Exemple 3.51. La matrice A suivante vérifie toutes les propriétés requises et on montre à l'aide de l'algorithme 3.41 qu'elle possède une factorisation de Choleski :

$$A = \begin{bmatrix} 16 & -4 & -4 \\ -4 & 17 & -3 \\ -4 & -3 & 18 \end{bmatrix} = \begin{bmatrix} 4 & 0 & 0 \\ -1 & 4 & 0 \\ -1 & -1 & 4 \end{bmatrix} \begin{bmatrix} 4 & -1 & -1 \\ 0 & 4 & -1 \\ 0 & 0 & 4 \end{bmatrix} = LL^T$$

◆

3.7 Calcul de la matrice inverse

Le calcul de la matrice inverse A^{-1} est rarement nécessaire surtout si l'objectif n'est que de résoudre un système linéaire. Nous avons vu dans les sections précédentes comment parvenir à une solution sans jamais faire intervenir A^{-1}. Cependant, si pour une raison ou une autre on souhaite calculer cet inverse, il est important de suivre le bon cheminement afin d'éviter des calculs longs et parfois inutiles.

Nous avons indiqué que la solution du système linéaire 3.2 est donnée par :

$$\vec{x} = A^{-1}\vec{b}$$

Si l'on veut déterminer la matrice inverse, il suffit de remarquer que le produit d'une matrice par le vecteur $\vec{e_i}$ dont toutes les composantes sont nulles, sauf la i^e qui vaut 1, donne la i^e colonne de la matrice A. L'exemple suivant en fait la démonstration.

Exemple 3.52. Le produit de la matrice A suivante par le vecteur $\vec{e_3}$ donne :

$$\begin{bmatrix} 1 & 2 & 3 \\ 4 & 5 & 6 \\ 7 & 8 & 9 \end{bmatrix} \begin{bmatrix} 0 \\ 0 \\ 1 \end{bmatrix} = \begin{bmatrix} 3 \\ 6 \\ 9 \end{bmatrix}$$

qui est bien la troisième colonne de la matrice A de départ. ♦

Si l'on applique ce raisonnement à la matrice A^{-1}, on constate qu'après avoir noté $\vec{c}_i$, la i^e colonne de A^{-1}, on a :

$$\vec{c}_i = A^{-1}\vec{e}_i \text{ ou de façon équivalente } A\vec{c}_i = \vec{e}_i \qquad (3.21)$$

La résolution de la relation 3.21 donne la i^e colonne de A^{-1}. On peut donc affirmer que le calcul de la matrice A^{-1} est équivalent à la résolution de n systèmes linéaires (un par colonne de A^{-1}). C'est la base de la méthode de Gauss-Jordan dans laquelle on utilise habituellement la méthode d'élimination de Gauss pour la résolution des n systèmes linéaires requis. Nous favoriserons ici l'emploi de la décomposition LU.

Remarque 3.53. Puisque le calcul de A^{-1} est équivalent à la résolution de n systèmes linéaires, il est clair qu'il ne faut jamais calculer A^{-1} pour résoudre un système linéaire. Il vaut mieux utiliser directement une décomposition LU sans passer par l'inverse.

Si l'on veut quand même calculer A^{-1}, il faut effectuer d'abord la décomposition LU de A *une seule fois* ($\simeq \frac{n^3}{3}$ multiplications/divisions), puis n remontées et descentes triangulaires ($\simeq n \times n^2 = n^3$ multiplications/divisions), pour un total approximatif de $\frac{4n^3}{3}$ multiplications/divisions. Ces évaluations montrent bien que le calcul d'un inverse est environ quatre fois plus coûteux ($\simeq \frac{4n^3}{3}$ multiplications/divisions) que la résolution d'un système linéaire ($\simeq \frac{n^3}{3}$ multiplications/divisions). Ainsi, le calcul de l'inverse d'une matrice de dimension 1000 sur 1000 nécessite à peu près un milliard de multiplications/divisions de plus que la résolution d'un système linéaire de même dimension. ◄

Exemple 3.54. On doit calculer l'inverse de la matrice :

$$\begin{bmatrix} 0 & 2 & 1 \\ 1 & 0 & 0 \\ 3 & 0 & 1 \end{bmatrix}$$

dont nous avons déjà obtenu la décomposition LU :

$$\begin{bmatrix} 3 & 0 & 0 \\ 0 & 2 & 0 \\ 1 & 0 & -\frac{1}{3} \end{bmatrix} \begin{bmatrix} 1 & 0 & \frac{1}{3} \\ 0 & 1 & \frac{1}{2} \\ 0 & 0 & 1 \end{bmatrix} \quad \vec{O} = \begin{bmatrix} 3 \\ 1 \\ 2 \end{bmatrix}$$

On a recours encore une fois au vecteur de permutation $\vec{O}$. Pour obtenir la matrice inverse de A, on doit résoudre les trois systèmes linéaires suivants :

$$A\vec{c}_1 = \vec{e}_1 \qquad A\vec{c}_2 = \vec{e}_2 \qquad A\vec{c}_3 = \vec{e}_3$$

dont le résultat nous donne les trois colonnes de la matrice A^{-1}. Le premier système est résolu d'abord par la descente triangulaire :

$$\begin{bmatrix} 3 & 0 & 0 \\ 0 & 2 & 0 \\ 1 & 0 & -\frac{1}{3} \end{bmatrix} \begin{bmatrix} y_1 \\ y_2 \\ y_3 \end{bmatrix} = \begin{bmatrix} 0 \\ 1 \\ 0 \end{bmatrix}$$

Il faut prendre garde ici au membre de droite. Il s'agit bien du vecteur $\vec{e}_1 = \begin{bmatrix} 1 & 0 & 0 \end{bmatrix}^T$, mais ordonné suivant le vecteur $\vec{O} = \begin{bmatrix} 3 & 1 & 2 \end{bmatrix}^T$ pour tenir compte des lignes qui ont été permutées lors de la décomposition LU. La résolution conduit à $\vec{y} = \begin{bmatrix} 0 & \frac{1}{2} & 0 \end{bmatrix}^T$. Il reste à effectuer la remontée triangulaire :

$$\begin{bmatrix} 1 & 0 & \frac{1}{3} \\ 0 & 1 & \frac{3}{2} \\ 0 & 0 & 1 \end{bmatrix} \begin{bmatrix} x_1 \\ x_2 \\ x_3 \end{bmatrix} = \begin{bmatrix} 0 \\ \frac{1}{2} \\ 0 \end{bmatrix}$$

dont le résultat $\begin{bmatrix} 0 & \frac{1}{2} & 0 \end{bmatrix}^T$ représente la première colonne de A^{-1}. Le deuxième système exige dans un premier temps la résolution de :

$$\begin{bmatrix} 3 & 0 & 0 \\ 0 & 2 & 0 \\ 1 & 0 & -\frac{1}{3} \end{bmatrix} \begin{bmatrix} y_1 \\ y_2 \\ y_3 \end{bmatrix} = \begin{bmatrix} 0 \\ 0 \\ 1 \end{bmatrix}$$

(à surveiller l'ordre des composantes du vecteur $\vec{e}_2$ à droite), dont la solution est $\vec{y} = \begin{bmatrix} 0 & 0 & -3 \end{bmatrix}^T$. Par la suite :

$$\begin{bmatrix} 1 & 0 & \frac{1}{3} \\ 0 & 1 & \frac{3}{2} \\ 0 & 0 & 1 \end{bmatrix} \begin{bmatrix} x_1 \\ x_2 \\ x_3 \end{bmatrix} = \begin{bmatrix} 0 \\ 0 \\ -3 \end{bmatrix}$$

qui donne la deuxième colonne de A^{-1}, soit $\vec{c}_2 = \begin{bmatrix} 1 & \frac{3}{2} & -3 \end{bmatrix}^T$. Enfin, un raisonnement similaire détermine la troisième colonne $\vec{c}_3 = \begin{bmatrix} 0 & -\frac{1}{2} & 1 \end{bmatrix}^T$. La matrice inverse est donc :

$$A^{-1} = \begin{bmatrix} 0 & 1 & 0 \\ \frac{1}{2} & \frac{3}{2} & -\frac{1}{2} \\ 0 & -3 & 1 \end{bmatrix}$$

♦

3.8   Effets de l'arithmétique flottante

Jusqu'ici, nous n'avons utilisé que l'arithmétique exacte. Il est grandement temps de regarder si l'arithmétique flottante utilisée par les ordinateurs a une influence quelconque sur les résultats. Il est fort probable que oui. En fait, nous allons voir que certaines matrices sont très sensibles aux effets de l'arithmétique flottante et d'autres, beaucoup moins. Dans le cas de matrices sensibles, nous parlerons de *matrices mal conditionnées*.

Remarque 3.55. En arithmétique flottante à m chiffres dans la mantisse, on doit effectuer chaque opération arithmétique en représentant les opérandes en notation flottante et en arrondissant le résultat de l'opération au m^e chiffre de la mantisse (voir la section 1.5). ◄

Exemple 3.56. On doit effectuer la décomposition *LU* en arithmétique flottante à 4 chiffres de la matrice suivante :

$$\begin{bmatrix} 1{,}012 & -2{,}132 & 3{,}104 \\ -2{,}132 & 4{,}096 & -7{,}013 \\ 3{,}104 & -7{,}013 & 0{,}014 \end{bmatrix}$$

Les opérations sont résumées ci-dessous :

$$l_{11} = 1{,}012 \quad l_{21} = -2{,}132 \quad l_{31} = 3{,}104$$

$$u_{12} = \text{fl}\left(\frac{-2{,}132}{1{,}012}\right) = -2{,}107 \text{ et } u_{13} = \text{fl}\left(\frac{3{,}104}{1{,}012}\right) = 3{,}067$$

$$l_{22} = \text{fl}(4{,}096 - \text{fl}[(-2{,}132)(-2{,}107)]) = \text{fl}(4{,}096 - 4{,}492) = -0{,}3960$$

$$l_{32} = \text{fl}(-7{,}013 - \text{fl}[(3{,}104)(-2{,}107)]) = \text{fl}(-7{,}013 + 6{,}540) = -0{,}4730$$

$$u_{23} = \text{fl}\left(\frac{-7{,}013 - \text{fl}[(-2{,}132)(3{,}067)]}{-0{,}3960}\right)$$

$$= \text{fl}\left(\frac{-7{,}013 + 6{,}539}{-0{,}3960}\right) = 1{,}197$$

$$l_{33} = \text{fl}(0{,}0140 - \text{fl}[(3{,}104)(3{,}067)] - \text{fl}[(-0{,}4730)(1{,}197)])$$
$$= \text{fl}(0{,}0140 - 9{,}520 + 0{,}5662) = -8{,}940$$

On a donc :

$$LU = \begin{bmatrix} 1{,}012 & 0 & 0 \\ -2{,}132 & -0{,}3960 & 0 \\ 3{,}104 & -0{,}4730 & -8{,}940 \end{bmatrix} \begin{bmatrix} 1 & -2{,}107 & 3{,}067 \\ 0 & 1 & 1{,}197 \\ 0 & 0 & 1 \end{bmatrix}$$

♦

Les exemples suivants montrent comment l'arithmétique flottante peut affecter sensiblement la précision de la résolution d'un système linéaire. Nous discutons également des moyens d'en diminuer les effets.

Exemple 3.57. Soit le système :

$$\begin{bmatrix} 1 & 2 \\ 1{,}1 & 2 \end{bmatrix} \begin{bmatrix} x_1 \\ x_2 \end{bmatrix} = \begin{bmatrix} 10 \\ 10{,}4 \end{bmatrix}$$

dont la solution exacte est $\vec{x} = \begin{bmatrix} 4 & 3 \end{bmatrix}^T$. Si l'on remplace le terme 1,1 de la matrice par 1,05, la nouvelle solution exacte devient $\vec{x} = \begin{bmatrix} 8 & 1 \end{bmatrix}^T$. Cet exemple démontre qu'*une petite modification sur un terme de la matrice peut entraîner une grande modification de la solution exacte*. En pratique, l'arithmétique flottante provoque inévitablement de petites modifications de chaque terme de la matrice et de sa décomposition *LU*. Il est alors tout à fait possible que ces petites erreurs aient d'importantes répercussions sur la solution et, donc, que les résultats numériques soient très éloignés de la solution exacte.

♦

Exemple 3.58. Considérons le système :

$$\begin{bmatrix} 0{,}0003 & 3{,}0000 \\ 1{,}0000 & 1{,}0000 \end{bmatrix} \begin{bmatrix} x_1 \\ x_2 \end{bmatrix} = \begin{bmatrix} 2{,}0001 \\ 1{,}0000 \end{bmatrix}$$

dont la solution exacte est $\vec{x} = \begin{bmatrix} \frac{1}{3} & \frac{2}{3} \end{bmatrix}^T$. Il s'agit maintenant d'effectuer la décomposition LU en arithmétique flottante à 4 chiffres. On remarque que le système devient en notation flottante à 4 chiffres :

$$\begin{bmatrix} 0{,}3000 \times 10^{-3} & 0{,}3000 \times 10^1 \\ 0{,}1000 \times 10^1 & 0{,}1000 \times 10^1 \end{bmatrix} \begin{bmatrix} x_1 \\ x_2 \end{bmatrix} = \begin{bmatrix} 0{,}2000 \times 10^1 \\ 0{,}1000 \times 10^1 \end{bmatrix}$$

et que le 1 de 2,0001 disparaît. La décomposition LU donne dans ce cas :

$$LU = \begin{bmatrix} 0{,}3000 \times 10^{-3} & 0 \\ 0{,}1000 \times 10^1 & -0{,}9999 \times 10^4 \end{bmatrix} \begin{bmatrix} 0{,}1000 \times 10^1 & 0{,}1000 \times 10^5 \\ 0 & 0{,}1000 \times 10^1 \end{bmatrix}$$

Le terme u_{12} est très grand puisque le pivot 0,0003 est presque nul. La descente triangulaire donne alors :

$$y_1 = \mathrm{fl}\left(\frac{0{,}2000 \times 10^1}{0{,}3000 \times 10^{-3}} \right) = 0{,}6667 \times 10^4$$

et :

$$y_2 = \mathrm{fl}\left(\frac{1 - 6667}{-9999} \right) = 0{,}6667$$

Puis la remontée triangulaire donne :

$$x_2 = 0{,}6667$$

et :

$$x_1 = 6667 - (10\,000)(0{,}6667) = 0$$

Si l'on compare ce résultat avec la solution exacte $\begin{bmatrix} \frac{1}{3} & \frac{2}{3} \end{bmatrix}^T$, on constate une variation importante de la valeur de x_1. On imagine aisément ce qui peut se produire avec un système de plus grande taille. Mais comment peut-on limiter les dégâts ? Une première possibilité consiste à utiliser plus de chiffres dans la mantisse, mais cela n'est pas toujours possible. Si l'on passe en revue les calculs précédents, on en vient rapidement à soupçonner que la source des ennuis est la division par un pivot presque nul. On sait qu'une telle opération est dangereuse numériquement. Une solution de rechange consiste donc à permuter les lignes même si le pivot n'est pas parfaitement nul. Dans notre exemple, on aura :

$$\begin{bmatrix} 1{,}0000 & 1{,}0000 \\ 0{,}0003 & 3{,}0000 \end{bmatrix} \begin{bmatrix} x_1 \\ x_2 \end{bmatrix} = \begin{bmatrix} 1{,}0000 \\ 2{,}0001 \end{bmatrix}$$

Cette fois, la décomposition LU (toujours à 4 chiffres) donne :

$$LU = \begin{bmatrix} 0{,}1000 \times 10^1 & 0{,}000 \\ 0{,}3000 \times 10^{-3} & 3{,}000 \end{bmatrix} \begin{bmatrix} 1{,}000 & 1{,}000 \\ 0{,}000 & 1{,}000 \end{bmatrix}$$

car :

$$l_{22} = \text{fl}[3 - \text{fl}[(1)(0,3000 \times 10^{-3})]] = \text{fl}[3 - 0,3000 \times 10^{-3}] = 3$$

La descente triangulaire donne $\vec{y} = \begin{bmatrix} 1,000 & 0,6666 \end{bmatrix}^T$ et la remontée nous donne la solution $\vec{x} = \begin{bmatrix} 0,3333 & 0,6667 \end{bmatrix}^T$, qui est très près de la solution exacte. ◆

Remarque 3.59. Une excellente stratégie de recherche du pivot consiste, une fois la i^e colonne de L calculée, à placer en position de pivot le plus grand terme en valeur absolue de cette colonne. Cette recherche ne tient compte que des lignes situées sous le pivot actuel. ◄

Exemple 3.60. Cet exemple illustre comment effectuer une permutation de façon systématique. Seules les grandes étapes de la décomposition sont indiquées, les calculs étant laissés en exercice. Les coefficients de la matrice sont détruits au fur et à mesure que les calculs progressent et sont remplacés par l_{ij} ou u_{ij}. Considérons donc la matrice :

$$\begin{bmatrix} 1 & 6 & 9 \\ 2 & 1 & 2 \\ 3 & 6 & 9 \end{bmatrix} \quad \vec{O} = \begin{bmatrix} 1 \\ 2 \\ 3 \end{bmatrix}$$

La première colonne de L étant la première colonne de A, on a :

$$\begin{bmatrix} \boxed{1} & 6 & 9 \\ \boxed{2} & 1 & 2 \\ \boxed{3} & 6 & 9 \end{bmatrix} \quad \vec{O} = \begin{bmatrix} 1 \\ 2 \\ 3 \end{bmatrix}$$

On peut alors permuter la ligne 3 et la ligne 1 de manière à placer en position de pivot le plus grand terme de la première colonne de L. On a maintenant :

$$\begin{bmatrix} \boxed{3} & 6 & 9 \\ \boxed{2} & 1 & 2 \\ \boxed{1} & 6 & 9 \end{bmatrix} \quad \vec{O} = \begin{bmatrix} 3 \\ 2 \\ 1 \end{bmatrix}$$

On calcule la première ligne de U :

$$\begin{bmatrix} \boxed{3} & \boxed{2} & \boxed{3} \\ \boxed{2} & 1 & 2 \\ \boxed{1} & 6 & 9 \end{bmatrix} \quad \vec{O} = \begin{bmatrix} 3 \\ 2 \\ 1 \end{bmatrix}$$

La deuxième colonne de L devient alors :

$$\begin{bmatrix} \boxed{3} & \boxed{2} & \boxed{3} \\ \boxed{2} & \boxed{-3} & 2 \\ \boxed{1} & \boxed{4} & 9 \end{bmatrix} \quad \vec{O} = \begin{bmatrix} 3 \\ 2 \\ 1 \end{bmatrix}$$

On voit qu'il faut maintenant permuter les deux dernières lignes pour amener en position de pivot le plus grand terme de la colonne, qui est 4.

$$\begin{bmatrix} \boxed{3} & \boxed{2} & \boxed{3} \\ \boxed{1} & \boxed{4} & 9 \\ \boxed{2} & \boxed{-3} & 2 \end{bmatrix} \quad \vec{O} = \begin{bmatrix} 3 \\ 1 \\ 2 \end{bmatrix}$$

En continuant ainsi, on trouve la décomposition LU sous forme compacte :

$$\begin{bmatrix} \boxed{3} & \boxed{2} & \boxed{3} \\ \boxed{1} & \boxed{4} & \boxed{\frac{3}{2}} \\ \boxed{2} & \boxed{-3} & \boxed{\frac{1}{2}} \end{bmatrix} \quad \vec{O} = \begin{bmatrix} 3 \\ 1 \\ 2 \end{bmatrix}$$

♦

La stratégie de recherche du pivot améliore souvent la précision des résultats, mais cette opération n'est pas toujours suffisante. L'exemple qui suit montre comment la *mise à l'échelle* peut également contribuer à la qualité des résultats.

Exemple 3.61. Soit le système suivant :

$$\begin{bmatrix} 2,0000 & 100\,000 \\ 1,0000 & 1,0000 \end{bmatrix} \begin{bmatrix} x_1 \\ x_2 \end{bmatrix} = \begin{bmatrix} 100\,000 \\ 2,0000 \end{bmatrix}$$

dont la solution exacte est $\begin{bmatrix} 1,00002 & 0,99998 \end{bmatrix}^T$. Nul besoin ici de rechercher un plus grand pivot. La décomposition LU (en arithmétique flottante à 4 chiffres) donne :

$$LU = \begin{bmatrix} 2 & 0 \\ 1 & -50\,000 \end{bmatrix} \begin{bmatrix} 1 & 50\,000 \\ 0 & 1 \end{bmatrix}$$

La descente triangulaire conduit à $\vec{y} = \begin{bmatrix} 50\,000 & 1 \end{bmatrix}^T$ et la remontée triangulaire, à $\vec{x} = \begin{bmatrix} 0 & 1 \end{bmatrix}^T$. Ici encore, l'erreur est considérable par rapport à la solution exacte. Cet écart est dû au fait que la matrice A est constituée de termes d'ordres de grandeur très différents. Par exemple, quand on calcule le terme l_{22}, on doit effectuer en arithmétique flottante à 4 chiffres :

$$1 - (1)(50\,000) = -50\,000$$

On a donc effectué une autre opération dangereuse, à savoir soustraire (ou additionner) des termes dont les ordres de grandeur sont très différents. Une solution partielle à ce problème est d'effectuer une mise à l'échelle des coefficients de la matrice. ♦

Définition 3.62: Mise à l'échelle

La mise à l'échelle consiste à diviser chaque ligne du système linéaire par le plus grand terme (en valeur absolue) de la ligne correspondante de la matrice A. *On ne tient pas compte du terme de droite $\vec{b}$ pour déterminer le plus grand terme de chaque ligne.*

Dans notre exemple, il suffit de diviser la première ligne par $100\,000$ (le plus grand terme de la deuxième ligne étant 1) et de résoudre :

$$\begin{bmatrix} 0{,}2000 \times 10^{-4} & 0{,}1000 \times 10^{1} \\ 0{,}1000 \times 10^{+1} & 0{,}1000 \times 10^{1} \end{bmatrix} \begin{bmatrix} x_1 \\ x_2 \end{bmatrix} = \begin{bmatrix} 0{,}1000 \times 10^{1} \\ 0{,}2000 \times 10^{1} \end{bmatrix}$$

La recherche d'un nouveau pivot est maintenant nécessaire. On peut montrer que la résolution en arithmétique flottante à 4 chiffres donne la solution $\vec{x} = \begin{bmatrix} 0{,}1000 \times 10^{1} & 0{,}1000 \times 10^{1} \end{bmatrix}^{T}$, ce qui est beaucoup plus près du résultat exact.

Remarque 3.63. La mise à l'échelle utilise la dernière opération élémentaire sur les lignes d'un système linéaire, soit la multiplication d'une ligne par un scalaire.

Lorsqu'on multiplie une ligne par un scalaire, le déterminant de la matrice est multiplié par ce scalaire. Après avoir effectué la décomposition LU, on peut récupérer le déterminant de la matrice A en divisant le produit de la diagonale de L par ce scalaire. ◄

Les exemples précédents montrent clairement que certains systèmes linéaires sont très sensibles aux erreurs dues à l'arithmétique flottante. Dans la prochaine section, nous allons essayer de mesurer cette sensibilité.

3.9   Conditionnement d'une matrice

Cette section traite d'erreur et de mesure d'erreur liée aux systèmes linéaires. Il nous faut tout de suite introduire une métrique permettant de mesurer l'écart entre une solution numérique et une solution exacte. Cela nous amène donc à aborder la notion de norme vectorielle au sens de la définition suivante.

Définition 3.64: Norme vectorielle

Une norme vectorielle est une application de $\mathcal{R}^n$ dans $\mathcal{R}$ ($\mathcal{R}$ désigne l'ensemble des réels) qui associe à un vecteur $\vec{x}$ un scalaire noté $||\vec{x}||$ et qui vérifie les trois propriétés suivantes :

1. La norme d'un vecteur est toujours strictement positive, sauf si le vecteur a toutes ses composantes nulles :

$$||\vec{x}|| > 0, \text{ sauf si } \vec{x} = \vec{0} \tag{3.22}$$

2. Si α est un scalaire, alors :

$$|| \alpha\vec{x} || = |\alpha| \, ||\vec{x}|| \tag{3.23}$$

où $|\alpha|$ est la valeur absolue de α.

3. L'*inégalité triangulaire* est toujours vérifiée entre deux vecteurs $\vec{x}$ et $\vec{y}$ quelconques :

$$||\vec{x} + \vec{y}|| \leq ||\vec{x}|| + ||\vec{y}|| \tag{3.24}$$

Toute application vérifiant ces trois propriétés est une norme vectorielle. La plus connue est sans doute la *norme euclidienne*.

Définition 3.65: Norme euclidienne

La norme euclidienne d'un vecteur $\vec{x}$ est notée $||\vec{x}||_2$ et est définie par :

$$||\vec{x}||_2 = \sqrt{x_1^2 + x_2^2 + \cdots + x_n^2} \qquad (3.25)$$

Proposition 3.66

La norme euclidienne vérifie les trois propriétés d'une norme vectorielle.

Démonstration. (facultative)

La démonstration de la propriété 3.22 est triviale puisque la racine carrée d'un nombre ne peut s'annuler que si ce nombre est nul. Or, pour que le terme sous la racine carrée soit nul, il faut que toutes les composantes de $\vec{x}$ soient nulles.

La propriété 3.23 découle de :

$$\begin{aligned}
||\alpha\vec{x}||_2 &= \sqrt{\alpha^2 x_1^2 + \alpha^2 x_2^2 + \alpha^2 x_3^2 + \cdots + \alpha^2 x_n^2} \\
&= |\alpha|\sqrt{x_1^2 + x_2^2 + x_3^2 + \cdots + x_n^2} = |\alpha|\,||\vec{x}||_2
\end{aligned}$$

L'inégalité triangulaire 3.24 est un peu plus difficile à obtenir. Soit $\vec{x}$ et $\vec{y}$, deux vecteurs et α, un scalaire. En vertu de la propriété 3.22 déjà démontrée, on a d'abord pour un scalaire α quelconque :

$$\begin{aligned}
0 &\leq ||\vec{x} + \alpha\vec{y}||_2^2 \\
&= (x_1 + \alpha y_1)^2 + (x_2 + \alpha y_2)^2 + \cdots + (x_n + \alpha y_n)^2 \\
&= (x_1^2 + x_2^2 + \cdots + x_n^2) + 2\alpha\,(x_1 y_1 + x_2 y_2 + \cdots + x_n y_n) \\
&\quad + \alpha^2\,(y_1^2 + y_2^2 + \cdots + y_n^2) \\
&= ||\vec{x}||_2^2 + 2\alpha(\vec{x}\cdot\vec{y}) + \alpha^2||\vec{y}||_2^2 = C + B\alpha + A\alpha^2
\end{aligned}$$

c'est-à-dire un polynôme du deuxième degré en α. On aura reconnu dans l'expression précédente le *produit scalaire* habituel de deux vecteurs, noté $(\vec{x}\cdot\vec{y})$. Puisque ce polynôme est toujours positif, et ce, quel que soit α, le discriminant $B^2 - 4AC$ doit être strictement positif. Dans le cas contraire, le polynôme aurait deux racines réelles et prendrait des valeurs négatives entre ces racines. En remplaçant les valeurs de A, B et C dans le discriminant et en divisant par 4, on obtient :

$$|\vec{x}\cdot\vec{y}| \leq ||\vec{x}||_2\,||\vec{y}||_2 \qquad (3.26)$$

qui est l'*inégalité de Cauchy*. Cette inégalité permet de démontrer la troisième propriété. En effet, en prenant $\alpha = 1$ et en utilisant l'inégalité de Cauchy, on a :

$$||\vec{x} + \vec{y}||_2^2 = ||\vec{x}||_2^2 + 2(\vec{x} \cdot \vec{y}) + ||\vec{y}||_2^2$$

$$\leq ||\vec{x}||_2^2 + 2||\vec{x}||_2 \, ||\vec{y}||_2 + ||\vec{y}||_2^2 = (||\vec{x}||_2 + ||\vec{y}||_2)^2$$

qui est le résultat attendu. ∎

On peut définir, en plus de la norme euclidienne, plusieurs normes vérifiant les trois propriétés nécessaires.

Définition 3.67: Normes vectorielles l_1 et l_∞

La norme l_1 est définie par $||\vec{x}||_1 = \sum_{i=1}^{n} |x_i|$ tandis que la norme l_∞ est définie par $||\vec{x}||_\infty = \max_{1 \leq i \leq n} |x_i|$.

Exemple 3.68. Pour le vecteur $\vec{x} = \begin{bmatrix} 1 & -3 & -8 \end{bmatrix}^T$, $||\vec{x}||_1 = 1 + 3 + 8 = 12$, $||\vec{x}||_\infty = \max(1, 3, 8) = 8$ et $||\vec{x}||_2 = \sqrt{1 + 9 + 64} = \sqrt{74}$. ◆

Puisque nous nous intéressons plus particulièrement aux systèmes linéaires, il importe de pouvoir définir des normes relatives aux matrices.

Définition 3.69: Norme matricielle

Une norme matricielle est une application qui associe à une matrice A un scalaire noté $||A||$ vérifiant les quatre propriétés suivantes :

1. La norme d'une matrice est toujours strictement positive, sauf si la matrice a toutes ses composantes nulles :

$$||A|| > 0, \text{ sauf si } A = 0 \tag{3.27}$$

2. Si α est un scalaire, alors :

$$|| \alpha A || = |\alpha| \, ||A|| \tag{3.28}$$

3. L'*inégalité triangulaire* est toujours vérifiée entre deux matrices A et B quelconques, c'est-à-dire :

$$||A + B|| \leq ||A|| + ||B|| \tag{3.29}$$

4. Une quatrième propriété est nécessaire pour les matrices :

$$||AB|| \leq ||A|| \, ||B|| \tag{3.30}$$

Toute application qui vérifie ces quatre propriétés est une norme matricielle. En pratique, on sera amené à manipuler des normes vectorielles et matricielles et on devra bientôt s'assurer d'une certaine forme de compatibilité entre ces normes. Fait intéresssant, on peut aisément construire une norme matricielle à partir d'une norme vectorielle quelconque.

Définition 3.70: Norme matricielle induite ou subordonnée

Étant donnée une norme vectorielle, la norme matricielle induite (ou encore subordonnée) à cette norme vectorielle est définie par :

$$||A|| = \sup_{||\vec{x}|| \neq 0} \frac{||A\vec{x}||}{||\vec{x}||} \qquad (3.31)$$

On peut montrer qu'ainsi définie, la norme subordonnée vérifie toutes les propriétés d'une norme matricielle. De cette façon, toute norme vectorielle est automatiquement associée à une norme vectorielle. Cette définition n'est pas facile à manipuler puisque l'on doit trouver un maximum parmi tous les vecteurs non nuls. On peut aussi montrer (en exercice) que l'on peut aussi définir la norme induite par :

$$||A|| = \sup_{||\vec{x}||=1} ||A\vec{x}||$$

ce qui n'est guère plus facile à évaluer. On peut toutefois démontrer le résultat suivant dont nous nous servirons par la suite.

Proposition 3.71: Normes matricielles induites

Les normes matricielles induites par les normes vectorielles l_1 et l_∞ sont respectivement données par :

$$||A||_1 = \sup_{||\vec{x}||_1 \neq 0} \frac{||A\vec{x}||_1}{||\vec{x}||_1} = \max_{1 \leq j \leq n} \sum_{i=1}^{n} |a_{ij}|$$

$$||A||_\infty = \sup_{||\vec{x}||_\infty \neq 0} \frac{||A\vec{x}||_\infty}{||\vec{x}||_\infty} = \max_{1 \leq i \leq n} \sum_{j=1}^{n} |a_{ij}|$$

La norme $||A||_1$ consiste à sommer (en valeur absolue) chacune des colonnes de A et à choisir la plus grande somme. La norme $||A||_\infty$ fait un travail similaire sur les lignes.

Démonstration. Voir [6]. ■

Remarque 3.72. On définit la *norme de Frobenius* par :

$$||A||_F = \sqrt{\sum_{i,j=1}^{n} a_{ij}^2}$$

On peut montrer que la norme de Frobenius n'est induite par aucune norme vectorielle. Par contre, on peut aussi montrer que la norme matricielle induite par la norme euclidienne est :

$$||A||_2 = \sup_{||\vec{x}||_2 \neq 0} \frac{||A\vec{x}||_2}{||\vec{x}||_2} = \left(\rho(A^T A)\right)^{\frac{1}{2}}$$

où ρ désigne le rayon spectral, c'est-à-dire la plus grande valeur propre (voir la relation 4.18). Bien que fort utile, nous n'utiliserons pas cette norme dans cet ouvrage. ◄

Exemple 3.73. Soit la matrice :

$$\begin{bmatrix} 1 & -2 & 5 \\ -3 & 1 & -5 \\ 1 & -9 & 0 \end{bmatrix}$$

Les différentes normes prennent alors les valeurs suivantes :

$$||A||_1 = \max(5, 12, 10) = 12$$

$$||A||_\infty = \max(8, 9, 10) = 10$$

$$||A||_F = \sqrt{1 + 4 + 25 + 9 + 1 + 25 + 1 + 81} = \sqrt{147}$$

◆

Il ne reste qu'un point important à aborder pour avoir un portrait complet de la situation. Nous avons des normes vectorielles et matricielles qui permettent de manipuler des vecteurs et des matrices respectivement. Lorsque l'on s'intéresse aux systèmes linéaires, on doit souvent manipuler des produits de matrices par des vecteurs, d'où l'intérêt de la définition suivante.

Définition 3.74: Normes compatibles

Une norme vectorielle et une norme matricielle sont dites compatibles si la condition :

$$||A\vec{x}|| \leq ||A|| \, ||\vec{x}|| \tag{3.32}$$

est valide quels que soient la matrice A et le vecteur $\vec{x}$.

Les trois normes qui apparaissent dans la relation 3.32 sont respectivement une norme vectorielle (car $A\vec{x}$ est un vecteur), une norme matricielle et une norme vectorielle.

Remarque 3.75. Les normes vectorielles et matricielles ne sont pas toutes compatibles entre elles. Si une norme matricielle est subordonnée à une norme vectorielle, les deux normes sont automatiquement compatibles. En effet, si $\vec{x}$ est un vecteur quelconque, par définition de la norme induite, on a :

$$||A|| = \sup_{||\vec{y}|| \neq 0} \frac{||A\vec{y}||}{||\vec{y}||} \geq \frac{||A\vec{x}||}{||\vec{x}||}, \text{ quel que soit le vecteur } \vec{x}$$

d'où l'on tire l'inégalité 3.32. La proposition 3.71 nous assure ainsi que :

$$||\vec{x}||_1 \text{ et } ||A||_1 \quad \text{ainsi que } ||\vec{x}||_\infty \text{ et } ||A||_\infty$$

sont compatibles deux à deux. Par contre, $||\vec{x}||_2$ et $||A||_F$ sont compatibles, bien que $||A||_F$ ne soit pas subordonnée à la norme vectorielle $||\vec{x}||_2$. ◄

Exemple 3.76. Considérons de nouveau le vecteur $\vec{x} = \begin{bmatrix} 1 & -3 & -8 \end{bmatrix}^T$ et la matrice :

$$A = \begin{bmatrix} 1 & -2 & 5 \\ -3 & 1 & -5 \\ 1 & -9 & 0 \end{bmatrix}$$

Le produit $A\vec{x}$ donne le vecteur $\begin{bmatrix} -33 & 34 & 28 \end{bmatrix}^T$ et donc :

$$||A\vec{x}||_1 = 95 \quad ||A\vec{x}||_\infty = 34 \quad \text{et} \quad ||A\vec{x}||_2 = \sqrt{3029}$$

L'inégalité 3.32 devient :

$$\begin{array}{rcll} 95 & \leq & (12)(12) & \text{en norme } l_1, \\ 34 & \leq & (10)(8) & \text{en norme } l_\infty, \\ \sqrt{3029} & \leq & (\sqrt{147})(\sqrt{74}) = \sqrt{10\,878} & \text{en norme euclidienne.} \end{array}$$

◆

Nous en arrivons au point clé de cette section, qui est le conditionnement d'une matrice. Introduisons d'abord sa définition.

Définition 3.77: Conditionnement d'une matrice

Le conditionnement d'une matrice (noté cond$A$) est défini par :

$$\text{cond}A = ||A|| \, ||A^{-1}|| \tag{3.33}$$

Le conditionnement est tout simplement le produit des normes de A et de son inverse et dépend donc de la norme matricielle utilisée. On utilise le plus souvent la norme $||A||_\infty$ et l'on notera alors cond$_\infty A$.

Il ne reste plus qu'à montrer en quoi le conditionnement d'une matrice est si important pour déterminer la sensibilité d'une matrice aux erreurs d'arrondis et à l'arithmétique flottante. Tout d'abord, on montre que le conditionnement est un nombre supérieur ou égal à 1. En effet, si I désigne la matrice identité (ayant des 1 sur la diagonale et des 0 partout ailleurs), on a :

$$||A|| = ||AI|| \leq ||A|| \, ||I||$$

en vertu de la relation 3.30. Cela entraîne, après division par $||A||$ de chaque côté, que $||I|| \geq 1$, quelle que soit la norme matricielle utilisée. On en conclut que :

$$1 \leq ||I|| = ||AA^{-1}|| \leq ||A|| \, ||A^{-1}||$$

et donc que :

$$1 \leq \text{cond}A < \infty \tag{3.34}$$

Bornes d'erreurs et conditionnement

Considérons encore une fois le système linéaire $A\vec{x} = \vec{b}$ et notons $\vec{x}$, la solution exacte et $\vec{x}^*$, une solution approximative obtenue par exemple en résolvant ce système en utilisant l'arithmétique flottante. Ces deux vecteurs devraient être près l'un de l'autre, c'est-à-dire que la norme de l'erreur :

$$||\vec{e}|| = ||\vec{x} - \vec{x}^*||$$

devrait être petite mais ce n'est pas toujours le cas. Définissons le résidu par :

$$\vec{r} = \vec{b} - A\vec{x}^* \tag{3.35}$$

On a alors :

$$\vec{r} = \vec{b} - A\vec{x}^* = A\vec{x} - A\vec{x}^* = A(\vec{x} - \vec{x}^*) = A\vec{e}$$

ce qui signifie que $\vec{e} = A^{-1}\vec{r}$. Si l'on utilise des normes vectorielles et matricielles compatibles, on a en vertu de la relation 3.32 :

$$||\vec{e}|| \leq ||A^{-1}|| \, ||\vec{r}|| \tag{3.36}$$

De façon analogue, puisque $A\vec{e} = \vec{r}$, on a $||\vec{r}|| \leq ||A|| \, ||\vec{e}||$, qui peut aussi s'écrire :

$$\frac{||\vec{r}||}{||A||} \leq ||\vec{e}|| \tag{3.37}$$

En regroupant les relations 3.36 et 3.37, on obtient :

$$\frac{||\vec{r}||}{||A||} \leq ||\vec{e}|| \leq ||A^{-1}|| \, ||\vec{r}|| \tag{3.38}$$

Par ailleurs, en refaisant le même raisonnement avec les égalités $A\vec{x} = \vec{b}$ et $\vec{x} = A^{-1}\vec{b}$, on trouve :

$$\frac{||\vec{b}||}{||A||} \leq ||\vec{x}|| \leq ||A^{-1}|| \, ||\vec{b}||$$

Après avoir inversé ces inégalités, on trouve :

$$\frac{1}{||A^{-1}|| \, ||\vec{b}||} \leq \frac{1}{||\vec{x}||} \leq \frac{||A||}{||\vec{b}||} \tag{3.39}$$

En multipliant les inégalités 3.38 et 3.39, on obtient le résultat fondamental suivant.

Proposition 3.78

$$\frac{1}{\operatorname{cond}A} \frac{||\vec{r}||}{||\vec{b}||} \leq \frac{||\vec{e}||}{||\vec{x}||} \leq \operatorname{cond}A \, \frac{||\vec{r}||}{||\vec{b}||} \tag{3.40}$$

Remarque 3.79. Plusieurs remarques s'imposent pour bien comprendre l'inégalité précédente.

1. Le terme du milieu représente l'erreur relative entre la solution exacte $\vec{x}$ et la solution approximative $\vec{x}^*$.

2. Si le conditionnement de la matrice A est près de 1, l'erreur relative est coincée entre deux valeurs très près l'une de l'autre. Si la norme du résidu est petite, l'erreur relative est également petite et la précision de la solution approximative a toutes les chances d'être satisfaisante.

3. Par contre, si le conditionnement de la matrice A est grand, la valeur de l'erreur relative est quelque part entre 0 et un nombre possiblement très grand. *Il est donc à craindre que l'erreur relative soit alors grande, donc que la solution approximative soit de faible précision et même, dans certains cas, complètement fausse.*

4. *Même si la norme du résidu est petite, il est possible que l'erreur relative liée à la solution approximative soit quand même très grande.*

5. Plus le conditionnement de la matrice A est grand, plus on doit être attentif à l'algorithme de résolution utilisé. Il importe toutefois de rappeler que, même si une matrice est bien conditionnée, un mauvais algorithme de résolution peut conduire à des résultats erronés.

6. Les deux inégalités de l'équation 3.40 nous permettent d'obtenir une borne inférieure pour le conditionnement. En isolant, on montre en effet que :

$$\text{cond}A \geq \frac{||\vec{e}||\,||\vec{b}||}{||\vec{x}||\,||\vec{r}||} \text{ et cond}A \geq \frac{||\vec{x}||\,||\vec{r}||}{||\vec{e}||\,||\vec{b}||}$$

et donc que :

$$\text{cond}A \geq \max\left(\frac{||\vec{e}||\,||\vec{b}||}{||\vec{x}||\,||\vec{r}||}, \frac{||\vec{x}||\,||\vec{r}||}{||\vec{e}||\,||\vec{b}||}\right)$$

d'où :

$$\text{cond}A \geq \max\left(\frac{||\vec{x} - \vec{x}^*||}{||\vec{x}||} \frac{||\vec{b}||}{||\vec{b} - A\vec{x}^*||}, \frac{||\vec{x}||}{||\vec{x} - \vec{x}^*||} \frac{||\vec{b} - A\vec{x}^*||}{||\vec{b}||}\right) \quad (3.41)$$

Cette borne inférieure est valide quel que soit le vecteur $\vec{x}^*$. Si une matrice est mal conditionnée, on peut essayer de déterminer un vecteur $\vec{x}^*$ pour lequel le terme de droite de l'expression 3.41 sera aussi grand que possible. On peut parfois avoir de cette manière une bonne idée du conditionnement

◀

On peut obtenir une autre inégalité qui illustre le rôle du conditionnement d'une matrice quant à la précision de la solution numérique d'un système linéaire de la forme $A\vec{x} = \vec{b}$ Lorsque l'on résout un tel système sur ordinateur, où la représentation des nombres n'est pas toujours exacte, on résout en fait :

$$(A + E)\vec{x}^* = \vec{b}$$

où la matrice E représente une perturbation du système initial, due par exemple aux erreurs de représentation sur ordinateur des coefficients de la matrice A. Nous supposons qu'il n'y a pas d'erreur commise sur le vecteur $\vec{b}$, ce qui est rarement le cas en pratique. La matrice E peut également représenter les erreurs de mesure lorsque les coefficients de la matrice A sont obtenus expérimentalement. Nous noterons encore $\vec{x}^*$, la solution du système perturbé. On a donc la relation :

$$\vec{x} = A^{-1}\vec{b} = A^{-1}((A+E)\vec{x}^*) = (I + A^{-1}E)\vec{x}^* = \vec{x}^* + A^{-1}E\vec{x}^*$$

On en conclut que $\vec{x} - \vec{x}^* = A^{-1}E\vec{x}^*$ et qu'en vertu des relations 3.30 et 3.32 :

$$||\vec{x} - \vec{x}^*|| \leq ||A^{-1}|| \, ||E|| \, ||\vec{x}^*|| = \frac{||A|| \, ||A^{-1}|| \, ||E|| \, ||\vec{x}^*||}{||A||}$$

d'où l'on tire la proposition suivante donnant un autre point de vue sur le rôle du conditionnement d'une matrice.

Proposition 3.80

Si les vecteurs $\vec{x}$ et $\vec{x}^*$ sont tels que $A\vec{x} = \vec{b}$ et $(A+E)\vec{x}^* = \vec{b}$, alors :

$$\frac{||\vec{x} - \vec{x}^*||}{||\vec{x}^*||} \leq \text{cond}A \, \frac{||E||}{||A||} \tag{3.42}$$

Remarque 3.81. Les remarques suivantes permettent de bien mesurer la portée de l'inégalité 3.42.

1. Le terme de gauche est une approximation de l'erreur relative entre la solution exacte et la solution du système perturbé. (On devrait avoir $||\vec{x}||$ au dénominateur pour représenter vraiment l'erreur relative.)

2. Le terme de droite est en quelque sorte l'erreur relative liée aux coefficients de la matrice A multipliée par le conditionnement de A.

3. Si $\text{cond}A$ est petit, une petite perturbation sur la matrice A entraîne une petite perturbation sur la solution $\vec{x}$.

4. Par contre, si $\text{cond}A$ est grand, une petite perturbation sur la matrice A pourrait résulter en une très grande perturbation sur la solution du système. Il est par conséquent possible que les résultats numériques soient peu précis et même, dans certains cas, complètement faux.

◀

Remarque 3.82. Très souvent, la perturbation E de la matrice A provient des erreurs dues à la représentation des nombres sur ordinateur. Par définition de la précision machine ϵ_m et de la norme l_∞, on a dans ce cas :

$$||E||_\infty \leq \epsilon_m \, ||A||_\infty$$

ce qui permet de réécrire le terme de droite de l'inégalité 3.42 sous la forme :

$$\frac{||\vec{x} - \vec{x}^*||_\infty}{||\vec{x}^*||_\infty} \leq \epsilon_m \, \text{cond}_\infty A = \epsilon_m \, ||A||_\infty \, ||A^{-1}||_\infty \qquad (3.43)$$

On constate que, plus le conditionnement est élevé, plus la précision machine ϵ_m doit être petite. Si la simple précision est insuffisante, on recourt à la double précision. ◄

Exemple 3.83. La matrice :

$$A = \begin{bmatrix} 1{,}012 & -2{,}132 & 3{,}104 \\ -2{,}132 & 4{,}096 & -7{,}013 \\ 3{,}104 & -7{,}013 & 0{,}014 \end{bmatrix}$$

a comme inverse :

$$A^{-1} = \begin{bmatrix} -13{,}729 & -6{,}0755 & 0{,}625\,40 \\ -6{,}0755 & -2{,}6888 & 0{,}133\,99 \\ 0{,}625\,40 & 0{,}133\,99 & -0{,}111\,87 \end{bmatrix}$$

On a alors $||A||_\infty = 13{,}241$ et $||A^{-1}||_\infty = 20{,}43$. On conclut que le conditionnement de la matrice A est $\text{cond}_\infty A = (13{,}241)(20{,}43) = 270{,}51$. ◆

Remarque 3.84. En utilisant une autre norme matricielle, on obtiendrait un conditionnement différent. Toutefois, on pourrait montrer que le conditionnement, s'il est grand dans une norme, sera grand dans toutes les normes. ◄

Exemple 3.85. La matrice :

$$A = \begin{bmatrix} 3{,}02 & -1{,}05 & 2{,}53 \\ 4{,}33 & 0{,}56 & -1{,}78 \\ -0{,}83 & -0{,}54 & 1{,}47 \end{bmatrix}$$

a comme inverse :

$$A^{-1} = \begin{bmatrix} 5{,}661 & -7{,}273 & -18{,}55 \\ 200{,}5 & -268{,}3 & -669{,}9 \\ 76{,}85 & -102{,}6 & -255{,}9 \end{bmatrix}$$

Pour cette matrice, $||A||_\infty = 6{,}67$ et $||A^{-1}||_\infty = 1138{,}7$. Le conditionnement de la matrice est donc 7595, ce qui indique une matrice mal conditionnée. ◆

Exemple 3.86. À l'exemple 3.58 page 132, nous avons déjà considéré la matrice :

$$A = \begin{bmatrix} 0{,}0003 & 3{,}0 \\ 1{,}0 & 1{,}0 \end{bmatrix}$$

dont l'inverse est :

$$A^{-1} = \begin{bmatrix} -0{,}333\,367 & 1{,}0001 \times 10^0 \\ 0{,}333\,367 & 1{,}0001 \times 10^{-4} \end{bmatrix}$$

On a ainsi un conditionnement d'environ 4, ce qui est relativement faible. Nous avons vu que la résolution d'un système linéaire à l'aide de cette matrice, sans effectuer de permutation de lignes, aboutit à de mauvais résultats. Cela démontre bien qu'un algorithme mal choisi (la décomposition LU sans permutation de lignes dans ce cas) peut se révéler inefficace, et ce, même si la matrice est bien conditionnée. ◆

Exemple 3.87. On a rencontré la matrice :

$$A = \begin{bmatrix} 2,0000 & 100\,000 \\ 1,0000 & 1,0000 \end{bmatrix}$$

à l'exemple 3.61 page 134. On vérifie facilement que $\text{cond}_\infty A \simeq 10^5$. Toujours à l'exemple 3.61, nous avions effectué une mise à l'échelle pour obtenir la matrice :

$$\begin{bmatrix} 0,2000 \times 10^{-4} & 0,1000 \times 10^1 \\ 0,1000 \times 10^{+1} & 0,1000 \times 10^1 \end{bmatrix}$$

dont le conditionnement est maintenant près de 4 seulement. La mise à l'échelle des lignes de la matrice a donc un effet très positif sur le conditionnement en norme infinie. ◆

3.10 Systèmes non linéaires

Les comportements non linéaires sont extrêmement courants en pratique. Ils sont sans doute plus fréquents que les phénomènes linéaires. Dans cette section, nous examinons les systèmes non linéaires et nous montrons comment les résoudre à l'aide d'une suite de problèmes linéaires, auxquels on peut appliquer diverses techniques de résolution comme la décomposition LU.

Le problème consiste à trouver le ou les vecteurs $\vec{x} = [x_1 \ x_2 \ x_3 \ \cdots \ x_n]^T$ vérifiant les n équations non linéaires suivantes :

$$\begin{cases} f_1(x_1, x_2, x_3, \cdots, x_n) &= 0 \\ f_2(x_1, x_2, x_3, \cdots, x_n) &= 0 \\ f_3(x_1, x_2, x_3, \cdots, x_n) &= 0 \\ \quad\vdots & \vdots \\ f_n(x_1, x_2, x_3, \cdots, x_n) &= 0 \end{cases} \tag{3.44}$$

où les f_i sont des fonctions de n variables que nous supposons différentiables. Contrairement aux systèmes linéaires, il n'y a pas de condition simple associée aux systèmes non linéaires qui permette d'assurer l'existence et l'unicité de la solution. Le plus souvent, il existe plusieurs solutions possibles et seul le contexte indique laquelle est la bonne.

Les méthodes de résolution des systèmes non linéaires sont nombreuses. Notamment, presque toutes les méthodes du chapitre 2 peuvent être généralisées aux systèmes non linéaires. Pour éviter de surcharger notre exposé, nous ne présentons que la méthode la plus importante et la plus utilisée en pratique, soit la *méthode de Newton*. Nous verrons d'autres possibilités au chapitre 4.

L'application de cette méthode à un système de deux équations non linéaires est suffisante pour illustrer le cas général. Il serait également bon de réviser le développement de la méthode de Newton pour une équation non linéaire (voir la section 2.4) puisque le raisonnement est le même pour les systèmes.

Considérons donc le système :

$$f_1(x_1, x_2) = 0$$
$$f_2(x_1, x_2) = 0$$

et soit (x_1^0, x_2^0), une approximation initiale de la solution de ce système. *Cette approximation initiale est cruciale et doit toujours être choisie avec soin.* Le but de ce qui suit est de déterminer une correction $(\delta x_1, \delta x_2)$ à (x_1^0, x_2^0) de telle sorte que :

$$f_1(x_1^0 + \delta x_1, x_2^0 + \delta x_2) = 0$$
$$f_2(x_1^0 + \delta x_1, x_2^0 + \delta x_2) = 0$$

Pour déterminer $(\delta x_1, \delta x_2)$, il suffit maintenant de faire un développement de Taylor en deux variables pour chacune des deux fonctions (voir la section 1.6.2) :

$$0 = f_1(x_1^0, x_2^0) + \frac{\partial f_1}{\partial x_1}(x_1^0, x_2^0)\,\delta x_1 + \frac{\partial f_1}{\partial x_2}(x_1^0, x_2^0)\,\delta x_2 + \cdots$$

$$0 = f_2(x_1^0, x_2^0) + \frac{\partial f_2}{\partial x_1}(x_1^0, x_2^0)\,\delta x_1 + \frac{\partial f_2}{\partial x_2}(x_1^0, x_2^0)\,\delta x_2 + \cdots$$

Dans les relations précédentes, les pointillés désignent des termes d'ordre supérieur ou égal à deux et faisant intervenir les dérivées partielles d'ordre correspondant. Pour déterminer $(\delta x_1, \delta x_2)$, il suffit de négliger les termes d'ordre supérieur et d'écrire :

$$\frac{\partial f_1}{\partial x_1}(x_1^0, x_2^0)\,\delta x_1 + \frac{\partial f_1}{\partial x_2}(x_1^0, x_2^0)\,\delta x_2 = -f_1(x_1^0, x_2^0)$$

$$\frac{\partial f_2}{\partial x_1}(x_1^0, x_2^0)\,\delta x_1 + \frac{\partial f_2}{\partial x_2}(x_1^0, x_2^0)\,\delta x_2 = -f_2(x_1^0, x_2^0)$$

ou encore sous forme matricielle :

$$\begin{bmatrix} \dfrac{\partial f_1}{\partial x_1}(x_1^0, x_2^0) & \dfrac{\partial f_1}{\partial x_2}(x_1^0, x_2^0) \\[2mm] \dfrac{\partial f_2}{\partial x_1}(x_1^0, x_2^0) & \dfrac{\partial f_2}{\partial x_2}(x_1^0, x_2^0) \end{bmatrix} \begin{bmatrix} \delta x_1 \\[2mm] \delta x_2 \end{bmatrix} = - \begin{bmatrix} f_1(x_1^0, x_2^0) \\[2mm] f_2(x_1^0, x_2^0) \end{bmatrix}$$

Ce système *linéaire* s'écrit également sous une forme plus compacte :

$$J(x_1^0, x_2^0)\,\vec{\delta x} = -\vec{R}(x_1^0, x_2^0) \tag{3.45}$$

où $J(x_1^0, x_2^0)$ désigne la matrice des dérivées partielles ou *matrice jacobienne* évaluée au point (x_1^0, x_2^0), où $\vec{\delta x}$ est le vecteur des corrections relatives à chaque variable et où $-\vec{R}(x_1^0, x_2^0)$ est le *vecteur résidu* évalué en (x_1^0, x_2^0). Le déterminant de la matrice jacobienne est appelé le *jacobien* et doit bien entendu être différent de 0 pour que la matrice jacobienne soit inversible. On pose ensuite :

$$
\begin{array}{rcl}
x_1^1 &=& x_1^0 + \delta x_1 \\
x_2^1 &=& x_2^0 + \delta x_2
\end{array}
$$

qui est la nouvelle approximation de la solution du système non linéaire. On cherchera par la suite à corriger (x_1^1, x_2^1) d'une nouvelle quantité $(\delta x_1, \delta x_2)$, et ce, jusqu'à la convergence. De manière plus générale, on pose :

$$
J(\vec{x}^i) = \begin{bmatrix}
\dfrac{\partial f_1}{\partial x_1}(\vec{x}^i) & \dfrac{\partial f_1}{\partial x_2}(\vec{x}^i) & \cdots & \dfrac{\partial f_1}{\partial x_n}(\vec{x}^i) \\[2mm]
\dfrac{\partial f_2}{\partial x_1}(\vec{x}^i) & \dfrac{\partial f_2}{\partial x_2}(\vec{x}^i) & \cdots & \dfrac{\partial f_2}{\partial x_n}(\vec{x}^i) \\[2mm]
\vdots & \vdots & \ddots & \\[2mm]
\dfrac{\partial f_n}{\partial x_1}(\vec{x}^i) & \dfrac{\partial f_n}{\partial x_2}(\vec{x}^i) & \cdots & \dfrac{\partial f_n}{\partial x_n}(\vec{x}^i)
\end{bmatrix}
$$

c'est-à-dire la matrice jacobienne évaluée au point $\vec{x}^i = (x_1^i, x_2^i, \cdots x_n^i)$. De plus, on pose :

$$
\vec{R}(\vec{x}^i) = \begin{bmatrix} f_1(\vec{x}^i) \\ f_2(\vec{x}^i) \\ \vdots \\ f_n(\vec{x}^i) \end{bmatrix}
\qquad
\vec{\delta x} = \begin{bmatrix} \delta x_1 \\ \delta x_2 \\ \vdots \\ \delta x_n \end{bmatrix}
$$

pour en arriver à l'algorithme général suivant.

Algorithme 3.88: Méthode de Newton pour les systèmes

1. Étant donnés :

   — un critère d'arrêt ϵ_a ;

   — un nombre maximal d'itérations N ;

   — une approximation initiale $\vec{x}^0 = [x_1^0 \quad x_2^0 \quad \cdots \quad x_n^0]^T$ de la solution du système ;

   — la précision machine ϵ_m.

2. Pour $i \geq 0$, effectuer :

   2.1. Résolution du système linéaire :

   $$J(\vec{x}^i)\, \vec{\delta x} = -\vec{R}(\vec{x}^i) \tag{3.46}$$

   2.2. Mise à jour : $\vec{x}^{i+1} = \vec{x}^i + \vec{\delta x}$

   2.3. Si $\dfrac{||\vec{\delta x}||}{||\vec{x}^{i+1}|| + \epsilon_m} < \epsilon_a$ et $||\vec{R}(\vec{x}^{i+1})|| \leq \epsilon_a$:

   — convergence atteinte ;

— écrire la solution $\vec{x}^{i+1}$;

— arrêt.

2.4. Si le nombre maximal d'itérations N est atteint :

— convergence non atteinte en N itérations ;

— arrêt.

Exemple 3.89. On cherche à trouver l'intersection de la courbe $x_2 = e^{x_1}$ et du cercle de rayon 4 centré à l'origine d'équation $x_1^2 + x_2^2 = 16$. L'intersection de ces courbes est une solution de :

$$
\begin{aligned}
e^{x_1} - x_2 &= 0 \\
x_1^2 + x_2^2 - 16 &= 0
\end{aligned}
$$

La première étape consiste à calculer la matrice jacobienne de dimension 2. Dans ce cas, on a :

$$
J(x_1, x_2) = \begin{bmatrix} e^{x_1} & -1 \\ 2x_1 & 2x_2 \end{bmatrix}
$$

Un graphique de ces deux courbes montre qu'il y a deux solutions à ce problème non linéaire (fig. 3.1). La première solution se trouve près du point $(-4 , 0)$ et la deuxième, près de $(2,8 , 2,8)$. Prenons le vecteur $\vec{x}_0 = \begin{bmatrix} 2,8 & 2,8 \end{bmatrix}^T$ comme approximation initiale de la solution de ce système non linéaire.

1. Itération 1

   Le système 3.46 devient :

$$
\begin{bmatrix} e^{2,8} & -1 \\ 2(2,8) & 2(2,8) \end{bmatrix} \begin{bmatrix} \delta x_1 \\ \delta x_2 \end{bmatrix} = - \begin{bmatrix} e^{2,8} - 2,8 \\ (2,8)^2 + (2,8)^2 - 16 \end{bmatrix}
$$

   c'est-à-dire :

$$
\begin{bmatrix} 16,445 & -1 \\ 5,6 & 5,6 \end{bmatrix} \begin{bmatrix} \delta x_1 \\ \delta x_2 \end{bmatrix} = - \begin{bmatrix} 13,645 \\ -0,3200 \end{bmatrix}
$$

   dont la solution est $\vec{\delta x} = \begin{bmatrix} -0,778\,90 & 0,836\,04 \end{bmatrix}^T$. La nouvelle approximation de la solution est donc :

$$
\begin{aligned}
x_1^1 &= x_1^0 + \delta x_1 &= 2,8 - 0,778\,90 &= 2,0211 \\
x_2^1 &= x_2^0 + \delta x_2 &= 2,8 + 0,836\,04 &= 3,636\,04
\end{aligned}
$$

2. Itération 2

   On effectue une deuxième itération à partir de $\begin{bmatrix} 2,0211 & 3,636\,04 \end{bmatrix}^T$. Le système 3.46 devient alors :

$$
\begin{bmatrix} e^{2,0211} & -1 \\ 2(2,0211) & 2(3,636\,04) \end{bmatrix} \begin{bmatrix} \delta x_1 \\ \delta x_2 \end{bmatrix} = - \begin{bmatrix} e^{2,0211} - 3,636\,04 \\ (2,0211)^2 + (3,636\,04)^2 - 16 \end{bmatrix}
$$

   c'est-à-dire :

$$
\begin{bmatrix} 7,5466 & -1 \\ 4,0422 & 7,2721 \end{bmatrix} \begin{bmatrix} \delta x_1 \\ \delta x_2 \end{bmatrix} = - \begin{bmatrix} 3,9106 \\ 1,3056 \end{bmatrix}
$$

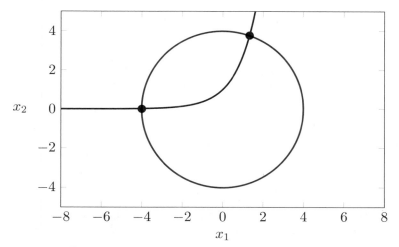

Figure 3.1 – Intersection de deux courbes

dont la solution est $\vec{\delta x} = \begin{bmatrix} -0{,}5048 & 0{,}101\,06 \end{bmatrix}^T$. On a maintenant :

$$
\begin{array}{rcccl}
x_1^2 & = & x_1^1 + \delta x_1 & = & 2{,}0211 - 0{,}504\,80 & = & 1{,}5163 \\
x_2^2 & = & x_2^1 + \delta x_2 & = & 3{,}636\,04 + 0{,}101\,06 & = & 3{,}7371
\end{array}
$$

3. Itération 3

   À la troisième itération, on doit résoudre :

   $$
   \begin{bmatrix} 4{,}5554 & -1 \\ 3{,}0326 & 7{,}4742 \end{bmatrix} \begin{bmatrix} \delta x_1 \\ \delta x_2 \end{bmatrix} = - \begin{bmatrix} 0{,}818\,24 \\ 0{,}265\,08 \end{bmatrix}
   $$

   ce qui entraîne que $\vec{\delta x} = \begin{bmatrix} -0{,}172\,08 & 0{,}034\,355 \end{bmatrix}^T$. La nouvelle solution est :

   $$
   \begin{array}{rcccl}
   x_1^3 & = & x_1^2 + \delta x_1 & = & 1{,}5163 - 0{,}172\,08 & = & 1{,}3442 \\
   x_2^3 & = & x_2^2 + \delta x_2 & = & 3{,}7371 + 0{,}034\,355 & = & 3{,}7715
   \end{array}
   $$

4. Itération 4

   Le système linéaire à résoudre est :

   $$
   \begin{bmatrix} 3{,}8351 & -1 \\ 2{,}6884 & 7{,}5430 \end{bmatrix} \begin{bmatrix} \delta x_1 \\ \delta x_2 \end{bmatrix} = - \begin{bmatrix} 0{,}063\,617 \\ 0{,}031\,086 \end{bmatrix}
   $$

   ce qui entraîne que $\vec{\delta x} = \begin{bmatrix} -0{,}016\,1616 & 0{,}016\,3847 \end{bmatrix}^T$. La nouvelle approximation de la solution est :

   $$
   \begin{array}{rcccl}
   x_1^4 & = & x_1^3 + \delta x_1 & = & 1{,}3442 - 0{,}016\,1616 & = & 1{,}3280 \\
   x_2^4 & = & x_2^3 + \delta x_2 & = & 3{,}7715 + 0{,}016\,3847 & = & 3{,}7731
   \end{array}
   $$

5. Itération 5

   À partir de $\begin{bmatrix} 1{,}3280 & 3{,}7731 \end{bmatrix}^T$, on doit résoudre :

   $$
   \begin{bmatrix} 3{,}7735 & -1 \\ 2{,}6560 & 7{,}5463 \end{bmatrix} \begin{bmatrix} \delta x_1 \\ \delta x_2 \end{bmatrix} = - \begin{bmatrix} 0{,}348\,86 \times 10^{-3} \\ 0{,}169\,46 \times 10^{-3} \end{bmatrix}
   $$

dont la solution est $\vec{\delta x} = \begin{bmatrix} 9{,}03 \times 10^{-5} & 9{,}25 \times 10^{-6} \end{bmatrix}^T$. La solution du système non linéaire devient :

$$
\begin{array}{rclcl}
x_1^5 & = & x_1^4 + \delta x_1 & = & 1{,}3281 \\
x_2^5 & = & x_2^4 + \delta x_2 & = & 3{,}7731
\end{array}
$$

On déduit la convergence de l'algorithme de Newton du fait que les normes de $\vec{\delta x}$ et de $\vec{R}$ diminuent avec les itérations. ◆

Remarque 3.90. Les commentaires qui suivent résument assez bien ce que l'on peut attendre de cette méthode très utilisée en pratique.

1. La convergence de la méthode de Newton dépend de l'approximation initiale $\vec{x}^0$ de la solution. *Un mauvais choix de $\vec{x}^0$ peut résulter en un algorithme divergent.*

2. On peut démontrer que, lorsqu'il y a convergence de l'algorithme, cette convergence est généralement quadratique dans le sens suivant :

$$
||\vec{x} - \vec{x}^{\,i+1}|| \simeq C\, ||\vec{x} - \vec{x}^{\,i}||^2 \tag{3.47}
$$

ce qui devient, en posant $\vec{e}^{\,i} = \vec{x} - \vec{x}^{\,i}$:

$$
||\vec{e}^{\,i+1}|| \simeq C\, ||\vec{e}^{\,i}||^2
$$

Cela signifie que la norme de l'erreur à l'itération $i + 1$ est approximativement égale à une constante C multipliée par le carré de la norme de l'erreur à l'étape i. L'analogie est évidente avec le cas d'une seule équation non linéaire étudié au chapitre 2. En effet, on peut écrire les deux algorithmes sous la forme :

$$
\begin{array}{rcll}
x_{i+1} & = & x_i - (f'(x_i))^{-1} f(x_i) & \text{en dimension 1} \\[2mm]
\vec{x}^{\,i+1} & = & \vec{x}^{\,i} - (J(\vec{x}^{\,i}))^{-1} \vec{R}(\vec{x}^{\,i}) & \text{en dimension } n
\end{array}
$$

3. La convergence quadratique est perdue si la matrice jacobienne est singulière au point $\vec{x}$, solution du système non linéaire. *Encore une fois, ce comportement est analogue au cas d'une seule équation où la méthode de Newton perd sa convergence quadratique si la racine est de multiplicité plus grande que 1 ($f'(r) = 0$).*

4. Pour obtenir la convergence quadratique, on doit calculer et décomposer une matrice de taille n sur n à chaque itération. De plus, il faut fournir à un éventuel programme informatique les n fonctions $f_i(\vec{x})$ et les n^2 dérivées partielles de ces fonctions. Cela peut devenir rapidement fastidieux et coûteux lorsque la dimension n du système est grande.

5. Il existe une variante de la méthode de Newton qui évite le calcul des n^2 dérivées partielles et qui ne nécessite que les n fonctions $f_i(\vec{x})$. La *méthode de Newton modifiée* consiste à remplacer les dérivées partielles par

des différences centrées (voir le chapitre 6). On utilise alors l'approximation :

$$\frac{\partial f_i}{\partial x_j}(x_1, x_2, \cdots, x_n) \simeq$$

$$\frac{f_i(x_1, \cdots, x_{j-1}, x_j + h, \cdots, x_n) - f_i(x_1, \cdots, x_{j-1}, x_j - h, \cdots, x_n)}{2h}$$

$$(3.48)$$

Nous montrerons au chapitre 6 qu'il s'agit d'une approximation d'ordre 2 ($O(h^2)$). Bien entendu, on introduit alors une petite erreur dans le calcul de la matrice jacobienne, mais généralement la convergence est quand même très rapide.

◀

Exemple 3.91. Dans l'exemple précédent, le calcul du premier terme de la matrice jacobienne de la première itération donnait :

$$\frac{\partial f_1}{\partial x_1}(2{,}8\ ,\ 2{,}8) = e^{2,8} = 16{,}444\,646\,77$$

tandis que l'approximation 3.48 donne pour $h = 0{,}001$:

$$\frac{f_1(2{,}801\ ,\ 2{,}8) - f_1(2{,}799\ ,\ 2{,}8)}{(2)(0{,}001)} = 16{,}444\,65$$

On constate que l'erreur introduite est minime. ◆

3.11 Applications

Les applications ne manquent pas dans ce domaine. Nous verrons dans un premier temps le calcul des tensions dans une ferme, menant à un système linéaire. Nous aborderons ensuite un problème de moindres carrés pour un loi de viscosité ainsi que le calcul des débits dans un réseau de distribution d'eau, qui conduisent à des systèmes non linéaires.

3.11.1 Calcul des tensions dans une ferme

Une *ferme* est une structure bidimensionnelle relativement simple composée de *membrures* métalliques droites jointes par des *rotules*. Les équations de la mécanique nous assurent que les efforts dans une telle structure se réduisent à des tractions-compressions. Cette structure, dont on néglige le poids, est par la suite soumise à une charge qui provoque des tensions ou des compressions dans les membrures. Cela provoque également des déplacements de faible amplitude des rotules. Typiquement, on a la situation de la figure 3.2, où une ferme représentant grossièrement un pont de chemin de fer est constituée de 11 membrures et de 7 rotules. La première rotule est fixée sur un support qui prévient tout déplacement et qui exerce une poussée horizontale H_1 et une poussée verticale V_1. À l'autre extrémité, la rotule 7 est fixée sur un rail qui ne prévient que les déplacements verticaux et qui fournit une poussée verticale

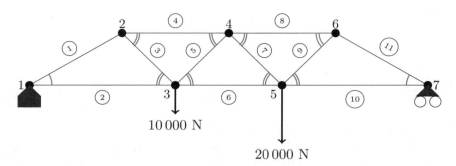

Figure 3.2 – Membrures et rotules d'une ferme : les angles respectivement identifiés par 1 et 2 arcs sont de 30° et de 45°.

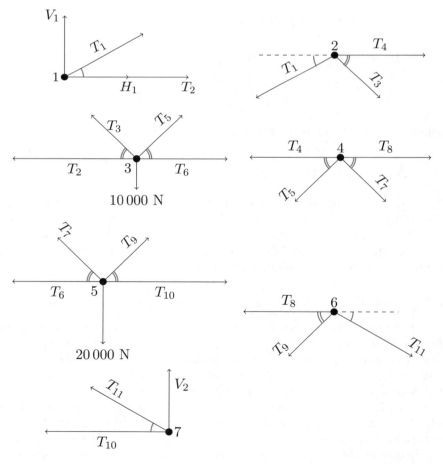

Figure 3.3 – Forces exercées sur les rotules (angles indiqués à la figure 3.2)

V_2. Des charges de $-10\,000$ N et de $-20\,000$ N sont exercées sur les rotules 3 et 5 respectivement. Les forces sont considérées positives si elles agissent vers le haut suivant la verticale et vers la droite suivant l'horizontale.

Pour calculer les tensions T_i dans les membrures, il suffit de recourir aux équations d'équilibre horizontal et vertical des forces à chaque rotule. *Nous supposons que chaque membrure est en tension. Si nous obtenons un résultat négatif pour l'un des T_i, cela signifie que la membrure en question est en compression.* Une membrure en tension exerce une poussée sur les rotules qui, en réaction, poussent sur les membrures. L'équilibre est atteint lorsque ces poussées sont compensées par les charges externes agissant sur la rotule. La figure 3.3 illustre les forces exercées sur chaque rotule. À l'aide de cette figure, on peut établir les conditions d'équilibre.

— Rotule 1 : Fixée

— Rotule 2 : Équilibre horizontal et vertical

$$-T_1 \cos 30° + T_3 \cos 45° + T_4 \;=\; 0$$

$$-T_1 \sin 30° - T_3 \sin 45° \;=\; 0$$

— Rotule 3 : Équilibre horizontal et vertical

$$-T_2 - T_3 \cos 45° + T_5 \cos 45° + T_6 \;=\; 0$$

$$T_3 \sin 45° + T_5 \sin 45° - 10\,000 \;=\; 0$$

— Rotule 4 : Équilibre horizontal et vertical

$$-T_4 - T_5 \cos 45° + T_7 \cos 45° + T_8 \;=\; 0$$

$$-T_5 \sin 45° - T_7 \sin 45° \;=\; 0$$

— Rotule 5 : Équilibre horizontal et vertical

$$-T_6 - T_7 \cos 45° + T_9 \cos 45° + T_{10} \;=\; 0$$

$$T_7 \sin 45° + T_9 \sin 45° - 20\,000 \;=\; 0$$

— Rotule 6 : Équilibre horizontal et vertical

$$-T_8 - T_9 \cos 45° + T_{11} \cos 30° \;=\; 0$$

$$-T_9 \sin 45° - T_{11} \sin 30° \;=\; 0$$

— Rotule 7 : Équilibre horizontal seulement

$$-T_{10} - T_{11} \cos 30° \;=\; 0$$

Sous forme matricielle, on obtient un système linéaire de 11 équations de la forme :

$$A\vec{T} = \vec{b}$$

La matrice A complète est :

$$A = \begin{bmatrix}
-a & 0 & b & 1 & 0 & 0 & 0 & 0 & 0 & 0 & 0 \\
-0{,}5 & 0 & -b & 0 & 0 & 0 & 0 & 0 & 0 & 0 & 0 \\
0 & -1 & -b & 0 & b & 1 & 0 & 0 & 0 & 0 & 0 \\
0 & 0 & b & 0 & b & 0 & 0 & 0 & 0 & 0 & 0 \\
0 & 0 & 0 & -1 & -b & 0 & b & 1 & 0 & 0 & 0 \\
0 & 0 & 0 & 0 & -b & 0 & -b & 0 & 0 & 0 & 0 \\
0 & 0 & 0 & 0 & 0 & -1 & -b & 0 & b & 1 & 0 \\
0 & 0 & 0 & 0 & 0 & 0 & b & 0 & b & 0 & 0 \\
0 & 0 & 0 & 0 & 0 & 0 & 0 & -1 & -b & 0 & a \\
0 & 0 & 0 & 0 & 0 & 0 & 0 & 0 & -b & 0 & -0{,}5 \\
0 & 0 & 0 & 0 & 0 & 0 & 0 & 0 & 0 & -1 & -a
\end{bmatrix}$$

où $a = \cos 30° = 0{,}866\,025\,404$ et $b = \cos 45° = \sin 45° = 0{,}707\,106\,781$.

$$\vec{T} = \begin{bmatrix} T_1 \\ T_2 \\ T_3 \\ T_4 \\ T_5 \\ T_6 \\ T_7 \\ T_8 \\ T_9 \\ T_{10} \\ T_{11} \end{bmatrix} \qquad \vec{b} = \begin{bmatrix} 0 \\ 0 \\ 0 \\ 10\,000 \\ 0 \\ 0 \\ 0 \\ 20\,000 \\ 0 \\ 0 \\ 0 \end{bmatrix}$$

Une décomposition LU permet la résolution de ce système. On obtient les valeurs suivantes pour les tensions (en newton) exercées sur les différentes membrures :

$$\vec{T} = \begin{bmatrix} -27\,320{,}5 \\ 23\,659{,}5 \\ 19\,321{,}4 \\ -37\,319{,}7 \\ -5177{,}1 \\ 40\,980{,}0 \\ 5177{,}1 \\ -44\,640{,}2 \\ 23\,111{,}4 \\ 28\,300{,}5 \\ -32\,679{,}5 \end{bmatrix}$$

Ainsi, les membrures 1, 4, 5, 8 et 11 sont en compression et toutes les autres sont en tension. Pour vérifier la validité de ces résultats, on peut calculer les forces verticales V_1 et V_2. L'équilibre des forces verticales à la rotule 1 nous assure que :

$$V_1 = -T_1 \sin 30° = 13\,660{,}25 \text{ N}$$

et de la même manière à la rotule 7 :

$$V_2 = -T_{11} \sin 30° = 16\,339{,}75 \text{ N}$$

Le total de $V_1 + V_2$ est bien $30\,000$ N, correspondant à la charge totale.

On pourrait maintenant facilement étudier l'effet de différentes répartitions de charge sur cette structure. Seul le vecteur $\vec{b}$ serait affecté. La matrice A ne change pas tant que l'on ne modifie pas la ferme elle-même.

3.11.2 Deuxième modèle de viscosité

Au chapitre précédent (voir la section 2.6.2), nous avons considéré un modèle de viscosité exprimé par la loi puissance de la forme :

$$\eta = \eta_0 \dot{\gamma}^{\beta-1}$$

Un modèle plus réaliste est le *modèle de Carreau* qui est de la forme :

$$\eta = \eta_0(1 + \lambda^2\dot{\gamma}^2)^{\frac{\beta-1}{2}} \tag{3.49}$$

Les paramètres η_0, λ et β sont déterminés en fonction des mesures expérimentales. Nous sommes donc amenés à rechercher les valeurs minimales de la fonction de moindres carrés :

$$F(\eta_0, \lambda, \beta) = \frac{1}{2} \sum_{i=1}^{npt} \left(\eta_0(1 + \lambda^2\dot{\gamma}_i^2)^{\frac{\beta-1}{2}} - \eta_i \right)^2$$

où npt est le nombre de données mesurées à l'aide d'un rhéomètre. Nous utilisons les mêmes données rhéologiques qu'à la section 2.6.2, ce qui nous permettra de comparer le modèle de Carreau et la loi puissance. Le minimum sera atteint lorsque :

$$\frac{\partial F(\eta_0, \lambda, \beta)}{\partial \eta_0} = \frac{\partial F(\eta_0, \lambda, \beta)}{\partial \lambda} = \frac{\partial F(\eta_0, \lambda, \beta)}{\partial \beta} = 0$$

c'est-à-dire lorsque [3] :

$$\frac{\partial F}{\partial \eta_0} = \sum_{i=1}^{npt} \left(\eta_0(1 + \lambda^2\dot{\gamma}_i^2)^{\frac{\beta-1}{2}} - \eta_i \right)(1 + \lambda^2\dot{\gamma}_i^2)^{\frac{\beta-1}{2}} = 0$$

$$\frac{\partial F}{\partial \lambda} = \sum_{i=1}^{npt} \left(\eta_0(1 + \lambda^2\dot{\gamma}_i^2)^{\frac{\beta-1}{2}} - \eta_i \right) \eta_0 \frac{(\beta-1)}{2}(1 + \lambda^2\dot{\gamma}_i^2)^{\frac{\beta-3}{2}} 2\lambda\dot{\gamma}_i^2 = 0$$

$$\frac{\partial F}{\partial \beta} = \sum_{i=1}^{npt} \left(\eta_0(1 + \lambda^2\dot{\gamma}_i^2)^{\frac{\beta-1}{2}} - \eta_i \right) \frac{\eta_0}{2}(1 + \lambda^2\dot{\gamma}_i^2)^{\frac{\beta-1}{2}} \ln(1 + \lambda^2\dot{\gamma}_i^2) = 0$$

---

3. Rappelons que la dérivée de $a^{f(x)}$ est $a^{f(x)} f'(x) \ln a$.

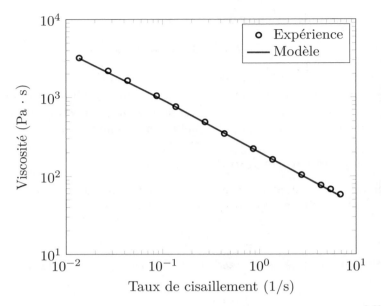

Figure 3.4 – Loi de Carreau : $\eta = 4926{,}08(1 + (116{,}922)^2 \dot{\gamma}^2)^{\frac{0,331-1}{2}}$

que l'on peut simplifier légèrement en extrayant de la sommation les termes qui ne dépendent pas de l'indice i. On obtient en bout de course le système de trois équations non linéaires suivant :

$$\sum_{i=1}^{npt} \left(\eta_0(1 + \lambda^2 \dot{\gamma}_i^2)^{\frac{\beta-1}{2}} - \eta_i \right) (1 + \lambda^2 \dot{\gamma}_i^2)^{\frac{\beta-1}{2}} = 0$$

$$\sum_{i=1}^{npt} \left(\eta_0(1 + \lambda^2 \dot{\gamma}_i^2)^{\frac{\beta-1}{2}} - \eta_i \right) (1 + \lambda^2 \dot{\gamma}_i^2)^{\frac{\beta-3}{2}} \dot{\gamma}_i^2 = 0 \qquad (3.50)$$

$$\sum_{i=1}^{npt} \left(\eta_0(1 + \lambda^2 \dot{\gamma}_i^2)^{\frac{\beta-1}{2}} - \eta_i \right) (1 + \lambda^2 \dot{\gamma}_i^2)^{\frac{\beta-1}{2}} \ln(1 + \lambda^2 \dot{\gamma}_i^2) = 0$$

On a utilisé la méthode de Newton modifiée (voir l'équation 3.48) pour résoudre ce système. À partir de l'approximation initiale $\begin{bmatrix} 5200 & 140 & 0{,}38 \end{bmatrix}^T$, la méthode a convergé en 8 itérations vers $\begin{bmatrix} 4926{,}08 & 116{,}922 & 0{,}331 \end{bmatrix}^T$. Une comparaison du modèle de Carreau avec les données expérimentales est présentée à la figure 3.4.

On remarque une meilleure correspondance entre les valeurs expérimentales et celles calculées à l'aide du modèle de Carreau que celle qui a été obtenue par la loi puissance (fig. 2.9).

3.11.3 Réseau de distribution d'eau

Les municipalités doivent toutes gérer un réseau complexe de distribution d'eau qui assure un approvisionnement fiable à tous leurs concitoyens. Ces réseaux sont constitués en premier lieu de *conduites* de forme cylindrique. On appelle *nœuds* la jonction de 2 (ou plus) conduites. Un circuit fermé constitué d'au moins 3 conduites est une *boucle*. La station de traitement d'eau et des réservoirs alimentent le réseau (débit positif) tandis que les *saignées* aux nœuds (débit négatif) correspondent à la consommation d'eau des clients.

La gestion d'un réseau requiert la résolution d'un système d'équations algébriques non linéaires de taille parfois impressionnante. Nous allons considérer dans cette brève introduction les principes de base de la résolution en référant le lecteur au livre de Brière [5] pour plus de détails.

Le problème consiste à calculer le débit dans chacune des canalisations de même que la pression en chaque nœud du réseau. Pour des municipalités comme Montréal ou Laval, on parle d'environ 20 000 nœuds et à peu près autant de canalisations.

Pour déterminer les équations nécessaires, il suffit, dans un premier temps, d'orienter les conduites c'est-à-dire de leur donner une direction *a priori* arbitraire. Dans ce qui suit, nous prendrons comme convention d'orienter la conduite entre les nœuds N_i et N_j dans le sens de N_i vers N_j si $i < j$. Cette orientation ne signifie nullement que l'écoulement dans la conduite se fera de N_i vers N_j (voir par exemple la figure 3.5). Si c'est le cas, le débit calculé sera positif, sinon on obtiendra un débit négatif. On applique ensuite deux principes très simples :

— en chaque nœud N_i, la masse est conservée ou encore la somme algébrique des débits dans les conduites possédant N_i comme nœud est nulle. Dans ce bilan nodal, on doit tenir compte de la présence possible d'une saignée ou d'un réservoir d'alimentation. Comme convenu, le débit dans la conduite $N_i - N_j$ donnera une contribution négative au bilan des débits du nœud N_i et positive au nœud N_j. Enfin, si le réseau est équilibré, c'est-à-dire si le débit d'entrée est égal à la somme des saignées, l'équilibre au dernier nœud dépend automatiquement des autres nœuds et il n'est pas nécessaire de s'en préoccuper ;

— pour chaque boucle B_i du réseau, la somme algébrique des pertes de charge (chutes de pression) à travers toutes les canalisations constituant la boucle est nulle. Ceci revient à dire que la pression en un nœud prend une valeur unique. Ici encore, la convention est de parcourir les boucles dans le sens horaire. De plus, la perte de charge est positive si elle est dans le même sens que le débit.

Il reste à établir une relation entre la perte de charge H et le débit Q dans une canalisation. C'est la relation empirique de Hazen-Williams qui stipule que :

$$H = KQ^\alpha$$

où $\alpha = 1{,}852$. La constante K dépend de la longueur de la canalisation L (en m), de son diamètre d (en m) et d'un coefficient de rugosité de Hazen-Williams de la conduite C_{HW} par la relation :

$$K = \frac{10{,}679 L}{d^{4{,}871} C_{HW}^\alpha} \tag{3.51}$$

La figure 3.5 illustre un exemple d'un réseau de distribution très simple tiré de Brière [5]. Le tableau suivant donne les valeurs des différents paramètres

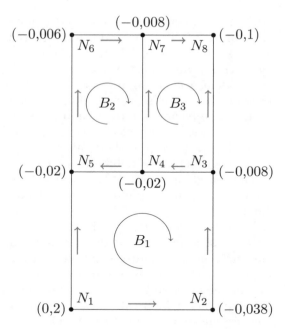

Figure 3.5 – Réseau simple de distribution (les nombres entre parenthèses indiquent la présence de réservoirs (signe positif) et de saignées (signe négatif)

qui interviennent dans le modèle.

Données du réseau				
Conduite	L(m)	d(m)	C_{HW}	K
$N_1 \to N_2$	300	0,255	120	351,36
$N_2 \to N_3$	150	0,255	120	175,68
$N_3 \to N_4$	150	0,150	120	2329,37
$N_4 \to N_5$	150	0,150	120	2329,37
$N_5 \to N_6$	300	0,205	120	1017,31
$N_6 \to N_7$	150	0,205	120	508,66
$N_7 \to N_8$	150	0,205	120	508,66
$N_1 \to N_5$	150	0,255	120	175,68
$N_4 \to N_7$	300	0,205	120	1017,31
$N_3 \to N_8$	300	0,205	120	1017,31

La première colonne indique du même coup l'orientation (arbitraire) des conduites. La dernière colonne provient de l'équation 3.51. On note Q_{ij} et K_{ij} le débit et la valeur de K pour la conduite $N_i \to N_j$.

Le réseau de la figure 3.5 est constitué de 8 nœuds, 10 conduites et 3 boucles indépendantes. Les valeurs de l'alimentation (au nœud N_1) et des saignées (aux autres nœuds) sont en m^3/s. Le système à résoudre comporte donc 10 équations : (8-1) pour les nœuds :

$$
\begin{aligned}
N_1 : &\quad +0{,}200 - Q_{15} - Q_{12} &&= 0 \\
N_2 : &\quad -0{,}038 + Q_{12} - Q_{23} &&= 0 \\
N_3 : &\quad -0{,}008 + Q_{23} - Q_{34} - Q_{38} &&= 0 \\
N_4 : &\quad -0{,}020 + Q_{34} - Q_{47} - Q_{45} &&= 0 \\
N_5 : &\quad -0{,}020 + Q_{15} - Q_{56} + Q_{45} &&= 0 \\
N_6 : &\quad -0{,}006 - Q_{67} + Q_{56} &&= 0 \\
N_7 : &\quad -0{,}008 + Q_{67} + Q_{47} - Q_{78} &&= 0
\end{aligned}
$$

plus 3 équations pour les boucles :

$$
\begin{aligned}
B_1 : &\quad K_{15}Q_{15}^{\alpha} - K_{45}Q_{45}^{\alpha} - K_{34}Q_{34}^{\alpha} - K_{23}Q_{23}^{\alpha} - K_{12}Q_{12}^{\alpha} &&= 0 \\
B_2 : &\quad K_{56}Q_{56}^{\alpha} + K_{67}Q_{67}^{\alpha} - K_{47}Q_{47}^{\alpha} + K_{45}Q_{45}^{\alpha} &&= 0 \\
B_3 : &\quad K_{47}Q_{47}^{\alpha} + K_{78}Q_{78}^{\alpha} - K_{38}Q_{38}^{\alpha} + K_{34}Q_{34}^{\alpha} &&= 0
\end{aligned}
$$

Ce système est non linéaire en raison de la présence des exposants α dans les 3 dernières équations. On peut donc appliquer la méthode de Newton pour les systèmes d'équations. Comme toujours, la première difficulté est de déterminer une approximation initiale pour la solution. Il faut donc essayer de déterminer des débits raisonnables dans chacune des conduites. Un ingénieur d'expérience pourra le faire assez facilement. Il existe cependant une alternative intéressante. Elle consiste à remplacer dans un premier temps les exposants $\alpha = 1{,}852$ par 1, ce qui rend le système linéaire. On résout le système linéaire résultant par décomposition LU, ce qui ne nécessite aucune approximation initiale. On se sert ensuite de cette solution comme approximation initiale pour le problème non linéaire où on a remis les bons exposants.

Dans cet exemple, le système linéarisé ($\alpha = 1$) a donné la solution indiquée dans le tableau qui suit. Partant de cette solution, la méthode de Newton a convergé en 4 itérations vers la solution qui nous intéresse ($\alpha = 1{,}852$).

	Débits dans le réseau	
Conduite	Débits (m^3/s) $\alpha = 1$	Débits (m^3/s) $\alpha = 1{,}852$
$N_1 \to N_2$	$+1{,}095\,8119 \times 10^{-1}$	$+1{,}010\,7114 \times 10^{-1}$
$N_2 \to N_3$	$+7{,}158\,1195 \times 10^{-2}$	$+6{,}307\,1143 \times 10^{-2}$
$N_3 \to N_4$	$+8{,}681\,4288 \times 10^{-3}$	$+8{,}814\,9923 \times 10^{-3}$
$N_4 \to N_5$	$-2{,}378\,9830 \times 10^{-2}$	$-3{,}227\,7805 \times 10^{-2}$
$N_5 \to N_6$	$+4{,}662\,8973 \times 10^{-2}$	$+4{,}665\,1051 \times 10^{-2}$
$N_6 \to N_7$	$+4{,}062\,8973 \times 10^{-2}$	$+4{,}065\,1051 \times 10^{-2}$
$N_7 \to N_8$	$+4{,}510\,0233 \times 10^{-2}$	$+5{,}374\,3848 \times 10^{-2}$
$N_1 \to N_5$	$+9{,}041\,8804 \times 10^{-2}$	$+9{,}892\,8856 \times 10^{-2}$
$N_4 \to N_7$	$+1{,}247\,1259 \times 10^{-2}$	$+2{,}109\,2797 \times 10^{-2}$
$N_3 \to N_8$	$+5{,}489\,9766 \times 10^{-2}$	$+4{,}625\,6514 \times 10^{-2}$

On remarque que seule la conduite $N_4 \to N_5$ était mal orientée au départ puisque nous avons obtenu un débit négatif. Cela signifie que l'écoulement est, en fait, dans le sens inverse de celui indiqué à la figure pour cette conduite. On remarque enfin que la stratégie de résolution est efficace puisque la différence entre les 2 solutions n'est pas très importante bien que non négligeable.

Exercices

3.1 Soit la matrice :

$$\begin{bmatrix} 1 & 2 & 3 \\ 4 & 5 & 6 \\ 7 & 8 & 9 \end{bmatrix}$$

Identifier les matrices W qui permettent d'effectuer les opérations suivantes :

a) $\vec{l}_2 \leftarrow \vec{l}_2 - 3\vec{l}_1$ b) $\vec{l}_2 \leftrightarrow \vec{l}_3$

c) $\vec{l}_2 \leftarrow 5\vec{l}_2$ d) $\vec{l}_3 \leftarrow \vec{l}_3 + 5\vec{l}_2$

Calculer le déterminant de chaque matrice W et son inverse W^{-1}.

3.2 Résoudre les systèmes triangulaires suivants :

a)

$$\begin{bmatrix} 3 & 0 & 0 \\ 1 & 5 & 0 \\ 2 & 4 & 6 \end{bmatrix} \begin{bmatrix} x_1 \\ x_2 \\ x_3 \end{bmatrix} = \begin{bmatrix} 9 \\ 13 \\ 20 \end{bmatrix}$$

b)

$$\begin{bmatrix} 1 & 3 & 4 \\ 0 & 3 & 5 \\ 0 & 0 & -3 \end{bmatrix} \begin{bmatrix} x_1 \\ x_2 \\ x_3 \end{bmatrix} = \begin{bmatrix} 0 \\ -4 \\ 6 \end{bmatrix}$$

Calculer le déterminant de ces deux matrices.

3.3 En indiquant bien les opérations effectuées sur les lignes, utiliser l'élimination de Gauss pour triangulariser les systèmes linéaires suivants :

a)

$$\begin{bmatrix} 1 & 2 & 1 \\ 2 & 2 & 3 \\ -1 & -3 & 0 \end{bmatrix} \begin{bmatrix} x_1 \\ x_2 \\ x_3 \end{bmatrix} = \begin{bmatrix} 0 \\ 3 \\ 2 \end{bmatrix}$$

b)

$$\begin{bmatrix} 1 & 2 & 1 & 4 \\ 2 & 0 & 4 & 3 \\ 4 & 2 & 2 & 1 \\ -3 & 1 & 3 & 2 \end{bmatrix} \begin{bmatrix} x_1 \\ x_2 \\ x_3 \\ x_4 \end{bmatrix} = \begin{bmatrix} 13 \\ 28 \\ 20 \\ 6 \end{bmatrix}$$

Calculer le déterminant de ces deux matrices.

3.4 Obtenir les matrices W correspondant aux opérations élémentaires effectuées sur les matrices de l'exercice précédent. Montrer pour ces deux exemples que la méthode d'élimination de Gauss est équivalente à une décomposition LU.

3.5 (a) Résoudre le système linéaire suivant par élimination de Gauss et en utilisant l'arithmétique flottante à 4 chiffres, mais sans permutation de lignes.

$$\begin{bmatrix} 0{,}729 & 0{,}81 & 0{,}9 \\ 1 & 1 & 1 \\ 1{,}331 & 1{,}21 & 1{,}1 \end{bmatrix} \begin{bmatrix} x_1 \\ x_2 \\ x_3 \end{bmatrix} = \begin{bmatrix} 0{,}6867 \\ 0{,}8338 \\ 1 \end{bmatrix}$$

(b) Résoudre le même système linéaire en arithmétique flottante à 4 chiffres, mais cette fois en permutant les lignes de façon à avoir le plus grand pivot possible.

(c) Comparer les deux solutions numériques avec la solution exacte $\vec{x} = [0{,}2245 \; 0{,}2814 \; 0{,}3279]^T$ et calculer les erreurs relatives en norme l_∞.

3.6 On veut résoudre le système linéaire suivant par élimination de Gauss.

$$\begin{bmatrix} 1 & 1 & 0 \\ 0 & 1 & 1 \\ 1 & 2 & 1 \end{bmatrix} \begin{bmatrix} x_1 \\ x_2 \\ x_3 \end{bmatrix} = \begin{bmatrix} 1 \\ -2 \\ 1 \end{bmatrix}$$

(a) La matrice de ce système linéaire est-elle singulière ?

(b) Combien de solutions ce système linéaire possède-t-il ?

3.7 (a) Effectuer l'élimination de Gauss (sans permutation de lignes) sur le système :

$$\begin{bmatrix} 2 & -6\alpha \\ 3\alpha & -1 \end{bmatrix} \begin{bmatrix} x_1 \\ x_2 \end{bmatrix} = \begin{bmatrix} 3 \\ \beta \end{bmatrix}$$

(b) Calculer le déterminant de A en vous servant de l'élimination de Gauss.

(c) Déterminer les valeurs de α et de β pour lesquelles la matrice A est non inversible (singulière).

(d) Que pouvez-vous dire de la solution de ce système quand $\alpha = 1/3$ et $\beta = 1$?

3.8 Résoudre les systèmes linéaires suivants par la méthode de décomposition LU de Crout (sans permutation de lignes).

(a)

$$\begin{bmatrix} 1 & 2 & 1 \\ 2 & 2 & 3 \\ -1 & -3 & 0 \end{bmatrix} \begin{bmatrix} x_1 \\ x_2 \\ x_3 \end{bmatrix} = \begin{bmatrix} 0 \\ 3 \\ 2 \end{bmatrix}$$

(b)

$$\begin{bmatrix} 1 & 2 & 1 & 4 \\ 2 & 0 & 4 & 3 \\ 4 & 2 & 2 & 1 \\ -3 & 1 & 3 & 2 \end{bmatrix} \begin{bmatrix} x_1 \\ x_2 \\ x_3 \\ x_4 \end{bmatrix} = \begin{bmatrix} 13 \\ 28 \\ 20 \\ 6 \end{bmatrix}$$

3.9 Résoudre le système linéaire :

$$\begin{bmatrix} 1 & 2 & 6 \\ 4 & 8 & -1 \\ -2 & 3 & 2 \end{bmatrix} \begin{bmatrix} x_1 \\ x_2 \\ x_3 \end{bmatrix} = \begin{bmatrix} 23 \\ 17 \\ 10 \end{bmatrix}$$

par décomposition LU avec permutation de lignes.

3.10 Soit la matrice :

$$A = \begin{bmatrix} 0 & 3 & 0 \\ 1 & 2 & 0 \\ 3 & 5 & 2 \end{bmatrix}$$

(a) Peut-on factoriser A sous la forme :

$$A = \begin{bmatrix} l_{11} & 0 & 0 \\ l_{21} & l_{22} & 0 \\ l_{31} & l_{32} & l_{33} \end{bmatrix} \begin{bmatrix} 1 & u_{12} & u_{13} \\ 0 & 1 & u_{23} \\ 0 & 0 & 1 \end{bmatrix} \qquad (3.52)$$

(b) Écrire la matrice A sous la forme $A = P^{-1}B$ où P est une matrice de permutation et B une matrice que l'on peut factoriser sous la même forme que l'équation 3.52.

(c) Factoriser B pour résoudre :

$$A \begin{bmatrix} x_1 \\ x_2 \\ x_3 \end{bmatrix} = \begin{bmatrix} 1 \\ 0 \\ 1 \end{bmatrix}$$

3.11 Trouver une factorisation de Crout de la matrice :

$$A = \begin{bmatrix} 2 & 3 & 0 & 0 & 0 \\ 4 & 7 & 3 & 0 & 0 \\ 0 & 4 & 7 & 3 & 0 \\ 0 & 0 & 4 & 7 & 3 \\ 0 & 0 & 0 & 4 & 7 \end{bmatrix}$$

et calculer le déterminant de la matrice A.

3.12 (a) Vérifier que la matrice suivante est définie positive :

$$A = \begin{bmatrix} 1 & 2 & 0 & 0 \\ 2 & 5 & -3 & 0 \\ 0 & -3 & 10 & 2 \\ 0 & 0 & 2 & 5 \end{bmatrix}$$

(b) Calculer ensuite une factorisation de Cholesky de la matrice A et utiliser cette dernière pour résoudre le système :

$$A\vec{x} = \begin{bmatrix} 1 \\ 2 \\ 0 \\ 0 \end{bmatrix}$$

3.13 La matrice :

$$A = \begin{bmatrix} 1 & 2 & 3 \\ 2 & 7 & 18 \\ 4 & 13 & 38 \end{bmatrix}$$

possède la décomposition LU suivante (notation compacte, obtenue sans permutation de lignes) :

$$\begin{bmatrix} 1 & 2 & 3 \\ 2 & 3 & 4 \\ 4 & 5 & 6 \end{bmatrix}$$

En utilisant la méthode de Crout, on a résolu les systèmes $A\vec{x} = \vec{b}$ suivants :

— Si $\vec{b} = \begin{bmatrix} 1 & 0 & 0 \end{bmatrix}^T$: $\vec{x} = \begin{bmatrix} 1{,}7777 & -0{,}222\,22 & -0{,}111\,11 \end{bmatrix}^T$

— Si $\vec{b} = \begin{bmatrix} 0 & 1 & 0 \end{bmatrix}^T$: $\vec{x} = \begin{bmatrix} -2{,}0555 & 1{,}4444 & -0{,}277\,77 \end{bmatrix}^T$

En complétant au besoin les données précédentes, calculer les quantités suivantes : a) dét A b) $\|A\|_\infty$ c) A^{-1} d) $\mathrm{cond}_\infty A$

3.14 Considérer le système linéaire suivant :

$$\begin{bmatrix} 0{,}505 & 0{,}495 \\ 0{,}495 & 0{,}505 \end{bmatrix} \begin{bmatrix} x_1 \\ x_2 \end{bmatrix} = \begin{bmatrix} 1 \\ 1 \end{bmatrix} \tag{3.53}$$

(a) Déterminer la solution exacte $\vec{x} = \begin{bmatrix} x_1 & x_2 \end{bmatrix}^T$.

(b) Calculer le résidu correspondant à la solution approximative $\vec{x}^* = \begin{bmatrix} 0 & 2 \end{bmatrix}^T$.

(c) Donner une borne inférieure pour le conditionnement de la matrice du système 3.53. Cette matrice est-elle mal conditionnée ? Justifier.

(d) Choisir d'autres vecteurs $\vec{x}^*$ et calculer leurs résidus.

(e) Évaluer le conditionnement en norme infinie.

(f) Représenter graphiquement le système linéaire. Essayer de localiser la solution du système.

3.15 [4] À l'aide d'un graphique, trouver une borne inférieure pour le conditionnement de la matrice suivante :

$$\begin{bmatrix} 4{,}02 & 0{,}98 \\ 0{,}98 & 4{,}02 \end{bmatrix} \begin{bmatrix} x_1 \\ x_2 \end{bmatrix} = \begin{bmatrix} 5 \\ 5 \end{bmatrix}$$

sachant que la solution exacte est $\begin{bmatrix} 1 & 1 \end{bmatrix}^T$. **Suggestion :** Utiliser la notion de résidu et effectuer les calculs en norme $\| \quad \|_\infty$.

3.16 Une matrice A possède la décomposition LU suivante (notation compacte, obtenue sans permutation de lignes) :

$$\begin{bmatrix} 2 & -\frac{1}{2} & 0 \\ 4 & 1 & 2 \\ -6 & -1 & 2 \end{bmatrix}$$

En utilisant la décomposition LU, effectuer les opérations suivantes :

(a) Calculer dét A.

(b) Résoudre le système linéaire $A\vec{x} = \vec{b}$ où $\vec{b} = \begin{bmatrix} -2 & 14 & 12 \end{bmatrix}^T$

(c) **Sans calculer** A^2, résoudre le système $A^2\vec{x} = \vec{b}$ pour $\vec{b}$ donné en b). (Rappel : $A^2\vec{x} = A(A\vec{x})$.)

---

4. Les exercices précédés du symbole [🖥] nécessitent l'utilisation d'un ordinateur. Pour faciliter la tâche de programmation, nous recommandons le logiciel Matlab® qui possède toutes les fonctionnalités de base nécessaires à l'apprentissage des méthodes numériques.

3.17 Résoudre le système linéaire :

$$\begin{bmatrix} \frac{1}{4} & \frac{1}{5} & \frac{1}{6} \\ \frac{1}{3} & \frac{1}{4} & \frac{1}{5} \\ \frac{1}{2} & 1 & 2 \end{bmatrix} \begin{bmatrix} x_1 \\ x_2 \\ x_3 \end{bmatrix} = \begin{bmatrix} 9 \\ 8 \\ 8 \end{bmatrix}$$

en arithmétique flottante à 3 chiffres avec pivotage. Comparer le résultat numérique avec la solution exacte :

$$\vec{x} = \begin{bmatrix} -\frac{2952}{13} & \frac{6200}{13} & -\frac{2310}{13} \end{bmatrix}^T$$

Calculer l'erreur relative commise en utilisant la norme l_∞.

3.18 Pour la matrice de l'exercice précédent, calculer les quantités $||A||_1$, $||A||_F$, $||A||_\infty$, $||A^{-1}||_\infty$ et $\text{cond}_\infty A$.

3.19 Représenter graphiquement dans le plan les ensembles suivants :

(a) $\{\vec{x} \mid ||\vec{x}||_2 \le 1\}$

(b) $\{\vec{x} \mid ||\vec{x}||_\infty \le 1\}$

3.20 Est-ce que $|\text{dét } A|$ pourrait être une norme matricielle ?

3.21 Peut-on définir le conditionnement d'une matrice singulière ?

3.22 Calculer le déterminant et le conditionnement de la matrice :

$$\begin{bmatrix} 1 & 2 \\ 1{,}01 & 2 \end{bmatrix}$$

3.23 Les matrices mal conditionnées ont souvent un déterminant voisin de 0. Est-ce que les matrices dont le déterminant est près de 0 sont forcément mal conditionnées ? Donner un contre-exemple.

3.24 (a) 🖥 En utilisant un logiciel, calculer le conditionnement, en norme infinie, des matrices de Hilbert de dimension 5, 10, 15 et 20, définies par :

$$a_{ij} = \frac{1}{i + j - 1}$$

(b) On considère la matrice de Hilbert de dimension 5 et les vecteurs :

$$\vec{x} = \begin{bmatrix} 0{,}767\ 854\ 7359 \\ 0{,}445\ 791\ 0608 \\ 0{,}321\ 578\ 2952 \\ 0{,}253\ 438\ 9440 \\ 0{,}209\ 822\ 6366 \end{bmatrix} \qquad \vec{y} = \begin{bmatrix} 0{,}757\ 854\ 7359 \\ 0{,}545\ 791\ 0608 \\ 0{,}221\ 578\ 2952 \\ 0{,}243\ 438\ 9440 \\ 0{,}208\ 822\ 6366 \end{bmatrix}$$

Calculer le produit $\vec{b} = A\vec{x}$ puis le résidu $\vec{b} - A\vec{y}$, en arithmétique exacte. Que pouvez-vous conclure sur le conditionnement de A.

3.25 On considère le système linéaire :

$$\begin{bmatrix} 4 & 3 & -1 \\ 7 & -2 & 3 \\ 5 & -18 & 13 \end{bmatrix} \begin{bmatrix} x_1 \\ x_2 \\ x_3 \end{bmatrix} = \begin{bmatrix} 6 \\ 9 \\ 3 \end{bmatrix}$$

En utilisant une calculatrice, on trouve comme solution le vecteur :

$$\begin{bmatrix} 1{,}586\,206 & -0{,}448\,2759 & -1{,}000\,000 \end{bmatrix}^T$$

Après avoir multiplié la matrice par ce vecteur, on trouve :

$$\begin{bmatrix} 5{,}999\,9963 & 8{,}999\,9938 & 2{,}999\,9962 \end{bmatrix}^T$$

ce qui semble indiquer que la solution obtenue soit acceptable.
Le même calcul effectué sur ordinateur produit la solution :

$$\begin{bmatrix} 0{,}620\,6896 & 2{,}172\,4137 & 3{,}0000 \end{bmatrix}^T$$

Après multiplication de la matrice A du système par ce vecteur, l'ordinateur affiche :

$$\begin{bmatrix} 5{,}999\,9995 & 8{,}999\,9998 & 3{,}000\,0014 \end{bmatrix}^T$$

ce qui semble tout aussi acceptable. Que penser de ces résultats ?

3.26 Considérer le système linéaire suivant :

$$\begin{bmatrix} 1 & 5 \\ 1{,}0001 & 5 \end{bmatrix} \begin{bmatrix} x_1 \\ x_2 \end{bmatrix} = \begin{bmatrix} 6{,}0000 \\ 6{,}0005 \end{bmatrix}$$

dont la solution exacte est $\vec{x} = \begin{bmatrix} 5 & 0{,}2 \end{bmatrix}^T$.

(a) Calculer les résidus correspondant aux solutions approximatives $\vec{x}_1 = \begin{bmatrix} 5{,}1 & 0{,}3 \end{bmatrix}^T$ et $\vec{x}_2 = \begin{bmatrix} 1 & 1 \end{bmatrix}^T$. Calculer les quantités $||\vec{r}_1||_\infty$, $||\vec{r}_2||_\infty$, $||\vec{x} - \vec{x}_1||_\infty$ et $||\vec{x} - \vec{x}_2||_\infty$, comparer les résultats et conclure.

(b) Trouver la solution exacte du système après le remplacement du membre de droite par $\begin{bmatrix} 6 & 6 \end{bmatrix}^T$ et conclure.

(c) À la lueur des résultats obtenus en a) et en b), conclure sur le conditionnement de la matrice de ce système et calculer ce conditionnement.

3.27 Faire deux itérations de la méthode de Newton pour le système non linéaire suivant en prenant $\begin{bmatrix} 0 & 0 \end{bmatrix}^T$ comme approximation initiale :

$$\begin{aligned} x_1^2 - 10x_1 + x_2^2 + 8 &= 0 \\ x_1 x_2^2 + x_1 - 10x_2 + 8 &= 0 \end{aligned}$$

3.28 Résoudre le système non linéaire suivant par la méthode de Newton en prenant $\begin{bmatrix} 0{,}1 & 0{,}1 & -0{,}1 \end{bmatrix}^T$ comme approximation initiale :

$$\begin{aligned} 3x_1 - \cos(x_2 x_3) - \tfrac{1}{2} &= 0 \\ x_1^2 - 81(x_2 + 0{,}1)^2 + \sin x_3 + 1{,}06 &= 0 \\ e^{-x_1 x_2} + 20x_3 + \tfrac{(10\pi - 3)}{3} &= 0 \end{aligned}$$

3.29 Résoudre le système :

$$
\begin{aligned}
x_1^2 + x_1 x_2^3 &= 9 \\
3x_1^2 x_2 - 3x_2^3 &= 4
\end{aligned}
$$

par la méthode de Newton, à partir de différents vecteurs de départ :
$\vec{x}^0 = \begin{bmatrix} 1{,}2 & 2{,}5 \end{bmatrix}^T$; $\vec{x}^0 = \begin{bmatrix} -2 & 2{,}5 \end{bmatrix}^T$; $\vec{x}^0 = \begin{bmatrix} -1{,}2 & -2{,}5 \end{bmatrix}^T$ et
$\vec{x}^0 = \begin{bmatrix} 2 & -2{,}5 \end{bmatrix}^T$. Déterminer vers quelle racine la méthode converge, le nombre d'itérations nécessaires et l'ordre de convergence.

3.30 Considérer le système non linéaire :

$$
\begin{aligned}
x_1^2 - 2x_1 + x_2^2 &= 0 \\
x_1^2 + x_2^2 - 4 &= 0
\end{aligned}
$$

dont la solution exacte est $\vec{x} = \begin{bmatrix} x_1 & x_2 \end{bmatrix}^T = \begin{bmatrix} 2 & 0 \end{bmatrix}^T$.

   (a) Représenter graphiquement les deux équations. Vérifier que le vecteur $\begin{bmatrix} 2 & 0 \end{bmatrix}^T$ est l'unique solution du système.

   (b) Résoudre le système non linéaire avec une précision de 10^{-4} à l'aide de la méthode de Newton, en prenant $\begin{bmatrix} 0 & 1 \end{bmatrix}^T$ comme approximation initiale.

   (c) Calculer les $\|\vec{x}^{(k)} - \vec{x}\|_\infty$, $\dfrac{\|\vec{x}^{(k+1)} - \vec{x}\|_\infty}{\|\vec{x}^{(k)} - \vec{x}\|_\infty}$ et $\dfrac{\|\vec{x}^{(k+1)} - \vec{x}\|_\infty}{\|\vec{x}^{(k)} - \vec{x}\|_\infty^2}$. En déduire l'ordre de convergence de la méthode de Newton appliquée à ce système.

   (d) Trouver une approximation initiale $\vec{x}_0$ telle que la méthode de Newton ne converge pas.

3.31 Tout comme dans le cas d'une équation à une variable, la convergence de la méthode de Newton pour les systèmes non linéaires dépend de l'approximation initiale $\begin{bmatrix} x_1^0 & x_2^0 \end{bmatrix}^T$. Considérant le système :

$$
\begin{aligned}
x_2 + x_1^2 - x_1 - \tfrac{1}{2} &= 0 \\
x_2 + 5x_1 x_2 - x_1^3 &= 0
\end{aligned}
$$

expliquer pourquoi $\begin{bmatrix} 0 & -0{,}2 \end{bmatrix}^T$ est une mauvaise approximation initiale.

3.32 En utilisant le logiciel Matlab®, on a obtenu la décomposition LU et la matrice de permutation P d'une matrice A :

$$
L = \begin{bmatrix} 1 & 0 & 0 \\ 1 & 1 & 0 \\ \tfrac{1}{2} & \tfrac{3}{4} & 1 \end{bmatrix} \qquad
U = \begin{bmatrix} 2 & 16 & 27 \\ 0 & -8 & -16 \\ 0 & 0 & \tfrac{3}{2} \end{bmatrix} \qquad
P = \begin{bmatrix} 1 & 0 & 0 \\ 0 & 0 & 1 \\ 0 & 1 & 0 \end{bmatrix}
$$

de sorte que $PA = LU$. En vous servant de cette décomposition :

   (a) Donner le déterminant de la matrice A.

(b) Résoudre le système linéaire $A\vec{x} = \vec{b}$ où $\vec{b} = [\ 51\quad 6\quad 19\ ]^T$.

3.33 Pour calculer les tensions dans les membrures d'une ferme, on doit résoudre un système linéaire de la forme $A\vec{x} = \vec{b}$. On a effectué une commande Matlab® et l'on a obtenu les résultats suivants :

```
>> [L,U,P] = lu(A)
L =
    1,0000         0         0         0         0         0
   -1,0000    1,0000         0         0         0         0
         0         0    1,0000         0         0         0
         0   -1,0000    0,0000    1,0000         0         0
   -0,5774         0    0,3334         0    1,0000         0
    0,5774         0    0,6666         0         0    1,0000

U =
    0,8660         0   -0,5000         0         0         0
         0   -1,0000   -0,5000   -1,0000         0         0
         0         0   -0,8660         0         0   -1,0000
         0         0         0   -1,0000         0    0,0000
         0         0         0         0   -1,0000    0,3334
         0         0         0         0         0    0,6666

P =
    1    0    0    0    0    0
    0    0    1    0    0    0
    0    0    0    0    0    1
    0    0    0    0    1    0
    0    0    0    1    0    0
    0    1    0    0    0    0
```

(a) Quel est le déterminant de la matrice A de départ ?

(b) Si l'on veut résoudre le système $A\vec{x} = [1\ 2\ 3\ 4\ 5\ 6]^T$. Indiquer (**sans résoudre**) les étapes à suivre.

3.34 Le système linéaire :

$$A\vec{x} = \begin{bmatrix} 10 & 7 & 8 & 7 \\ 7 & 5 & 6 & 5 \\ 8 & 6 & 10 & 9 \\ 7 & 5 & 9 & 10 \end{bmatrix} = \begin{bmatrix} 32 \\ 23 \\ 33 \\ 31 \end{bmatrix}$$

a pour solution exacte $\vec{x} = [\ 1\quad 1\quad 1\quad 1\ ]^T$. Par une méthode numérique inappropriée, on a trouvé une solution approximative :
$\vec{x}^* = [\ 9{,}2\quad -12{,}6\quad 4{,}5\quad -1{,}1\ ]^T$.

(a) Quelle est la norme $\|\ \|_\infty$ du résidu ?

(b) Quelle est la norme $\|\ \|_\infty$ de la matrice A ?

(c) L'inverse de la matrice A est :

$$A^{-1} = \begin{bmatrix} 25 & -41 & 10 & -6 \\ -41 & 68 & -17 & 10 \\ 10 & -17 & 5 & -3 \\ -6 & 10 & -3 & 2 \end{bmatrix}$$

Calculer le conditionnement de la matrice A avec la norme $\| \ \|_\infty$.

(d) Donner une borne supérieure pour l'erreur relative commise entre $\vec{x}$ et $\vec{x}^*$.

3.35 Soit A, B et C trois matrices de dimension n sur n. Les matrices A et C sont inversibles, mais B ne l'est pas forcément. On vous donne les décompositions LU obtenues sans permuter de lignes : $A = L^A U^A$ et $C = L^C U^C$. Proposer une stratégie de résolution du système :

$$\begin{bmatrix} A & B \\ 0 & C \end{bmatrix} \begin{bmatrix} \vec{x}_1 \\ \vec{x}_2 \end{bmatrix} = \begin{bmatrix} \vec{b}_1 \\ \vec{b}_2 \end{bmatrix}$$

Indiquer clairement tous les systèmes triangulaires nécessaires à la résolution.

3.36 On veut résoudre le système non linéaire suivant :

$$\begin{array}{llll} x_1^2 & +3x_1x_2 & +x_3^2 & = +7 \\[2mm] \sin x_1 & +e^{x_2} & -3x_3 & = -8 \\[2mm] 3x_1 & +4x_2 & -3x_3 & = -1 \end{array}$$

(a) Donner l'expression du système linéaire correspondant à la première itération de la méthode de Newton en partant de l'estimé initial $\begin{bmatrix} 0 & 0 & 1 \end{bmatrix}^T$.

(b) La décomposition LU de Crout de la matrice du système linéaire obtenu en a) sous forme compacte est :

$$\begin{bmatrix} 3 & \frac{4}{3} & -1 \\ 1 & -\frac{1}{3} & 6 \\ 0 & 0 & 2 \end{bmatrix} \quad \vec{O} = \begin{bmatrix} 3 \\ 2 \\ 1 \end{bmatrix}$$

où $\vec{O}$ est le vecteur de permutation. En vous servant de cette décomposition, résoudre le système obtenu en a).

(c) En comparant avec la solution analytique du système non linéaire, on a obtenu les valeurs suivantes pour l'erreur $\|\vec{x} - \vec{x}^i\|_\infty$ (les premières itérations ne sont pas indiquées) :

Résultats	
Itération i	$\|\vec{x} - \vec{x}^i\|_\infty$
6	$2{,}073 \times 10^{-1}$
7	$1{,}066 \times 10^{-2}$
8	$1{,}017 \times 10^{-5}$
9	$2{,}864 \times 10^{-11}$

Quel est l'ordre de convergence de la méthode de Newton dans ce cas ?

3.37 On considère le système non linéaire :

$$x_1^2 + x_2^2 - 2 = 0$$
$$x_1 x_2 - 1 = 0$$

(a) Déterminer graphiquement le nombre de solutions de ce système.

(b) Faire 2 itérations de la méthode de Newton pour les systèmes non linéaires en partant de $\begin{bmatrix} x_1^0 & x_2^0 \end{bmatrix}^T = \begin{bmatrix} 1 & 0 \end{bmatrix}^T$.

(c) La table suivante contient les itérations de la méthode de Newton qui suivent celles effectuées en b). On vous présente également la norme euclidienne de l'erreur commise à chaque itération en comparant avec la solution exacte $\vec{x} = \begin{bmatrix} 1 & 1 \end{bmatrix}^T$. En regardant ces résultats, déterminer l'ordre de convergence de la méthode de Newton. Expliquer pourquoi on obtient cet ordre de convergence dans ce cas précis.

Méthode de Newton			
i	x_1^i	x_2^i	$\lVert \vec{x} - \vec{x}^i \rVert_2$
0	1,000 000	0,000 000	$1,0 \times 10^0$
1			$5,0 \times 10^{-1}$
2			$1,8 \times 10^{-1}$
3	1,062 805	0,937 805	$8,8 \times 10^{-2}$
4	1,031 250	0,968 750	$4,4 \times 10^{-2}$
5	1,015 625	0,984 375	$2,2 \times 10^{-2}$
6	1,007 812	0,992 188	$1,1 \times 10^{-2}$
7	1,003 906	0,996 094	$5,5 \times 10^{-3}$
8	1,001 953	0,998 047	$2,7 \times 10^{-3}$
9	1,000 977	0,999 023	$1,3 \times 10^{-3}$

3.38 On considère le système non linéaire suivant :

$$x^2 + 2y^2 = 22$$

$$2x^2 - xy + 3y = 11$$

(a) Faire une itération de la méthode de Newton pour ce système en partant de la solution initiale $\begin{bmatrix} 1 & 2 \end{bmatrix}^T$.

(b) Déterminer (sans le résoudre) le système linéaire nécessaire à la deuxième itération.

Chapitre 4

Méthodes itératives et systèmes dynamiques discrets

4.1 Introduction

Nous voyons dans ce chapitre comment de simples méthodes itératives, telles les méthodes des points fixes, peuvent mener à des systèmes au comportement remarquablement complexe. On pourrait croire, à la suite du chapitre 2, que la discussion sur la convergence d'une méthode des points fixes s'arrête lorsqu'on a déterminé si le point fixe est attractif ou répulsif. Nous allons pousser cette discussion beaucoup plus loin et tâcher d'étudier un certain nombre de phénomènes intéressants rencontrés dans l'étude des systèmes dynamiques. Il ne s'agit pas de faire une analyse mathématique profonde de la théorie des systèmes dynamiques, mais bien de démontrer que des méthodes itératives simples peuvent résulter en des systèmes complexes.

4.2 Application quadratique

Nous reprenons ici une partie du travail de Feigenbaum (réf. [20]) sur l'application quadratique. Cette application remarquablement simple conduit à un comportement de nature universelle.

Considérons la méthode itérative :

$$\begin{cases} x_0 & \text{donné} \\ \\ x_{n+1} & = \quad \lambda x_n (1 - x_n) \end{cases} \qquad (4.1)$$

qui est en fait une méthode des points fixes (voir l'équation 2.5) appliquée à la fonction :

$$g(x) = \lambda x(1 - x)$$

Le paramètre λ est appelé à varier, si bien que le comportement de l'algorithme 4.1 sera très différent suivant la valeur de λ.

Tout d'abord, il est facile de montrer que la fonction $g(x)$ est une application de l'intervalle $[0 \, , 1]$ dans lui-même ($g(x) \in [0 \, , 1]$ si $x \in [0 \, , 1]$) seulement pour :

$$0 < \lambda < 4$$

En effet, le maximum de $g(x)$ est atteint en $x = \frac{1}{2}$ et vaut $\frac{\lambda}{4}$. Nous nous limitons donc à ces valeurs de λ, qui sont de loin les plus intéressantes. En premier lieu, il convient de déterminer les points fixes de $g(x)$ et de vérifier s'ils sont attractifs ou répulsifs. Bien entendu, cela dépendra de λ. Les points fixes sont les solutions de :

$$x = g(x) = \lambda x (1 - x)$$

On constate immédiatement que 0 est une solution de cette équation et est donc un point fixe. Si l'on suppose que $x \neq 0$ et que l'on divise chaque côté de l'égalité par x, on obtient :

$$1 = \lambda(1 - x)$$

ce qui entraîne que :

$$x = r^* = \frac{\lambda - 1}{\lambda} \tag{4.2}$$

est un autre point fixe. En fait, 0 et r^* sont les deux seuls points fixes de $g(x)$. Voyons maintenant s'ils sont attractifs. Pour ce faire, il faut calculer la dérivée de $g(x)$, à savoir :

$$g'(x) = \lambda(1 - 2x) \tag{4.3}$$

On a donc d'une part $g'(0) = \lambda$, ce qui signifie que 0 sera un point fixe attractif si $|g'(0)| < 1$ c'est-à-dire si :

$$0 < \lambda < 1 \stackrel{\text{déf.}}{=} \lambda_1$$

puisque l'on ne considère pas les valeurs négatives de λ. D'autre part :

$$g'(r^*) = \lambda(1 - 2r^*) = \lambda \left(1 - 2\left(\frac{\lambda - 1}{\lambda}\right)\right) = 2 - \lambda$$

Le point fixe r^* est donc attractif si $|2 - \lambda| < 1$ ou encore si :

$$\begin{array}{ccccc} -1 & < & 2 - \lambda & < & 1 \\ -3 & < & -\lambda & < & -1 \\ 1 & < & \lambda & < & 3 \stackrel{\text{déf.}}{=} \lambda_2 \end{array}$$

On note λ_2 la borne supérieure de cet intervalle, soit $\lambda_2 = 3$. On en conclut que r^* est attractif pour ces valeurs de λ. On remarque de plus que, lorsque $\lambda = 1$, $r^* = 0$ et il n'y a alors qu'un seul point fixe. On montre que ce point fixe est attractif même si $g'(0) = 1$ en vertu de l'équation 4.3. La convergence est cependant très lente. La situation est illustrée à la figure 4.1, où la fonction $g(x)$ est tracée pour deux valeurs de λ, soit 0,5 et 1,5. On voit dans le premier cas ($\lambda = 0,5$) que la pente de $g(x)$ est inférieure à 1 en $x = 0$ et qu'il n'y a pas d'autre point fixe dans l'intervalle $[0\,,\,1]$. Par contre, pour $\lambda = 1,5$, il y a bien deux points fixes $x = 0$ et $x = r^*$, dont seul r^* est attractif, car $g'(r^*) < 1$.

Vérifions tout cela avec quelques exemples. Prenons d'abord $\lambda = 0,5$. On a alors $r^* = -1$ qui ne peut être attractif puisqu'il est l'extérieur de l'intervalle

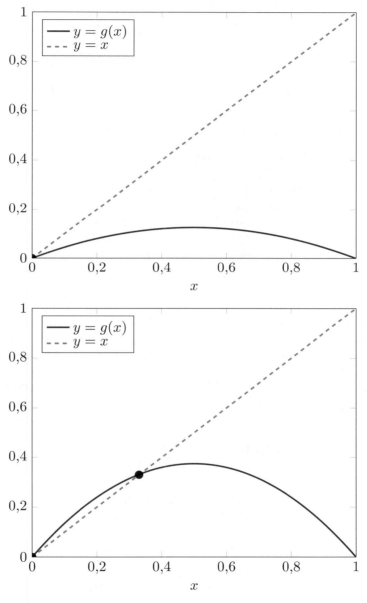

Figure 4.1 – Application quadratique : $\lambda = 0{,}5$ (haut) et $\lambda = 1{,}5$ (bas)

$[0, 1]$. À partir de $x_0 = 0{,}9$ par exemple, on trouve les itérations suivantes.

| \multicolumn{4}{c}{**Application quadratique : $\lambda = 0{,}5$**} |
n	x_n	n	x_n
0	0,900 0000	6	0,001 2902
1	0,045 0000	7	0,000 6426
2	0,021 4875	8	0,000 3219
3	0,010 5128	9	0,000 1609
4	0,005 2011	10	0,000 0804
5	0,002 5871	⋮	⋮

Ces itérations convergent rapidement vers le point fixe 0. Si l'on prend maintenant $\lambda = 0{,}95$, toujours à partir de $x_0 = 0{,}9$, on obtient les itérations suivantes.

| \multicolumn{4}{c}{**Application quadratique : $\lambda = 0{,}95$**} |
n	x_n	n	x_n
0	0,900 0000	6	0,046 7527
1	0,085 5000	7	0,042 3386
2	0,074 2802	8	0,038 5187
3	0,065 3245	9	0,035 1833
4	0,058 0044	10	0,032 2482
5	0,051 9079	⋮	⋮

Ces dernières convergent vers 0, mais beaucoup plus lentement. Cela tient au fait que le taux de convergence $g'(0) = \lambda$ vaut 0,5 dans le premier cas et 0,95 dans le second cas. La convergence est donc plus rapide pour $\lambda = 0{,}5$. Pour s'assurer de la convergence vers 0, il faudrait faire beaucoup plus que 10 itérations. Par exemple, pour $\lambda = 0{,}95$, on trouverait $x_{200} = 0{,}114\,1385 \times 10^{-5}$.

Passons maintenant à $\lambda = 1{,}5$, pour lequel $r^* = \frac{1}{3}$. L'analyse a démontré que, dans ce cas, 0 est répulsif puisque $g'(0) = 1{,}5$, mais que r^* est attractif. À partir cette fois de $x_0 = 0{,}1$, on obtient les itérations suivantes.

| \multicolumn{4}{c}{**Application quadratique : $\lambda = 1{,}5$**} |
n	x_n	n	x_n
0	0,100 0000	7	0,042 3386
1	0,085 5000	8	0,038 5187
2	0,074 2802	9	0,035 1833
3	0,065 3245	10	0,032 2482
4	0,058 0044		
5	0,051 9079	⋮	⋮
6	0,046 7527	20	0,333 3313

Les itérations convergent donc vers $r^* = \frac{1}{3}$, un résultat qui confirme l'analyse précédente. On obtiendrait des résultats similaires pour des valeurs de λ situées dans l'intervalle $]1, 3[$. Notons cependant que la valeur de r^* varie avec λ.

La question fondamentale est maintenant la suivante : que se passe-t-il si l'on prend des valeurs de λ supérieures à 3 ? On pourrait s'attendre à ce que les itérations de l'algorithme 4.1 divergent. Heureusement, ce n'est pas le cas, mais pour expliquer ce comportement il nous faut élargir la notion de convergence. Jusqu'à maintenant, nous n'avons parlé de convergence que vers un point (fixe). Or, il arrive qu'un algorithme converge vers autre chose qu'un point fixe. On parle alors d'un *attracteur* (voir par exemple Gulick, réf. [26]).

Définition 4.1: Attracteur

Un ensemble $A \subset \mathcal{R}^n$ est dit un attracteur d'une application :

$$g : V \to \mathcal{R}^n$$

où V est un sous-ensemble de $\mathcal{R}^n$, si les conditions suivantes sont respectées :

1. Si $x \in A$, alors $g(x) \in A$.
2. Il existe un voisinage U de A tel que, si $x_0 \in U$, la suite $x_{n+1} = g(x_n)$ converge vers A.
3. L'ensemble A est indécomposable.

Remarque 4.2. La définition qui précède indique que, pour que A soit un attracteur, il faut que tout point x de l'ensemble A soit projeté sur un autre point de A par l'application $g(x)$. C'est bien sûr le cas d'un point fixe qui est envoyé sur lui-même. La deuxième condition traduit le fait que, si l'on part d'un point x_0 suffisamment près de A, les itérations de l'algorithme des points fixes s'approchent de plus en plus de l'ensemble A. On étend ainsi aux attracteurs la notion de bassin d'attraction introduite pour les points fixes. Mentionnons enfin que le sens précis que l'on doit donner au mot « indécomposable » varie d'un auteur à l'autre. Disons simplement que l'on ne peut rien enlever à l'ensemble A pour que les deux premières propriétés restent vraies. ◄

Remarque 4.3. On ne considère pour l'instant que le cas $n = 1$ des applications de $\mathcal{R}$ dans $\mathcal{R}$. Nous reviendrons sur le cas général un peu plus loin. Un point fixe est donc un attracteur (voir le théorème 2.19) s'il existe un intervalle I contenant ce point fixe pour lequel $g(x) \in I$, $\forall x \in I$, et qui vérifie :

$$|g'(x)| \leq k < 1 \ \forall x \in I$$

◄

Cette définition d'un attracteur est quelque peu imprécise, mais elle suffit aux besoins de l'exposé. Prenons par exemple $\lambda = 3,1$ et observons ce qui se passe. À partir de $x_0 = 0,5$, on obtient les itérations suivantes.

\multicolumn{4}{c}{**Application quadratique : $\lambda = 3{,}1$**}			
n	x_n	n	x_n
1	0,775 0000	14	0,557 4733
2	0,540 5625	15	0,764 7601
3	0,769 8995	16	0,557 6964
4	0,549 1781	17	0,764 6804
5	0,767 5026	18	0,557 8271
6	0,553 1711	19	0,764 6336
7	0,766 2357	20	0,557 9039
8	0,555 2674	$\vdots$	$\vdots$
9	0,765 5310	47	0,764 5665
10	0,556 4290	48	0,558 0140
11	0,765 1288	49	0,764 5665
12	0,557 0907	50	0,558 0140
13	0,764 8960		

On remarque immédiatement un comportement surprenant. Les itérations oscillent entre deux valeurs distinctes. Il n'y a donc pas convergence au sens habituel. En fait, les itérations paires convergent vers environ 0,558 014 et les itérations impaires, vers 0,764 566. Pour comprendre ce qui se passe, il suffit de constater que les itérations paires et impaires correspondent aux itérations de la fonction composée :

$$g_1(x) = g(g(x)) = \lambda g(x)(1 - g(x)) = \lambda(\lambda x(1 - x))(1 - \lambda x(1 - x))$$

c'est-à-dire :

$$g_1(x) = \lambda^2 x(1 - x)(1 - \lambda x + \lambda x^2)$$

Pour déterminer les points fixes de la fonction $g_1(x)$, il suffit de résoudre :

$$x = g_1(x) = \lambda^2 x(1 - x)(1 - \lambda x + \lambda x^2)$$

Il est clair que tout point fixe de $g(x)$ est un point fixe de $g_1(x)$. Le point r^* donné par l'équation 4.2 ainsi que 0 sont donc des points fixes de $g_1(x)$, mais nous savons qu'ils sont répulsifs pour $\lambda > 3$. Il existe cependant d'autres points fixes de $g_1(x)$ qui ne sont pas des points fixes de $g(x)$. Après avoir divisé l'équation précédente par x de chaque côté, quelques manipulations algébriques nous amènent à résoudre l'équation :

$$\lambda^3 x^3 - 2\lambda^3 x^2 + \lambda^2(1 + \lambda)x + (1 - \lambda^2) = 0$$

dont les trois racines sont r^* ainsi que :

$$r_1^{(2)}, r_2^{(2)} = \left(\frac{1}{2} + \frac{1}{2\lambda}\right) \pm \frac{1}{2\lambda}\sqrt{(\lambda - 3)(\lambda + 1)} \tag{4.4}$$

On montre alors facilement que :

$$r_1^{(2)} = g(r_2^{(2)}) \quad \text{et} \quad r_2^{(2)} = g(r_1^{(2)})$$

c'est-à-dire que $r_1^{(2)}$ est envoyé sur $r_2^{(2)}$ par l'application $g(x)$ et vice versa. Dans le cas où $\lambda = 3{,}1$, on a en vertu de l'équation 4.4 :

$$r_1^{(2)} \simeq 0{,}558\,014 \ \text{ et } \ r_2^{(2)} \simeq 0{,}764\,566$$

ce qui correspond bien à ce que nous avons observé numériquement. L'ensemble $\{r_1^{(2)}, r_2^{(2)}\}$ est l'*orbite* de $r_1^{(2)}$ (et également de $r_2^{(2)}$) c'est-à-dire la trajectoire que tracent les itérations partant de $r_1^{(2)}$ ou $r_2^{(2)}$. En effet, si on démarre la méthode des points fixes à partir de $r_1^{(2)}$ ou de $r_2^{(2)}$, les itérations oscillent entre ces deux points. On dit que $r_1^{(2)}$ et $r_2^{(2)}$ sont des *points 2-périodiques* (d'où la présence de l'indice supérieur «(2)») et que $\{r_1^{(2)}, r_2^{(2)}\}$ est une *orbite 2-périodique*. On peut dès lors s'interroger sur la stabilité de cette orbite. En d'autres termes, pour quelles valeurs de λ cette orbite 2-périodique est-elle attractive et donc un attracteur ?

Proposition 4.4

L'orbite 2-périodique $\{r_1^{(2)}, r_2^{(2)}\}$ donnée par l'équation 4.4 est attractive pour :
$$3 = \lambda_2 < \lambda < 1 + \sqrt{6} \stackrel{\text{déf.}}{=} \lambda_3 \simeq 3{,}449\,489$$

Démonstration. (voir Gulick, réf. [26])

Il suffit de montrer que $r_1^{(2)}$ et $r_2^{(2)}$ sont des points fixes attractifs de la fonction $g_1(x) = g(g(x))$. La démonstration n'est faite que pour $r_1^{(2)}$, puisque l'autre cas est similaire. Par la règle de dérivation en chaîne, on a :

$$g_1'(x) = g'(g(x))g'(x)$$

de telle sorte que :

$$
\begin{aligned}
g_1'(r_1^{(2)}) &= g'(g(r_1^{(2)}))g'(r_1^{(2)}) = g'(r_2^{(2)})g'(r_1^{(2)}) = \lambda^2(1 - 2r_1^{(2)})(1 - 2r_2^{(2)}) \\
&= \lambda^2(1 - 2(r_1^{(2)} + r_2^{(2)}) + 4r_1^{(2)}r_2^{(2)})
\end{aligned}
$$

Un simple calcul à l'aide de l'équation 4.4 mène aux égalités :

$$r_1^{(2)} + r_2^{(2)} = 1 + \frac{1}{\lambda} \qquad r_1^{(2)}r_2^{(2)} = \frac{1}{\lambda} + \frac{1}{\lambda^2}$$

de telle sorte que :

$$g_1'(r_1^{(2)}) = \lambda^2 \left(1 - 2\left(1 + \frac{1}{\lambda} \right) + 4\left(\frac{1}{\lambda} + \frac{1}{\lambda^2} \right) \right)$$

ou encore :

$$g_1'(r_1^{(2)}) = -\lambda^2 + 2\lambda + 4$$

Il reste à obtenir les valeurs de λ pour lesquelles on aura :

$$|g_1'(r_1^{(2)})| = |-\lambda^2 + 2\lambda + 4| < 1$$

C'est le cas si :

$$
\begin{array}{rrrrr}
& -1 & < & -\lambda^2 + 2\lambda + 4 & < & 1 \\
\Leftrightarrow & -1 & < & -(\lambda - 1)^2 + 5 & < & 1 \\
\Leftrightarrow & -6 & < & -(\lambda - 1)^2 & < & -4 \\
\Leftrightarrow & 4 & < & (\lambda - 1)^2 & < & 6 \\
\Leftrightarrow & 2 & < & (\lambda - 1) & < & \sqrt{6} \\
\Leftrightarrow & 3 & < & \lambda & < & 1 + \sqrt{6}
\end{array}
$$

On peut même démontrer que le cas $\lambda_3 = 1 + \sqrt{6}$ donne également lieu à une orbite 2-périodique attractive (la démonstration est cependant délicate). ■

Pour toute valeur de $\lambda \in]\lambda_2 , \lambda_3] =]3 , 1 + \sqrt{6}]$, on observe donc une orbite 2-périodique attractive. La valeur des points $r_1^{(2)}$ et $r_2^{(2)}$ varie avec λ, mais le comportement général est le même. Le tableau suivant résume la convergence de l'application quadratique.

Convergence de l'application quadratique	
$0 \ < \ \lambda \ \leq \ \lambda_1 \ = \ 1$	0 est un point fixe attractif
$\lambda_1 \ < \ \lambda \ \leq \ \lambda_2 \ = \ 3$	r^* est un point fixe attractif
$\lambda_2 \ < \ \lambda \ \leq \ \lambda_3 \ = \ 1 + \sqrt{6}$	$\{r_1^{(2)}, r_2^{(2)}\}$ est une orbite 2-périodique attractive

L'étude du cas où $\lambda > 1 + \sqrt{6}$ est relativement complexe, mais on peut en comprendre les grandes lignes. L'orbite 2-périodique devient répulsive et est remplacée par une orbite 4-périodique, qui est constituée des 4 points fixes $\{r_1^{(4)}, r_2^{(4)}, r_3^{(4)}, r_4^{(4)}\}$ de la fonction :

$$g_2(x) = g_1(g_1(x)) = g(g(g(g(x))))$$

vérifiant :

$$g(r_1^{(4)}) = r_2^{(4)}, \quad g(r_2^{(4)}) = r_3^{(4)}, \quad g(r_3^{(4)}) = r_4^{(4)} \text{ et } g(r_4^{(4)}) = r_1^{(4)}$$

Cette orbite 4-périodique est attractive pour $\lambda \in]\lambda_3 , \lambda_4]$. Selon Gulick (réf. [26]), la valeur de λ_4 se situe autour de 3,539 58. À son tour, cette orbite 4-périodique est remplacée par une orbite 8-périodique attractive dans l'intervalle $]\lambda_4 , \lambda_5]$ et ainsi de suite. À chaque étape, la période de l'attracteur est doublée et l'on parle d'une *cascade de dédoublements de période*.

Plusieurs phénomènes intéressants se produisent alors :

— la distance entre les valeurs critiques λ_n où se produisent les dédoublements de période diminue et tend même vers 0. Cela signifie que l'intervalle où une orbite 2^n-périodique sera attractive est d'autant plus étroit que n est grand. Il est par conséquent difficile d'observer expérimentalement une orbite 2^n-périodique pour n grand ;

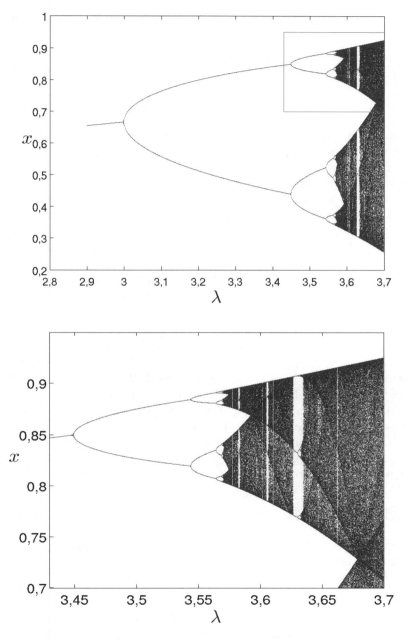

Figure 4.2 – Application quadratique : diagramme de bifurcation complet et agrandissement de la partie supérieure droite (intérieur du rectangle)

— on peut montrer que :

$$\lim_{n \to \infty} \lambda_n = 3{,}615\,47...$$

— la distance entre les λ_n consécutifs est régie par ce qui semble une *loi universelle* de la forme :

$$\lim_{n \to \infty} \frac{\lambda_n - \lambda_{n-1}}{\lambda_{n+1} - \lambda_n} = d_\infty = 4{,}669\,202... \tag{4.5}$$

Le nombre d_∞ est appelé *constante de Feigenbaum* et est universelle en ce sens que, tout phénomène physique qui subit une cascade de dédoublements de période, obéit à la loi 4.5. On a observé les cascades de dédoublements de période en laboratoire dans des problèmes de mécanique des fluides (voir Fortin et al. [22]), de convection naturelle, de réactions chimiques, etc. Chaque fois, on a réussi à mettre au moins partiellement en évidence la relation 4.5 ;

— pour les valeurs de λ supérieures à λ_∞, le comportement de l'application quadratique est très complexe. Sans en faire l'étude détaillée, mentionnons que l'on peut observer des orbites attractives de toutes les périodes bien que, parmi les plus visibles, beaucoup sont de période impaire. Pour certaines valeurs de λ le comportement des itérations est même dit chaotique en ce sens qu'il donne l'apparence d'être aléatoire (tout en étant déterministe).

La situation complète est résumée à la figure 4.2, où l'on a placé en abscisse les valeurs de λ. On obtient cette figure en faisant 2000 itérations de l'algorithme 4.1 et en mettant en ordonnée les valeurs des 1000 dernières itérations seulement, et ce, pour toutes les valeurs de λ dans l'intervalle $[2{,}8\ , 3{,}7]$ par incrément de 0,001. Dans le cas où les itérations convergent vers un point fixe, ces 1000 itérés se confondent en un seul point. Dans le cas où on a une orbite 2-périodique attractive, les itérations se superposent sur deux points, etc. Les 1000 premières itérations permettent d'éliminer tout effet transitoire et de s'assurer que la convergence est bien établie. Un tel graphique est appelé *diagramme de bifurcation*.

4.3 Méthodes des points fixes : cas complexe

On peut encore utiliser les méthodes des points fixes du chapitre 2 dans le cas d'équations non linéaires de la forme :

$$f(z) = 0 \tag{4.6}$$

où $z = x + iy$ est un nombre complexe et $f(z)$ est une fonction non linéaire d'une variable complexe. Il faut bien entendu transformer au préalable l'équation sous la forme $z = g(z)$. Dans ce cas précis, l'interprétation géométrique que nous avons donnée de cette méthode n'est plus valable, mais l'algorithme de base reste le même :

$$\begin{cases} z_0 & \text{donné} \\ z_{n+1} & = & g(z_n) \end{cases} \tag{4.7}$$

où $z_n = x_n + iy_n$. La convergence des méthodes des points fixes appliquées aux variables complexes obéit à des règles similaires au cas réel. On a le résultat suivant.

Proposition 4.5

Soit $g(z)$, une fonction continue dans une région D du plan complexe et telle que $g(z) \in D$ pour tout z dans D. Si de plus $g'(z)$ existe et si :

$$|g'(z)| \leq k < 1$$

pour tout z dans D, alors tous les points z_0 de D appartiennent au bassin d'attraction de l'unique point fixe r de D.

Remarque 4.6. Ce résultat est en parfaite concordance avec celui obtenu au chapitre 2, à la différence près que la valeur absolue de $g'(z)$ est maintenant le *module complexe* (ou encore *norme complexe*) défini par :

$$|z| = |x + iy| = \sqrt{x^2 + y^2}$$

◀

Rappelons que la dérivation d'une fonction d'une variable complexe suit essentiellement les mêmes règles que celle des fonctions réelles. En particulier, la méthode de Newton s'écrit dans le cas complexe :

$$\begin{cases} z_0 & \text{donné} \\ z_{n+1} & = & z_n - \dfrac{f(z_n)}{f'(z_n)} \end{cases} \tag{4.8}$$

Exemple 4.7. On désire résoudre l'équation :

$$f(z) = z^2 + 1 = 0$$

qui ne possède évidemment pas de solution réelle, les deux racines étant les nombres complexes $z = \pm i$. L'algorithme devient dans ce cas :

$$z_{n+1} = z_n - \frac{(z_n^2 + 1)}{2z_n} = \frac{z_n}{2} - \frac{1}{2z_n}$$

À partir de $z_0 = 1 + i$, l'algorithme 4.8 donne les valeurs suivantes :

Méthode de Newton : cas complexe	
n	z_n
0	$1{,}0 + i$
1	$0{,}25 + i\,0{,}75$
2	$-0{,}75 + i\,0{,}975$
3	$0{,}001\,715 + i\,0{,}9973$
4	$0{,}928 \times 10^{-5} + i\,1{,}000\,002\,162$

On constate donc la convergence vers la solution $z = +i$. ◆

Remarque 4.8. Dans certains langages informatiques, le calcul peut s'effectuer directement avec les nombres complexes. Il est également possible de séparer les parties réelles et imaginaires ; on peut alors traiter seulement les nombres réels. Dans l'exemple précédent, on obtiendrait ainsi :

$$z_{n+1} = \frac{1}{2}\left(x_n - \frac{x_n}{(x_n^2 + y_n^2)}\right) + \frac{i}{2}\left(y_n + \frac{y_n}{(x_n^2 + y_n^2)}\right)$$

où $z_n = x_n + iy_n$. Si z_0 est choisi sur l'axe réel ($y_0 = 0$), l'algorithme diverge, car tous les z_n restent sur l'axe réel et ne peuvent jamais s'approcher de $z = \pm i$.
◄

Tout comme dans le cas réel, la suite z_n définie par l'algorithme 4.7 est appelée l'*orbite du point* z_0. En d'autres termes, l'orbite du point z_0 est la trajectoire du plan complexe que tracent les différents points z_n. Dans le dernier exemple, la trajectoire du point $z_0 = 1 + i$ convergeait vers $z = i$. Cette définition nous entraîne vers un exemple très intéressant qui montre une fois de plus que des notions simples peuvent aboutir à des comportements complexes. Considérons le cas particulier de la fonction :

$$g_c(z) = z^2 + c \tag{4.9}$$

où $c = c_r + ic_i$ est un nombre complexe pour le moment quelconque. Pour une valeur de c donnée, l'orbite de $z_0 = 0$ aura typiquement deux comportements très différents l'un de l'autre. Pour certaines valeurs de c, les itérés de l'algorithme 4.7 tendront vers l'infini. Par contre, pour d'autres valeurs de c, la suite z_n restera bornée. Cela nous permet de présenter l'*ensemble de Mandelbrot* (réf. [33]).[1]

Définition 4.9: Ensemble de Mandelbrot

L'ensemble de Mandelbrot est défini comme étant l'ensemble des valeurs de c pour lesquelles l'orbite de $z_0 = 0$ pour l'algorithme des points fixes :

$$z_{n+1} = g_c(z_n) = z_n^2 + c$$

reste bornée lorsque $n \to \infty$.

Pour représenter l'ensemble de Mandelbrot, on utilise un algorithme très facile à programmer.

Algorithme 4.10: Ensemble de Mandelbrot

1. Étant donnés :

    — un nombre maximal d'itérations N ;

    — une borne supérieure pour l'orbite M ;

    — des résolutions horizontale et verticale N_H et N_V ;

---

1. Benoit Mandelbrot est né à Varsovie en 1924 et décédé aux États-Unis en 2010. Ses travaux comme mathématicien chez IBM sur une nouvelle classe d'objets mathématiques appelés objets fractals ou tout simplement fractales, lui ont valu une reconnaissance mondiale.

— des intervalles $I_r = [c_r^1 \, , c_r^2]$ et $I_i = [c_i^1 \, , c_i^2]$.

2. Considérer seulement les valeurs de $c = c_r + ic_i$ pour lesquelles :

$$c_r \in I_r = \left[c_r^1 \, , c_r^2 \right], \quad c_i \in I_i = \left[c_i^1 \, , c_i^2 \right]$$

3. Diviser les intervalles I_r et I_i en respectivement N_H et N_V sous-intervalles. Noter $c_{i,j}$, le point milieu du rectangle formé par le produit cartésien du i^{e} intervalle horizontal par le j^{e} intervalle vertical. Le point $c_{i,j}$ est ainsi associé au pixel situé à la i^{e} rangée et à la j^{e} colonne de l'image.

4. Pour chaque point $c_{i,j}$, effectuer les opérations suivantes :

   4.1. À partir de $z_0 = 0$, faire N itérations de points fixes $z_{n+1} = z_n^2 + c_{i,j}$.

   4.2. si $|z_N| > M$:
   — Orbite non bornée ;
   — $c_{i,j}$ n'appartient pas à l'ensemble de Mandelbrot ;
   — Colorer en bleu le pixel associé à $c_{i,j}$.

   4.3. si $|z_N| < M$ et si le nombre maximal d'itérations N est atteint :
   — Orbite bornée ;
   — $c_{i,j}$ appartient à l'ensemble de Mandelbrot ;
   — Colorer en rouge le pixel associé à $c_{i,j}$.

   4.4. Passer à la valeur suivante de $c_{i,j}$.

Voici quelques valeurs précises qui permettent d'obtenir de bons résultats.
— Le nombre maximal d'itérations N peut être fixé à 500.
— La borne supérieure M pour la norme de z_n peut être fixée à 4.
— On peut prendre les intervalles $I_r = [-2 \, , 1]$ et $I_i = [-1{,}1 \, , 1{,}1]$.
— On peut également introduire des variantes. On peut en effet colorer le pixel associé à une valeur de c qui n'appartient pas à l'ensemble de Mandelbrot en fonction du nombre d'itérations nécessaires pour que $|z_n| > M$.

On a obtenu la figure 4.3 en utilisant les valeurs précédentes. On remarque l'extrême irrégularité de la frontière de cet ensemble. On y a aussi effectué un agrandissement de la toute petite « bulle » (centrée en $(-1{,}33 \, , \, 0)$) à l'extrême gauche de l'ensemble de Mandelbrot qui permet de constater que le motif général se répète à l'infini.

Exemple 4.11. Il est bien facile de constater que le polynôme $f(z) = z^4 - 1$ possède exactement 4 racines soit $r_1 = 1$, $r_2 = -1$, $r_3 = i$ et $r_4 = -i$. En partant de z_0 quelque part dans le plan complexe, les itérations de la méthode de Newton :

$$z_{n+1} = z_n - \frac{z_n^4 - 1}{4z_n^3} = \frac{3z_n^4 + 1}{4z_n^3}$$

sont susceptibles de converger vers l'une ou l'autre de ces racines, ou tout simplement de diverger. Rappelons que la méthode de Newton appliquée à

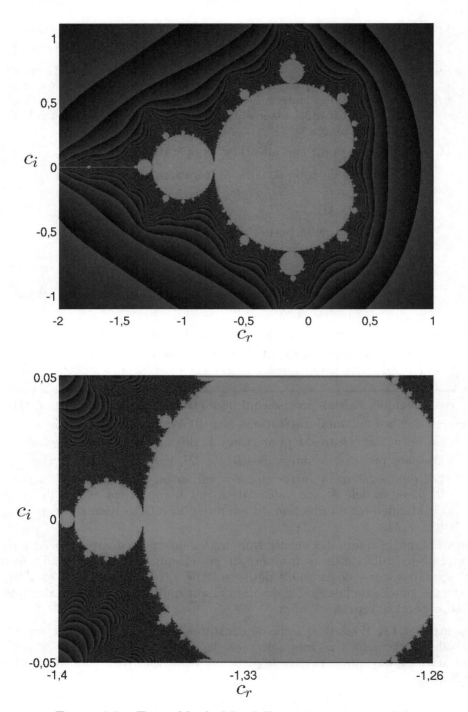

Figure 4.3 – Ensemble de Mandelbrot et vue rapprochée

$f(z)$ est une méthode de points fixes sur $g(z) = (3z^4 + 1)/(4z^3)$. La question est maintenant de savoir pour quelles valeurs de z_0 l'algorithme convergera vers r_i. En d'autres termes, quel est le bassin d'attraction de chacune des racines r_i ? La réponse est complexe et nous y répondrons encore ici par une expérience numérique. Pour simplifier, nous allons considérer les valeurs de $z_0 = x_0 + iy_0$ pour $-2 < x_0 < 2$ et $-2 < y_0 < 2$. Partant d'un tel point du plan complexe, on effectue 1000 itérations de la méthode de Newton. On colore le point z_0 en utilisant des couleurs (ou des teintes de gris) différentes suivant que les itérations convergent vers l'une ou l'autre des racines ou encore si l'algorithme diverge. On obtient la figure 4.4 où on a un aperçu du résultat ainsi qu'un agrandissement de la zone centrale.

Pour un z_0 donné, on observe ainsi qu'il n'est pas du tout évident de deviner *a priori* vers quelle racine l'algorithme convergera ! La frontière entre les bassins d'attraction des 4 racines est extrêmement complexe et est appelée l'*ensemble de Julia* de la fonction $g(z)$. Il s'agit encore ici d'un ensemble de dimension fractionnaire. ◆

4.4 Rappels sur les valeurs et vecteurs propres

Les notions de valeurs et vecteurs propres d'une matrice jouent un rôle très important en ingénierie. Les fréquences propres d'un système en vibration sont obtenues par un calcul de valeurs propres. Les vecteurs propres correspondants sont des modes fondamentaux de vibration de ce système. De même, les valeurs et directions principales de contraintes en mécanique des milieux continus sont les valeurs et vecteurs propres de la matrice (tenseur) de contraintes.

Les valeurs propres jouent également un rôle fondamental dans la compréhension des méthodes des points fixes en plusieurs dimensions. Nous rappelons dans cette section les principales définitions de même que la méthode des puissances qui permet de calculer quelques-unes des valeurs propres d'une matrice ainsi que les vecteurs propres correspondants.

Définition 4.12: Polynôme caractéristique

Si A est une matrice de dimension n, on définit le polynôme caractéristique de A par :
$$p(\lambda) = \det (A - \lambda I) \tag{4.10}$$
où I est la matrice identité.

Le polynôme $p(\lambda)$ est de degré n et possède donc n racines réelles ou complexes conjuguées.

Définition 4.13: Valeur propre d'une matrice

Les racines (ou zéros) du polynôme caractéristique sont appelées valeurs propres de la matrice A.

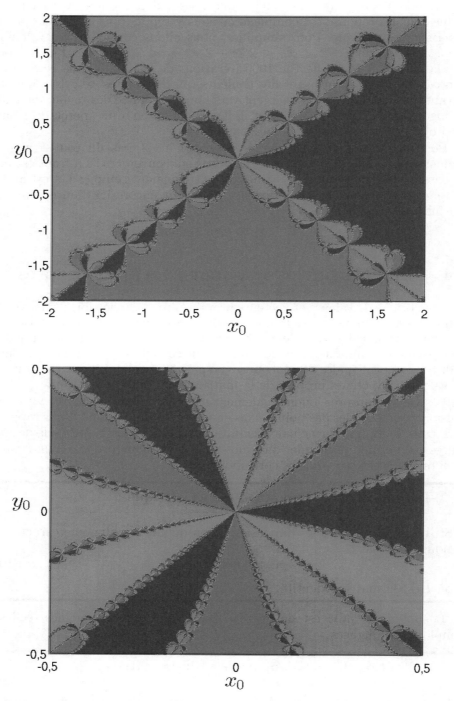

Figure 4.4 – Ensemble de Julia et vue rapprochée de la partie centrale

Si λ est une valeur propre, la matrice $A - \lambda I$ est singulière (puisque son déterminant est nul) et le système $(A - \lambda I)\vec{x} = 0$, ou encore :

$$A\vec{x} = \lambda I \vec{x} = \lambda \vec{x} \tag{4.11}$$

possède des solutions non nulles. En effet, le système 4.11 possède toujours la solution $\vec{x} = \vec{0}$; si λ est une valeur propre, il existe également d'autres solutions.

Définition 4.14: Vecteur propre d'une matrice

Une solution non nulle du système 4.11 est appelée vecteur propre de A associé à la valeur propre λ.

Exemple 4.15. Soit la matrice :

$$\begin{bmatrix} 2 & -1 \\ -1 & 2 \end{bmatrix}$$

Le polynôme caractéristique est alors :

$$\text{dét } (A - \lambda I) = \begin{vmatrix} 2 - \lambda & -1 \\ -1 & 2 - \lambda \end{vmatrix} = (2 - \lambda)^2 - 1 = \lambda^2 - 4\lambda + 3$$

dont les racines sont $\lambda_1 = 3$ et $\lambda_2 = 1$ et qui sont donc les 2 valeurs propres de la matrice A. Cette matrice symétrique est donc définie positive au sens de la définition 3.38 et du théorème 3.39.

En ce qui concerne les vecteurs propres, pour celui associé à λ_1, on résout :

$$(A - 3I)\vec{x} = \begin{bmatrix} -1 & -1 \\ -1 & -1 \end{bmatrix} \begin{bmatrix} x_1 \\ x_2 \end{bmatrix} = \begin{bmatrix} 0 \\ 0 \end{bmatrix}$$

dont une solution est le vecteur $[1 \ -1]^T$. De même, pour la valeur propre λ_2, on montre facilement qu'un vecteur propre associé est $[1 \ 1]^T$. On peut rendre ces deux vecteurs unitaires en divisant par leur norme euclidienne respective pour obtenir :

$$\vec{v}^1 = \begin{bmatrix} \frac{1}{\sqrt{2}} \\ -\frac{1}{\sqrt{2}} \end{bmatrix} \text{ et } \vec{v}^2 = \begin{bmatrix} \frac{1}{\sqrt{2}} \\ \frac{1}{\sqrt{2}} \end{bmatrix}$$

et on remarque que ces deux vecteurs sont orthogonaux. ◆

Proposition 4.16

Si l'on dénote λ_i et $\vec{v}^i$ les n valeurs et vecteurs propres d'une matrice A, alors les valeurs propres de la matrice A^{-1} sont $\frac{1}{\lambda_i}$ et les vecteurs propres restent les mêmes.

Démonstration. En effet, si $A\vec{v}^i = \lambda_i \vec{v}^i$, en multipliant à gauche et à droite par A^{-1}, on trouve $\vec{v}^i = \lambda_i A^{-1} \vec{v}^i$, d'où l'on tire :

$$A^{-1}\vec{v}^i = \frac{1}{\lambda_i}\vec{v}^i$$

■

Le calcul des valeurs et vecteurs propres d'une matrice est un problème difficile, en particulier dans le cas de matrices de très grande taille. Nous introduisons dans la section qui suit quelques techniques permettant de calculer quelques-unes des valeurs propres.

4.4.1 Méthode des puissances

Dans les cas de matrices de grande taille, il est impensable de calculer les valeurs propres en déterminant les racines du polynôme caractéristique, comme nous l'avons fait dans l'exemple précédent.

Souvent, il n'est nécessaire que de calculer quelques valeurs propres, à savoir les plus petites ou les plus grandes en valeurs absolues. On détermine ainsi les plus importantes fréquences propres d'un système en vibration et, bien entendu, on en déduit les modes fondamentaux. Rappelons enfin qu'il existe de nombreuses techniques de calcul des valeurs propres, mais la méthode des puissances est très souvent utilisée.

Suivant Rappaz et Picasso (réf. [37]), nous supposons que la matrice A de dimension n est symétrique. Cela nous assure que les valeurs propres sont réelles et nous permet d'affirmer qu'il existe une base orthonormale de vecteurs propres (voir par exemple Strang [42]) que nous noterons $\vec{v}^j$, pour j allant de 1 à n. On a ainsi :

$$\begin{array}{lll} A\vec{v}^j &= \lambda_j \vec{v}^j & 1 \leq j \leq n \\ \vec{v}^j \cdot \vec{v}^i &= 0 & i \neq j \\ \vec{v}^j \cdot \vec{v}^j &= 1 & 1 \leq j \leq n \end{array}$$

Nous supposons de plus que les valeurs propres λ_j de A vérifient :

$$|\lambda_1| > |\lambda_2| \geq |\lambda_3| \cdots \geq |\lambda_n|$$

Nous étions exactement dans cette situation à l'exemple 4.15 avec $n = 2$. En d'autres termes, la plus grande valeur propre (en valeur absolue) est strictement plus grande que les autres valeurs propres et est donc de multiplicité 1, c'est-à-dire une racine simple du polynôme caractéristique $p(\lambda)$.

Nous allons construire une suite de nombres réels ν_i et une suite de vecteurs $\vec{y}^i$ convergeant respectivement vers la plus grande valeur propre λ_1 de A et un vecteur propre associé $\vec{v}^1$.

Malgré leur simplicité, l'algorithme de la méthode des puissances et celui de la méthode des puissances inverses (voir la section 4.4.2) sont fréquemment utilisés en pratique.

Algorithme 4.17: Méthode des puissances

1. Étant donnés :
   — un critère d'arrêt ϵ_a ;
   — un nombre maximal d'itérations N ;
   — un vecteur $\vec{x}^0$, quelconque ;
   — un nombre réel ν_0.
2. Pour i allant de 1 jusqu'à N, effectuer :

   2.1. $\vec{x}^i = A\vec{x}^{i-1}$.

   2.2. $\vec{y}^i = \dfrac{\vec{x}^i}{||\vec{x}^i||_2}$.

   2.3. $\nu_i = \dfrac{A\vec{x}^i \cdot \vec{x}^i}{||\vec{x}^i||_2^2} = \dfrac{A\vec{x}^i \cdot \vec{x}^i}{\vec{x}^i \cdot \vec{x}^i} = A\vec{y}^i \cdot \vec{y}^i$.

   2.4. si $\dfrac{|\nu_i - \nu_{i-1}|}{|\nu_i|} \leq \epsilon_a$: convergence atteinte et arrêt.

   2.5. si $i = N$: nombre maximal d'itérations atteint et arrêt.

Remarque 4.18. On peut facilement réécrire l'algorithme précédent en s'assurant de n'effectuer qu'un seul produit matrice-vecteur à chaque itération. Tel que présenté, l'algorithme est cependant plus simple bien que moins efficace sur le plan numérique. ◄

Tâchons maintenant d'établir la convergence de cet algorithme. On commence par exprimer le vecteur de départ $\vec{x}^0$ suivant la base de vecteurs propres. On obtient ainsi :

$$\vec{x}^0 = \sum_{j=1}^{n} \alpha_j \vec{v}^j$$

On doit ici faire l'hypothèse que $\alpha_1 \neq 0$ ou encore que le vecteur $\vec{x}^0$ n'est pas orthogonal au premier vecteur propre $\vec{v}^1$. Si c'est le cas, on devra choisir un autre vecteur $\vec{x}^0$. On a ainsi :

$$\vec{x}^1 = A\vec{x}^0 = \sum_{j=1}^{n} \alpha_j A\vec{v}^j = \sum_{j=1}^{n} \alpha_j \lambda_j \vec{v}^j$$

et de même :

$$\vec{x}^2 = A\vec{x}^1 = A^2\vec{x}^0 = \sum_{j=1}^{n} \alpha_j \lambda_j A\vec{v}^j = \sum_{j=1}^{n} \alpha_j \lambda_j^2 \vec{v}^j$$

et par récurrence :

$$\vec{x}^i = A^i\vec{x}^0 = \sum_{j=1}^{n} \alpha_j A^i\vec{v}^j = \sum_{j=1}^{n} \alpha_j \lambda_j^i \vec{v}^j \tag{4.12}$$

En vertu de l'orthonormalité des vecteurs propres $\vec{v}^j$, on a d'une part :

$$||\vec{x}^i||_2^2 = \vec{x}^i \cdot \vec{x}^i = \sum_{j=1}^n \alpha_j^2 \lambda_j^{2i} \qquad (4.13)$$

et d'autre part :

$$A\vec{x}^i \cdot \vec{x}^i = \left(\sum_{j=1}^n \alpha_j \lambda_j^{i+1} \vec{v}^j\right) \cdot \left(\sum_{j=1}^n \alpha_j \lambda_j^i \vec{v}^j\right) = \sum_{j=1}^n \alpha_j^2 \lambda_j^{2i+1}$$

On en conclut que :

$$\nu_i = \frac{A\vec{x}^i \cdot \vec{x}^i}{\vec{x}^i \cdot \vec{x}^i} = \left(\frac{\displaystyle\sum_{j=1}^n \alpha_j^2 \lambda_j^{2i+1}}{\displaystyle\sum_{j=1}^n \alpha_j^2 \lambda_j^{2i}}\right) = \lambda_1 \left(\frac{\displaystyle\sum_{j=1}^n \alpha_j^2 \left(\frac{\lambda_j}{\lambda_1}\right)^{2i+1}}{\displaystyle\sum_{j=1}^n \alpha_j^2 \left(\frac{\lambda_j}{\lambda_1}\right)^{2i}}\right)$$

de sorte que, puisque $\frac{\lambda_j}{\lambda_1} < 1$, les limites lorsque i tend vers l'infini de $\left(\frac{\lambda_j}{\lambda_1}\right)^{2i}$ et de $\left(\frac{\lambda_j}{\lambda_1}\right)^{2i+1}$ tendent vers 0 pour $j \neq 1$. On a ainsi :

$$\lim_{i\to\infty} \nu_i = \lambda_1$$

la plus grande valeur propre recherchée.

Remarque 4.19. La convergence sera d'autant plus rapide que les coefficients $\frac{\lambda_j}{\lambda_1}$ seront petits. Le plus grand de ces coefficients est bien sûr $\frac{\lambda_2}{\lambda_1}$ et c'est pourquoi on a supposé que $\lambda_1 > \lambda_2$. Si ce n'est pas le cas, on peut perdre la convergence de l'algorithme. Ainsi, plus $\frac{\lambda_2}{\lambda_1}$ sera petit, plus la convergence sera rapide. ◄

En ce qui concerne le vecteur propre, nous allons montrer que :

$$\lim_{i\to\infty} \vec{y}^i \cdot \vec{v}^k = \lim_{i\to\infty} \left(\frac{\vec{x}^i}{||\vec{x}^i||_2}\right) \cdot \vec{v}^k = 0 \quad \forall k \neq 1$$

de sorte que, si i est assez grand, le vecteur $\frac{\vec{x}^i}{||\vec{x}^i||_2}$ est presque orthogonal à tous les vecteurs propres sauf le premier. En effet, en vertu des équations 4.12 et 4.13, on a que :

$$\left(\frac{\vec{x}^i}{||\vec{x}^i||_2}\right) \cdot \vec{v}^k = \left(\frac{\displaystyle\sum_{j=1}^n \alpha_j \lambda_j^i \vec{v}^j}{\left(\displaystyle\sum_{j=1}^n \alpha_j^2 \lambda_j^{2i}\right)^{\frac{1}{2}}}\right) \cdot \vec{v}^k = \frac{\alpha_k \lambda_k^i}{\left(\displaystyle\sum_{j=1}^n \alpha_j^2 \lambda_j^{2i}\right)^{\frac{1}{2}}} = \frac{\alpha_k \left(\frac{\lambda_k}{\lambda_1}\right)^i}{\left(\displaystyle\sum_{j=1}^n \alpha_j^2 \left(\frac{\lambda_j}{\lambda_1}\right)^{2i}\right)^{\frac{1}{2}}}$$

Le dernier terme de droite de cette expression tend visiblement vers 0 de sorte que, à la limite, le vecteur $\frac{\vec{x}^i}{||\vec{x}^i||_2}$ est orthogonal à tous les vecteurs propres $\vec{v}^k$ ($k \neq 1$) et de fait parallèle au vecteur propre $\vec{v}^1$.

Exemple 4.20. Soit la matrice symétrique :

$$A = \begin{bmatrix} 1 & -2 & 3 & 4 & 5 \\ -2 & 3 & -4 & 5 & 6 \\ 3 & -4 & 5 & 6 & 7 \\ 4 & 5 & 6 & 7 & -8 \\ 5 & 6 & 7 & -8 & 9 \end{bmatrix}$$

dont les valeurs propres sont, par module décroissant :

$$\begin{bmatrix} 17{,}094\,2757 \\ 14{,}012\,4959 \\ -13{,}254\,2004 \\ 7{,}770\,0815 \\ -0{,}622\,6527 \end{bmatrix}$$

La méthode des puissances a produit la valeur $\lambda_1 = 17{,}094\,2757$ en une cinquantaine d'itérations ainsi que le vecteur propre unitaire correspondant :

$$\vec{v}^1 = \begin{bmatrix} 0{,}238\,9639 \\ 0{,}115\,6162 \\ 0{,}358\,5003 \\ -0{,}302\,4959 \\ 0{,}842\,3198 \end{bmatrix}$$

On vérifie ensuite facilement que $||A\vec{v}^1 - \lambda_1 \vec{v}^1||_2$ se situe autour de 10^{-6}. La convergence relativement lente de l'algorithme vient du fait que $\frac{\lambda_2}{\lambda_1} \simeq 0{,}82$, ce qui est assez élevé, mais tout de même inférieur à 1. ♦

4.4.2 Méthode des puissances inverses

On peut appliquer la méthode des puissances à la matrice A^{-1} et obtenir la plus grande valeur propre de cette matrice qui n'est rien d'autre que $\frac{1}{\lambda_n}$ où λ_n est la plus petite valeur propre de A (voir la proposition 4.16). Il suffit de modifier très légèrement l'algorithme de la méthode des puissances. À l'étape 4-a de l'algorithme, il est bien entendu hors de question d'effectuer $\vec{x}^i = A^{-1}\vec{x}^{i-1}$ ce qui nécessiterait le calcul de la matrice inverse. Cette étape est tout simplement remplacée par la résolution du système linéaire $A\vec{x}^i = \vec{x}^{i-1}$.

En modifiant très légèrement l'algorithme de la méthode des puissances, on obtient celui de la méthode des puissances inverses, qui, sous les hypothèses appropriées, converge vers la plus grande valeur propre de A^{-1} soit $\frac{1}{\lambda_n}$. Dans l'algorithme qui suit, nous nous sommes assurés de ne résoudre qu'un seul système linéaire par itération.

Algorithme 4.21: Méthode des puissances inverses

1. Étant donnés :
   — un critère d'arrêt ϵ_a ;
   — un nombre maximal d'itérations N ;
   — un vecteur $\vec{x}^0$ quelconque ;
   — un nombre réel ν_0.

2. Pour i allant de 1 jusqu'à N, effectuer :

   2.1. $\vec{y}^i = \dfrac{\vec{x}^i}{||\vec{x}^i||_2}$.

   2.2. $\nu_i = \dfrac{\vec{x}^i \cdot \vec{x}^{i-1}}{||\vec{x}^{i-1}||_2^2}$.

   2.3. résoudre $A\vec{x}^{i+1} = \vec{x}^i$

   2.4. si $\dfrac{|\nu_i - \nu_{i-1}|}{|\nu_i|} \leq \epsilon_a$: convergence atteinte et arrêt.

   2.5. si $i = N$: nombre maximal d'itérations atteint et arrêt.

Exemple 4.22. En reprenant la matrice de l'exemple 4.20, l'algorithme des puissances inverses donne la valeur $-1{,}606\,0316$ après 6 itérations. Notons que la plus petite valeur propre de A est $-0{,}622\,652$ et que :

$$\frac{1}{-1{,}606\,0316} = -0{,}622\,652$$

Contrairement à ce que l'on avait observé pour la méthode des puissances, la méthode des puissances inverses dans cet exemple converge très rapidement. On explique ce phénomène par le fait que la convergence est liée au rapport des 2 plus grandes valeurs propres de A^{-1} qui est en fait le rapport $\frac{\lambda_n}{\lambda_{n-1}}$ des 2 plus petites valeurs propres de A. Dans cet exemple, ce rapport est d'environ $0{,}08$, ce qui est très petit et assure une convergence rapide. $\blacklozenge$

4.5 Méthodes des points fixes en dimension quelconque

Il est facile d'imaginer ce que peut être un point fixe dans le cas de plusieurs variables. Il s'agit simplement d'une solution de :

$$\vec{x} = \vec{g}(\vec{x}) \tag{4.14}$$

ou encore de :

$$\begin{cases} x_1 &= g_1(x_1, x_2, x_3, \cdots, x_n) \\ x_2 &= g_2(x_1, x_2, x_3, \cdots, x_n) \\ x_3 &= g_3(x_1, x_2, x_3, \cdots, x_n) \\ \vdots & \qquad\qquad \vdots \\ x_n &= g_n(x_1, x_2, x_3, \cdots, x_n) \end{cases} \tag{4.15}$$

Définition 4.23: Point fixe d'un système

Tout vecteur $\vec{r}$ solution du système 4.14 ou 4.15 est appelé point fixe de l'application $\vec{g}(\vec{x})$.

Remarque 4.24. Nous ne faisons pas la distinction entre le point $(x_1, x_2, \cdots, x_n)$ et le vecteur $\vec{x} = \begin{bmatrix} x_1 & x_2 & \cdots & x_n \end{bmatrix}^T$. Les deux notations sont utilisées indifféremment dans cette section. ◄

L'algorithme de base des méthodes des points fixes en dimension n reste le même qu'au chapitre 2 :

$$\begin{cases} \vec{x}^0 & \text{donné} \\ \vec{x}^{i+1} & = & \vec{g}(\vec{x}^i) \end{cases} \tag{4.16}$$

où $\vec{x}^i = \begin{bmatrix} x_1^i & x_2^i & x_3^i & \cdots & x_n^i \end{bmatrix}^T$. Bien que présentant des similitudes avec le cas unidimensionnel, l'analyse de convergence des méthodes des points fixes en dimension n est cependant beaucoup plus délicate. Nous préférons donc procéder par analogie avec le cas unidimensionnel. Nous avons vu que la convergence vers une racine r de l'algorithme des points fixes est assujettie à la condition $|g'(r)| < 1$. Il faut donc trouver l'expression analogue de cette condition en dimension n. Nous verrons que les valeurs propres de la matrice jacobienne de $\vec{g}(\vec{x})$ sont à la base de la convergence de l'algorithme 4.16.

Considérons dans un premier temps un cas particulier de l'équation 4.14 de la forme :

$$\vec{x} = A\vec{x} \qquad (\text{c'est-à-dire} \quad \vec{g}(\vec{x}) = A\vec{x})$$

où A est une matrice quelconque de dimension n sur n. On note que $\vec{0}$ est toujours un point fixe et que l'algorithme des points fixes 4.16 prend la forme :

$$\vec{x}^{i+1} = A\vec{x}^i = A(A\vec{x}^{i-1}) = \cdots = A^{i+1}\vec{x}^0 \tag{4.17}$$

Il y aura convergence vers $\vec{0}$ de la méthode des points fixes si la suite $A^i\vec{x}^0$ tend vers $\vec{0}$ lorsque i tend vers l'infini. Il reste donc à établir sous quelles conditions cela se produit. Pour ce faire, il nous faut introduire deux autres définitions.

Définition 4.25: Rayon spectral

Le rayon spectral d'une matrice A est défini par :

$$\rho(A) = \max_{1 \leq i \leq n} |\lambda_i| \tag{4.18}$$

où $|\lambda_i|$ est le module complexe de la valeur propre λ_i de A.

Remarque 4.26. Le calcul du rayon spectral requiert le calcul de la plus grande valeur propre en module. Certaines techniques comme la méthode des puissances de la section 4.4.1 permettent de déterminer le rayon spectral, mais ce n'est pas un problème facile surtout dans le cas des matrices de grande taille. ◄

Définition 4.27: Matrice convergente

Une matrice A est dite convergente si :

$$\lim_{n \to \infty} A^n = 0 \tag{4.19}$$

Suivant cette définition, il est clair que l'algorithme des points fixes 4.17 convergera vers le vecteur $\vec{0}$ si la matrice A est convergente. Le théorème suivant fournit des conditions équivalentes et permet de déterminer si une matrice est convergente. Le lecteur intéressé trouvera la démonstration complète de ce résultat dans Varga (réf. [46]).

Théorème 4.28: Caractérisation d'une matrice convergente

Les quatre assertions suivantes sont équivalentes.

1. La matrice A est convergente.

2. Pour toute norme matricielle :

$$\lim_{n \to \infty} ||A^n|| = 0 \tag{4.20}$$

3. Pour tout vecteur $\vec{x}$:

$$\lim_{n \to \infty} A^n \vec{x} = 0 \tag{4.21}$$

4. Le rayon spectral de A est strictement inférieur à 1 ($\rho(A) < 1$).

Il est assez facile de se convaincre de l'équivalence des 3 premiers énoncés. La partie la plus exigeante de la démonstration consiste à montrer que la matrice est convergente lorsque le rayon spectral est inférieur à 1.

En pratique, la convergence étant liée au rayon spectral de la matrice, il n'est pas toujours facile de déterminer si une matrice est convergence.

Remarque 4.29. Le théorème précédent permet d'affirmer que $\vec{0}$ est un point fixe attractif de l'algorithme 4.17 si et seulement si le rayon spectral de la matrice A est inférieur à 1. Dans ce cas particulier, l'algorithme convergera quel que soit le vecteur initial $\vec{x}^0$ choisi, en vertu des relations 4.17 et 4.21. ◄

Une propriété importante des matrices dont le rayon spectral est inférieur à 1 provient du résultat suivant qui généralise, pour les matrices, l'égalité classique :

$$\frac{1}{1-r} = \sum_{i=0}^{\infty} r^n$$

qui est vraie seulement si $|r| \leq 1$.

Proposition 4.30

Si A est une matrice telle que $(\rho(A) < 1)$, alors la matrice $(I - A)$ est inversible et :

$$(I - A)^{-1} = I + A + A^2 + A^3 + \cdots + A^n + \cdots = \sum_{i=0}^{\infty} A^i \qquad (4.22)$$

Démonstration. Si la matrice $I - A$ est singulière, alors 0 est une de ses valeurs propres. Il existe alors un vecteur non nul $\vec{x}$ tel que $(I - A)x = \vec{0}$ ou encore $A\vec{x} = \vec{x}$. Mais ceci nous indique que 1 est une valeur propre de A, ce qui contredit l'hypothèse que $\rho(A) < 1$. La matrice $(I - A)$ est donc inversible et $(I - A)^{-1}$ existe.

Notons maintenant que :

$$(I - A)(I + A + A^2 + \cdots + A^n) = I - A^{n+1}$$

ou encore en multipliant de chaque côté par l'inverse :

$$(I + A + A^2 + \cdots + A^n) = (I - A)^{-1}(I - A^{n+1})$$

En passant à la limite de chaque côté et en rappelant que puisque A est convergente, $\lim_{n \to \infty} A^{n+1} = 0$, on a le résultat. ∎

Exemple 4.31. Soit la matrice :

$$A = \begin{bmatrix} \frac{1}{2} & 0 \\ \frac{1}{3} & \frac{1}{4} \end{bmatrix}$$

dont les valeurs propres sont tout simplement $\lambda_1 = \frac{1}{2}$ et $\lambda_2 = \frac{1}{4}$. Un simple calcul permet de s'assurer que :

$$A^2 = \begin{bmatrix} \frac{1}{4} & 0 \\ \frac{1}{4} & \frac{1}{16} \end{bmatrix} \quad \cdots \quad A^{10} = \begin{bmatrix} 0{,}976\,56 \times 10^{-3} & 0{,}0 \\ 0{,}130\,08 \times 10^{-2} & 0{,}953\,67 \times 10^{-6} \end{bmatrix}$$

et que :

$$A^{50} = \begin{bmatrix} 0{,}888\,18 \times 10^{-15} & 0{,}0 \\ 0{,}118\,42 \times 10^{-14} & 0{,}788\,886 \times 10^{-30} \end{bmatrix}$$

On constate que chaque coefficient de la matrice A^n tend vers 0. Enfin, on s'assure facilement que :

$$(I - A)^{-1} = \begin{bmatrix} \frac{1}{2} & 0 \\ -\frac{1}{3} & \frac{3}{4} \end{bmatrix}^{-1} = \begin{bmatrix} 2 & 0 \\ \frac{8}{9} & \frac{4}{3} \end{bmatrix}$$

et que par exemple :

$$(I - A)^{-1} - \sum_{i=0}^{20} A^i = \begin{bmatrix} 9{,}536 \times 10^{-7} & 0 \\ 1{,}271 \times 10^{-6} & 3{,}030 \times 10^{-13} \end{bmatrix}$$

ainsi que :

$$(I - A)^{-1} - \sum_{i=0}^{40} A^i = \begin{bmatrix} 9{,}094 \times 10^{-13} & 0 \\ 1{,}212 \times 10^{-12} & 0 \end{bmatrix}$$

ce qui nous permet de constater, pour cet exemple, la convergence de la série 4.22. ♦

Nous avons maintenant en main les outils nécessaires pour aborder le cas général de l'algorithme 4.16. L'exercice consiste à déterminer sous quelles conditions un point fixe noté $\vec{r}$ d'un système de dimension n est attractif. On sait qu'en dimension 1 la convergence vers le point fixe r est liée à $g'(r)$, dont le rôle en dimension n est joué par la matrice jacobienne :

$$J(\vec{r}) = \begin{bmatrix} \dfrac{\partial g_1}{\partial x_1}(\vec{r}) & \dfrac{\partial g_1}{\partial x_2}(\vec{r}) & \cdots & \dfrac{\partial g_1}{\partial x_n}(\vec{r}) \\[2mm] \dfrac{\partial g_2}{\partial x_1}(\vec{r}) & \dfrac{\partial g_2}{\partial x_2}(\vec{r}) & \cdots & \dfrac{\partial g_2}{\partial x_n}(\vec{r}) \\[2mm] \vdots & \vdots & \ddots & \\[2mm] \dfrac{\partial g_n}{\partial x_1}(\vec{r}) & \dfrac{\partial g_n}{\partial x_2}(\vec{r}) & \cdots & \dfrac{\partial g_n}{\partial x_n}(\vec{r}) \end{bmatrix}$$

L'équivalent multidimensionnel de la condition $|g'(r)| < 1$ est tout simplement $\rho(J(\vec{r})) < 1$. Le théorème suivant, démontré dans Burden et Faires (réf. [6]), résume la situation.

Théorème 4.32: Point fixe attractif

Soit $\vec{r}$, un point fixe de l'application $\vec{x} = \vec{g}(\vec{x})$, alors $\vec{r}$ est attractif si le rayon spectral de la matrice jacobienne de $\vec{g}(\vec{x})$ (noté $\rho(J(\vec{r}))$) est inférieur à 1 ; il est répulsif si $\rho(J(\vec{r})) > 1$. Le cas où $\rho(J(\vec{r})) = 1$ est indéterminé.

Remarque 4.33. Ce théorème est une généralisation du cas unidimensionnel, auquel cas la matrice jacobienne se réduit à la matrice 1×1, dont le seul coefficient est $g'(r)$. L'unique valeur propre est bien sûr $g'(r)$, de telle sorte que le rayon spectral est $|g'(r)|$. Ce dernier doit être inférieur à 1 pour que le point fixe r soit attractif. ◄

Remarque 4.34. Dans le cas général comme dans le cas unidimensionnel, le fait que le point fixe $\vec{r}$ soit attractif ne garantit pas la convergence de l'algorithme 4.16. On doit toujours s'assurer que le vecteur initial $\vec{x}^0$ appartient au bassin d'attraction du point fixe. La tâche est d'autant plus difficile que le système est de grande dimension. ◄

Exemple 4.35. Il est facile de démontrer que l'application :

$$\begin{cases} x_1 & = & \sqrt{2 - x_2^2} \\ x_2 & = & \sqrt{x_1} \end{cases}$$

ne possède que le seul point fixe $\begin{bmatrix} 1 & 1 \end{bmatrix}^T$ (voir les exercices de fin de chapitre). La matrice jacobienne est dans ce cas :

$$J(x_1, x_2) = \begin{bmatrix} 0 & \frac{-x_2}{\sqrt{2 - x_2^2}} \\ \frac{1}{2\sqrt{x_1}} & 0 \end{bmatrix} \text{ et } J(1, 1) = \begin{bmatrix} 0 & -1 \\ \frac{1}{2} & 0 \end{bmatrix}$$

Le polynôme caractéristique est alors $p(\lambda) = \lambda^2 + \frac{1}{2}$ et les valeurs propres sont $\pm i\sqrt{\frac{1}{2}}$. Le point fixe $\begin{bmatrix} 1 & 1 \end{bmatrix}^T$ est attractif puisque le rayon spectral est $\sqrt{\frac{1}{2}}$ et est inférieur à 1. Si l'on retient le vecteur $\bar{x}^0 = \begin{bmatrix} 0 & 0 \end{bmatrix}^T$ comme solution initiale, on trouve les valeurs suivantes de l'algorithme 4.16.

Méthode des points fixes en dimension 2					
n	x_1^n	x_2^n	n	x_1^n	x_2^n
1	$0{,}141\,42 \times 10^1$	$0{,}000\,00 \times 10^0$	13	$0{,}100\,71 \times 10^1$	$0{,}992\,87 \times 10^0$
2	$0{,}141\,42 \times 10^1$	$0{,}118\,92 \times 10^1$	14	$0{,}100\,71 \times 10^1$	$0{,}100\,35 \times 10^1$
3	$0{,}765\,37 \times 10^0$	$0{,}118\,92 \times 10^1$	15	$0{,}996\,46 \times 10^0$	$0{,}100\,35 \times 10^1$
4	$0{,}765\,37 \times 10^0$	$0{,}874\,85 \times 10^0$	16	$0{,}996\,46 \times 10^0$	$0{,}998\,23 \times 10^0$
5	$0{,}111\,11 \times 10^1$	$0{,}874\,85 \times 10^0$	17	$0{,}100\,18 \times 10^1$	$0{,}998\,23 \times 10^0$
6	$0{,}111\,11 \times 10^1$	$0{,}105\,41 \times 10^1$	18	$0{,}100\,18 \times 10^1$	$0{,}100\,09 \times 10^1$
7	$0{,}942\,79 \times 10^0$	$0{,}105\,41 \times 10^1$	19	$0{,}999\,11 \times 10^0$	$0{,}100\,09 \times 10^1$
8	$0{,}942\,79 \times 10^0$	$0{,}970\,98 \times 10^0$	20	$0{,}999\,11 \times 10^0$	$0{,}999\,56 \times 10^0$
9	$0{,}102\,82 \times 10^1$	$0{,}970\,98 \times 10^0$	21	$0{,}100\,04 \times 10^1$	$0{,}999\,56 \times 10^0$
10	$0{,}102\,82 \times 10^1$	$0{,}101\,40 \times 10^1$	22	$0{,}100\,04 \times 10^1$	$0{,}100\,02 \times 10^1$
11	$0{,}985\,80 \times 10^0$	$0{,}101\,40 \times 10^1$	23	$0{,}999\,78 \times 10^0$	$0{,}100\,02 \times 10^1$
12	$0{,}985\,80 \times 10^0$	$0{,}992\,87 \times 10^0$	24	$0{,}999\,78 \times 10^0$	$0{,}999\,89 \times 10^0$

On constate une convergence relativement lente vers le point fixe $\begin{bmatrix} 1 & 1 \end{bmatrix}^T$.
♦

Attracteur d'Hénon

Considérons un cas bien particulier d'application non linéaire :

$$\begin{cases} g_1(x_1, x_2) & = & 1 - ax_1^2 + x_2 \\ g_2(x_1, x_2) & = & bx_1 \end{cases} \quad (4.23)$$

où les paramètres a et b sont précisés plus loin. L'algorithme des points fixes en dimension 2 devient dans ce cas :

$$\begin{cases} \text{Étant donné } (x_1^0, x_2^0) \\ \\ x_1^{n+1} & = & 1 - a(x_1^n)^2 + x_2^n \\ x_2^{n+1} & = & bx_1^n \end{cases} \quad (4.24)$$

Déterminons en premier lieu les points fixes de cette application. Il suffit de résoudre :

$$\begin{aligned} x_1 &= 1 - ax_1^2 + x_2 \\ x_2 &= bx_1 \end{aligned}$$

En substituant bx_1 à x_2 dans la première équation, on conclut que cette application possède deux points fixes :

$$\vec{r}_1 = \begin{pmatrix} \dfrac{b - 1 + \sqrt{(1-b)^2 + 4a}}{2a} \\ \dfrac{b(b - 1 + \sqrt{(1-b)^2 + 4a})}{2a} \end{pmatrix} \text{ et } \vec{r}_2 = \begin{pmatrix} \dfrac{b - 1 - \sqrt{(1-b)^2 + 4a}}{2a} \\ \dfrac{b(b - 1 - \sqrt{(1-b)^2 + 4a})}{2a} \end{pmatrix}$$

La matrice jacobienne de $\vec{g}(\vec{x})$ est :

$$J(x_1, x_2) = \begin{bmatrix} -2ax_1 & 1 \\ b & 0 \end{bmatrix}$$

dont les valeurs propres sont $\lambda = -ax_1 \pm \sqrt{a^2x_1^2 + b}$. Il est alors possible de démontrer (voir Gulick, réf. [26]) que $\vec{r}_1$ est attractif pour des valeurs de a et b satisfaisant la condition :

$$-\frac{1}{4}(1 - b)^2 < a < \frac{3}{4}(1 - b)^2 \qquad (a \neq 0)$$

alors que le point fixe $\vec{r}_2$ est répulsif.

   Ce qui suit ressemble beaucoup à ce que nous avons vu au sujet de l'application quadratique. Si l'on fixe $b = 0{,}3$ et si l'on fait varier le paramètre a, $\vec{r}_1$ est donc attractif pour les valeurs de a dans l'intervalle $]-0{,}1225\ ,\ 0{,}3675[$. Par exemple, pour $a = 0{,}1$, le point fixe prend la valeur approximative $\vec{r}_1 = [\ 1{,}211\,699 \quad 0{,}365\,097\ ]^T$. À partir de $\vec{x}^0 = [\ 1 \quad 1\ ]^T$, l'algorithme des points fixes 4.16 a donné les résultats de la figure 4.5a). On note la convergence vers le point fixe $\vec{r}_1 = [\ 1{,}211\,699 \quad 0{,}365\,097\ ]^T$. Cette figure est le produit des 9000 dernières itérations effectuées sur un total de 10 000 itérations. Le seul point visible est en fait constitué de 9000 points superposés. En passant à $a = 0{,}5$ (fig. 4.5b)), on remarque la convergence vers une orbite 2-périodique attractive.

   Si l'on continue d'accroître progressivement la valeur de a, le comportement observé pour l'application quadratique se répète et l'on passe successivement à des orbites attractives de période 4, 8, 16, 32, etc. Selon Derrida, Gervois et Pomeau (réf. [15]), les valeurs précises de a où se produisent les doublements

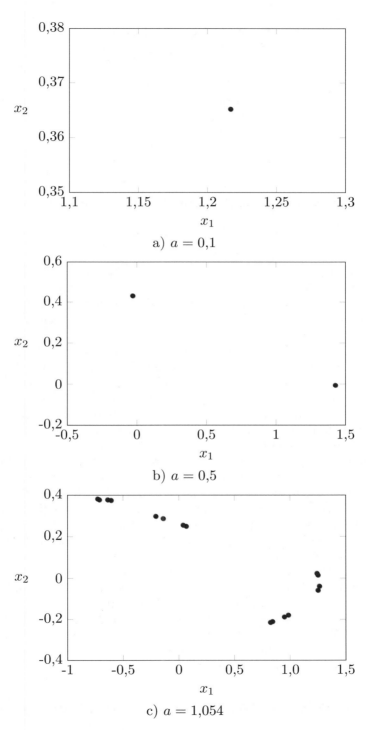

a) $a = 0{,}1$

b) $a = 0{,}5$

c) $a = 1{,}054$

Figure 4.5 – Attracteur d'Hénon

de période sont les suivantes.

Doublements de période	
a	Période
$-0{,}1225$	1
$0{,}3675$	2
$0{,}9125$	4
$1{,}0260$	8
$1{,}0510$	16
$1{,}0565$	32
$\vdots$	$\vdots$

La figure 4.5c) illustre l'attracteur de période 16. Il est intéressant de constater que :

$$\frac{a_5 - a_4}{a_6 - a_5} = \frac{1{,}0510 - 1{,}0260}{1{,}0565 - 1{,}0510} = 4{,}5454$$

ce qui est une bonne approximation de la constante universelle de Feigenbaum (voir l'équation 4.5). Si l'on se donnait la peine de localiser précisément les valeurs de a où apparaissent les attracteurs de période 64, 128, 256, etc., on verrait ressortir la loi universelle 4.5. La cascade de doublements de période s'arrête autour de $a = 1{,}058\,0459$.

Si l'on continue à augmenter la valeur de a, on observe un comportement général de plus en plus complexe. Par exemple, pour $a = 1{,}4$, les itérations convergent vers l'*attracteur d'Hénon*, présenté à la figure 4.6a), et ce, quel que soit le point de départ de l'algorithme. Ce qui est plus intéressant encore, c'est que les itérés (x_1^n, x_2^n) de l'algorithme des points fixes 4.24 parcourent cet attracteur de façon apparemment aléatoire, sans jamais s'en éloigner. On parle alors d'un *attracteur étrange*.

La complexité géométrique d'un tel attracteur est révélée par les agrandissements successifs de certaines parties (à l'intérieur des rectangles) de l'attracteur d'Hénon. Ce qui semblait être un trait gras à la figure 4.6a) devient, si l'on regarde de plus près, une série de 6 courbes à la figure 4.6b). Enfin, si l'on agrandit une section de ce qui semble être 3 courbes à la figure 4.6b), on voit poindre 6 autres courbes à la figure 4.6c). Ce phénomène peut théoriquement se reproduire à l'infini. Toutefois, pour le vérifier, il faudrait calculer beaucoup plus que les 100 000 points illustrés aux figures présentées.

L'attracteur d'Hénon est en fait un objet de *dimension fractionnaire* ou *fractale*. En effet, la dimension (terme qu'il faudrait préciser) de cet ensemble est supérieure à 1, mais strictement inférieure à 2. Les figures précédentes montrent que l'attracteur d'Hénon est plus qu'une courbe (de dimension 1), sans toutefois être une surface (qui serait de dimension 2). On retrouve une situation analogue à la frontière de l'ensemble de Mandelbrot.

4.6 Méthodes itératives pour les systèmes linéaires

La résolution numérique des grands systèmes linéaires peut parfois nécessiter l'emploi de méthodes autres que la décomposition LU. La raison principale est que la décomposition LU requiert la mise en mémoire d'une matrice de très

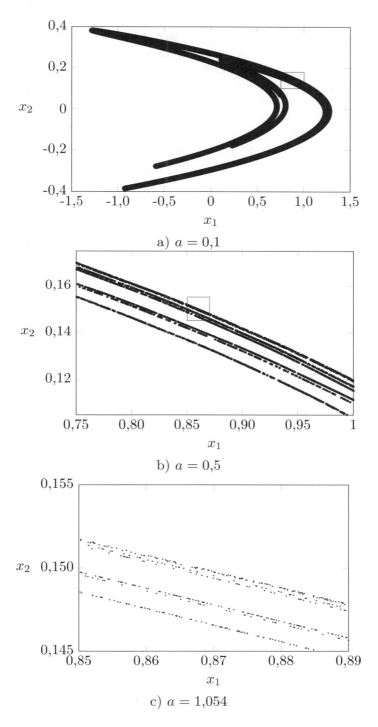

Figure 4.6 – Agrandissements successifs de l'attracteur d'Hénon ($a = 1{,}4$)

grande taille, avec peu de possibilités de comprimer toute cette information. Les méthodes itératives, en revanche, permettent de ne placer en mémoire que les coefficients non nuls d'une matrice de grande taille. Cela est particulièrement important avec les *matrices creuses*, dont une grande partie des coefficients sont nuls. La décomposition LU ne permet pas cette possibilité puisque le processus même de décomposition tend à remplir la matrice. En effet, la plupart des coefficients nuls d'une matrice creuse deviennent non nuls au terme de la décomposition.

Les méthodes itératives possèdent donc des avantages suffisamment importants pour justifier une recherche active dans ce domaine. Cependant, contrairement à la décomposition LU, le succès n'est pas assuré quelle que soit la matrice A pour laquelle on souhaite résoudre un système linéaire de la forme $A\vec{x} = \vec{b}$. La convergence des méthodes itératives n'est réalisée que dans certaines conditions que nous préciserons. Une grande prudence est donc de mise. De plus, les méthodes itératives, lorsqu'elles convergent, ne deviennent vraiment avantageuses que pour les systèmes linéaires de très grande taille.

4.6.1 Méthode de Jacobi

Considérons le système linéaire :

$$
\begin{array}{rcl}
a_{11}x_1 + a_{12}x_2 + a_{13}x_3 + \cdots + a_{1n}x_n & = & b_1 \\
a_{21}x_1 + a_{22}x_2 + a_{23}x_3 + \cdots + a_{2n}x_n & = & b_2 \\
a_{31}x_1 + a_{32}x_2 + a_{33}x_3 + \cdots + a_{3n}x_n & = & b_3 \\
\vdots & = & \vdots \\
a_{n1}x_1 + a_{n2}x_2 + a_{n3}x_3 + \cdots + a_{nn}x_n & = & b_n
\end{array}
$$

On suppose pour l'instant que tous les éléments de la diagonale sont non nuls (c'est-à-dire $a_{ii} \neq 0, \forall i$). Comme dans toute méthode itérative, nous partons d'une approximation initiale de la solution que nous noterons $[x_1^0 \ x_2^0 \cdots x_n^0]^T$. On considère ensuite l'algorithme :

$$
\begin{array}{rcl}
x_1^{k+1} & = & \dfrac{1}{a_{11}}\left(b_1 - \displaystyle\sum_{j=2}^{n} a_{1j}x_j^k\right) \\[3mm]
x_2^{k+1} & = & \dfrac{1}{a_{22}}\left(b_2 - \displaystyle\sum_{j=1, j\neq 2}^{n} a_{2j}x_j^k\right) \\[3mm]
x_3^{k+1} & = & \dfrac{1}{a_{33}}\left(b_3 - \displaystyle\sum_{j=1, j\neq 3}^{n} a_{3j}x_j^k\right) \\[3mm]
\vdots & & \vdots \\[2mm]
x_n^{k+1} & = & \dfrac{1}{a_{nn}}\left(b_n - \displaystyle\sum_{j=1}^{n-1} a_{nj}x_j^k\right)
\end{array}
\tag{4.25}
$$

qui consiste à isoler le coefficient de la diagonale de chaque ligne du système. C'est la *méthode de Jacobi*. Si l'un des coefficients diagonaux est nul, il est parfois possible de permuter certaines lignes pour éviter cette situation. Plus généralement, on écrit :

$$x_i^{k+1} = \frac{1}{a_{ii}} \left(b_i - \sum_{j=1, j \neq i}^{n} a_{ij} x_j^k \right)$$ (4.26)

Exemple 4.36. Soit le système :

$$
\begin{array}{rcrcrcr}
3x_1 & + & x_2 & - & x_3 & = & 2 \\
x_1 & + & 5x_2 & + & 2x_3 & = & 17 \\
2x_1 & - & x_2 & - & 6x_3 & = & -18
\end{array}
$$

La méthode de Jacobi s'écrit dans ce cas :

$$
\begin{aligned}
x_1^{k+1} &= \frac{1}{3} \left(2 - x_2^k + x_3^k \right) \\
x_2^{k+1} &= \frac{1}{5} \left(17 - x_1^k - 2x_3^k \right) \\
x_3^{k+1} &= -\frac{1}{6} \left(-18 - 2x_1^k + x_2^k \right)
\end{aligned}
$$

À partir de $\begin{bmatrix} 0 & 0 & 0 \end{bmatrix}^T$, on trouve d'abord :

$$
\begin{aligned}
x_1^1 &= \frac{1}{3} \left(2 - 0 + 0 \right) &= \frac{2}{3} \\
x_2^1 &= \frac{1}{5} \left(17 - 0 - 0 \right) &= \frac{17}{5} \\
x_3^1 &= -\frac{1}{6} \left(-18 - 0 + 0 \right) &= 3
\end{aligned}
$$

La deuxième itération donne :

$$
\begin{aligned}
x_1^1 &= \frac{1}{3} \left(2 - \frac{17}{5} + 3 \right) &= \frac{8}{15} \\
x_2^1 &= \frac{1}{5} \left(17 - \frac{2}{3} - 2(3) \right) &= \frac{31}{15} \\
x_3^1 &= -\frac{1}{6} \left(-18 - 2\left(\frac{2}{3}\right) + \frac{17}{5} \right) &= 2{,}655\,556
\end{aligned}
$$

On finit par remplir le tableau suivant.

Méthode de Jacobi			
k	x_1^k	x_2^k	x_3^k
0	0,000 000	0,000 000	0,000 000
1	0,666 667	3,400 000	3,000 000
2	0,533 333	2,066 667	2,655 556
3	0,862 963	2,231 111	2,833 333
4	0,867 407	2,094 074	2,915 802
5	0,940 576	2,060 198	2,940 123
6	0,959 975	2,035 835	2,970 159
7	0,978 108	2,019 941	2,980 686
8	0,986 915	2,012 104	2,989 379
9	0,992 425	2,006 865	2,993 621
10	0,995 585	2,004 067	2,996 331

Les valeurs convergent vers la solution $\begin{bmatrix} 1 & 2 & 3 \end{bmatrix}^T$. La convergence est cependant assez lente. ◆

Exemple 4.37. La méthode de Jacobi ne peut pas s'appliquer immédiatement au système :

$$
\begin{array}{rcrcrcr}
0x_1 & + & 3x_2 & + & x_3 & = & 7 \\
5x_1 & + & x_2 & - & 2x_3 & = & 15 \\
3x_1 & - & 4x_2 & + & 8x_3 & = & 9
\end{array}
$$

puisque l'un des coefficients diagonaux est nul ($a_{11} = 0$). On remédie à cette situation en faisant par exemple pivoter les deux premières lignes. On doit donc résoudre le système :

$$
\begin{array}{rcrcrcr}
5x_1 & + & x_2 & - & 2x_3 & = & 15 \\
0x_1 & + & 3x_2 & + & x_3 & = & 7 \\
3x_1 & - & 4x_2 & + & 8x_3 & = & 9
\end{array}
$$

pour lequel la méthode de Jacobi donne l'algorithme :

$$
\begin{aligned}
x_1^{k+1} &= \frac{1}{5}\left(15 - x_2^k + 2x_3^k\right) \\
x_2^{k+1} &= \frac{1}{3}\left(7 - x_3^k\right) \\
x_3^{k+1} &= \frac{1}{8}\left(9 - 3x_1^k + 4x_2^k\right)
\end{aligned}
$$

On obtient ainsi, en partant de la solution initiale $\begin{bmatrix} 0 & 0 & 0 \end{bmatrix}^T$, les itérations suivantes.

Méthode de Jacobi						
k	x_1^k	x_2^k	x_3^k	k	x_1^k	x_2^k	x_3^k
0	0,000 000	0,000 000	0,000 000	8	3,001 706	1,999 582	0,994 268
1	3,000 000	2,333 333	1,125 000	9	2,997 791	2,001 911	0,999 151
2	2,983 333	1,958 333	1,166 667	10	2,999 278	2,000 283	1,001 784
3	3,075 000	1,944 444	0,985 417	11	3,000 657	1,999 405	1,000 412
4	3,005 278	2,004 861	0,944 097	12	3,000 284	1,999 863	0,999 456
5	2,976 667	2,018 634	1,000 451	13	2,999 810	2,000 181	0,999 825
6	2,996 454	1,999 850	1,018 067	14	2,999 894	2,000 058	1,000 162
7	3,007 257	1,993 978	1,001 255	15	3,000 053	1,999 946	1,000 069

Il y a donc convergence vers $\begin{bmatrix} 3 & 2 & 1 \end{bmatrix}^T$. ◆

Il est facile de montrer que la méthode de Jacobi peut s'écrire sous forme matricielle. Cette forme matricielle servira uniquement pour l'analyse de convergence de la méthode. Pour obtenir cette représentation matricielle, on doit d'abord effectuer une décomposition de la matrice A sous la forme :

$$
A = D + T_I + T_S \tag{4.27}
$$

où :

$$D = \begin{bmatrix} a_{11} & 0 & 0 & \cdots & 0 \\ 0 & a_{22} & 0 & \cdots & 0 \\ 0 & 0 & a_{33} & \cdots & 0 \\ \vdots & \vdots & \vdots & \ddots & \vdots \\ 0 & 0 & 0 & \cdots & a_{nn} \end{bmatrix}$$

$$T_I = \begin{bmatrix} 0 & 0 & 0 & \cdots & 0 \\ a_{21} & 0 & 0 & \cdots & 0 \\ a_{31} & a_{32} & 0 & \cdots & 0 \\ \vdots & \vdots & \vdots & \ddots & \vdots \\ a_{n1} & a_{n2} & a_{n3} & \cdots & 0 \end{bmatrix} \quad T_S = \begin{bmatrix} 0 & a_{12} & a_{13} & \cdots & a_{1n} \\ 0 & 0 & a_{23} & \cdots & a_{2n} \\ 0 & 0 & 0 & \cdots & a_{3n} \\ \vdots & \vdots & \vdots & \ddots & \vdots \\ 0 & 0 & 0 & \cdots & 0 \end{bmatrix}$$

Ce procédé consiste donc à isoler de la matrice A la diagonale et les matrices triangulaires inférieures et supérieures. Le système linéaire $A\vec{x} = \vec{b}$ devient :

$$(D + T_I + T_S)\vec{x} = \vec{b}$$

ou encore :

$$D\vec{x} = -(T_I + T_S)\vec{x} + \vec{b}$$

et enfin :

$$\vec{x} = -D^{-1}(T_I + T_S)\vec{x} + D^{-1}\vec{b} = T_J\vec{x} + \vec{c}_J$$

où l'on a posé $T_J = -D^{-1}(T_I + T_S)$ et $\vec{c}_J = D^{-1}\vec{b}$. Il est alors clair que l'algorithme 4.26 peut aussi s'écrire :

$$\vec{x}^{k+1} = T_J\vec{x}^k + \vec{c}_J$$

et que la méthode de Jacobi n'est rien d'autre qu'un cas particulier de méthodes des points fixes en dimension n et de l'équation 4.14. Il suffit en effet de choisir :

$$\vec{g}(\vec{x}) = T_J\vec{x} + \vec{c}_J$$

Comme nous l'avons vu, la convergence des méthodes des points fixes en dimension n dépend du rayon spectral de la matrice jacobienne associée à $\vec{g}(\vec{x})$, qui est simplement (voir les exercices de fin de chapitre) :

$$J = T_J = -(D^{-1}(T_I + T_S))$$

La méthode de Jacobi convergera donc si le rayon spectral de T_J ($\rho(T_J)$) est inférieur à 1. Comme nous l'avons déjà mentionné, le calcul du rayon spectral d'une matrice est un problème difficile, surtout si la matrice est de grande taille. Il existe cependant un type de matrices qui vérifie automatiquement la condition de convergence de la méthode de Jacobi. C'est le cas des matrices à diagonale strictement dominante introduites au chapitre 3. Pour le démontrer, un résultat intermédiaire est nécessaire.

> **Lemme 4.38**
>
> Le rayon spectral d'une matrice A vérifie :
>
> $$\rho(A) \leq ||A|| \qquad (4.28)$$
>
> et ce, quelle que soit la norme matricielle (subordonnée à une norme vectorielle) utilisée.

Démonstration. Si λ est une valeur propre de la matrice A et $\vec{x}$ est un vecteur propre associé, on a :

$$A\vec{x} = \lambda\vec{x}$$

En prenant la norme de chaque côté (ce qui suppose l'utilisation d'une norme vectorielle compatible avec la norme matricielle utilisée), on obtient :

$$|\lambda| \, ||\vec{x}|| = ||A\vec{x}|| \leq ||A|| \, ||\vec{x}||$$

ce qui entraîne immédiatement que $|\lambda| \leq ||A||$. Ceci étant vrai quelle que soit la valeur propre choisie, le résultat est démontré. ∎

> **Proposition 4.39**
>
> Si A est une matrice à diagonale strictement dominante (voir la définition 3.47), la méthode de Jacobi est convergente.

Démonstration. Il suffit de montrer que $\rho(T_J) = \rho(-D^{-1}(T_I + T_S)) < 1$. Si l'on utilise les normes vectorielle et matricielle compatibles $|| \; ||_\infty$, il est clair que :

$$|| - D^{-1}(T_I + T_S)||_\infty = \max_i \left(\frac{1}{|a_{ii}|} \sum_{j=1, j\neq i}^{n} |a_{ij}| \right) < 1$$

et le lemme précédent confirme que le rayon spectral de la matrice est aussi inférieur à 1. ∎

Exemple 4.40. Il est facile de s'assurer que les matrices des exemples 4.36 et 4.36 (après permutation des lignes) sont à diagonale strictement dominante. Nous avons pu constater la convergence de la méthode de Jacobi dans ces deux cas, comme le prévoit la proposition précédente. Pour s'en convaincre davantage, on peut construire explicitement les matrices $-D^{-1}(T_I + T_S)$ de ces deux exemples et constater que leur norme $|| \; ||_\infty$ est inférieure à 1. ◆

4.6.2 Méthode de Gauss-Seidel

La méthode de Gauss-Seidel est une variante améliorée de la méthode de Jacobi. Pour bien en comprendre le principe, il suffit de reconsidérer la méthode de Jacobi et de voir comment on pourrait l'améliorer. On sait que, dans le cas général, la méthode de Jacobi s'écrit :

$$x_i^{k+1} = \frac{1}{a_{ii}} \left(b_i - \sum_{j=1, j \neq i}^{n-1} a_{ij} x_j^k \right)$$

qui peut aussi s'exprimer :

$$x_i^{k+1} = \frac{1}{a_{ii}} \left(b_i - \sum_{j=1}^{i-1} a_{ij} x_j^k - \sum_{j=i+1}^{n} a_{ij} x_j^k \right) \tag{4.29}$$

La méthode de Gauss-Seidel est fondée sur la simple constatation selon laquelle le calcul de x_2^{k+1} nécessite l'utilisation de $x_1^k, x_3^k, \cdots, x_n^k$ provenant de l'itération précédente. Or, à l'itération $k+1$, au moment du calcul de x_2^{k+1}, on possède déjà une meilleure approximation de x_1 que x_1^k, à savoir x_1^{k+1}. De même, au moment du calcul de x_3^{k+1}, on peut utiliser x_1^{k+1} et x_2^{k+1} qui ont déjà été calculés. Plus généralement, pour le calcul de x_i^{k+1}, on peut utiliser $x_1^{k+1}, x_2^{k+1}, \cdots, x_{i-1}^{k+1}$ déjà calculés et les $x_{i+1}^k, x_{i+2}^k, \cdots, x_n^k$ de l'itération précédente. Cela revient à écrire :

$$x_i^{k+1} = \frac{1}{a_{ii}} \left(b_i - \sum_{j=1}^{i-1} a_{ij} x_j^{k+1} - \sum_{j=i+1}^{n} a_{ij} x_j^k \right) \tag{4.30}$$

Suivant la notation introduite pour la méthode de Jacobi, la méthode de Gauss-Seidel s'écrit sous forme matricielle :

$$\vec{x}^{k+1} = D^{-1}(\vec{b} - T_I \vec{x}^{k+1} - T_S \vec{x}^k)$$

ou encore :

$$(T_I + D)\vec{x}^{k+1} = \vec{b} - T_S \vec{x}^k$$

et enfin :

$$\vec{x}^{k+1} = -(T_I + D)^{-1} T_S \vec{x}^k + (T_I + D)^{-1} \vec{b} = T_{GS} \vec{x}^k + \vec{c}_{GS}$$

Exemple 4.41. Soit le système linéaire :

$$\begin{array}{rcrcrcr} 3x_1 & + & x_2 & - & x_3 & = & 2 \\ x_1 & + & 5x_2 & + & 2x_3 & = & 17 \\ 2x_1 & - & x_2 & - & 6x_3 & = & -18 \end{array}$$

La méthode de Gauss-Seidel s'écrit dans ce cas :

$$x_1^{k+1} = \frac{1}{3} \left(2 - x_2^k + x_3^k \right)$$

$$x_2^{k+1} = \frac{1}{5} \left(17 - x_1^{k+1} - 2x_3^k \right)$$

$$x_3^{k+1} = -\frac{1}{6} \left(-18 - 2x_1^{k+1} + x_2^{k+1} \right)$$

Notons la différence des indices avec la méthode de Jacobi. Partant de $\begin{bmatrix} 0 & 0 & 0 \end{bmatrix}^T$, on trouve d'abord :

$$
\begin{aligned}
x_1^1 &= \frac{1}{3}\left(2 - 0 + 0\right) & &= \frac{2}{3} \\
x_2^1 &= \frac{1}{5}\left(17 - \frac{2}{3} - 0\right) & &= \frac{49}{15} \\
x_3^1 &= -\frac{1}{6}\left(-18 - 2\left(\frac{2}{3}\right) + \frac{49}{15}\right) & &= \frac{241}{90}
\end{aligned}
$$

tandis qu'à la deuxième itération on trouve :

$$
\begin{aligned}
x_1^1 &= \frac{1}{3}\left(2 - \frac{49}{15} + \frac{241}{90}\right) & &= 0{,}470\,3704 \\
x_2^1 &= \frac{1}{5}\left(17 - 0{,}470\,3704 - 2\left(\frac{241}{90}\right)\right) & &= 2{,}234\,815 \\
x_3^1 &= -\frac{1}{6}\left(-18 - 2(0{,}470\,3704) + 2{,}234\,815\right) & &= 2{,}784\,321
\end{aligned}
$$

ainsi que les itérations suivantes.

\multicolumn{7}{c}{**Méthode de Gauss-Seidel**}
k	x_1^k	x_2^k	x_3^k	k	x_1^k	x_2^k	x_3^k

k	x_1^k	x_2^k	x_3^k	k	x_1^k	x_2^k	x_3^k
1	0,666 6667	3,266 667	2,677 778	6	0,991 4991	2,005 729	2,996 212
2	0,470 3704	2,234 815	2,784 321	7	0,996 8277	2,002 150	2,998 584
3	0,849 8354	2,116 305	2,930 561	8	0,998 8115	2,000 804	2,999 470
4	0,938 0855	2,040 158	2,972 669	9	0,999 5553	2,000 301	2,999 802
5	0,977 5034	2,015 432	2,989 929	10	0,999 8335	2,000 113	2,999 926

On constate que, pour un même nombre d'itérations, la solution approximative obtenue par la méthode de Gauss-Seidel est plus précise. La méthode de Gauss-Seidel converge généralement plus vite que la méthode de Jacobi, mais pas toujours. ♦

Remarque 4.42. Les méthodes itératives utilisées pour résoudre un système linéaire de la forme :

$$A\vec{x} = \vec{b}$$

s'écrivent souvent sous la forme :

$$\vec{x}^{k+1} = T\vec{x}^k + \vec{c}$$

où la matrice T et le vecteur $\vec{c}$ dépendent de la méthode en cause. Les méthodes de Jacobi et de Gauss-Seidel ne sont que deux cas particuliers. La convergence de la méthode retenue n'est possible que si $\rho(T) < 1$. *Cette condition porte sur la matrice T et non sur la matrice A.* La convergence de la méthode est d'autant plus rapide que le rayon spectral de T est petit. En effet, on peut démontrer que :

$$||\vec{x}^{k+1} - \vec{x}|| \simeq (\rho(T))^{k+1}||\vec{x}^0 - \vec{x}||$$

Cette expression s'apparente à celle du taux de convergence $g'(r)$ dans le cas unidimensionnel. ◄

Nous terminons cette section par un résultat que nous ne démontrons pas, mais qui assure la convergence de la méthode de Gauss-Seidel dans le cas de matrices à diagonale strictement dominante.

Proposition 4.43

Si la matrice A est à diagonale strictement dominante, le rayon spectral de T_{GS} est inférieur à 1 et la méthode de Gauss-Seidel converge, et ce, quelle que soit la solution initiale $\vec{x}^0$.

Démonstration. Voir Burden et Faires [6]. ■

Les matrices à diagonale strictement dominante sont fréquentes dans les applications. Malheureusement, on rencontre également en pratique beaucoup de matrices qui ne vérifient pas cette propriété.

Le développement de méthodes itératives s'appliquant à de vastes gammes de matrices est un sujet de recherche encore très actif de nos jours. On trouvera dans Saad [39] un aperçu de l'état de l'art dans ce domaine.

Exercices

4.1 Montrer que tout point fixe de $g(x)$ est un point fixe de $g(g(x))$. L'inverse est-il vrai ?

4.2 Montrer que les points $r_1^{(2)}$ et $r_2^{(2)}$ de l'équation 4.4 satisfont $r_1^{(2)} = g(r_2^{(2)})$ et $r_2^{(2)} = g(r_1^{(2)})$ (rappelons que $g(x) = \lambda x(1-x)$).

4.3 Déterminer le polynôme caractéristique, les valeurs propres et le rayon spectral des matrices suivantes. Déterminer également si ces matrices sont convergentes.

$$\text{a)} \begin{bmatrix} 2 & -1 \\ -1 & 2 \end{bmatrix} \quad \text{b)} \begin{bmatrix} \frac{1}{2} & 1 & 2 \\ 0 & \frac{1}{3} & 3 \\ 0 & 0 & \frac{1}{4} \end{bmatrix}$$

4.4 La matrice :

$$\begin{bmatrix} 2 & -1 \\ -1 & 2 \end{bmatrix}$$

a un rayon spectral de 3, qui est donc supérieur à 1. Or, on peut démontrer directement que la méthode de Jacobi converge quel que soit le vecteur $\vec{x}_0$ initial. Est-ce une contradiction ?

4.5 (a) Obtenir le ou les points fixes de l'application :

$$\begin{cases} x_1 = \sqrt{2 - x_2^2} \\ x_2 = \sqrt{x_1} \end{cases}$$

   (b) Vérifier si ce ou ces points fixes sont attractifs.

   (c) Effectuer 5 itérations de la méthode des points fixes à partir de $(0 \, , \, 0)$.

4.6 (a) Montrer que pour une fonction $g(x)$ quelconque, l'ensemble $\{r_1, r_2\}$ est une orbite 2-périodique attractive si :

$$|g'(r_1)g'(r_2)| < 1$$

   (b) En déduire une condition pour qu'une orbite n-périodique soit attractive.

4.7 Trouver une orbite 2-périodique pour la fonction $g(x) = x^2 - 1$. Vérifier si elle est attractive.

4.8 Montrer que la fonction :

$$T(x) = \begin{cases} 2x & \text{pour} \quad 0 \le x \le \frac{1}{2} \\ 2 - 2x & \text{pour} \quad \frac{1}{2} \le x \le 1 \end{cases}$$

possède les orbites 3-périodiques $\{\frac{2}{7}, \frac{4}{7}, \frac{6}{7}\}$ ainsi que $\{\frac{2}{9}, \frac{4}{9}, \frac{8}{9}\}$. Vérifier si ces orbites sont attractives ou répulsives.

4.9 Montrer que la matrice jacobienne associée à la méthode des points fixes :

$$\vec{g}(\vec{x}) = T\vec{x} + \vec{c}$$

où T est une matrice de dimension n, est tout simplement la matrice T elle-même. Que conclure quant à la convergence de l'algorithme :

$$\vec{x}^{k+1} = T\vec{x}^k + \vec{c}$$

4.10 Construire une matrice de dimension 3 à diagonale strictement dominante. Pour cette matrice, construire explicitement la matrice T_J et vérifier si $||T_J||_\infty < 1$.

4.11 Soit le système linéaire suivant :

$$
\begin{array}{rrcr}
E_1 : & 3x_2 - x_3 + 8x_4 & = & -11 \\
E_2 : & 2x_1 - x_2 + 10x_3 & = & -11 \\
E_3 : & 10x_1 - x_2 + 2x_3 & = & 6 \\
E_4 : & -x_1 + 11x_2 - x_3 + 3x_4 & = & 25
\end{array}
$$

(a) Montrer que les méthodes de Jacobi et de Gauss-Seidel ne convergent pas lorsqu'on isole simplement les x_i de l'équation E_i.

(b) Réordonner les équations de façon à assurer la convergence des deux méthodes.

4.12 Résoudre le système :

$$
\begin{array}{rcr}
9x_1 - 2x_2 + x_3 & = & 13 \\
-x_1 + 5x_2 - x_3 & = & 9 \\
x_1 - 2x_2 + 9x_3 & = & -11
\end{array}
$$

à l'aide des méthodes de Jacobi et de Gauss-Seidel à partir de $\vec{x}_0 = \begin{bmatrix} 0 & 0 & 0 \end{bmatrix}^T$ (faire les 5 premières itérations seulement).

Chapitre 5

Interpolation

5.1 Introduction

Ce chapitre ainsi que le chapitre suivant qui porte sur la dérivation et l'intégration numériques sont très étroitement reliés puisqu'ils tendent à répondre à diverses facettes d'un même problème. Ce problème est le suivant : à partir d'une fonction $f(x)$ connue seulement en $(n+1)$ points de la forme $((x_i, f(x_i))$ pour $i = 0, 1, 2, \cdots, n)$, peut-on construire une approximation de $f(x)$, et ce, pour tout x ? Les x_i sont appelés *abscisses* ou *nœuds d'interpolation* tandis que les couples $((x_i, f(x_i))$ pour $i = 0, 1, 2, \cdots, n)$ sont les *points de collocation* ou *points d'interpolation* et peuvent provenir de données expérimentales ou d'une table. En d'autres termes, si l'on ne connaît que les points de collocation $(x_i, f(x_i))$ d'une fonction, peut-on obtenir une approximation de $f(x)$ pour une valeur de x différente des x_i ? La figure 5.1 résume la situation.

Sur la base des mêmes hypothèses, nous verrons, au chapitre suivant, comment évaluer les dérivées $f'(x), f''(x) \cdots$ de même que :

$$\int_{x_0}^{x_n} f(x)dx$$

Il s'agit d'un *problème d'interpolation*, dont la solution est relativement simple. Il suffit de construire un polynôme de degré suffisamment élevé dont la courbe

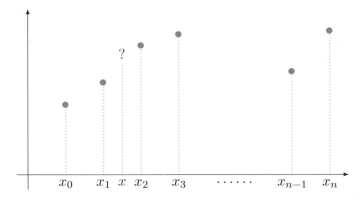

Figure 5.1 – Problème d'interpolation

passe par les points de collocation. On parle alors du *polynôme de collocation* ou *polynôme d'interpolation*. Pour obtenir une approximation des dérivées ou de l'intégrale, il suffit de dériver ou d'intégrer le polynôme de collocation. Il y a cependant des éléments fondamentaux qu'il est important d'étudier. En premier lieu, il convient de rappeler certains résultats cruciaux relatifs aux polynômes, que nous ne démontrons pas.

Proposition 5.1

Un polynôme de degré n à coefficients réels de forme générale :

$$p_n(x) = a_0 + a_1 x + a_2 x^2 + a_3 x^3 + \cdots + a_n x^n \tag{5.1}$$

avec $a_n \neq 0$ possède, tenant compte des multiplicités, très exactement n racines qui peuvent être réelles ou complexes conjuguées.

Corollaire 5.2

Par $(n+1)$ points de collocation d'abscisses distinctes $((x_i, f(x_i))$ pour $i = 0, 1, 2, \cdots, n)$, on ne peut faire correspondre qu'un et un seul polynôme de degré n.

Démonstration. On procède par l'absurde et l'on suppose l'existence de 2 polynômes de degré n, notés $p(x)$ et $q(x)$, et qui passent tous les deux par les $(n + 1)$ points de collocation donnés. On considère ensuite la différence $P(x) = p(x) - q(x)$ qui est également un polynôme de degré au plus n. Ce polynôme vérifie :

$$P(x_i) = p(x_i) - q(x_i) = f(x_i) - f(x_i) = 0$$

et ce, pour i allant de 0 à n. Le polynôme $P(x)$ posséderait donc $(n + 1)$ racines, ce qui est impossible en vertu du théorème précédent.

Il reste à assurer l'existence de du polynôme, ce que nous ferons tout simplement en le construisant au moyen de méthodes diverses qui feront l'objet des prochaines sections.

■

Définition 5.3: Interpolant d'une fonction

L'unique polynôme de degré n passant par les points $(x_i, f(x_i))$ pour $i = 0, 1, 2, \cdots, n$, est appelé l'interpolant de $f(x)$ de degré n aux abscisses (nœuds) $x_0, x_1, \cdots, x_n$.

Remarque 5.4. Rien n'oblige à ce que le coefficient a_n de l'interpolant soit différent de 0. L'interpolant passant par les $n + 1$ points d'interpolation peut donc être de degré inférieur à n. Si on choisit par exemple 10 points sur une droite, l'interpolant sera quand même de degré 1. ◀

5.2   Matrice de Vandermonde

Le problème d'interpolation consiste donc à déterminer l'unique polynôme de degré n passant par les $(n+1)$ points de collocation $((x_i, f(x_i))$ pour $i = 0, 1, 2, 3, \cdots, n)$. Selon le théorème précédent, il ne saurait y en avoir deux. Il reste maintenant à le construire de la manière la plus efficace et la plus générale possible. Une première tentative consiste à déterminer les inconnues a_i du polynôme 5.1 en vérifiant directement les $(n+1)$ équations de collocation :

$$p_n(x_i) = f(x_i) \quad \text{pour } i = 0, 1, 2, \cdots, n$$

ou encore :

$$a_0 + a_1 x_i + a_2 x_i^2 + a_3 x_i^3 + \cdots + a_n x_i^n = f(x_i)$$

qui est un système linéaire de $(n+1)$ équations en $(n+1)$ inconnues. Ce système s'écrit sous forme matricielle :

$$\begin{bmatrix} 1 & x_0 & x_0^2 & x_0^3 & \cdots & x_0^n \\ 1 & x_1 & x_1^2 & x_1^3 & \cdots & x_1^n \\ 1 & x_2 & x_2^2 & x_2^3 & \cdots & x_2^n \\ \vdots & \vdots & \vdots & \vdots & \ddots & \vdots \\ 1 & x_n & x_n^2 & x_n^3 & \cdots & x_n^n \end{bmatrix} \begin{bmatrix} a_0 \\ a_1 \\ a_2 \\ \vdots \\ a_n \end{bmatrix} = \begin{bmatrix} f(x_0) \\ f(x_1) \\ f(x_2) \\ \vdots \\ f(x_n) \end{bmatrix} \tag{5.2}$$

La matrice de ce système linéaire porte le nom de *matrice de Vandermonde*. On peut montrer qu'elle est inversible mais que son conditionnement augmente fortement avec la taille $(n+1)$ du système. De plus, comme le révèlent les sections qui suivent, il n'est pas nécessaire de résoudre un système linéaire pour calculer un polynôme d'interpolation. Cette méthode est donc rarement utilisée.

Exemple 5.5. On doit calculer le polynôme passant par les points $(0, 1)$, $(1, 2)$, $(2, 9)$ et $(3, 28)$. Étant donnés ces 4 points, le polynôme recherché est tout au plus de degré 3. Ses coefficients a_i sont obtenus en résolvant le système linéaire :

$$\begin{bmatrix} 1 & 0 & 0 & 0 \\ 1 & 1 & 1 & 1 \\ 1 & 2 & 4 & 8 \\ 1 & 3 & 9 & 27 \end{bmatrix} \begin{bmatrix} a_0 \\ a_1 \\ a_2 \\ a_3 \end{bmatrix} = \begin{bmatrix} 1 \\ 2 \\ 9 \\ 28 \end{bmatrix}$$

dont la solution (obtenue par décomposition LU) est $[1\ 0\ 0\ 1]^T$. Le polynôme recherché est donc $p_3(x) = 1 + x^3$. ♦

Les sections suivantes proposent des avenues différentes et plus efficaces pour calculer le polynôme de collocation.

5.3   Interpolation de Lagrange

L'interpolation de Lagrange est une façon simple et systématique de construire un polynôme de collocation. Étant donnés $(n+1)$ points $((x_i, f(x_i))$ pour

$i = 0, 1, 2, \cdots, n$), on suppose un instant que l'on sait construire $(n + 1)$ polynômes $L_i(x)$ de degré n et satisfaisant les conditions suivantes :

$$\begin{cases} L_i(x_i) & = & 1 & \forall i \\ L_i(x_j) & = & 0 & \forall j \neq i \end{cases} \tag{5.3}$$

Cela signifie que le polynôme $L_i(x)$ de degré n prend la valeur 1 en x_i et s'annule à tous les autres points de collocation. Nous verrons comment construire les $L_i(x)$ un peu plus loin. Dans ces conditions, la fonction $L(x)$ définie par :

$$L(x) = \sum_{i=0}^{n} f(x_i) L_i(x)$$

est un polynôme de degré n, car chacun des $L_i(x)$ est de degré n. De plus, ce polynôme passe par les $(n + 1)$ points de collocation et est donc le polynôme recherché. En effet, il est facile de montrer que selon les conditions 5.3 :

$$\begin{aligned} L(x_j) & = & f(x_j) L_j(x_j) + \sum_{i=0, i \neq j}^{n} f(x_i) L_i(x_j) \\ & = & f(x_j) + 0 = f(x_j) \quad \forall j \end{aligned}$$

Le polynôme $L(x)$ passe donc par tous les points de collocation. Puisque ce polynôme est unique, $L(x)$ est bien le polynôme recherché. Il reste à construire les fonctions $L_i(x)$. Suivons une démarche progressive.

Polynômes de degré 1

Il s'agit de déterminer le polynôme de degré 1 dont la courbe (une droite) passe par les deux points $(x_0, f(x_0))$ et $(x_1, f(x_1))$. On doit donc construire deux polynômes $L_0(x)$ et $L_1(x)$ de degré 1 qui vérifient :

$$\begin{cases} L_0(x_0) = 1 \\ L_0(x_1) = 0 \end{cases} \quad \text{et} \quad \begin{cases} L_1(x_0) = 0 \\ L_1(x_1) = 1 \end{cases}$$

Le polynôme $L_0(x)$ doit s'annuler en $x = x_1$. On pense immédiatement au polynôme $(x - x_1)$ qui s'annule bien en $x = x_1$, mais qui vaut $(x_0 - x_1)$ en $x = x_0$. Pour s'assurer d'une valeur 1 en $x = x_0$, il suffit d'effectuer la division appropriée et de poser :

$$L_0(x) = \frac{(x - x_1)}{(x_0 - x_1)}$$

Un raisonnement similaire pour $L_1(x)$ donne :

$$L_1(x) = \frac{(x - x_0)}{(x_1 - x_0)}$$

Ces deux fonctions sont illustrées à la figure 5.2. Le polynôme de degré 1 est donc :

$$p_1(x) = f(x_0) L_0(x) + f(x_1) L_1(x)$$

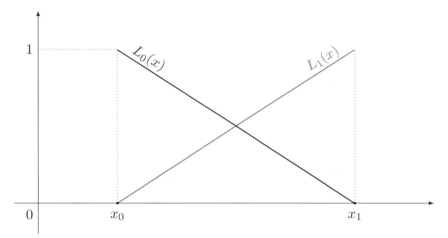

Figure 5.2 – Polynômes de Lagrange de degré 1 : $L_0(x)$ et $L_1(x)$

Exemple 5.6. L'équation de la droite passant par les points $(2\,,\,3)$ et $(5\,,\,-6)$ est :

$$3\frac{(x-5)}{(2-5)} + (-6)\frac{(x-2)}{(5-2)} = -(x-5) - 2(x-2) = -3x + 9$$

◆

Polynômes de degré 2

Si l'on cherche le polynôme de degré 2 passant par les points $(x_0, f(x_0))$, $(x_1, f(x_1))$ et $(x_2, f(x_2))$, on doit construire trois fonctions $L_i(x)$. Le raisonnement est toujours le même. La fonction $L_0(x)$ s'annule cette fois en $x = x_1$ et en $x = x_2$. On doit forcément avoir un coefficient de la forme $(x - x_1)(x - x_2)$ qui vaut $(x_0 - x_1)(x_0 - x_2)$ en $x = x_0$. Pour satisfaire la condition $L_0(x_0) = 1$, il suffit alors de diviser par cette valeur et de poser :

$$L_0(x) = \frac{(x-x_1)(x-x_2)}{(x_0-x_1)(x_0-x_2)}$$

Cette fonction vaut bien 1 en x_0 et 0 en x_1 et x_2. De la même manière, on obtient les fonctions $L_1(x)$ et $L_2(x)$ définies par :

$$L_1(x) = \frac{(x-x_0)(x-x_2)}{(x_1-x_0)(x_1-x_2)} \quad \text{et} \quad L_2(x) = \frac{(x-x_0)(x-x_1)}{(x_2-x_0)(x_2-x_1)}$$

Ces trois fonctions sont à leur tour illustrées à la figure 5.3.

Exemple 5.7. La parabole passant par les points $(1\,,\,2), (3\,,\,7), (4\,,\,-1)$ est donnée par :

$$
\begin{aligned}
p_2(x) &= 2\frac{(x-3)(x-4)}{(1-3)(1-4)} + 7\frac{(x-1)(x-4)}{(3-1)(3-4)} + (-1)\frac{(x-1)(x-3)}{(4-1)(4-3)} \\
&= \frac{(x-3)(x-4)}{3} - \frac{7(x-1)(x-4)}{2} - \frac{(x-1)(x-3)}{3}
\end{aligned}
$$

◆

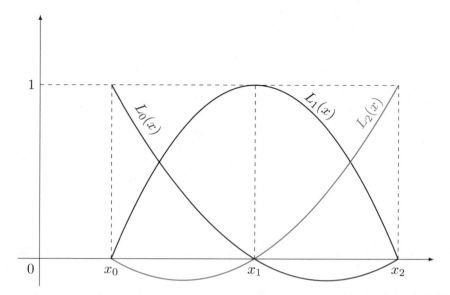

Figure 5.3 – Polynômes de Lagrange de degré 2 : $L_0(x)$, $L_1(x)$ et $L_2(x)$

Polynômes de degré n

On analyse le cas général de la même façon. La fonction $L_0(x)$ doit s'annuler en $x = x_1, x_2, x_3, \cdots, x_n$. Il faut donc introduire la fonction :

$$(x - x_1)(x - x_2)(x - x_3) \cdots (x - x_n)$$

qui vaut :

$$(x_0 - x_1)(x_0 - x_2)(x_0 - x_3) \cdots (x_0 - x_n)$$

en $x = x_0$. On a alors, après division :

$$L_0(x) = \frac{(x - x_1)(x - x_2)(x - x_3) \cdots (x - x_n)}{(x_0 - x_1)(x_0 - x_2)(x_0 - x_3) \cdots (x_0 - x_n)}$$

On remarque qu'il y a n facteurs de la forme $(x - x_i)$ dans cette expression et qu'il s'agit bien d'un polynôme de degré n. Pour la fonction $L_1(x)$, on pose :

$$L_1(x) = \frac{(x - x_0)(x - x_2)(x - x_3) \cdots (x - x_n)}{(x_1 - x_0)(x_1 - x_2)(x_1 - x_3) \cdots (x_1 - x_n)}$$

On note l'absence du terme $(x - x_1)$. L'expression générale pour la fonction $L_i(x)$ est donc :

$$L_i(x) = \frac{(x - x_0) \cdots (x - x_{i-1})(x - x_{i+1}) \cdots (x - x_n)}{(x_i - x_0) \cdots (x_i - x_{i-1})(x_i - x_{i+1}) \cdots (x_i - x_n)} \tag{5.4}$$

où cette fois seul le facteur $(x - x_i)$ est absent. $L_i(x)$ est donc un polynôme de degré n qui vaut 1 en $x = x_i$ et qui s'annule à tous les autres points de collocation. On peut maintenant résumer la situation.

> **Théorème 5.8: Interpolation de Lagrange**
>
> Étant donnés $(n+1)$ points d'interpolation $(x_i, f(x_i))$ pour $i = 0, 1, \cdots, n$, l'unique polynôme d'interpolation de degré n passant par tous ces points peut s'écrire :
>
> $$p_n(x) = \sum_{i=0}^{n} f(x_i) L_i(x) \qquad (5.5)$$
>
> où les $(n + 1)$ fonctions $L_i(x)$ sont définies par la relation 5.4. C'est la *formule de Lagrange*.

Exemple 5.9. Reprenons les points $(0\ ,\ 1), (1\ ,\ 2), (2\ ,\ 9)$ et $(3\ ,\ 28)$ de l'exemple 5.5, pour lesquels nous avons obtenu le polynôme $p_3(x) = x^3 + 1$ à l'aide de la matrice de Vandermonde. L'interpolation de Lagrange donne dans ce cas :

$$p_3(x) = 1\frac{(x-1)(x-2)(x-3)}{(0-1)(0-2)(0-3)} + 2\frac{(x-0)(x-2)(x-3)}{(1-0)(1-2)(1-3)}$$

$$+ 9\frac{(x-0)(x-1)(x-3)}{(2-0)(2-1)(2-3)} + 28\frac{(x-0)(x-1)(x-2)}{(3-0)(3-1)(3-2)}$$

c'est-à-dire :

$$p_3(x) = -\frac{(x-1)(x-2)(x-3)}{6} + x(x-2)(x-3)$$

$$- 9\frac{x(x-1)(x-3)}{2} + 14\frac{x(x-1)(x-2)}{3}$$

qui est l'expression du polynôme de degré 3 passant par les 4 points donnés. Cette expression n'est autre que $p_3(x) = x^3 + 1$. Il n'y a qu'à en faire le développement pour s'en assurer. Cela n'est pas surprenant, puisque l'on sait qu'il n'existe qu'un seul polynôme de degré 3 passant par 4 points donnés. L'interpolation de Lagrange ne fait qu'exprimer différemment le même polynôme.

Enfin, le polynôme calculé permet d'obtenir une approximation de la fonction inconnue $f(x)$ partout dans l'intervalle contenant les points de collocation, c'est-à-dire $[0\ ,\ 3]$. Ainsi, on a :

$$f(2{,}5) \simeq p_3(2{,}5) = 16{,}625$$

avec une précision qui sera discutée plus loin lorsque nous aborderons la question de l'erreur d'interpolation. ♦

Remarque 5.10. La méthode d'interpolation de Lagrange présente un inconvénient majeur : elle n'est pas récursive. En effet, si l'on souhaite passer d'un polynôme de degré n à un polynôme de degré $(n + 1)$ (en ajoutant un point de collocation), on doit reprendre pratiquement tout le processus à zéro. Dans l'exemple précédent, si l'on souhaite obtenir le polynôme de degré 4 correspondant aux points $(0, 1), (1, 2), (2, 9), (3, 28)$ et $(5, 54)$, on ne peut que difficilement récupérer le polynôme de degré 3 déjà calculé et le modifier pour obtenir $p_4(x)$. C'est en revanche ce que permet la méthode d'interpolation de Newton. ◄

5.4 Polynôme de Newton

Lorsque l'on écrit l'expression générale d'un polynôme, on pense immédiatement à la forme 5.1, qui est la plus utilisée. Il en existe cependant d'autres qui sont plus appropriées au cas de l'interpolation, par exemple :

$$
\begin{aligned}
p_n(x) = \quad & a_0 + a_1(x - x_0) + a_2(x - x_0)(x - x_1) \\
& + a_3(x - x_0)(x - x_1)(x - x_2) \\
& \qquad\qquad \vdots \\
& + a_{n-1}(x - x_0)(x - x_1)(x - x_2) \cdots (x - x_{n-2}) \\
& + a_n(x - x_0)(x - x_1)(x - x_2) \cdots (x - x_{n-1})
\end{aligned}
\tag{5.6}
$$

On remarque que le coefficient de a_n comporte n monômes de la forme $(x - x_i)$ et qu'en conséquence le polynôme 5.6 est de degré n. L'aspect intéressant de cette formule apparaît lorsque l'on essaie de déterminer les $(n+1)$ coefficients a_i de telle sorte que $p_n(x)$ passe par les $(n+1)$ points de collocation $(x_i, f(x_i))$ pour $i = 0, 1, 2, \cdots, n)$. On doit donc s'assurer que :

$$p_n(x_i) = f(x_i) \quad \text{pour} \quad i = 0, 1, 2, \cdots, n$$

Les coefficients de la forme 5.6 s'annulent tous en $x = x_0$, sauf le premier. On montre ainsi que $p_n(x_0) = a_0 = f(x_0)$ et que le premier coefficient est donc :

$$a_0 = f(x_0) \tag{5.7}$$

On doit ensuite s'assurer que $p_n(x_1) = f(x_1)$, c'est-à-dire :

$$p_n(x_1) = a_0 + a_1(x_1 - x_0) = f(x_0) + a_1(x_1 - x_0) = f(x_1)$$

ce qui permet d'isoler a_1 pour obtenir :

$$a_1 = \frac{f(x_1) - f(x_0)}{x_1 - x_0}$$

Définition 5.11: Premières différences divisées

On définit les *premières différences divisées* de la fonction $f(x)$ par :

$$f[x_i, x_{i+1}] = \frac{f(x_{i+1}) - f(x_i)}{x_{i+1} - x_i} \tag{5.8}$$

Remarque 5.12. Le coefficient a_1 peut s'écrire :

$$a_1 = f[x_0, x_1] \tag{5.9}$$

Il est facile de démontrer que le polynôme de degré 1 :

$$p_1(x) = f(x_0) + f[x_0, x_1](x - x_0)$$

obtenu en ne considérant que les deux premiers coefficients de 5.6 et les expressions 5.7 et 5.9, passe par les points $(x_0, f(x_0))$ et $(x_1, f(x_1))$. Il représente donc l'unique polynôme de collocation de degré 1 passant par ces deux points. ◄

Le troisième coefficient (a_2) est à son tour déterminé par :

$$p_n(x_2) = a_0 + a_1(x_2 - x_0) + a_2(x_2 - x_0)(x_2 - x_1) = f(x_2)$$

ou encore :

$$p_n(x_2) = f(x_0) + f[x_0, x_1](x_2 - x_0) + a_2(x_2 - x_0)(x_2 - x_1) = f(x_2)$$

En isolant a_2, on obtient :

$$
\begin{aligned}
a_2 &= \frac{1}{(x_2 - x_0)(x_2 - x_1)} \left(f(x_2) - f(x_0) - f[x_0, x_1](x_2 - x_0) \right) \\[2mm]
&= \frac{1}{(x_2 - x_0)} \left(\frac{f(x_2) - f(x_0)}{(x_2 - x_1)} - f[x_0, x_1]\frac{(x_2 - x_0)}{(x_2 - x_1)} \right) \\[2mm]
&= \frac{1}{(x_2 - x_0)} \left(\frac{f(x_2) - f(x_1) + f(x_1) - f(x_0)}{(x_2 - x_1)} - f[x_0, x_1]\frac{(x_2 - x_0)}{(x_2 - x_1)} \right) \\[2mm]
&= \frac{1}{(x_2 - x_0)} \left(\frac{f(x_2) - f(x_1)}{(x_2 - x_1)} + \frac{(f(x_1) - f(x_0))}{(x_1 - x_0)}\frac{(x_1 - x_0)}{(x_2 - x_1)} \right. \\[2mm]
&\qquad \left. - f[x_0, x_1]\frac{(x_2 - x_0)}{(x_2 - x_1)} \right) \\[2mm]
&= \frac{1}{(x_2 - x_0)} \left(f[x_1, x_2] + f[x_0, x_1]\left(\frac{(x_1 - x_0)}{(x_2 - x_1)} - \frac{(x_2 - x_0)}{(x_2 - x_1)} \right) \right) \\[2mm]
&= \frac{1}{(x_2 - x_0)} \left(f[x_1, x_2] - f[x_0, x_1] \right)
\end{aligned}
$$

On en arrive donc à une expression qui fait intervenir une différence divisée de différences divisées.

Définition 5.13: Énièmes différences divisées

Les *deuxièmes différences divisées* de la fonction $f(x)$ sont définies à partir des premières différences divisées par la relation :

$$f[x_i, x_{i+1}, x_{i+2}] = \frac{f[x_{i+1}, x_{i+2}] - f[x_i, x_{i+1}]}{(x_{i+2} - x_i)} \tag{5.10}$$

De même, les n-ièmes différences divisées de la fonction $f(x)$ sont définies à partir des $(n-1)$-ièmes différences divisées de la façon suivante :

$$f[x_0, x_1, x_2, \cdots, x_n] = \frac{f[x_1, x_2, \cdots, x_n] - f[x_0, x_1, x_2, \cdots, x_{n-1}]}{(x_n - x_0)} \quad (5.11)$$

Notons que les toutes premières différences divisées de $f(x)$ (soit les 0es différences) sont tout simplement définies par $f(x_i)$.

Suivant cette notation, l'expression que nous avons obtenue pour a_2 s'écrit également :

$$a_2 = f[x_0, x_1, x_2] \quad (5.12)$$

et il est facile de démontrer que le polynôme :

$$p_2(x) = f(x_0) + f[x_0, x_1](x - x_0) + f[x_0, x_1, x_2](x - x_0)(x - x_1)$$

passe par les trois premiers points de collocation. On remarque de plus que ce polynôme de degré 2 s'obtient simplement par l'ajout d'un terme de degré 2 au polynôme $p_1(x)$ déjà calculé. En raison de cette propriété, cette méthode est dite *récursive*.

On peut dès lors soupçonner que le coefficient a_3 est :

$$a_3 = f[x_0, x_1, x_2, x_3]$$

qui est une troisième différence divisée de $f(x)$. C'est effectivement le cas. Le théorème suivant résume la situation.

Théorème 5.14: Formule de Newton

L'unique polynôme de degré n passant par les $(n+1)$ points de collocation $((x_i, f(x_i))$ pour $i = 0, 1, 2, \cdots, n)$ peut s'écrire selon la *formule d'interpolation de Newton* 5.6 ou encore sous la forme récursive :

$$p_n(x) = p_{n-1}(x) + a_n(x - x_0)(x - x_1) \cdots (x - x_{n-1}) \quad (5.13)$$

Les coefficients de ce polynôme sont les différences divisées :

$$a_i = f[x_0, x_1, x_2, \cdots, x_i] \quad \text{pour } 0 \leq i \leq n \quad (5.14)$$

Démonstration. (facultative)

On démontre le résultat par induction. On l'a déjà établi pour $n = 1$ et $n = 2$. On suppose donc que ce résultat est vrai pour les polynômes de degré $(n-1)$. Il s'agit de montrer qu'il est également vrai pour les polynômes de degré n. Pour ce faire, on introduit les polynômes $p_{n-1}(x)$ et $q_{n-1}(x)$ de degré $(n-1)$ et passant respectivement par les n premiers points $((x_i, f(x_i))$ pour $i = 0, 1, 2, \cdots, n-1)$ et les n derniers $((x_i, f(x_i))$ pour $i = 1, 2, 3, \cdots, n)$. Les coefficients a_i étant définis par la relation 5.14, on pose également :

$$b_i = f[x_1, x_2, \cdots, x_{i+1}] \quad \text{pour } 1 \leq i \leq n-1$$

Les a_i et les b_i sont les différences divisées relatives aux n premiers et aux n derniers points, respectivement. Suivant la définition des différences divisées, on observe que :

$$a_n = f[x_0, x_1, \cdots, x_n] = \frac{f[x_1, x_2, \cdots, x_n] - f[x_0, x_1, \cdots, x_{n-1}]}{x_n - x_0}$$

c'est-à-dire :

$$a_n = \frac{b_{n-1} - a_{n-1}}{x_n - x_0} \qquad (5.15)$$

L'hypothèse d'induction permet d'affirmer que :

$$p_{n-1}(x) = p_{n-2}(x) + a_{n-1}(x - x_0)(x - x_1) \cdots (x - x_{n-2}) \qquad (5.16)$$

et que :

$$q_{n-1}(x) = q_{n-2}(x) + b_{n-1}(x - x_1)(x - x_2) \cdots (x - x_{n-1}) \qquad (5.17)$$

La démonstration du théorème requiert de plus l'utilisation du lemme suivant.

Lemme 5.15

L'unique polynôme $p_n(x)$ passant par les points $((x_i, f(x_i))$ pour $i = 0, 1, 2, \cdots, n)$ s'écrit :

$$p_n(x) = p_{n-1}(x) + \frac{(x - x_0)}{(x_n - x_0)}(q_{n-1}(x) - p_{n-1}(x)) \qquad (5.18)$$

Démonstration. (du lemme)
Il suffit de s'assurer que ce polynôme (qui est bien de degré n) passe par les points $((x_i, f(x_i))$ pour $i = 0, 1, 2, \cdots, n)$. Le résultat suivra par unicité du polynôme d'interpolation. Suivant la définition des polynômes $p_{n-1}(x)$ et $q_{n-1}(x)$, on a :

$$p_n(x_0) = p_{n-1}(x_0) = f(x_0)$$

et à l'autre extrémité :

$$p_n(x_n) = p_{n-1}(x_n) + (q_{n-1}(x_n) - p_{n-1}(x_n)) = q_{n-1}(x_n) = f(x_n)$$

Aux points intermédiaires ($1 \leq i \leq n - 1$), on a :

$$\begin{aligned} p_n(x_i) &= p_{n-1}(x_i) + \frac{(x_i - x_0)}{(x_n - x_0)}(q_{n-1}(x_i) - p_{n-1}(x_i)) \\[2mm] &= f(x_i) + \frac{(x_i - x_0)}{(x_n - x_0)}(f(x_i) - f(x_i)) = f(x_i) \end{aligned}$$

ce qui termine la démonstration du lemme. ∎

On a donc :

$$p_n(x) - p_{n-1}(x) = \frac{(x - x_0)}{(x_n - x_0)}(q_{n-1}(x) - p_{n-1}(x)) \tag{5.19}$$

et la démonstration du théorème vient ensuite assez facilement. Les coefficients de la puissance x^{n-1} pour les polynômes $p_{n-1}(x)$ et $q_{n-1}(x)$ sont respectivement a_{n-1} et b_{n-1} en vertu des équations 5.16 et 5.17. Selon l'équation 5.18, le coefficient de la puissance x^n de $p_n(x)$ est :

$$\frac{b_{n-1} - a_{n-1}}{x_n - x_0}$$

qui est a_n en vertu de la relation 5.15. La formule 5.19 permet aussi de trouver les racines de $p_n(x) - p_{n-1}(x)$, qui sont $x_0, x_1, \cdots, x_{n-1}$. Ce polynôme s'écrit donc :

$$p_n(x) - p_{n-1}(x) = a_n(x - x_0)(x - x_1) \cdots (x - x_{n-1})$$

ce qui termine la démonstration du théorème. ∎

Remarque 5.16. Une fois les coefficients a_i connus, on peut évaluer le polynôme de Newton au moyen d'un algorithme similaire au schéma de Horner (voir la section 1.5.3). On écrit alors le polynôme 5.6 sous la forme :

$$\begin{aligned} p_n(x) &= a_0 + (x - x_0)(a_1 + (x - x_1)(a_2 + (x - x_2)(a_3 + \cdots \\ &\quad + (x - x_{n-2})(a_{n-1} + a_n(x - x_{n-1})) \cdots))) \end{aligned} \tag{5.20}$$

De cette façon, on réduit le nombre d'opérations nécessaires à l'évaluation du polynôme. De plus, cette forme est moins sensible aux effets des erreurs d'arrondis. ◄

Il reste maintenant à calculer efficacement la valeur de ce polynôme. La manière la plus simple consiste à construire une table dite de différences divisées de la façon suivante.

Table de différences divisées				
x_i	$f(x_i)$	$f[x_i, x_{i+1}]$	$f[x_i, x_{i+1}, x_{i+2}]$	$f[x_i, x_{i+1}, x_{i+2}, x_{i+3}]$
x_0	$f(x_0)$			
		$f[x_0, x_1]$		
x_1	$f(x_1)$		$f[x_0, x_1, x_2]$	
		$f[x_1, x_2]$		$f[x_0, x_1, x_2, x_3]$
x_2	$f(x_2)$		$f[x_1, x_2, x_3]$	
		$f[x_2, x_3]$		
x_3	$f(x_3)$			

La construction de cette table est simple. Nous nous sommes arrêtés aux troisièmes différences divisées, mais les autres s'obtiendraient de la même manière.

Les premières différences divisées découlent de la définition. Par la suite, pour obtenir par exemple $f[x_0, x_1, x_2]$, il suffit de soustraire les 2 termes adjacents $f[x_1, x_2] - f[x_0, x_1]$ et de diviser le résultat par $(x_2 - x_0)$. De même, pour obtenir $f[x_0, x_1, x_2, x_3]$, on soustrait $f[x_0, x_1, x_2]$ de $f[x_1, x_2, x_3]$ et l'on divise le résultat par $(x_3 - x_0)$. La formule de Newton utilise la diagonale principale de cette table.

Exemple 5.17. La table de différences divisées pour les points $(0 , 1)$, $(1 , 2)$, $(2 , 9)$ et $(3 , 28)$ est :

Table de différences divisées				
x_i	$f(x_i)$	$f[x_i, x_{i+1}]$	$f[x_i, \cdots, x_{i+2}]$	$f[x_i, \cdots, x_{i+3}]$
0	1			
		1		
1	2		3	
		7		1
2	9		6	
		19		
3	28			

Suivant la formule de Newton 5.6, avec $x_0 = 0$, le polynôme de collocation est :

$$p_3(x) = 1 + 1(x - 0) + 3(x - 0)(x - 1) + 1(x - 0)(x - 1)(x - 2) = x^3 + 1$$

qui est le même polynôme (en vertu de l'unicité) que celui obtenu par la méthode de Lagrange. On remarque de plus que le polynôme :

$$p_2(x) = 1 + 1(x - 0) + 3(x - 0)(x - 1)$$

passe quant à lui par les trois premiers points de collocation. Si l'on souhaite ajouter un point de collocation et calculer un polynôme de degré 4, il n'est pas nécessaire de tout recommencer. Par exemple, si l'on veut inclure le point $(5 , 54)$, on peut compléter la table de différences divisées déjà utilisée.

Table de différences divisées					
x_i	$f(x_i)$	$f[x_i, x_{i+1}]$	$f[x_i, \cdots, x_{i+2}]$	$f[x_i, \cdots, x_{i+3}]$	$f[x_i, \cdots, x_{i+4}]$
0	1				
		1			
1	2		3		
		7		1	
2	9		6		$-\frac{3}{5}$
		19		-2	
3	28		-2		
		13			
5	54				

Ce polynôme de degré 4 est alors $p_4(x) = p_3(x) - \frac{3}{5}(x-0)(x-1)(x-2)(x-3)$ qui est tout simplement le polynôme de degré 3 déjà calculé auquel on a ajouté une correction de degré 4. ◆

Exemple 5.18. Il est bon de remarquer que les points de collocation ne doivent pas forcément être placés par abscisses croissantes. Considérons par exemple la table suivante :

Table de différences divisées				
x_i	$f(x_i)$	$f[x_i, x_{i+1}]$	$f[x_i, \cdots, x_{i+2}]$	$f[x_i, \cdots, x_{i+3}]$
2	1			
		1		
0	−1		0,4	
		2,2		1,2
5	10		1,6	
		7		
3	−4			

On note que les abscisses x_i ne sont pas par ordre croissant. Le polynôme passant par ces points est :

$$p_3(x) = 1 + 1(x-2) + 0{,}4(x-2)(x-0) + 1{,}2(x-2)(x-0)(x-5)$$

que l'on obtient de la relation 5.6 en prenant $x_0 = 2$. Si l'on souhaite évaluer ce polynôme en $x = 1$, on peut se servir de la méthode de Horner. On réécrit alors le polynôme sous la forme :

$$p_3(x) = 1 + (x-2)(1 + (x-0)(0{,}4 + 1{,}2(x-5)))$$

La fonction inconnue $f(x)$ peut alors être estimée par ce polynôme. Ainsi :

$$f(1) \simeq p_3(1) \quad = \quad 1 + (-1)(1 + (1)(0{,}4 + 1{,}2(-4))) = 4{,}4$$

Pour l'instant, nous n'avons aucune indication quant à la précision de cette approximation. Cette question est l'objet de la section suivante. ◆

5.5 Erreur d'interpolation

L'interpolation permet, à partir d'un certain nombre de données sur les valeurs d'une fonction, de faire l'approximation de $f(x)$ en tout point x. Toutefois, cette opération entraîne une *erreur d'interpolation* qu'il convient d'étudier en détail, d'autant plus que les résultats nous serviront également dans l'analyse de l'intégration et de la dérivation numériques.

On peut exprimer l'erreur d'interpolation de la façon suivante :

$$f(x) = p_n(x) + E_n(x) \text{ ou encore } E_n(x) = f(x) - p_n(x)$$

Cela signifie que le polynôme $p_n(x)$ de degré n procure une approximation de la fonction $f(x)$ avec une erreur $E_n(x)$. Il reste à évaluer cette erreur. On constate immédiatement que $E_n(x_i) = 0$ pour $i = 0, 1, 2, \cdots, n$ et donc que l'erreur d'interpolation est nulle aux points de collocation puisque le polynôme passe exactement par ces points. On suppose de plus que les données des points $(x_i, f(x_i))$ sont exactes, ce qui n'est pas toujours le cas. En effet, si ces données proviennent de mesures expérimentales, elles peuvent être entachées d'une erreur de mesure. Dans ce qui suit, nous supposons que cette erreur est nulle. Le résultat suivant donne une expression analytique du terme d'erreur.

Théorème 5.19: Erreur d'interpolation

Soit $x_0 < x_1 < x_2 < \cdots < x_n$, les abscisses des points de collocation. On suppose que la fonction $f(x)$ est définie dans l'intervalle $[x_0 , x_n]$ et qu'elle est $(n + 1)$ fois dérivable dans $]x_0 , x_n[$. Alors, pour tout x dans l'intervalle $[x_0 , x_n]$, il existe $\xi(x)$ appartenant à l'intervalle $]x_0 , x_n[$ tel que :

$$E_n(x) = \frac{f^{(n+1)}(\xi(x))}{(n+1)!}(x - x_0)(x - x_1) \cdots (x - x_n) \qquad (5.21)$$

Démonstration. (facultative)

Aux nœuds d'interpolation, on a $E_n(x_k) = 0$, pour $k = 0, 1, 2, \cdots, n$ et pour une valeur de x fixe et différente des abscisses d'interpolation $(x \neq x_k)$, on définit la fonction de la variable t suivante :

$$g(t) = f(t) - p_n(t) - (f(x) - p_n(x)) \frac{(t - x_0)(t - x_1) \cdots (t - x_n)}{(x - x_0)(x - x_1) \cdots (x - x_n)}$$

Puisque $f(x) \in C^{n+1}([a, b])$ [1] et $p_n \in C^\infty([a, b])$, on a $g(t) \in C^{n+1}([a, b])$ et de plus, $g(x_k) = 0$ pour $k = 0, 1, 2, \cdots, n$. En $t = x$, on a aussi que $g(x) = 0$. La fonction $g(t)$ possède donc $n + 2$ racines et le théorème de Rolle généralisé [6] assure l'existence d'un point $\xi \in]a , b[$ tel que $g^{(n+1)}(\xi) = 0$ c.-à-d. :

$$f^{(n+1)}(\xi) - p_n^{(n+1)}(\xi) - (f(x) - p_n(x)) \frac{d^{n+1}}{dt^{n+1}}\left(\frac{(t - x_0)(t - x_1) \cdots (t - x_n)}{(x - x_0)(x - x_1) \cdots (x - x_n)} \right)\Bigg|_{t=\xi} = 0$$

Mais $p_n^{(n+1)}(\xi) = 0$ d'où :

$$f^{(n+1)}(\xi) = (f(x) - p_n(x)) \frac{(n + 1)!}{(x - x_0)(x - x_1) \cdots (x - x_n)}$$

ou encore :

$$f(x) = p_n(x) + \frac{f^{(n+1)}(\xi)}{(n+1)!}(x - x_0)(x - x_1) \cdots (x - x_n)$$

∎

---

1. Les espaces $C^{n+1}([a, b])$ et $C^\infty([a, b])$ contiennent respectivement les fonctions $n + 1$ fois et infiniment dérivables sur l'intervalle $[a, b]$.

La relation 5.21 est l'*expression analytique de l'erreur d'interpolation*. Plusieurs commentaires sont nécessaires pour bien comprendre la portée de ce résultat.

— On constate immédiatement que $E_n(x_i) = 0$ quel que soit i choisi entre 0 et n. L'erreur d'interpolation est nulle aux points de collocation.

— La fonction *a priori* inconnue $f(x)$ apparaît par l'entremise de sa dérivée d'ordre $(n+1)$ évaluée au point $\xi(x)$, également inconnu et qui varie avec x.

— Il existe une similarité entre l'erreur d'interpolation et l'erreur reliée au développement de Taylor 1.22. Dans les deux cas, on montre l'existence d'un point $\xi(x)$ permettant d'évaluer l'erreur, mais que l'on ne peut généralement pas déterminer.

— Puisque le terme d'erreur en un point x fait intervenir des coefficients de la forme $(x - x_i)$, il y a tout intérêt à choisir les points x_i qui sont situés le plus près possible de x. Ce choix est utile lorsqu'un grand nombre de points de collocation sont disponibles et qu'il n'est pas nécessaire de construire un polynôme passant par tous les points. On retient alors seulement les points de collocation les plus près de x de manière à minimiser l'erreur.

— La fonction $(x - x_0)(x - x_1) \cdots (x - x_n)$ est un polynôme de degré $(n+1)$ et possède donc les $(n+1)$ racines réelles (x_i, pour $i = 0, 1, \cdots, n$). Dans certaines conditions, cette fonction peut osciller avec de fortes amplitudes, d'où le risque de grandes erreurs d'interpolation. *Cette propriété fait en sorte qu'il est délicat d'effectuer des interpolations en utilisant des polynômes de degré élevé.*

Exemple 5.20. Soit les valeurs expérimentales suivantes, que l'on a obtenues en mesurant la vitesse (en km/h) d'un véhicule toutes les 5 secondes :

t(s)	0	5	10	15	20	25	30	35	40	45
v(km/h)	55	60	58	54	55	60	54	57	52	49

On constate que le véhicule se déplace à une vitesse oscillant autour de 55 km/h. On peut établir l'équation d'un polynôme de degré 9 passant par ces dix points illustré à la figure 5.4.. On remarque de fortes oscillations de ce polynôme principalement au début et à la fin de l'intervalle [0 , 45]. Ainsi, si l'on interpole les valeurs en $t = 2{,}5$ s et en $t = 42{,}5$ s, on trouve des vitesses respectives de 69,25 km/h et de 27,02 km/h, ce qui semble peu probable puisque le véhicule se déplace à une vitesse à peu près uniforme. Si l'on regarde les valeurs adjacentes au temps $t = 42{,}5$ s, le véhicule serait passé de 52 km/h à 49 km/h en passant par un creux soudain de 27,02 km/h. Rien ne laisse supposer un tel comportement. Pour remédier à la situation, on doit recourir à des polynômes de degré plus faible. Ainsi, en prenant seulement les trois premiers points de collocation qui définissent un polynôme de degré 2, on trouve une vitesse de 58,38 km/h en $t = 2{,}5$ s. De même, en ne considérant que les trois derniers

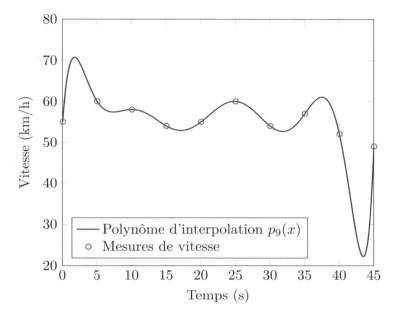

Figure 5.4 – Interpolation de la vitesse d'un véhicule

points de collocation, on trouve une vitesse de 50,25 km/h en $t = 42,5$ s. Ces résultats sont beaucoup plus acceptables.

Profitons de l'occasion pour souligner les dangers de l'*extrapolation*, c'est-à-dire de l'utilisation du polynôme d'interpolation à l'extérieur de l'intervalle contenant les points de collocation. Dans cet exemple où l'intervalle est $[0 , 45]$, on trouverait une vitesse de 256 km/h en $t = 47$ s et de 1635 km/h en $t = 50$s. Ces valeurs sont inutilisables. ♦

Remarque 5.21. L'expression analytique du terme d'erreur nous impose de choisir les points d'interpolation les plus près du point x où l'on veut interpoler. Cela s'est révélé souhaitable dans l'exemple précédent et est en fait une règle générale. ◄

Exemple 5.22. Soit les points $(1 , 1)$, $(3 , 1{,}732\,051)$, $(7{,}5 , 2{,}738\,613)$, $(9{,}1 , 3{,}016\,621)$ et $(12 , 3{,}464\,102)$. Si l'on veut interpoler la fonction inconnue $f(x)$ en $x = 8$, il est utile de construire une table de différences divisées.

Table de différences divisées					
x_i	$f(x_i)$	$f[x_i, x_{i+1}]$	$f[x_i, \cdots, x_{i+2}]$	$f[x_i, \cdots, x_{i+3}]$	$f[x_i, \cdots, x_{i+4}]$
7,5	2,738 613				
		0,173 755			
9,1	3,016 621		$-0,004\,322\,47$		
		0,154 304		0,000 4291	
12	3,464 102		$-0,006\,253\,44$		$-0,000\,1149$
		0,192 450		0,001 1761	
3	1,732 051		$-0,015\,779\,54$		
		0,366 025			
1	1,000 000				

On remarque que les abscisses x_i ont été ordonnées en fonction de leur distance par rapport à $x = 8$. Cela permet d'effectuer d'abord l'interpolation avec les valeurs les plus proches de x et également de diminuer plus rapidement l'erreur d'interpolation. En effet, en prenant des polynômes de degré de plus en plus élevé, la formule de Newton donne les résultats suivants.

Classement par distance croissante		
Degré n	$p_n(8)$	$|p_n(8) - \sqrt{8}|$
1	2,825 490	$0,29 \times 10^{-2}$
2	2,827 868	$0,55 \times 10^{-3}$
3	2,828 812	$0,38 \times 10^{-3}$
4	2,827 547	$0,88 \times 10^{-3}$

La fonction interpolée est $f(x) = \sqrt{x}$, qui prend la valeur de 2,828 427 125 en $x = 8$. On constate donc une précision acceptable dès le polynôme de degré 1. Si les points d'interpolation avaient été classés par abscisse croissante, on aurait obtenu le tableau suivant.

Classement par abscisse croissante		
Degré n	$p_n(8)$	$|p_n(8) - \sqrt{8}|$
1	3,562 178	$0,73 \times 10^{+0}$
2	2,795 705	$0,32 \times 10^{-1}$
3	2,825 335	$0,30 \times 10^{-2}$
4	2,827 547	$0,88 \times 10^{-3}$

Il faut dans ce cas attendre le degré 3 avant d'avoir une précision acceptable. On obtient bien sûr le même résultat dans les deux cas lorsque tous les points d'interpolation sont utilisés, c'est-à-dire lorsque l'on recourt au polynôme de degré 4. On voit donc l'importance d'utiliser les points de collocation les plus près possible de l'abscisse autour de laquelle on veut effectuer l'interpolation.

◆

L'expression analytique de l'erreur d'interpolation 5.21 ne permet pas d'évaluer la précision de l'approximation. Il est cependant souhaitable de pouvoir évaluer cette erreur, même de façon grossière. Cela est possible avec la formule de Newton. En effet, l'expression 5.21 fait intervenir la dérivée d'ordre $(n+1)$ de la fonction $f(x)$ en $x = \xi$. C'est ce terme qu'il est nécessaire d'estimer, puisque c'est le seul qui ne puisse être évalué exactement.

Considérons le cas particulier où les abscisses x_i sont également distantes, c'est-à-dire où :

$$x_{i+1} - x_i = h$$

Il faut établir un lien entre les dérivées de la fonction $f(x)$ et les différences divisées. On remarque dans un premier temps que $f[x_0, x_1]$ est une approximation d'ordre 1 de la dérivée de $f(x)$ en $x = x_0$:

$$f[x_0, x_1] = f'(x_0) + O(h)$$

En effet, on a :

$$f[x_0, x_1] = \frac{f(x_1) - f(x_0)}{(x_1 - x_0)} = \frac{f(x_0 + h) - f(x_0)}{h}$$

En utilisant le développement de Taylor 1.21, on obtient :

$$f[x_0, x_1] = \frac{\left(f(x_0) + f'(x_0)h + \frac{f''(x_0)h^2}{2} + O(h^3) \right) - f(x_0)}{h}$$

$$= f'(x_0) + \frac{f''(x_0)h}{2} + O(h^2) = f'(x_0) + O(h)$$

De même, on peut montrer qu'à une constante près la n-ième différence divisée de $f(x)$ est une approximation d'ordre 1 de la dérivée n-ième de $f(x)$ en $x = x_0$. On peut en effet démontrer que :

$$f[x_0, x_1, x_2 \cdots, x_n] = \frac{f^{(n)}(x_0)}{n!} + O(h) \tag{5.22}$$

Nous reviendrons sur l'approximation 5.22 au chapitre 6 sur la dérivation numérique. Pour le moment, servons-nous de ce résultat. On suppose que la dérivée $(n+1)$-ième de $f(x)$ varie peu dans l'intervalle $[x_0, x_n]$. On a alors l'approximation suivante :

$$f[x_0, x_1, x_2, \cdots, x_n, x_{n+1}] \simeq \frac{f^{(n+1)}(x_0)}{(n+1)!} \simeq \frac{f^{n+1}(\xi)}{(n+1)!}$$

On peut ainsi estimer le terme d'erreur 5.21 par :

$$E_n(x) \simeq f[x_0, x_1, x_2, \cdots, x_n, x_{n+1}](x - x_0)(x - x_1) \cdots (x - x_n) \tag{5.23}$$

qui n'est rien d'autre que le terme suivant dans la formule de Newton, permettant de calculer $p_{n+1}(x)$. Ceci revient à écrire :

$$E_n(x) \simeq p_{n+1}(x) - p_n(x) \tag{5.24}$$

En d'autres termes, il est possible d'estimer l'erreur d'interpolation liée à un polynôme de degré n en calculant le terme suivant dans la formule de Newton. L'approximation 5.23 (ou 5.24) n'est cependant pas toujours d'une grande précision, mais c'est généralement la seule disponible.

Cela nous amène à suggérer le critère d'arrêt suivant dans le cas de l'interpolation à l'aide de la formule de Newton. On considère que l'approximation $p_n(x)$ est suffisamment précise si :

$$\frac{|p_{n+1}(x) - p_n(x)|}{|p_{n+1}(x)|} < \epsilon_a$$

où ϵ_a est une valeur de tolérance fixée à l'avance. Il est généralement recommandé de fixer également le degré maximal N des polynômes utilisés.

Exemple 5.23. Soit une table de la fonction $\sqrt{x}$. Puisque l'on connaît la fonction (ce qui n'est bien sûr pas le cas en pratique), on est donc en mesure d'évaluer l'erreur exacte et de la comparer avec son approximation obtenue à l'aide de la relation 5.23.

Table de différences divisées				
x_i	$f(x_i)$	$f[x_i, x_{i+1}]$	$f[x_i, \cdots, x_{i+2}]$	$f[x_i, \cdots, x_{i+3}]$	$f[x_i, \cdots, x_{i+4}]$
7	2,645 751				
		0,177 124			
9	3,000 000		$-0,004\,702\,99$		
		0,158 312		0,000 206 783	
11	3,316 625		$-0,003\,462\,29$		$-0,9692 \times 10^{-5}$
		0,144 463		0,000 129 248	
13	3,605 551		$-0,002\,686\,80$		
		0,133 716			
15	3,872 983				

On tente d'obtenir une approximation de $\sqrt{8}$ à l'aide de cette table. En se basant sur un polynôme de degré 1 et en prenant $x_0 = 7$, on obtient facilement :

$$p_1(x) = 2,645\,751 + 0,177\,124(x - 7)$$

de telle sorte que $p_1(8) = 2,822\,875$. L'erreur exacte en $x = 8$ est alors :

$$E_1(8) = f(8) - p_1(8) = \sqrt{8} - 2,822\,875 = 0,005\,552\,125$$

Selon l'expression 5.23, on peut estimer cette erreur par le terme suivant dans la formule de Newton 5.6, c'est-à-dire :

$$E_1(8) \simeq -0,004\,702\,99(8 - 7)(8 - 9) = 0,004\,702\,99$$

On constate donc que l'erreur approximative est assez près de l'erreur exacte. Considérons maintenant le polynôme de degré 2 :

$$p_2(x) = p_1(x) - 0,004\,702\,99(x - 7)(x - 9)$$

qui prend la valeur $p_2(8) = 2,822\,875 + 0,004\,702\,99 = 2,827\,577\,990$.

L'erreur exacte est alors $0,000\,849\,135$ et cette erreur peut être approchée à l'aide du terme suivant dans la formule de Newton :

$$E_2(8) \simeq 0,000\,206\,783(8-7)(8-9)(8-11) = 0,000\,620\,349$$

Enfin, en passant au polynôme de degré 3, on trouve :

$$p_3(x) = p_2(x) + 0,000\,206\,783(x-7)(x-9)(x-11)$$

ce qui entraîne que $p_3(8) = 2,827\,578\,301 + 0,000\,620\,349 = 2,828\,198\,339$.

L'erreur exacte est alors $0,000\,228\,786$, ce qui est près de la valeur obtenue au moyen de l'équation 5.23 :

$$E_3(8) \simeq -0,9692 \times 10^{-5}(8-7)(8-9)(8-11)(8-13) = 0,000\,145\,380$$

qui montre que cette approximation possède 4 chiffres significatifs.

On remarque par ailleurs dans la table que les premières différences divisées sont négatives et que le signe alterne d'une colonne à une autre. Cela s'explique par la relation 5.22, qui établit un lien entre les différences divisées et les dérivées de la fonction $f(x)$. Dans cet exemple, on a :

$$f(x) = \sqrt{x}, \quad f'(x) = \frac{1}{2\sqrt{x}}, \quad f''(x) = \frac{-1}{4x^{\frac{3}{2}}}, \quad f'''(x) = \frac{3}{8x^{\frac{5}{2}}}, \quad \text{etc.}$$

Le signe des dérivées alterne, tout comme le signe des différentes colonnes de la table de différences divisées. ♦

Nous terminerons cette section en cherchant à déterminer l'ordre de convergence de l'approximation polynomiale. Si l'on retient le cas où les abscisses sont également distantes, il suffit de poser :

$$s = \frac{x - x_0}{h} \quad \text{ou encore} \quad (x - x_0) = sh \tag{5.25}$$

Cette transformation permet d'écrire $x - x_i = x - (x_0 + ih) = (s - i)h$. Il suffit maintenant de remplacer $x - x_i$ par $(s - i)h$ dans l'expression analytique de l'erreur d'interpolation 5.21 pour obtenir le prochain résultat.

Corollaire 5.24

Dans le cas où les abscisses x_i des points de collocation sont équidistantes, l'expression analytique de l'erreur d'interpolation s'écrit :

$$E_n(x) = \frac{f^{(n+1)}(\xi)}{(n+1)!} s(s-1)(s-2)\cdots(s-n)h^{n+1} \tag{5.26}$$

pour un certain ξ dans l'intervalle $]x_0, x_n[$.

Remarque 5.25. On peut dès lors conclure que le polynôme d'interpolation $p_n(x)$ est une approximation d'ordre $(n+1)$ de la fonction $f(x)$. Encore une fois, si l'on prend des points de collocation situés à une distance $\frac{h}{2}$ les uns des autres, l'erreur d'interpolation est diminuée d'un facteur de 2^{n+1}. ◄

Remarque 5.26. L'expression analytique de l'erreur d'interpolation demeure la même, quelle que soit la façon dont on calcule le polynôme d'interpolation. Ainsi, l'expression 5.21 est valable si l'on utilise l'interpolation de Lagrange, la matrice de Vandermonde ou toute autre méthode. Cela s'explique par l'unicité de ce polynôme.

L'approximation de l'erreur exprimée par l'équation 5.23 est également valable quelle que soit la façon dont on calcule le polynôme d'interpolation. Si l'on utilise une autre méthode que l'interpolation de Newton, il faut calculer la table de différences divisées pour obtenir l'approximation 5.23. Il est donc avantageux d'utiliser la formule de Newton dès le départ. ◄

5.6 Splines cubiques

Dans bon nombre d'applications, il est impératif d'obtenir des courbes très régulières passant par un grand nombre de points. C'est le cas en conception assistée par ordinateur (CAO), où l'on cherche souvent à représenter des objets aux formes lisses. Nous avons déjà constaté que l'utilisation de polynômes de degré élevé est délicate et mène parfois à des oscillations de grande amplitude. Les polynômes de degré élevé sont alors peu adéquats.

Le problème, lorsque l'on utilise des polynômes de faible degré, provient du fait qu'il faut en utiliser plusieurs pour relier tous les points. C'est le cas de l'interpolation linéaire par morceaux, illustrée à la figure 5.5, qui consiste à relier chaque paire de points par un segment de droite. On utilise aussi l'appellation *spline linéaire*. On imagine assez mal comment une telle courbe pourrait permettre de faire la conception d'une carrosserie de voiture ou d'une aile d'avion. Il faut donc être plus prudent à la jonction des différents segments de courbe. La spline linéaire est continue mais n'est pas dérivable et nous allons maintenant montrer que l'on peut faire beaucoup mieux.

L'idée fondamentale des splines est d'utiliser plusieurs polynômes de bas degré et de les recoller adéquatement, c'est-à-dire en s'assurant que la courbe résultante soit aussi différentiable que possible. Bien entendu, il faudra trouver un compromis entre le degré des polynômes utilisés et la différentiabilité de la courbe. La spline dite cubique en est un bel exemple. Nous en ferons maintenant la description et nous référons le lecteur à de Boor [13] pour une description plus complète et plus générale des propriétés des splines. Nous étudierons dans un premier temps les courbes de la forme $y = f(x)$ et par la suite nous verrons comment aborder les courbes paramétrées.

5.6.1 Courbes de la forme $y = f(x)$

On considère donc, ici encore, $(n+1)$ points d'interpolation $(x_i, f(x_i))$, $i = 0, 1, 2, \cdots, n$ par lesquels on souhaite faire passer une courbe autant de fois différentiable que possible. Dans chaque intervalle $[x_i, x_{i+1}]$ (de longueur $h_i = x_{i+1} - x_i$), nous allons utiliser un polynôme de degré 3 de la forme :

$$p_i(x) = f_i + f_i'(x - x_i) + \frac{f_i''}{2!}(x - x_i)^2 + \frac{f_i'''}{3!}(x - x_i)^3 \qquad (5.27)$$

pour $i = 0, 1, 2, \cdots, n-1$

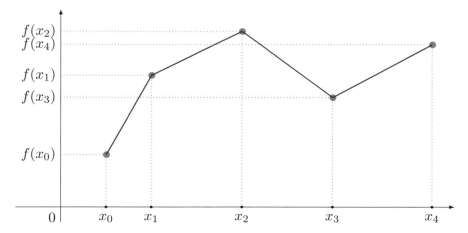

Figure 5.5 – Interpolation linéaire par morceaux

et relier ces différents polynômes de façon à ce que la courbe résultante soit deux fois différentiable. La situation est décrite à la figure 5.6 pour $n = 4$. C'est l'*interpolation par splines cubiques*. On remarque que chacun de ces polynômes se présente commme un développement de Taylor autour du point x_i. Ce n'est nullement obligatoire mais cette forme permet d'interpréter plus facilement les coefficients à déterminer f_i, f_i', f_i'' et f_i''' qui sont alors respectivement les valeurs de la spline et de ses trois premières dérivées en x_i. On constate en effet facilement que $p_i(x_i) = f_i$, $p_i'(x_i) = f_i'$, $p_i''(x_i) = f_i''$ et enfin $p_i'''(x_i) = f_i'''$.

Puisque l'on a $(n + 1)$ points d'interpolation, il y a n intervalles $[x_i, x_{i+1}]$ et donc $4n$ coefficients inconnus (f_i, f_i', f_i'' et f_i''' pour $i = 0, 1, \cdots, n - 1$). Ces $4n$ coefficients doivent être déterminés le plus efficacement possible pour que la méthode reste attrayante. Comme nous allons le constater, une résolution astucieuse conduit à un système linéaire *tridiagonal* de dimension $(n + 1)$ qui pourra être résolu par l'algorithme décrit à la section 3.6.2. Nous allons en effet exprimer toutes ces inconnues en fonction des dérivées secondes f_i'' aux nœuds. On complète donc notre ensemble d'inconnues en introduisant la dérivée seconde f_n'' au nœud x_n de sorte que nous aurons un grand total de $4n + 1$ inconnues que nous réduirons en un système de dimension $n + 1$.

Voyons combien de conditions ou d'équations nous pouvons imposer à ces $4n + 1$ coefficients. Ces équations proviennent des conditions de régularité que l'on souhaite imposer à la courbe résultante.

— Notons tout d'abord que f_n'' n'est pas définie par l'équation 5.27 puisque les indices s'arrêtent à $n - 1$. Tel que déjà mentionné, on définit alors f_n'' comme étant la dérivée seconde de la spline en x_n. On a ainsi une première équation :

$$f_n'' = p_{n-1}''(x_n) = f_{n-1}'' + f_{n-1}'''(x_n - x_{n-1}) = f_{n-1}'' + f_{n-1}''' h_{n-1}$$

qui peut aussi s'écrire :

$$f_{n-1}''' = \frac{f_n'' - f_{n-1}''}{h_{n-1}} \tag{5.28}$$

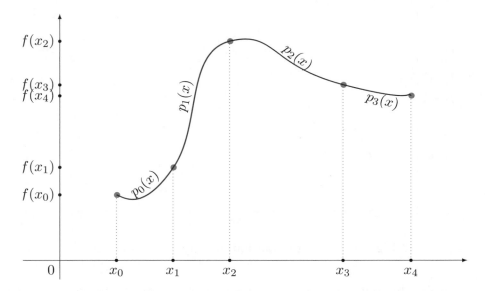

Figure 5.6 – Spline cubique constituée de $n = 4$ polynômes de degré 3

— À sa première extrémité, le polynôme $p_i(x)$ passe $(x_i, f(x_i))$, c'est-à-dire :
$$f(x_i) = p_i(x_i) = f_i \quad \text{pour} \quad i = 0, 1, 2, \cdots, n-1$$

ce qui nous donne n équations et élimine les f_i de notre liste d'inconnues ;

— De même, on obtient n nouvelles équations en regardant à la deuxième extrémité de chaque sous-intervalle. Pour $i = 0, 1, 2, \cdots, n-1$:

$$
\begin{aligned}
f(x_{i+1}) &= p_i(x_{i+1}) \\
&= f_i + f_i'(x_{i+1} - x_i) + \frac{f_i''}{2!}(x_{i+1} - x_i)^2 + \frac{f_i'''}{3!}(x_{i+1} - x_i)^3 \\
&= f(x_i) + f_i'h_i + \frac{f_i''}{2!}h_i^2 + \frac{f_i'''}{3!}h_i^3
\end{aligned}
$$

On peut ainsi isoler f_i' pour obtenir :

$$f_i' = \frac{f(x_{i+1}) - f(x_i)}{h_i} - \frac{f_i''}{2!}h_i - \frac{f_i'''}{3!}h_i^2 = f[x_i, x_{i+1}] - \frac{f_i''}{2!}h_i - \frac{f_i'''}{3!}h_i^2 \quad (5.29)$$

— On impose maintenant la continuité des dérivées secondes aux $(n-1)$ nœuds intérieurs $x_{i+1}, i = 0, 1, \cdots, n-2$, c'est-à-dire $n-1$ nouvelles équations :
$$p_{i+1}''(x_{i+1}) = p_i''(x_{i+1})$$

ou encore :
$$f_{i+1}'' = f_i'' + f_i'''(x_{i+1} - x_i) = f_i'' + f_i'''h_i$$

et en isolant f_i''', on trouve :

$$f_i''' = \frac{f_{i+1}'' - f_i''}{h_i} \quad (5.30)$$

Cette relation n'est *a priori* vraie que pour $i = 0, 1, \cdots n - 2$. Cependant, en vertu de l'équation 5.28, elle est également vraie pour $i = n - 1$ de sorte que l'on peut remplacer dans l'équation 5.29 qui devient :

$$f_i' = f[x_i, x_{i+1}] - \frac{f_i''}{2!}h_i - \left(\frac{f_{i+1}'' - f_i''}{3!}\right)h_i$$

et par la suite :

$$f_i' = f[x_i, x_{i+1}] - \frac{h_i f_i''}{3} - \frac{h_i f_{i+1}''}{6} \tag{5.31}$$

— Il ne reste plus qu'à imposer la continuité de la dérivée première aux mêmes $(n-1)$ points intérieurs (c.-à-d. $(n-1)$ nouvelles équations) :

$$p_{i+1}'(x_{i+1}) = p_i'(x_{i+1})$$

ou encore :

$$f_{i+1}' = f_i' + f_i''h_i + \frac{f_i'''}{2}h_i^2$$

On utilise ensuite les expressions 5.30 et 5.31 pour tout exprimer en fonction des inconnues f_i''. On a alors :

$$f[x_{i+1}, x_{i+2}] - \frac{h_{i+1} f_{i+1}''}{3} - \frac{h_{i+1} f_{i+2}''}{6} = f[x_i, x_{i+1}] - \frac{h_i f_i''}{3} - \frac{h_i f_{i+1}''}{6}$$
$$+ f_i''h_i + \left(\frac{f_{i+1}'' - f_i''}{2}\right)h_i$$

qui devient, en regroupant les termes :

$$h_i f_i'' + 2(h_i + h_{i+1})f_{i+1}'' + h_{i+2}f_{i+2}'' = 6(f[x_{i+1}, x_{i+2}] - f[x_i, x_{i+1}])$$

Une dernière simplification est possible si l'on divise chaque terme de cette dernière équation par :

$$h_i + h_{i+1} = x_{i+1} - x_i + x_{i+2} - x_{i+1} = x_{i+2} - x_i$$

ce qui donne :

$$\begin{cases} \dfrac{h_i}{(h_i + h_{i+1})}f_i'' + 2f_{i+1}'' + \dfrac{h_{i+1}}{(h_i + h_{i+1})}f_{i+2}'' = 6f[x_i, x_{i+1}, x_{i+2}] \\[2mm] \text{pour } i = 0, 1, 2, \cdots, n - 2 \end{cases} \tag{5.32}$$

On remarque que le terme de droite fait intervenir les deuxièmes différences divisées que nous avons définies à la section 5.4. Dans le cas où les abscisses sont équidistantes, c'est-à-dire $h_i = h$ quel que soit i, la matrice du système linéaire 5.32 se trouve simplifiée :

$$\begin{cases} \dfrac{1}{2}f_i'' + 2f_{i+1}'' + \dfrac{1}{2}f_{i+2}'' = 6f[x_i, x_{i+1}, x_{i+2}] \\[2mm] \text{pour } i = 0, 1, 2, \cdots, n - 2 \end{cases} \tag{5.33}$$

et on obtient alors une matrice tridiagonale dont la diagonale principale ne contient que des 2, tandis que les deux autres diagonales sont constituées de coefficients valant $\frac{1}{2}$. *Cette matrice ne dépend donc pas de la valeur de h, qui n'affecte que le terme de droite*

Nous avons donc imposé un total de $4n - 1$ contraintes à nos $4n + 1$ inconnues de départ. Nous avons également exprimé toutes les inconnues du système en fonction des dérivées secondes f_i'' de la spline et de fait il ne reste que $n + 1$ inconnues pour les $n - 1$ équations du système 5.32. On doit donc ajouter, de façon plus ou moins arbitraire, deux équations supplémentaires pour compléter le système et avoir autant d'équations que d'inconnues. Nous présentons maintenant quelques possibilités dont le choix précis dépend du problème et de la connaissance que l'on a de ce qui se passe aux extrémités de la courbe.

— La manière la plus simple de compléter le système d'équations consiste à imposer les valeurs des dérivées secondes aux deux extrémités soit $p_0''(x_0) = a$ et $p_{n-1}''(x_n) = b$:

$$f_0'' = a \quad \text{et} \quad f_n'' = b \tag{5.34}$$

Cela supppose bien entendu que l'on connaît les valeurs a et b de la dérivée seconde aux extrémités de la courbe. Si $a = b = 0$, on qualifie de *spline naturelle* la courbe qui en résulte. Ces deux équations s'ajoutent aisément au système 5.32.

— Un autre choix possible consiste à imposer que :

$$\begin{cases} f_0'' = f_1'' & \text{ou encore} \quad f_0'' - f_1'' = 0 \\ f_{n-1}'' = f_n'' & \text{ou encore} \quad -f_{n-1}'' + f_n'' = 0 \end{cases} \tag{5.35}$$

ce qui revient à imposer une courbure constante dans le premier et dans le dernier intervalle. Ces contraintes s'ajoutent aussi aux équations 5.32 et complètent ainsi le système de $(n + 1)$ équations en $(n + 1)$ inconnues.

— On peut aussi imposer les dérivées premières $p_0'(x_0) = a$ et $p_{n-1}'(x_n) = b$ aux deux extrémités (en supposant toujours que nous les connaissions). En x_0, on utilise directement la relation 5.31 :

$$f_0' = f[x_0, x_1] - \frac{h_0 f_0''}{3} - \frac{h_0 f_1''}{6} = a$$

qui devient :

$$2f_0'' + f_1'' = \frac{6}{h_0} \left(f[x_0, x_1] - a \right)$$

En x_n cependant, on ne peut utiliser directement la relation 5.31 puisqu'elle n'est définie que pour i allant de 0 à $n - 2$. Cependant, de la définition de $p_{n-1}(x)$:

$$p_{n-1}'(x_n) = f_{n-1}' + f_{n-1}'' h_{n-1} + \frac{f_{n-1}'''}{2} h_{n-1}^2$$

ce qui fait qu'en développant f_{n-1}' et f_{n-1}''' à l'aide des formules 5.31 et 5.28, on trouve :

$$p_{n-1}'(x_n) = f[x_{n-1}, x_n] + \frac{h_{n-1}}{6}(f_{n-1}'' + 2f_n'') \tag{5.36}$$

Imposer $b = p'_{n-1}(x_n)$ revient alors à ajouter l'équation :

$$f''_{n-1} + 2f''_n = \frac{6}{h_{n-1}}(b - f[x_{n-1}, x_n])$$

et on doit donc ajouter au système 5.32 les équations :

$$\begin{cases} 2f''_0 + f''_1 & = \quad \dfrac{6}{h_0}\left(f[x_0, x_1] - a\right) \\[2mm] f''_{n-1} + 2f''_n & = \quad \dfrac{6}{h_{n-1}}\left(b - f[x_{n-1}, x_n]\right) \end{cases} \tag{5.37}$$

— Une autre avenue intéressante est la condition dite « not-a-knot » en anglais. Cela consiste à éliminer, mais de manière virtuelle seulement, les nœuds d'interpolation x_1 et x_{n-1}. Pour ce faire, on impose en ces deux nœuds la continuité de la troisième dérivée soit :

$$p'''_0(x_1) = p'''_1(x_1) \text{ ainsi que } p'''_{n-2}(x_{n-1}) = p'''_{n-1}(x_{n-1})$$

ce qui revient à :

$$f'''_0 = f'''_1 \text{ et } f'''_{n-2} = f'''_{n-1}$$

et enfin, en utilisant 5.30 :

$$\frac{f''_1 - f''_0}{h_0} = \frac{f''_2 - f''_1}{h_1} \text{ ainsi que } \frac{f''_{n-1} - f''_{n-2}}{h_{n-2}} = \frac{f''_n - f''_{n-1}}{h_{n-1}}$$

On doit donc ajouter au système 5.32 les équations :

$$\begin{array}{rcl} h_1 f''_0 - (h_0 + h_1)f''_1 + h_0 f''_2 & = & 0 \\ h_{n-1}f''_{n-2} - (h_{n-2} + h_{n-1})f''_{n-1} + h_{n-2}f''_n & = & 0 \end{array} \tag{5.38}$$

Au nœud x_1, les polynômes $p_0(x)$ et $p_1(x)$ coïncident ainsi que leurs trois premières dérivées. Puisque ce sont des polynômes de degré 3, ils sont donc identiques et il n'y a en fait qu'un seul polynôme de degré 3 dans les deux premiers intervalles. C'est pourquoi on dit que le nœud x_1 n'est pas vraiment un nœud (« not-a-knot »). Il en est de même pour les polynômes $p_{n-2}(x)$ et $p_{n-1}(x)$ adjacents au nœud x_{n-1}.

— Une dernière situation intéressante et fréquemment utile concerne la représentation de fonctions périodiques. Dans ce cas, on doit vérifier dès le départ que $f(x_0) = f(x_n)$ mais cela ne suffit pas à imposer la périodicité de la spline. On doit aussi imposer la périodicité des dérivées première et deuxième soit $f'_0 = f'_n$ et $f''_0 = f''_n$. Cette dernière équation est facilement intégrée au système tandis que pour la première, on a en vertu des équations 5.31 et 5.36 :

$$f[x_0, x_1] - \frac{h_0 f''_0}{3} - \frac{h_0 f''_1}{6} = f[x_{n-1}, x_n] + \frac{h_{n-1}}{6}(f''_{n-1} + 2f''_n)$$

On doit donc imposer les deux conditions suivantes pour avoir la périodicité :

$$
\begin{cases}
f_0'' - f_n'' & = & 0 \\
\dfrac{h_0}{3} f_0'' + \dfrac{h_0}{6} f_1'' + \dfrac{h_{n-1}}{6} f_{n-1}'' + \dfrac{h_{n-1}}{3} f_n'' & = & f[x_0, x_1] - f[x_{n-1}, x_n]
\end{cases}
$$

$$(5.39)$$

Remarque 5.27. D'autres choix sont possibles. Tout dépend de l'information disponible pour un problème donné. On remarque de plus que pour les deux derniers types de conditions aux extrémités, les systèmes linéaires obtenus ne sont plus tridiagonaux. L'algorithme suivant résume toutes les étapes pour le calcul d'une spline cubique. ◄

Algorithme 5.28: Splines cubiques

1. Étant donnés les points $(x_i, f(x_i)), i = 0, 1, \cdots n$;
2. Construction du tableau de différences finies pour les $f[x_i, x_{i+1}, x_{i+2}]$;
3. Calcul des longueurs d'intervalles h_i ;
4. Calcul des dérivées secondes f_i'' par résolution du système linéaire constitué des équations 5.32 pour les nœuds intérieurs et complété par :
   — les équations 5.34 pour une spline dont on impose les dérivées secondes aux extrémités ($a = b = 0$ pour la spline naturelle) ;
   — les équations 5.35 pour une spline avec courbure constante dans le premier et le dernier intervalle ;
   — les équations 5.37 pour une spline dont on impose les dérivées premières aux extrémités ;
   — les équations 5.38 pour une spline « not-a-knot » ;
   — les équations 5.39 pour une spline périodique ;
5. Pour i allant de 0 à $n - 1$:
   5.1. Calcul des coefficients de la spline pour l'intervalle $[x_i, x_{i+1}]$:

$$
\begin{cases}
f_i & = & f(x_i) \\
f_i' & = & f[x_i, x_{i+1}] - \dfrac{h_i f_i''}{3} - \dfrac{h_i f_{i+1}''}{6} \\
f_i''' & = & \dfrac{f_{i+1}'' - f_i''}{h_i}
\end{cases}
$$

$$(5.40)$$

   5.2. La spline dans cet intervalle s'écrit :

$$
p_i(x) = f_i + f_i'(x - x_i) + \frac{f_i''}{2!}(x - x_i)^2 + \frac{f_i'''}{3!}(x - x_i)^3
$$

Exemple 5.29. Passons une spline cubique par les 4 points $(1 , 1)$, $(2 , 9)$, $(4 , 2)$, $(5 , 11)$. On trouve toute l'information nécessaire au calcul de cette spline dans la table suivante.

Données pour le calcul de la spline					
i	x_i	$f(x_i)$	$f[x_i, x_{i+1}]$	$f[x_i, x_{i+1}, x_{i+2}]$	h_i
0	1	1			1
			8		
1	2	9		$-\frac{23}{6}$	2
			$-\frac{7}{2}$		
2	4	2		$\frac{25}{6}$	1
			9		
3	5	11			

La première équation $(i = 0)$ du système 5.32 devient :

$$\left(\frac{1}{3}\right) f_0'' + 2f_1'' + \left(\frac{2}{3}\right) f_2'' = 6 \left(-\frac{23}{6}\right)$$

et la deuxième équation $(i = 1)$ s'écrit :

$$\left(\frac{2}{3}\right) f_1'' + 2f_2'' + \left(\frac{1}{3}\right) f_3'' = 6 \left(\frac{25}{6}\right)$$

Pour obtenir la spline naturelle $(f_0'' = f_3'' = 0)$, on résout le système :

$$\begin{bmatrix} 1 & 0 & 0 & 0 \\ \frac{1}{3} & 2 & \frac{2}{3} & 0 \\ 0 & \frac{2}{3} & 2 & \frac{1}{3} \\ 0 & 0 & 0 & 1 \end{bmatrix} \begin{bmatrix} f_0'' \\ f_1'' \\ f_2'' \\ f_3'' \end{bmatrix} = \begin{bmatrix} 0 \\ -23 \\ 25 \\ 0 \end{bmatrix}$$

dont la solution est $f_0'' = 0$, $f_1'' = -141/8$, $f_2'' = 147/8$ et $f_3'' = 0$. Pour obtenir l'équation de la spline dans le premier intervalle, on doit utiliser les relations 5.27 et 5.40. On obtient :

$$\begin{cases} f_0 &= 1 \\ \\ f_0' &= f[x_0, x_1] - \dfrac{h_0 f_0''}{3} - \dfrac{h_0 f_1''}{6} = 8 - \dfrac{(1)(0)}{3} - \dfrac{(1)(-141/8)}{6} = \dfrac{175}{16} \\ \\ f_0''' &= \dfrac{f_1'' - f_0''}{h_0} = -\dfrac{141}{8} \end{cases}$$

et on a :

$$p_0(x) = 1 + \frac{175}{16}(x - 1) + \frac{0}{2}(x - 1)^2 - \frac{47}{16}(x - 1)^3$$

Ce polynôme n'est défini que dans l'intervalle $[1 , 2]$. On peut par exemple l'évaluer en $x = 1{,}5$ pour obtenir $6{,}101\,5625$.

De même, si l'on a besoin de la valeur de la spline en $x = 3$, qui est situé dans le deuxième intervalle (soit $[2, 4]$), on peut obtenir l'équation de la spline dans cet intervalle en posant $i = 1$ dans l'équation 5.27. On a alors :

$$\begin{cases} f_1 = 9 \\[2mm] f_1' = f[x_1, x_2] - \dfrac{h_1 f_1''}{3} - \dfrac{h_1 f_2''}{6} = -\dfrac{7}{2} - \dfrac{(2)(-141/8)}{3} - \dfrac{(2)(147/8)}{6} = \dfrac{17}{8} \\[2mm] f_1''' = \dfrac{f_2'' - f_1''}{h_1} = 18 \end{cases}$$

et on a :

$$p_1(x) = 9 + \frac{17}{8}(x-2) - \frac{141}{16}(x-2)^2 + 3(x-2)^3$$

La valeur de la spline en $x = 3$ est donc 5,3125. La spline naturelle complète est illustrée à la figure 5.7.

Sur la même figure, nous avons aussi illustré la spline «not-a-knot» pour montrer que les conditions ajoutées aux extrémités sont importantes. Pour l'obtenir, on doit maintenant résoudre le système modifié :

$$\begin{bmatrix} 2 & -3 & 1 & 0 \\ \frac{1}{3} & 2 & \frac{2}{3} & 0 \\ 0 & \frac{2}{3} & 2 & \frac{1}{3} \\ 0 & 1 & -3 & 2 \end{bmatrix} \begin{bmatrix} f_0'' \\ f_1'' \\ f_2'' \\ f_3'' \end{bmatrix} = \begin{bmatrix} 0 \\ -23 \\ 25 \\ 0 \end{bmatrix}$$

dont la solution est $f_0'' = -71/3$, $f_1'' = -35/3$, $f_2'' = 37/3$ et $f_3'' = 73/3$. Les deux splines se distinguent nettement dans tout l'intervalle. Normalement, les splines calculées à l'aide de différentes conditions aux extrémités sont similaires sauf, justement, près des extrémités (voir l'exemple 5.30). Il va de soi que les différences observées dans cet exemple sont amplifiées par le fait qu'il n'y a ici que 4 points. ◆

Exemple 5.30. Si l'on reprend l'exemple 5.20 où la vitesse d'un véhicule est mesurée toutes les 5 secondes, on obtient la spline de la figure 5.8. On remarque immédiatement que les fortes oscillations observées à la figure 5.4 avec un polynôme de degré 9 ont disparu. On peut alors interpoler la valeur de la vitesse du véhicule partout dans l'intervalle $[0, 45]$ sans risque d'obtenir des valeurs aberrantes.

Tout comme dans l'exemple précédent, nous avons tracé sur la même figure la spline «not-a-knot». On constate que cette fois les deux splines sont similaires, sauf aux deux extrémités. C'est souvent ce que l'on observera en essayant différentes conditions aux extrémités. ◆

5.6.2   Splines paramétrées

Les logiciels de conception assistée par ordinateur (CAO) doivent fréquemment relier des points que l'utilisateur spécifie à l'écran en *cliquant* à l'aide

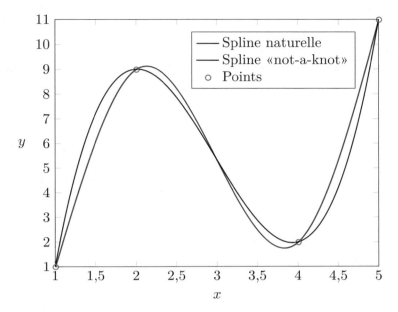

Figure 5.7 – Spline passant par 4 points

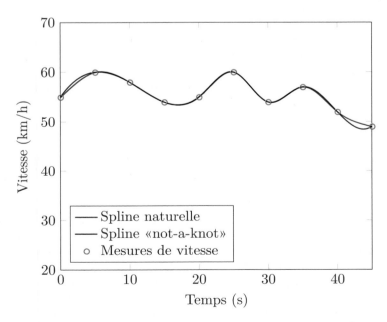

Figure 5.8 – Spline cubique associée au problème du véhicule

de la souris. La courbe résultante n'est pas forcément de la forme $y = f(x)$ en ce sens qu'elle peut contenir des boucles et prendre des formes tout à fait quelconques. Nous ne pouvons donc pas utiliser directement la méthodologie que nous venons de développer. Comme nous le verrons, il suffit cependant d'une très légère modification.

On souhaite ainsi, à l'aide de quelques points donnés dans un plan ou dans l'espace à 3 dimensions, construire des trajectoires complexes permettant de faire la conception d'objets de formes très diverses. Pour y arriver, on peut avoir recours aux splines cubiques paramétrées que nous allons maintenant décrire.

On cherche donc à construire une courbe régulière passant par les points de l'espace (ou du plan) de la forme (x_1^i, x_2^i, x_3^i) pour $i = 0, 1, 2, \cdots, n$. La paramétrisation d'une courbe s'obtient par une équation de la forme :

$$\vec{\gamma}(t) = (\gamma_1(t), \gamma_2(t), \gamma_3(t)), \quad t \in [a, b]$$

On décrit la courbe en faisant varier le paramètre t entre a et b. Pour construire une courbe paramétrée passant par les points (x_1^i, x_2^i, x_3^i), il faut d'abord construire la suite t_i des valeurs du paramètre t de telle sorte que :

$$\vec{\gamma}(t_i) = (x_1^i, x_2^i, x_3^i)$$

Le choix le plus simple est bien sûr $t_i = i$, mais il ne tient aucun compte des distances respectives entre les points (x_1^i, x_2^i, x_3^i). Un choix plus judicieux consiste à prendre $t_0 = 0$ et :

$$t_i = t_{i-1} + ||\vec{x}^i - \vec{x}^{i-1}||_2 \text{ pour } i \geq 1 \tag{5.41}$$

La distance entre les valeurs du paramètre t est ainsi variable et dépend directement de la distance entre les points d'interpolation, ce qui assure un meilleur équilibre de la courbe résultante.

Pour obtenir la spline paramétrée passant par n points donnés, il suffit de calculer les 3 splines passant respectivement par les points (t_i, x_1^i), (t_i, x_2^i) et (t_i, x_3^i) (en dimension 2, on laisse tomber la troisième spline). Il suffit donc de suivre les étapes suivantes :

— créer le vecteur t contenant les valeurs des t_i suivant l'équation 5.41. On notera t_{max} la valeur maximale du vecteur t. Les t_i étant croissants, on a $t_{max} = t_n$;

— créer un vecteur tt qui varie entre 0 et t_{max}, mais avec une partition beaucoup plus fine que celle de t. En effet, la spline paramétrée sera évaluée entre les points d'interpolation et c'est ce qui assurera une courbe plus lisse. Typiquement, le vecteur tt variera également entre 0 et t_{max} et contiendra jusqu'à 10 fois plus de points que le vecteur t ;

— calculer les 3 splines passant respectivement par les points (t_i, x_1^i), (t_i, x_2^i) et (t_i, x_3^i). On évalue ces splines à tous les points du vecteur tt ;

— tracer la spline paramétrée passant par les points du vecteur tt.

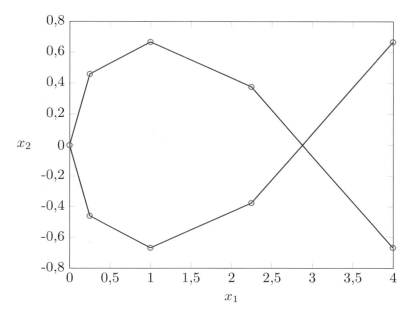

Figure 5.9 – Points reliés par des segments de droite

Pour illustrer ce processus, considérons (en dimension 2) les points (x_1^i, x_2^i) suivants :

Points de la spline			
x_1^i	x_2^i	x_1^i	x_2^i
4,00	$-0{,}666\,667$	0,25	$-0{,}458\,333$
2,25	$+0{,}375\,000$	1,00	$-0{,}666\,667$
1,00	$+0{,}666\,667$	2,25	$-0{,}375\,000$
0,25	$+0{,}458\,333$	4,00	$+0{,}666\,667$
0,00	$+0{,}000\,000$		

et qui sont illustrés à la figure 5.9. Les points ainsi reliés par des segments de droite, la courbe qui en résulte n'est pas très élégante et ne permettrait pas une conception harmonieuse. Le vecteur t résultant de l'équation 5.41 est de longueur 9 et prend les valeurs :

$$t = [0\ ,\ 2{,}0366\ ,\ 3{,}3201\ ,\ 4{,}0985\ ,\ 4{,}6206\ ,\ 5{,}1427\ ,\ 5{,}9211\ ,\ 7{,}2047\ ,\ 9{,}2412]$$

On a alors $t_{max} = 9{,}2412$. Le vecteur tt est tout simplement une partition de l'intervalle $[0\ ,\ t_{max}]$ par incréments d'environ 0,5. On calcule alors les 2 splines passant par les points $(t_i\ ,\ x_1^i)$ et $(t_i\ ,\ x_2^i)$ qui sont illustrées à la figure 5.10. On constate donc que chacune de ces splines est de la forme étudiée à la section 5.6.1. Si l'on trace, à la figure 5.11, la spline paramétrée, on constate une courbe très lisse (2 fois différentiable).

5.7 Krigeage

Le krigeage, dont l'origine remonte à Krige (réf. [31]) au début des années cinquante, s'est révélé une technique d'interpolation extrêmement puissante à

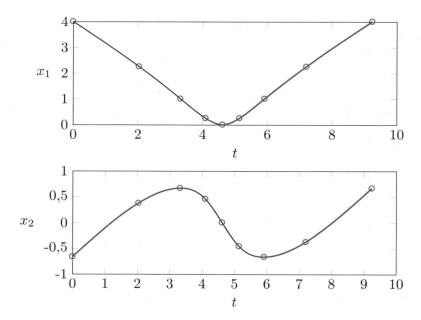

Figure 5.10 – Splines passant par les points (t_i, x_1^i) et (t_i, x_2^i)

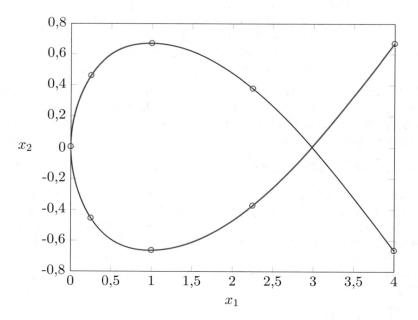

Figure 5.11 – Spline paramétrée

la suite des travaux de Matheron (réf. [34]). Le krigeage généralise un certain nombre de méthodes d'interpolation que nous avons vues, mais son principal avantage est de s'étendre facilement aux cas bidimensionnels et tridimensionnels. Nous verrons en fait que faire du krigeage en 1, 2, 3 ou plus de 3 dimensions est tout aussi facile.

Il est possible, par une approche simple, de mettre en évidence certaines propriétés du krigeage ou plus précisément du *krigeage dual*. Nous nous inspirerons à cet égard de l'article de Trochu (réf. [45]), qui contient de plus une excellente revue de la documentation ainsi que des applications en ingénierie.

Le krigeage a été introduit principalement pour répondre aux besoins de la prospection minière. Il servait notamment à reconstituer la position d'un filon de minerai à partir de concentrations obtenues par forage. Il y a donc un aspect statistique inhérent à ce problème, mais nous ne l'abordons pas ici. Nous nous limitons à présenter le krigeage comme une technique d'interpolation.

Nous abordons en premier lieu l'interpolation d'une courbe plane de forme $y = f(x)$, un problème que nous connaissons bien. Soit les n points $((x_i, f(x_i)$ pour $i = 1, 2, 3, \cdots, n)$ [2]. Considérons le système linéaire suivant :

$$
\left[
\begin{array}{ccccc|cc}
K_{11} & K_{12} & K_{13} & \cdots & K_{1n} & 1 & x_1 \\
K_{21} & K_{22} & K_{23} & \cdots & K_{2n} & 1 & x_2 \\
K_{31} & K_{32} & K_{33} & \cdots & K_{3n} & 1 & x_3 \\
\vdots & \vdots & \vdots & \ddots & \vdots & \vdots & \vdots \\
K_{n1} & K_{n2} & K_{n3} & \cdots & K_{nn} & 1 & x_n \\
\hline
1 & 1 & 1 & \cdots & 1 & 0 & 0 \\
x_1 & x_2 & x_3 & \cdots & x_n & 0 & 0
\end{array}
\right]
\left[
\begin{array}{c}
\alpha_1 \\
\alpha_2 \\
\alpha_3 \\
\vdots \\
\alpha_n \\
\hline
a_1 \\
a_2
\end{array}
\right]
=
\left[
\begin{array}{c}
f(x_1) \\
f(x_2) \\
f(x_3) \\
\vdots \\
f(x_n) \\
\hline
0 \\
0
\end{array}
\right]
\tag{5.42}
$$

qui peut être représenté sous forme matricielle :

$$
\left[
\begin{array}{cc}
K & A \\
A^T & 0
\end{array}
\right]
\left[
\begin{array}{c}
\vec{\alpha} \\
\vec{a}
\end{array}
\right]
=
\left[
\begin{array}{c}
\vec{f} \\
\vec{0}
\end{array}
\right]
\tag{5.43}
$$

Les matrices K et A ainsi que les vecteurs $\vec{\alpha}$, $\vec{f}$ et $\vec{a}$ sont définis par la comparaison des relations 5.42 et 5.43. La matrice A dépend des coordonnées des points de collocation, tandis que les éléments de la matrice K sont donnés typiquement par une relation de la forme :

$$
K_{ij} = g(|x_i - x_j|)
\tag{5.44}
$$

On obtient les coefficients K_{ij} à partir d'une fonction g qui varie selon la distance entre les abscisses x_i et x_j. Le choix de la fonction g détermine les propriétés de la courbe de krigeage et n'est pas totalement arbitraire ; il est régi par des règles que nous ne précisons pas ici. Mentionnons toutefois que l'on doit s'assurer que la matrice du système 5.42 soit inversible.

Considérons maintenant la fonction :

$$
u(x) = \sum_{j=1}^{n} \alpha_j g(|x - x_j|) + a_1 + a_2 x
\tag{5.45}
$$

---

2. On notera que pour simplifier la notation, nous avons numéroté les points de 1 à n et non de 0 jusqu'à n comme nous en avions l'habitude.

Si a_1, a_2 et les α_j sont solutions du système 5.42, la fonction $u(x)$ passe par les n points d'interpolation donnés. En effet, la i-ième équation du système se lit :

$$\sum_{j=1}^{n} \alpha_j K_{ij} + a_1 + a_2 x_i = f(x_i)$$

qui s'écrit également :

$$\sum_{j=1}^{n} \alpha_j g(|x_i - x_j|) + a_1 + a_2 x_i = f(x_i)$$

Cela signifie que :

$$u(x_i) = f(x_i)$$

Les deux dernières équations du système 5.42 sont tout simplement :

$$\sum_{j=1}^{n} \alpha_j = 0 \quad \text{et} \quad \sum_{j=1}^{n} \alpha_j x_j = 0 \tag{5.46}$$

qui traduisent des conditions de non-biais de la fonction $u(x)$, faisant ici référence à l'aspect statistique du krigeage.

On décompose la fonction $u(x)$ en deux parties. On appelle *dérive* la partie :

$$a_1 + a_2 x \tag{5.47}$$

qui peut également être un polynôme de degré k. Il faut alors modifier légèrement le système 5.42 en ajoutant les lignes et les colonnes contenant les différentes puissances des points x_i. Le système prend la forme :

$$\left[\begin{array}{cccc|ccccc} K_{11} & \cdots & K_{1n} & 1 & x_1 & (x_1)^2 & \cdots & (x_1)^k \\ K_{21} & \cdots & K_{2n} & 1 & x_2 & (x_2)^2 & \cdots & (x_2)^k \\ K_{31} & \cdots & K_{3n} & 1 & x_3 & (x_3)^2 & \cdots & (x_3)^k \\ \vdots & \ddots & \vdots & \vdots & \vdots & \vdots & \ddots & \vdots \\ K_{n1} & \cdots & K_{nn} & 1 & x_n & (x_n)^2 & \cdots & (x_n)^k \\ \hline 1 & \cdots & 1 & 0 & 0 & 0 & \cdots & 0 \\ x_1 & \cdots & x_n & 0 & 0 & 0 & \cdots & 0 \\ (x_1)^2 & \cdots & (x_n)^2 & 0 & 0 & 0 & \cdots & 0 \\ \vdots & \ddots & \vdots & \vdots & \vdots & \vdots & \ddots & \vdots \\ (x_1)^k & \cdots & (x_n)^k & 0 & 0 & 0 & \cdots & 0 \end{array}\right] \left[\begin{array}{c} \alpha_1 \\ \alpha_2 \\ \alpha_3 \\ \vdots \\ \alpha_n \\ \hline a_1 \\ a_2 \\ a_3 \\ \vdots \\ a_{k+1} \end{array}\right] = \left[\begin{array}{c} f(x_1) \\ f(x_2) \\ f(x_3) \\ \vdots \\ f(x_n) \\ \hline 0 \\ 0 \\ 0 \\ \vdots \\ 0 \end{array}\right]$$

$$\tag{5.48}$$

La fonction :

$$\sum_{j=1}^{n} \alpha_j g(|x - x_j|) \tag{5.49}$$

est appelée *fluctuation aléatoire*. La dérive peut s'interpréter comme une première approximation du comportement général de la fonction $f(x)$ à interpoler. La fluctuation aléatoire est une correction de la dérive permettant à la courbe de passer par les points d'interpolation.

Remarque 5.31. Si l'on remplace la fonction g par cg, où c est une constante, la matrice K est multipliée par la même constante. Il est facile de voir que la solution du système 5.42 est alors $\begin{bmatrix} \frac{\vec{\alpha}}{c} & \vec{a} \end{bmatrix}^T$. On en conclut que lorsque l'on multiplie la fonction g par une constante le vecteur solution $\vec{\alpha}$ est divisé par la même constante et le vecteur $\vec{a}$ reste inchangé.

On constate en outre que la fonction $u(x)$ de la formule 5.45 reste inchangée puisque la fonction g est multipliée par c et que les coefficients α_j sont divisés par c. On en conclut que *la courbe de krigeage 5.45 est inchangée lorsque la fonction g est multipliée par une constante.* ◄

Remarque 5.32. Si l'on ajoute une constante c à chaque coefficient de la matrice K (ce qui revient à remplacer $g(h)$ par $g(h) + c$), la solution du système 5.42 reste inchangée. En effet, la i-ième équation du système devient :

$$(K_{i1} + c)\alpha_1 + (K_{i2} + c)\alpha_2 + \cdots + (K_{in} + c)\alpha_n + a_1 + a_2 x_i \;=\; f(x_i)$$

$$\sum_{j=1}^{n} K_{ij}\alpha_j + c\sum_{j=1}^{n}\alpha_j + a_1 + a_2 x_i \;=\; f(x_i)$$

$$\sum_{j=1}^{n} K_{ij}\alpha_j + a_1 + a_2 x_i \;=\; f(x_i)$$

en vertu de l'équation 5.46. ◄

Le choix de la fonction g n'est pas tout à fait arbitraire et certaines fonctions g sont plus intéressantes que d'autres. Commençons par le choix le plus simple :

$$g(h) = h \tag{5.50}$$

ce qui entraîne que :

$$K_{ij} = g(|x_i - x_j|) = |x_i - x_j|$$

La fonction $u(x)$ s'écrit dans ce cas :

$$u(x) = \sum_{j=1}^{n} \alpha_j |x - x_j| + a_1 + a_2 x$$

La fonction $|x - x_j|$ est linéaire par morceaux et non dérivable au point x_j. La dérive étant également linéaire, on en déduit que $u(x)$ est une interpolation linéaire par morceaux puisque, par construction, $u(x)$ passe par tous les points de collocation. C'est encore ici une *spline linéaire* mais exprimée différemment.

Exemple 5.33. Soit les 5 points suivants : $(0\,,\,0)$, $(1\,,\,1)$, $(2\,,\,1)$, $(3\,,\,2)$ et $(4\,,\,2)$. Si l'on utilise la fonction 5.50, le système linéaire 5.42 est de dimension

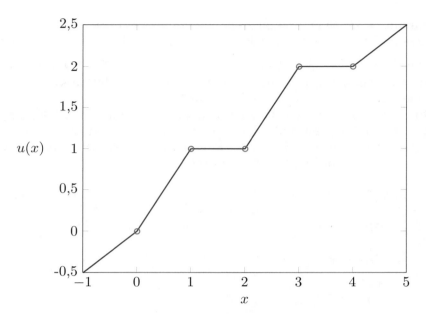

Figure 5.12 – Krigeage linéaire

$(5+2)$ et s'écrit :

$$\left[\begin{array}{ccccc|cc} 0 & 1 & 2 & 3 & 4 & 1 & 0 \\ 1 & 0 & 1 & 2 & 3 & 1 & 1 \\ 2 & 1 & 0 & 1 & 2 & 1 & 2 \\ 3 & 2 & 1 & 0 & 1 & 1 & 3 \\ 4 & 3 & 2 & 1 & 0 & 1 & 4 \\ \hline 1 & 1 & 1 & 1 & 1 & 0 & 0 \\ 0 & 1 & 2 & 3 & 4 & 0 & 0 \end{array}\right] \left[\begin{array}{c} \alpha_1 \\ \alpha_2 \\ \alpha_3 \\ \alpha_4 \\ \alpha_5 \\ \hline a_1 \\ a_2 \end{array}\right] = \left[\begin{array}{c} 0 \\ 1 \\ 1 \\ 2 \\ 2 \\ \hline 0 \\ 0 \end{array}\right]$$

dont la solution, obtenue par décomposition LU, est le vecteur :

$$\left[\begin{array}{ccccccc} \frac{1}{4} & -\frac{1}{2} & \frac{1}{2} & -\frac{1}{2} & \frac{1}{4} & 0 & \frac{1}{2} \end{array}\right]^T$$

La fonction $u(x)$ s'écrit alors :

$$u(x) = \frac{1}{4}|x-0| - \frac{1}{2}|x-1| + \frac{1}{2}|x-2| - \frac{1}{2}|x-3| + \frac{1}{4}|x-4| + 0 + \frac{1}{2}x$$

et est illustrée à la figure 5.12. On remarque que cette fonction est bien linéaire par morceaux et passe par tous les points de collocation, d'où cet aspect en dents de scie. De plus, pour obtenir l'équation de cette spline linéaire à l'aide des techniques classiques, il faudrait définir la courbe pour chaque sous-intervalle. Ici, on profite d'une seule expression valide dans tout le domaine.
♦

Le deuxième cas intéressant correspond au choix :

$$g(h) = h^3 \tag{5.51}$$

Les coefficients de la matrice K sont alors des fonctions du cube de la distance entre les abscisses d'interpolation, c'est-à-dire :

$$K_{ij} = g(|x_i - x_j|) = |x_i - x_j|^3$$

et la fonction $u(x)$ correspondante fait intervenir les fonctions :

$$g_j(x) = g(|x - x_j|) = |x - x_j|^3$$

Chaque fonction $g_j(x)$ est deux fois différentiable au point x_j. En effet :

$$g_j(x) = \begin{cases} -(x - x_j)^3 & \text{si} \quad x < x_j \\ +(x - x_j)^3 & \text{si} \quad x > x_j \end{cases}$$

Les limites à gauche et à droite en x_j tendent vers 0, ce qui signifie que cette fonction est continue en x_j. De même :

$$g_j'(x) = \begin{cases} -3(x - x_j)^2 & \text{si} \quad x < x_j \\ +3(x - x_j)^2 & \text{si} \quad x > x_j \end{cases}$$

et les limites à gauche et à droite tendent encore vers 0. La fonction $g_j(x)$ est donc dérivable une première fois. De plus :

$$g_j''(x) = \begin{cases} -6(x - x_j) & \text{si} \quad x < x_j \\ +6(x - x_j) & \text{si} \quad x > x_j \end{cases} \quad \text{et} \quad g_j'''(x) = \begin{cases} -6 & \text{si} \quad x < x_j \\ +6 & \text{si} \quad x > x_j \end{cases}$$

On constate donc que la dérivée seconde est également continue, mais pas la dérivée troisième puisque les limites à gauche et à droite valent respectivement -6 et 6. La fonction $u(x)$ est donc deux fois différentiable et est de degré 3 partout, ce qui démontre qu'il s'agit d'une spline cubique. Cette spline est implicitement naturelle puisque :

$$u''(x_1) = \sum_{j=1}^{n} \alpha_j g_j''(x_1) = -\sum_{j=1}^{n} \alpha_j 6(x_1 - x_j) = 6\sum_{j=1}^{n} \alpha_j x_j - 6x_1 \sum_{j=1}^{n} \alpha_j = 0$$

en vertu des relations 5.46. On obtiendrait un résultat similaire avec $u''(x_n)$.

Exemple 5.34. Si l'on considère les mêmes points que dans l'exemple précédent mais avec $g(h) = h^3$, on obtient le système :

$$\left[\begin{array}{ccccc|cc} 0 & 1 & 8 & 27 & 64 & 1 & 0 \\ 1 & 0 & 1 & 8 & 27 & 1 & 1 \\ 8 & 1 & 0 & 1 & 8 & 1 & 2 \\ 27 & 8 & 1 & 0 & 1 & 1 & 3 \\ 64 & 27 & 8 & 1 & 0 & 1 & 4 \\ \hline 1 & 1 & 1 & 1 & 1 & 0 & 0 \\ 0 & 1 & 2 & 3 & 4 & 0 & 0 \end{array} \right] \left[\begin{array}{c} \alpha_1 \\ \alpha_2 \\ \alpha_3 \\ \alpha_4 \\ \alpha_5 \\ \hline a_1 \\ a_2 \end{array} \right] = \left[\begin{array}{c} 0 \\ 1 \\ 1 \\ 2 \\ 2 \\ \hline 0 \\ 0 \end{array} \right]$$

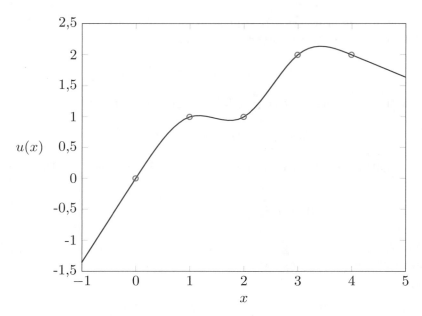

Figure 5.13 – Krigeage cubique

La fonction $u(x)$ correspondante est illustrée à la figure 5.13 et correspond bien à une spline cubique. L'équation de cette spline est :

$$u(x) \;=\; -0{,}178\,75|x-0|^3 + 0{,}571\,43|x-1|^3 - 0{,}785\,71|x-2|^3$$

$$+\; 0{,}571\,43|x-3|^3 - 0{,}178\,57|x-4|^3 + 1{,}7143 + 0{,}5x$$

On remarque que l'expression de la dérive n'est pas la même que dans le cas de $g(h) = h$. De plus, l'extrapolation de part et d'autre de l'intervalle $[0\,,\,4]$ se fait de manière linéaire, ce qui correspond bien à une spline naturelle.

Il est également intéressant de souligner qu'une seule équation exprime la courbe complète, contrairement au système d'équations par sous-intervalles décrit à la section 5.6 (voir la formule 5.27). ◆

Remarque 5.35. Les systèmes linéaires de krigeage des exemples précédents sont quelque peu particuliers. En effet, la diagonale principale des matrices de krigeage est *a priori* nulle. Il faut donc se montrer prudent au moment de la résolution par décomposition LU. La recherche d'un pivot non nul peut devenir nécessaire. On peut également faciliter le traitement numérique du système en modifiant la fonction $g(h)$, par exemple en lui ajoutant une constante, sans modifier la courbe de krigeage (voir les remarques 5.31 et 5.32). ◄

Remarque 5.36. Une autre différence importante marque cette nouvelle façon d'obtenir l'équation de la spline. À la section 5.6, un système linéaire tridiagonal était nécessaire au calcul de la spline. Si l'on recourt au krigeage, le système linéaire correspondant n'est plus tridiagonal. La matrice K est au contraire pleine, c'est-à-dire que la majeure partie des coefficients de cette matrice sont non nuls. Cela tient au fait que ces coefficients sont définis par

$K_{ij} = g(|x_i - x_j|)$ et que les différents choix de fonction $g(h)$ faits jusqu'à maintenant ne permettent d'annuler les éléments K_{ij} que sur la diagonale.

Il est intuitivement clair que l'interpolation d'une fonction en un point x dépend plus fortement des points de collocation situés dans le voisinage immédiat de x que des points plus éloignés. Pour tenir compte de cette observation, il est possible d'introduire une distance d'influence d au-delà de laquelle la fonction $g(h)$ s'annule, ce qui permet de réduire l'influence des points de collocation situés à une distance supérieure à d. Par exemple (voir Trochu, réf. [45]), on peut obtenir une courbe similaire aux splines cubiques en définissant :

$$g(h) = \begin{cases} 1 - \left(\dfrac{h}{d}\right)^3 & \text{si } 0 \leq h \leq d \\ 0 & \text{si } h > d \end{cases}$$

Cette définition assure la continuité de la fonction g ainsi que des coefficients diagonaux non nuls pour la matrice K. On pourrait également modifier légèrement cette fonction pour la rendre différentiable, sans changer les propriétés de la courbe. Si la distance d est très grande, on retrouvera une spline cubique comme précédemment. Par contre, si l'on réduit la valeur de d, la courbe aura tendance à osciller plus fortement. Cela se voit à la figure 5.14, où l'on a utilisé les mêmes points de collocation que dans les exemples précédents, mais en introduisant une distance d'influence $d = 3$. Le résultat est encore plus probant avec $d = 0,5$, comme en témoigne encore la figure 5.14 où la distance d'influence est nettement perceptible. Comme on peut aisément le constater, le choix de la distance d'influence est délicat et modifie sensiblement la courbe résultante, et pas forcément pour le mieux. ◄

5.7.1 Effet pépite

Lorsque l'on fait de l'interpolation à partir de mesures expérimentales, il est quelquefois utile d'avoir la possibilité d'éliminer une donnée qui paraît aberrante. Cette donnée peut provenir d'une erreur de mesure par exemple. Initialement, dans la prospection minière, on a qualifié la présence de ces données marginales d'*effet pépite*. Cette expression traduisait l'empressement de certains analystes miniers à conclure trop vite à une forte concentration d'or dans le voisinage immédiat d'une pépite d'or isolée.

Une façon de contourner cette difficulté est de pondérer les mesures expérimentales en y attachant un poids variable suivant la fiabilité de la mesure. Plus précisément, on attache un poids d'autant plus grand que la variance statistique de l'erreur liée à cette mesure est petite. On voit encore ici poindre l'aspect statistique du krigeage.

Sur le plan pratique, cela se fait en modifiant très légèrement la matrice K du système de krigeage 5.42. Il suffit en fait de modifier la diagonale de la

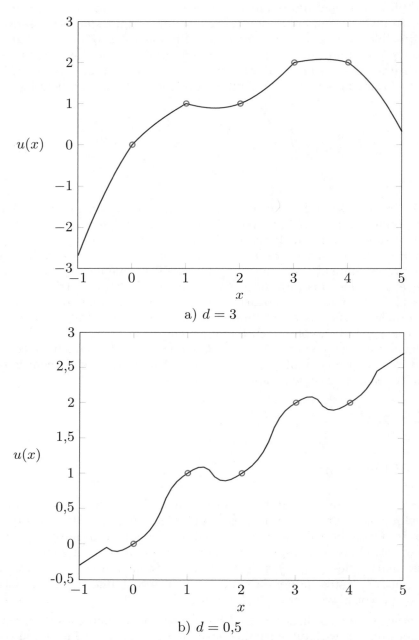

a) $d = 3$

b) $d = 0{,}5$

Figure 5.14 – Krigeage cubique : effet de la distance d'influence

matrice K et de considérer le système linéaire :

$$
\begin{bmatrix}
K_{11}+w_1 & K_{12} & \cdots & K_{1n} & 1 & x_1 \\
K_{21} & K_{22}+w_2 & \cdots & K_{2n} & 1 & x_2 \\
\vdots & \vdots & \ddots & \vdots & \vdots & \vdots \\
K_{n1} & K_{n2} & \cdots & K_{nn}+w_n & 1 & x_n \\
\hline
1 & 1 & \cdots & 1 & 0 & 0 \\
x_1 & x_2 & \cdots & x_n & 0 & 0
\end{bmatrix}
\begin{bmatrix}
\alpha_1 \\
\alpha_2 \\
\vdots \\
\alpha_n \\
\hline
a_1 \\
a_2
\end{bmatrix}
=
\begin{bmatrix}
f(x_1) \\
f(x_2) \\
\vdots \\
f(x_n) \\
\hline
0 \\
0
\end{bmatrix}
\tag{5.52}
$$

que l'on peut représenter sous forme matricielle :

$$
\begin{bmatrix}
K+D & A \\
A^T & 0
\end{bmatrix}
\begin{bmatrix}
\vec{\alpha} \\
\vec{a}
\end{bmatrix}
=
\begin{bmatrix}
\vec{f} \\
\vec{0}
\end{bmatrix}
\tag{5.53}
$$

La matrice diagonale :

$$
D =
\begin{bmatrix}
w_1 & 0 & 0 & \cdots & 0 \\
0 & w_2 & 0 & \cdots & \vdots \\
0 & 0 & \ddots & 0 & \vdots \\
\vdots & \vdots & 0 & \ddots & 0 \\
0 & \cdots & \cdots & 0 & w_n
\end{bmatrix}
$$

exprime en quelque sorte le degré de fiabilité attaché à chaque mesure. *Plus w_i est grand, moins on tient compte de cette mesure dans le calcul de la fonction de krigeage.* Sur le plan statistique, w_i est proportionnel à la variance de l'erreur sur la i-ième mesure.

Pour mettre en évidence un effet pépite, il n'est nécessaire de modifier que la diagonale de la matrice K du système de krigeage. Le choix de $g(h)$ et l'expression de $u(x)$ restent inchangés.

On remarque immédiatement que si $w_i \neq 0$, $u(x_i) \neq f(x_i)$, ce qui entraîne que la fonction de krigeage ne passe pas par le point $(x_i, f(x_i))$. En effet, l'équation correspondante du système 5.52 devient :

$$
K_{i1}\alpha_1 + \cdots + K_{i\,i-1}\alpha_{i-1} + (K_{ii}+w_i)\alpha_i + K_{i\,i+1}\alpha_{i+1} + \cdots + K_{in}\alpha_n = f(x_i)
$$

qui s'écrit aussi :

$$
(K_{i1}\alpha_1 + \cdots + K_{i\,i-1}\alpha_{i-1} + K_{ii}\alpha_i + K_{i\,i+1}\alpha_{i+1} + \cdots + K_{in}\alpha_n) + w_i\alpha_i = f(x_i)
$$

ou encore plus simplement $u(x_i) + w_i\alpha_i = f(x_i)$. Plus w_i est grand, plus l'écart entre $u(x_i)$ et $f(x_i)$ risque d'être grand.

Exemple 5.37. Reprenons les 5 points de l'exemple précédent avec $g(h) = h^3$, mais en introduisant cette fois un effet pépite au troisième point ($w_3 = 1$, $w_i = 0 \;\forall i \neq 3$). On obtient la spline cubique de la figure 5.15. On remarque que la spline ne passe plus par le troisième point. ◆

On peut se demander ce qui arrive lorsque l'effet pépite devient très important. Pour répondre à cette question, il est nécessaire de remplacer la matrice

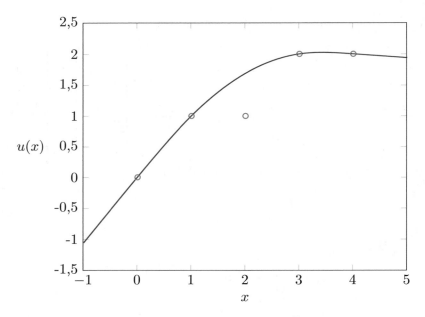

Figure 5.15 – Krigeage cubique : effet pépite

D par βD et de faire tendre β vers l'infini. De cette manière, l'importance relative des w_i est la même quelle que soit la valeur de β. Le système 5.53 s'écrit :

$$(K + \beta D)\vec{\alpha} + A\vec{a} = \vec{f}$$

$$A^T \vec{\alpha} = \vec{0}$$

qui, lorsque l'on isole $\vec{\alpha}$ dans la première équation et que l'on remplace cette variable dans la deuxième équation, devient :

$$A^T(K + \beta D)^{-1}(\vec{f} - A\vec{a}) = 0$$

ou encore :

$$A^T(K + \beta D)^{-1}A\vec{a} = A^T(K + \beta D)^{-1}\vec{f} \tag{5.54}$$

Théorème 5.38: Krigeage et moindres carrés

Lorsque $\beta \to \infty$, le système 5.54 tend vers le système :

$$A^T D^{-1} A\vec{a} = A^T D^{-1}\vec{f} \tag{5.55}$$

qui correspond à un problème de moindres carrés pondérés. En particulier, si la pondération est égale pour tous les points ($w_i = w, \forall i$), le système se réduit à $A^T A\vec{a} = A^T \vec{f}$ de telle sorte que la dérive $a_1 + a_2 x$ n'est rien d'autre que la droite de moindres carrés.

Démonstration. (facultative) :

On considère en premier lieu la matrice $(K + \beta D)$, qui devient :

$$(K + \beta D) = \beta D \left(I + \frac{1}{\beta} D^{-1} K \right)$$

Si β est suffisamment grand :

$$\left\| \frac{1}{\beta} D^{-1} K \right\|_\infty < 1$$

ce qui entraîne que le rayon spectral de cette matrice est inférieur à 1 et que la matrice est convergente. On a alors en vertu de la relation 4.22 :

$$\left(I + \frac{1}{\beta} D^{-1} K \right)^{-1} = I - \left(\frac{1}{\beta} D^{-1} K \right) + \left(\frac{1}{\beta} D^{-1} K \right)^2 - \left(\frac{1}{\beta} D^{-1} K \right)^3 + \cdots$$

ou plus précisément :

$$
\begin{aligned}
(K + \beta D)^{-1} &= (I + \tfrac{1}{\beta} D^{-1} K)^{-1} \tfrac{1}{\beta} D^{-1} = \tfrac{1}{\beta} (I + \tfrac{1}{\beta} D^{-1} K)^{-1} D^{-1} \\
&= \tfrac{1}{\beta} \left[I - \tfrac{1}{\beta} D^{-1} K + (\tfrac{1}{\beta} D^{-1} K)^2 - (\tfrac{1}{\beta} D^{-1} K)^3 + \cdots \right] D^{-1} \\
&= \tfrac{1}{\beta} \left[D^{-1} - \tfrac{1}{\beta} D^{-1} K D^{-1} + (\tfrac{1}{\beta} D^{-1} K)^2 D^{-1} + \cdots \right]
\end{aligned}
$$

Le système de krigeage 5.54 devient alors :

$$
\tfrac{1}{\beta} A^T \left[D^{-1} - \tfrac{1}{\beta} D^{-1} K D^{-1} + (\tfrac{1}{\beta} D^{-1} K)^2 D^{-1} + \cdots \right] A \vec{a}
$$
$$
= \tfrac{1}{\beta} A^T \left[D^{-1} - \tfrac{1}{\beta} D^{-1} K D^{-1} + (\tfrac{1}{\beta} D^{-1} K)^2 D^{-1} + \cdots \right] \vec{f}
$$

où l'on peut simplifier un coefficient $\frac{1}{\beta}$ de chaque côté. En faisant tendre β vers l'infini, on trouve immédiatement :

$$A^T D^{-1} A \vec{a} = A^T D^{-1} \vec{f}$$

qui est le résultat recherché. En pratique, il n'est pas nécessaire de faire tendre β vers l'infini. Il suffit en effet de prendre des poids w_i très grands. ∎

Exemple 5.39. En reprenant les points de l'exemple précédent, mais avec $w_i = 10^5$ $\forall i$, on trouve la droite de moindres carrés de la figure 5.16. ◆

5.7.2 Courbes paramétrées

Il est parfois utile de construire des courbes paramétrées. Cela permet, par exemple, de construire des courbes fermées (comme un cercle ou une ellipse) ou plus généralement des courbes qui sont en intersection avec elles-mêmes (telle une boucle). On peut ainsi, à l'aide de quelques points donnés dans l'espace, construire des trajectoires complexes. La paramétrisation d'une courbe de l'espace s'obtient par une équation de la forme :

$$\vec{\gamma}(t) = (\gamma_1(t), \gamma_2(t), \gamma_3(t)), \quad t \in [a\,,\,b]$$

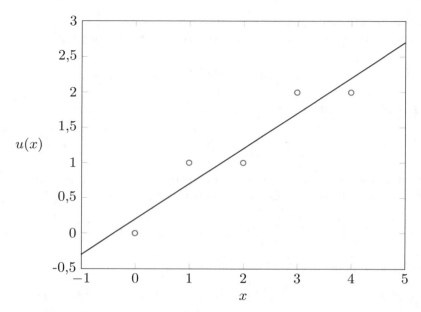

Figure 5.16 – Krigeage cubique : effet pépite avec $w_i = 10^5$

On décrit la courbe en faisant varier le paramètre t entre a et b. La stratégie de krigeage reste sensiblement la même dans ce cas. En effet, pour construire une courbe paramétrée passant par les points $((x_1^i, x_2^i, x_3^i)$ pour $i = 1, 2, \cdots, n)$, il faut d'abord construire la suite t_i des valeurs du paramètre t de telle sorte que :

$$\vec{\gamma}(t_i) = (x_1^i, x_2^i, x_3^i)$$

Le choix le plus simple est de procéder comme nous l'avons fait pour les splines paramétrées et d'utiliser ici encore la relation 5.41.

Il suffit ensuite de résoudre les systèmes linéaires suivants :

$$\left[\begin{array}{ccccc|cc} K_{11} & K_{12} & K_{13} & \cdots & K_{1n} & 1 & t_1 \\ K_{21} & K_{22} & K_{23} & \cdots & K_{2n} & 1 & t_2 \\ K_{31} & K_{32} & K_{33} & \cdots & K_{3n} & 1 & t_3 \\ \vdots & \vdots & \vdots & \ddots & \vdots & \vdots & \vdots \\ K_{n1} & K_{n2} & K_{n3} & \cdots & K_{nn} & 1 & t_n \\ \hline 1 & 1 & 1 & \cdots & 1 & 0 & 0 \\ t_1 & t_2 & t_3 & \cdots & t_n & 0 & 0 \end{array}\right] \left[\begin{array}{c} \alpha_1^1 \\ \alpha_2^1 \\ \alpha_3^1 \\ \vdots \\ \alpha_n^1 \\ \hline a_1^1 \\ a_2^1 \end{array}\right] = \left[\begin{array}{c} x_1^1 \\ x_1^2 \\ x_1^3 \\ \vdots \\ x_1^n \\ \hline 0 \\ 0 \end{array}\right] \qquad (5.56)$$

$$\left[\begin{array}{ccccc|cc} K_{11} & K_{12} & K_{13} & \cdots & K_{1n} & 1 & t_1 \\ K_{21} & K_{22} & K_{23} & \cdots & K_{2n} & 1 & t_2 \\ K_{31} & K_{32} & K_{33} & \cdots & K_{3n} & 1 & t_3 \\ \vdots & \vdots & \vdots & \ddots & \vdots & \vdots & \vdots \\ K_{n1} & K_{n2} & K_{n3} & \cdots & K_{nn} & 1 & t_n \\ \hline 1 & 1 & 1 & \cdots & 1 & 0 & 0 \\ t_1 & t_2 & t_3 & \cdots & t_n & 0 & 0 \end{array}\right] \left[\begin{array}{c} \alpha_1^2 \\ \alpha_2^2 \\ \alpha_3^2 \\ \vdots \\ \alpha_n^2 \\ \hline a_1^2 \\ a_2^2 \end{array}\right] = \left[\begin{array}{c} x_2^1 \\ x_2^2 \\ x_2^3 \\ \vdots \\ x_2^n \\ \hline 0 \\ 0 \end{array}\right] \qquad (5.57)$$

$$
\begin{bmatrix}
K_{11} & K_{12} & K_{13} & \cdots & K_{1n} & 1 & t_1 \\
K_{21} & K_{22} & K_{23} & \cdots & K_{2n} & 1 & t_2 \\
K_{31} & K_{32} & K_{33} & \cdots & K_{3n} & 1 & t_3 \\
\vdots & \vdots & \vdots & \ddots & \vdots & \vdots & \vdots \\
K_{n1} & K_{n2} & K_{n3} & \cdots & K_{nn} & 1 & t_n \\
1 & 1 & 1 & \cdots & 1 & 0 & 0 \\
t_1 & t_2 & t_3 & \cdots & t_n & 0 & 0
\end{bmatrix}
\begin{bmatrix}
\alpha_1^3 \\ \alpha_2^3 \\ \alpha_3^3 \\ \vdots \\ \alpha_n^3 \\ a_1^3 \\ a_2^3
\end{bmatrix}
=
\begin{bmatrix}
x_3^1 \\ x_3^2 \\ x_3^3 \\ \vdots \\ x_3^n \\ 0 \\ 0
\end{bmatrix}
\tag{5.58}
$$

La courbe paramétrée est alors donnée par :

$$
\gamma_1(t) = \sum_{j=1}^n \alpha_j^1 g(|t - t_j|) + a_1^1 + a_2^1 t \tag{5.59}
$$

$$
\gamma_2(t) = \sum_{j=1}^n \alpha_j^2 g(|t - t_j|) + a_1^2 + a_2^2 t \tag{5.60}
$$

$$
\gamma_3(t) = \sum_{j=1}^n \alpha_j^3 g(|t - t_j|) + a_1^3 + a_2^3 t \tag{5.61}
$$

Ici encore, on vérifie facilement que :

$$
\gamma_1(t_i) = x_1^i, \quad \gamma_2(t_i) = x_2^i \text{ et } \gamma_3(t_i) = x_3^i \text{ pour } 1 \le i \le n
$$

Remarque 5.40. Les 3 systèmes linéaires requis pour le krigeage paramétré possèdent tous la même matrice. Seul le membre de droite change. Il est alors important de n'effectuer qu'une seule décomposition LU, suivie de 3 remontées et descentes triangulaires. Cela fait considérablement diminuer le temps de calcul. ◄

Exemple 5.41. On donne les 12 points suivants de l'espace à 3 dimensions.

\multicolumn{6}{Points d'une courbe dans l'espace}					
x_1^i	x_2^i	x_3^i	x_1^i	x_2^i	x_3^i
0,0	0,0	0,0	1,0	1,0	6,0
1,0	0,0	1,0	0,0	1,0	7,0
1,0	1,0	2,0	0,0	0,0	8,0
0,0	1,0	3,0	1,0	0,0	9,0
0,0	0,0	4,0	1,0	1,0	10,0
1,0	0,0	5,0	0,0	1,0	11,0

On veut construire la courbe paramétrée passant par ces 12 points. Le choix de la fonction $g(h)$ est, comme toujours, primordial. En choisissant d'abord une interpolation linéaire ($g(h) = h$), on obtient la courbe paramétrée de la figure 5.17a), qui est peu satisfaisante sur le plan esthétique. En revanche, avec $g(h) = h^3$, on obtient la spirale de la figure 5.17b), qui est une spline paramétrée. ◆

5.7.3   Cas multidimensionnel

Le krigeage dual s'étend facilement en plusieurs dimensions. Soit les n points d'interpolation :

$$(x_1^i, x_2^i, x_3^i, f(x_1^i, x_2^i, x_3^i)) \quad \text{pour } i = 1, 2, 3, \cdots, n$$

Le système de krigeage dual devient dans ce cas :

$$
\left[
\begin{array}{cccc|cccc}
K_{11} & K_{12} & \cdots & K_{1n} & 1 & x_1^1 & x_2^1 & x_3^1 \\
K_{21} & K_{22} & \cdots & K_{2n} & 1 & x_1^2 & x_2^2 & x_3^2 \\
\vdots & \vdots & \ddots & \vdots & \vdots & \vdots & \vdots & \vdots \\
K_{n1} & K_{n2} & \cdots & K_{nn} & 1 & x_1^n & x_2^n & x_3^n \\
\hline
1 & 1 & \cdots & 1 & 0 & 0 & 0 & 0 \\
x_1^1 & x_1^2 & \cdots & x_1^n & 0 & 0 & 0 & 0 \\
x_2^1 & x_2^2 & \cdots & x_2^n & 0 & 0 & 0 & 0 \\
x_3^1 & x_3^2 & \cdots & x_3^n & 0 & 0 & 0 & 0
\end{array}
\right]
\left[
\begin{array}{c}
\alpha_1 \\
\alpha_2 \\
\vdots \\
\alpha_n \\
\hline
a_1 \\
a_2 \\
a_3 \\
a_4
\end{array}
\right]
=
\left[
\begin{array}{c}
f(x_1^1, x_2^1, x_3^1) \\
f(x_1^2, x_2^2, x_3^2) \\
\vdots \\
f(x_1^n, x_2^n, x_3^n) \\
\hline
0 \\
0 \\
0 \\
0
\end{array}
\right]
$$

$$(5.62)$$

et la fonction de krigeage devient :

$$u(\vec{x}) = \sum_{j=1}^{n} \alpha_j g(\|\vec{x} - \vec{x}^j\|_2) + a_1 + a_2 x_1 + a_3 x_2 + a_4 x_3 \tag{5.63}$$

valable en tout point $\vec{x} = (x_1, x_2, x_3)$. Dans l'expression 5.63, on a remplacé la valeur absolue par la norme euclidienne. En fait, on peut utiliser toute autre norme vectorielle. Il est encore une fois facile de démontrer que :

$$u(x_1^i, x_2^i, x_3^i) = f(x_1^i, x_2^i, x_3^i) \quad \text{pour } i = 1, 2, \cdots, n$$

Le krigeage tridimensionnel est donc très semblable à celui en dimension 1. On notera toutefois que le système 5.62 a toutes les chances d'être de grande dimension et de plus, la matrice correspondante est pleine. Cela n'est pas sans causer quelques soucis pour les problèmes avec un grand nombre de points à interpoler. L'espace-mémoire nécessaire pour la matrice peut alors devenir prohibitif.

Remarque 5.42. Le système 5.62 permet le calcul d'une fonction $u(x_1, x_2, x_3)$ de $\mathcal{R}^3$ dans $\mathcal{R}$. On peut également construire des fonctions de $\mathcal{R}^2$ dans $\mathcal{R}$ en retirant une dimension du système et en résolvant :

$$
\left[
\begin{array}{cccc|ccc}
K_{11} & K_{12} & \cdots & K_{1n} & 1 & x_1^1 & x_2^1 \\
K_{21} & K_{22} & \cdots & K_{2n} & 1 & x_1^2 & x_2^2 \\
K_{31} & K_{32} & \cdots & K_{3n} & 1 & x_1^3 & x_2^3 \\
\vdots & \vdots & \ddots & \vdots & \vdots & \vdots & \vdots \\
K_{n1} & K_{n2} & \cdots & K_{nn} & 1 & x_1^n & x_2^n \\
\hline
1 & 1 & \cdots & 1 & 0 & 0 & 0 \\
x_1^1 & x_1^2 & \cdots & x_1^n & 0 & 0 & 0 \\
x_2^1 & x_2^2 & \cdots & x_2^n & 0 & 0 & 0
\end{array}
\right]
\left[
\begin{array}{c}
\alpha_1 \\
\alpha_2 \\
\alpha_3 \\
\vdots \\
\alpha_n \\
\hline
a_1 \\
a_2 \\
a_3
\end{array}
\right]
=
\left[
\begin{array}{c}
f(x_1^1, x_2^1) \\
f(x_1^2, x_2^2) \\
f(x_1^3, x_2^3) \\
\vdots \\
f(x_1^n, x_2^n) \\
\hline
0 \\
0 \\
0
\end{array}
\right]
$$

$$(5.64)$$

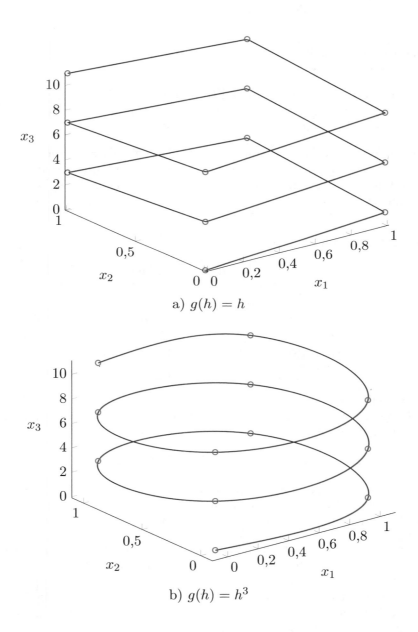

a) $g(h) = h$

b) $g(h) = h^3$

Figure 5.17 – Krigeage paramétré

La fonction $u(x_1, x_2)$ est alors définie par :

$$u(\vec{x}) = \sum_{j=1}^{n} \alpha_j g(||\vec{x} - \vec{x}^j||_2) + a_1 + a_2 x_1 + a_3 x_2 \qquad (5.65)$$

Cela montre bien que le krigeage demeure tout aussi simple, quelle que soit la dimension d'espace. ◀

Remarque 5.43. On peut utiliser l'équation 5.65 pour obtenir des lignes de contour d'une fonction $f(x_1, x_2)$, notamment en topographie. On peut consulter à ce sujet le texte de Trochu (réf. [45]). ◀

Il reste le choix de la fonction $g(h) = g(||\vec{x} - \vec{x}^j||_2)$. En dimension 1, on a établi que le choix $g(h) = h^3$ conduisait aux splines cubiques (pour une dérive linéaire). On pourrait également montrer que l'équivalent des splines cubiques est obtenu en posant $g(h) = h$ en dimension 3 et $g(h) = h^2 \ln h$ en dimension 2.

Exemple 5.44. Soit les 9 points :

\multicolumn					
Points sur une surface					
x_1^i	x_2^i	$f(x_1^i, x_2^i)$	x_1^i	x_2^i	$f(x_1^i, x_2^i)$
0,0	0,0	0,0	2,0	0,0	0,25
0,0	0,5	1,0	1,0	1,0	1,0
1,0	0,0	1,0	2,0	0,5	1,0
0,0	1,0	1,5	2,0	1,0	0,0
1,0	0,5	2,0			

qui définissent une surface et qui nécessitent un krigeage bidimensionnel. Le système linéaire 5.64 est, dans ce cas, de dimension 12 et les coefficients de la matrice K sont donnés par :

$$K_{ij} = g(||\vec{x}^i - \vec{x}^j||_2) = ||\vec{x}^i - \vec{x}^j||_2^2 \ln(||\vec{x}^i - \vec{x}^j||_2)$$

La fonction de krigeage $u(x_1, x_2)$ prend la forme de la surface de la figure 5.18. Cette surface correspond à l'approximation dite de *coque mince* et est l'équivalent bidimensionnel d'une spline cubique. ◆

Cette section n'est qu'une courte introduction au krigeage. La théorie sous-jacente est vaste et beaucoup de travaux d'applications du krigeage sont actuellement en cours. L'article de Duchon (réf. [17]) traite plus en profondeur de la relation entre le krigeage et les splines cubiques. En ce qui concerne l'aspect statistique, l'article de Matheron (réf. [34]) sur les fonctions aléatoires intrinsèques est certes l'un des plus importants sur le sujet.

Exemple 5.45. Les interactions fluide-structure sont d'une grande importance en ingénierie et en sciences appliquées en général. Très simplement, on parlera d'interactions fluide-structure lorsqu'un fluide interagit avec un corps élastique déformable. Les ailes d'un insecte avec l'air ou la paroi des artères avec le sang en sont des exemples. L'écoulement du fluide déforme le corps élastique immergé, qui lui-même perturbe l'écoulement. La modélisation de

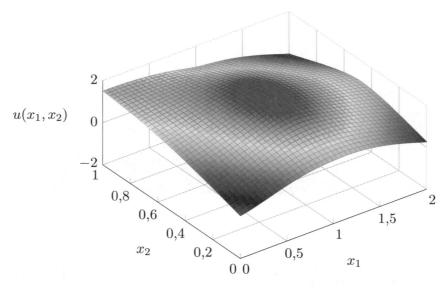

Figure 5.18 – Krigeage bidimensionnel : $g(h) = h^2 \ln h$

tels phénomènes est complexe et nous n'avons aucune intention d'en discuter les détails. Mentionnons simplement que l'on utilise souvent la méthode des éléments finis (voir par exemple Fortin et Garon [23]) pour ce type de problèmes. Cette méthode requiert de découper la géométrie en sous-domaines, souvent de forme triangulaire en dimension 2 ou tétraédrique en dimension 3. Ces sous-domaines forment ce que l'on appelle la grille de calcul ou encore le maillage. Au fur et à mesure que le corps élastique se déforme, le maillage doit aussi se déformer et s'adapter à la nouvelle géométrie du problème. Il faudra donc déplacer les nœuds (les sommets des triangles ou des tétraèdres) dans tout le domaine.

On peut voir à la figure 5.19a) un exemple de grille de calcul dans le cas bidimensionnel tiré de Deteix-Jendoubi-Fortin [16]. Le problème consiste à modéliser l'écoulement d'un fluide visqueux dans un canal rectangulaire partiellement obstrué par une lamelle très fine et souple. On pourrait y voir une certaine analogie avec une valve cardiaque par exemple. La frontière du domaine de calcul contient les parois du canal (du rectangle) de même que la lamelle.

Le champ de vitesse calculé sur la géométrie initiale est illustré à la figure 5.19b). Les vecteurs y sont colorés en fonction du module de la vitesse. On distingue une forte accélération en haut de la lamelle de même qu'une vaste zone de recirculation (un tourbillon) derrière la lamelle. Cet écoulement engendre une traction (force par unité de surface) sur la paroi de la lamelle, ce qui la déformera de manière importante. On calculera cette déformation en résolvant, également par éléments finis, un problème de mécanique des solides (élasticité non linéaire). On connaîtra alors le déplacement en tout point de la lamelle, et en particulier de tous les nœuds situés sur sa frontière. Si on se limite à déplacer seulement ces nœuds, les triangles adjacents seront en quelque sorte écrasés et les calculs subséquents ne seront plus valables. Il faut donc trouver une manière de déplacer les nœuds internes en harmonie avec les

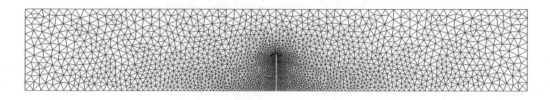

a) Maillage initial

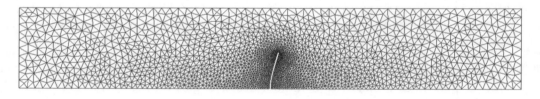

b) Champ de vitesse initial

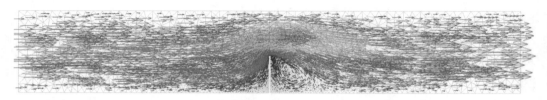

c) Grille déformée par krigeage

d) Champ de vitesse sur le maillage déformé

Figure 5.19 – Interactions fluide-structure

déplacements de la frontière.

L'une des techniques utilisées pour déformer la grille de calcul est le krigeage. Connaissant le déplacement de la lamelle flexible, et sachant que les déplacements de tous les nœuds situés sur les autres parties de la frontière sont nuls (les parois du canal sont fixes), on peut calculer les déplacements de tous les nœuds internes de la grille par krigeage. Ce calcul peut être fait indépendamment pour les composantes horizontale u_1 et verticale u_2 du déplacement.

Pour ce faire, on a utilisé la fonction $g(h) = h^2 \ln h$ pour construire le système 5.62. Le rôle de la fonction $f(x_1, x_2)$ (nous sommes ici en dimension 2 et la variable x_3 est ignorée) est joué tour à tour par $u_1(x_1, x_2)$ et $u_2(x_1, x_2)$. Le nombre de points n est tout simplement le nombre de nœuds situés sur la frontière du domaine et où on connaît les déplacements. On a ainsi calculé les déplacements des nœuds internes pour obtenir la grille illustrée à la figure 5.19c). On voit que la paroi mobile de la lamelle a entrainé dans son mouvement les nœuds de la grille de calcul sans écraser les triangles adjacents aux frontières. On présente enfin à la figure 5.19d) le champ de vitesse calculé sur cette nouvelle grille, qui en retour mènera à une nouvelle déformation de la lamelle et à une nouvelle grille de calcul. On poursuivra ainsi jusqu'à ce que la grille de calcul et le champ de vitesse se stabilisent. Il est même possible que l'écoulement soit instationnaire et donc que le processus continue d'évoluer indéfiniment. ◆

5.8   Transformée de Fourier discrète

Jusqu'à maintenant, nous nous sommes concentrés sur les techniques d'interpolation par des polynômes classiques. L'interpolation de Newton et les splines cubiques en sont des exemples. Il existe cependant des situations où les polynômes classiques ne sont pas les plus pertinents. C'est le cas par exemple lorsque l'on cherche à approcher des fonctions périodiques. Il paraît alors avantageux d'utiliser des polynômes qui sont eux-mêmes périodiques. C'est ici que les polynômes trigonométriques interviennent.

5.8.1   Polynôme d'interpolation trigonométrique

Pour fixer les idées, nous supposons que nous avons une fonction périodique $g(t)$ (de période 2π) pour t dans l'intervalle $[0\ ,\ 2\pi]$. Si ce n'est pas le cas et que la fonction étudiée est $f(x)$ définie dans l'intervalle $[a\ ,\ b]$, le changement de variable :

$$t = 2\pi \left(\frac{x - a}{b - a} \right) \quad \text{ou encore} \quad x = \frac{(b - a)}{2\pi} t + a \tag{5.66}$$

nous ramène dans l'intervalle souhaité et l'on analyse alors la fonction :

$$g(t) = f \left(\frac{(b - a)}{2\pi} t + a \right)$$

Les fonctions $f(x)$ et $g(t)$ prennent alors exactement les mêmes valeurs, l'une dans l'intervalle $[a\ ,\ b]$ et l'autre dans l'intervalle $[0\ ,\ 2\pi]$.

Définition 5.46: Polynôme trigonométrique

Un polynôme trigonométrique de degré n est une expression de la forme :

$$T_n(t) = \frac{a_0 + a_n \cos nt}{2} + \sum_{j=1}^{n-1} (a_j \cos jt + b_j \sin jt) \qquad (5.67)$$

où les coefficients a_0, a_n, a_j et $b_j, j = 1, 2, \cdots, n-1$ sont des nombres réels.

Dans ce qui suit, on déterminera les coefficients du polynôme de sorte que $T_n(t)$ soit une approximation de $g(t)$ dans l'intervalle $[0, 2\pi]$. Notons que l'on peut se ramener dans l'intervalle initial $[a, b]$ en se servant de la transformation 5.66 et en posant :

$$T_n^*(x) = T_n \left(2\pi \left(\frac{x-a}{b-a} \right) \right) \qquad (5.68)$$

Les polynômes $T_n^*(x)$ et $T_n(t)$ prennent les mêmes valeurs, le premier dans l'intervalle $[a, b]$ et le second dans l'intervalle $[0, 2\pi]$. Dans les exemples qui seront présentés, nous tracerons la fonction initiale $f(x)$ de même que $T_n^*(x)$ dans l'intervalle initial $[a, b]$ mais on pourrait tout aussi bien tracer $g(t)$ et $T_n(t)$ dans l'intervalle $[0, 2\pi]$.

Remarquons qu'un polynôme trigonométrique possède $2n$ coefficients à déterminer.[3] Il est donc raisonnable de penser qu'il nous faudra $2n$ points d'interpolation (ou points d'échantillonnage) pour les déterminer. On divise donc l'intervalle $[0, 2\pi]$ en $2n$ intervalles de longueur $\frac{2\pi}{2n} = \frac{\pi}{n}$. Il en résulte normalement $2n+1$ points d'échantillonnage mais puisque $g(t)$ est périodique, $g(2\pi) = g(0)$ et l'abscisse $t = 2\pi$ qui correspondrait à t_{2n} n'est pas incluse dans la liste. On a donc les points :

$$t_k = \frac{k\pi}{n} \qquad k = 0, 1, 2, \cdots, 2n-1 \qquad (5.69)$$

Une première méthode pour déterminer les coefficients du polynôme trigonométrique 5.67 consiste à résoudre directement le système linéaire :

$$T_n(t_k) = g(t_k) \quad k = 0, 1, 2, \cdots, 2n-1 \qquad (5.70)$$

dont les inconnues sont les coefficients du polynôme. Illustrons cette approche par un exemple.

Exemple 5.47. Considérons la fonction périodique, de période 1, définie dans l'intervalle $[0, 1]$ par $f(x) = x(1-x)$. Puisque la fonction est définie dans l'intervalle $[0, 1]$, on pose (voir 5.66) $x = \frac{t}{2\pi}$ et on obtient la fonction $g(t) = \frac{t}{2\pi}(1 - \frac{t}{2\pi})$ qui est définie sur $[0, 2\pi]$. Nous prendrons 4 points d'échantillonnage soit $[0, \frac{\pi}{2}, \pi, \frac{3\pi}{2}]$ et un polynôme trigonométrique de degré 2 ($n = 2$). Notons

---

3. Lorsque n tend vers l'infini, on obtient une série dite de Fourier. Jean-Baptiste Joseph Fourier (1768-1830) a utilisé les séries qui portent son nom pour étudier l'équation de la chaleur.

encore ici que l'abscisse $t = 2\pi$ n'est pas utilisée explicitement, mais quand même prise en compte puisque nous avons supposé la fonction $g(t)$ périodique $(g(2\pi) = g(0))$.

Le système d'équations à résoudre est donc :

$$g(0) \quad = \quad 0 \quad = \quad \frac{a_0}{2} \quad + \quad \frac{a_2}{2}\cos(0) \quad +a_1\cos(0) + b_1\sin(0)$$

$$g\left(\frac{\pi}{2}\right) \quad = \quad \frac{3}{16} \quad = \quad \frac{a_0}{2} \quad + \quad \frac{a_2}{2}\cos(\pi) \quad +a_1\cos\left(\frac{\pi}{2}\right) + b_1\sin\left(\frac{\pi}{2}\right)$$

$$g(\pi) \quad = \quad \frac{1}{4} \quad = \quad \frac{a_0}{2} \quad + \quad \frac{a_2}{2}\cos(2\pi) \quad +a_1\cos(\pi) + b_1\sin(\pi)$$

$$g\left(\frac{3\pi}{2}\right) \quad = \quad \frac{3}{16} \quad = \quad \frac{a_0}{2} \quad + \quad \frac{a_2}{2}\cos(3\pi) \quad +a_1\cos\left(\frac{3\pi}{2}\right) + b_1\sin\left(\frac{3\pi}{2}\right)$$

ou sous forme matricielle :

$$
\begin{bmatrix}
\frac{1}{2} & \frac{1}{2} & 1 & 0 \\
\frac{1}{2} & -\frac{1}{2} & 0 & 1 \\
\frac{1}{2} & \frac{1}{2} & -1 & 0 \\
\frac{1}{2} & -\frac{1}{2} & 0 & -1
\end{bmatrix}
\begin{bmatrix}
a_0 \\ a_2 \\ a_1 \\ b_1
\end{bmatrix}
=
\begin{bmatrix}
0 \\ \frac{3}{16} \\ \frac{1}{4} \\ \frac{3}{16}
\end{bmatrix}
$$

dont la solution est $[\frac{5}{16} \ -\frac{1}{16} \ -\frac{1}{8} \ 0]^T$. Le polynôme trigonométrique correspondant est donc :

$$T_2(t) = \frac{5 - \cos(2t)}{32} - \frac{1}{8}\cos(t) + 0\sin(t)$$

On peut dès lors se ramener sur l'intervalle initial $[a\ ,\ b]$ à l'aide de la transformation 5.66 et de l'équation 5.68. On a ainsi :

$$T_2^*(x) = T_2(2\pi x)$$

Ainsi, nous avons tracé à la figure 5.20 le polynôme $T_2^*(x)$ de même que la fonction $f(x)$. Pour améliorer la précision de l'approximation, il suffit d'augmenter le nombre de points d'échantillonnage et le degré du polynôme trigonométrique. Cela a pour effet d'augmenter également la taille du système linéaire à résoudre. ♦

Malheureusement, la résolution du système linéaire 5.70 n'est pas la méthode la plus efficace puisque le nombre de points d'échantillonnage peut être très grand. En fait, cette méthode est l'analogue, pour les polynômes trigonométriques, de la méthode de Vandermonde pour l'interpolation classique (voir la section 5.2). Nous allons maintenant proposer une autre façon de faire qui est plus rapide.

Cette nouvelle approche nécessite l'emploi des nombres et fonctions complexes et plus particulièrement de l'exponentielle complexe :

$$e^{ilt} = \cos(lt) + i\sin(lt)$$

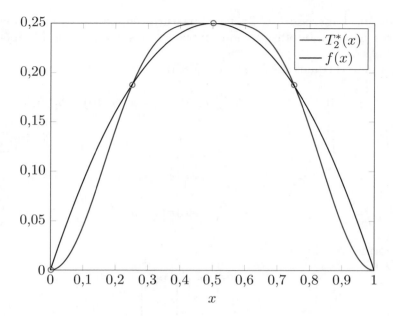

Figure 5.20 – Fonction $f(x)$ et polynôme trigonométrique $T_2^*(x)$

où l est un entier et i le nombre imaginaire $i = \sqrt{-1}$. De cette définition, on rappelle que par exemple :

$$e^{i\pi} = -1, e^{i\pi/2} = i, e^{in\pi} = (-1)^n \text{ et } e^{2in\pi} = 1$$

pour tout entier n.

Pour deux fonctions (éventuellement) complexes définies aux points d'échantillonnage t_k (voir 5.69), on définit le produit scalaire suivant :

$$(f, g)_d = \sum_{k=0}^{2n-1} f(t_k)\bar{g}(t_k)$$

On remarquera le conjugué complexe apparaissant sur la deuxième fonction. [4]

Lemme 5.48: Orthogonalité

Les fonctions e^{ilt} sont orthogonales au sens du produit scalaire précédent en ce sens que si m et l sont deux entiers compris entre $-n$ et n :

$$(e^{imt}, e^{ilt})_d = \sum_{k=0}^{2n-1} e^{imt_k}e^{-ilt_k} = \begin{cases} 2n & \text{si } m = l \\ 2n & \text{si } m = n \text{ et } l = -n \\ 0 & \text{dans tous les autres cas} \end{cases} \quad (5.71)$$

---

4. Rappelons que le conjugué complexe de $z = x + iy$ est $\bar{z} = x - iy$.

Démonstration. Si $m = l$, on a :

$$(e^{ilt}, e^{ilt})_d = \sum_{k=0}^{2n-1} e^{ilt_k} e^{-ilt_k} = \sum_{k=0}^{2n-1} 1 = 2n$$

De plus, dans le cas où $m = n$ et $l = -n$, on a :

$$(e^{int}, e^{-int})_d = \sum_{k=0}^{2n-1} e^{ink\pi/n} e^{ink\pi/n} = \sum_{k=0}^{2n-1} e^{2ik\pi} = \sum_{k=0}^{2n-1} 1 = 2n$$

Enfin, dans tous les autres cas et en particulier si $m \neq l$, il suffit de développer pour obtenir :

$$\sum_{k=0}^{2n-1} e^{imt_k} e^{-ilt_k} = \sum_{k=0}^{2n-1} e^{imk\pi/n} e^{-ilk\pi/n} = \sum_{k=0}^{2n-1} e^{i\pi(m-l)k/n} = \sum_{k=0}^{2n-1} \left(e^{i\pi(m-l)/n} \right)^k$$

qui n'est rien d'autre qu'une progression géométrique de raison $e^{i\pi(m-l)/n}$.[5] La somme vaut donc :

$$\frac{1 - (e^{i\pi(m-l)/n})^{2n}}{1 - (e^{i\pi(m-l)/n})} = \frac{1 - (e^{2i\pi(m-l)})}{1 - (e^{i\pi(m-l)/n})}$$

et le résultat suit car $e^{2\pi i(m-l)} = 1$. ∎

L'utilisation des exponentielles complexes nous amène à utiliser une autre forme (équivalente) pour les polynômes trigonométriques :

$$\begin{aligned}
T_n(t) &= \alpha_0 + \alpha_n \left(\frac{e^{int} + e^{-int}}{2} \right) + \sum_{j=1}^{n-1} \alpha_j e^{ijt} + \alpha_{-j} e^{-ijt} \\
&= \alpha_0 + \alpha_n \cos nt + \sum_{j=1}^{n-1} (\alpha_j + \alpha_{-j}) \cos jt + i(\alpha_j - \alpha_{-j}) \sin jt
\end{aligned}$$

En comparant terme à terme cette expression et 5.67, on voit que l'on peut passer d'une forme à l'autre par les relations :

$$\alpha_0 = \frac{a_0}{2}, \quad \alpha_n = \frac{a_n}{2}, \quad a_j = (\alpha_j + \alpha_{-j}) \text{ et } b_j = i(\alpha_j - \alpha_{-j}) \tag{5.72}$$

Théorème 5.49

Le polynôme trigonométrique interpolant les valeurs d'une fonction périodique $g(t)$ aux points d'échantillonnage $t_k, k = 0, 1, \cdots, 2n-1$ s'écrit :

$$T_n(t) = \alpha_0 + \alpha_n \left(\frac{e^{int} + e^{-int}}{2} \right) + \sum_{j=1}^{n-1} \alpha_j e^{ijt} + \alpha_{-j} e^{-ijt} \tag{5.73}$$

et les coefficients sont donnés par les formules :

---

5. On montre en effet que $1 + r + r^2 + r^3 + \cdots + r^m = \frac{1 - r^{m+1}}{1 - r}$. Une telle somme est appelée progression géométrique de raison r.

$$\alpha_j = \frac{1}{2n}(g, e^{ijt})_d = \frac{1}{2n}\sum_{k=0}^{2n-1} g(t_k)e^{-ijt_k}$$
$$\text{pour } j = 0, 1, \cdots, n$$

(5.74)

$$\alpha_{-j} = \frac{1}{2n}(g, e^{-ijt})_d = \frac{1}{2n}\sum_{k=0}^{2n-1} g(t_k)e^{ijt_k}$$
$$\text{pour } j = 1, 2, \cdots, n-1$$

Le polynôme 5.73 est la *transformée de Fourier discrète* de $g(t)$.

Démonstration. On doit imposer $T_n(t_k) = g(t_k), k = 0, 1, \cdots, 2n - 1$ ou encore :

$$\alpha_0 + \alpha_n \left(\frac{e^{int_k} + e^{-int_k}}{2}\right) + \sum_{j=1}^{n-1} \alpha_j e^{ijt_k} + \alpha_{-j}e^{-ijt_k} = g(t_k)$$

Il suffit alors de multiplier par e^{-ilt_k}, de sommer sur k et d'utiliser le lemme 5.48. On trouve :

$$\alpha_0(1, e^{ilt})_d + \frac{\alpha_n}{2}\left((e^{int}, e^{ilt})_d + (e^{-int}, e^{ilt})_d\right) + \sum_{j=1}^{n-1}\alpha_j(e^{ijt}, e^{ilt})_d + \alpha_{-j}(e^{-ijt}, e^{ilt})_d$$

$$= (g(t), e^{ilt})_d$$

L'orthogonalité par rapport au produit scalaire annule tous les termes sauf le l-ième et on trouve :

$$\alpha_l(e^{ilt}, e^{ilt})_d = (g, e^{ilt})_d$$

ou encore :

$$\alpha_l = \frac{1}{2n}(g, e^{ilt})_d = \frac{1}{2n}\sum_{k=0}^{2n-1} g(t_k)e^{-ilt_k}$$

Les autres coefficients s'obtiennent de manière similaire. ■

Corollaire 5.50

On a les relations suivantes pour les coefficients a_k et b_k :

$$a_0 = \frac{1}{n}\sum_{k=0}^{2n-1} g(t_k), \qquad a_n = \frac{1}{n}\sum_{k=0}^{2n-1}(-1)^k g(t_k)$$

(5.75)

$$a_j = \frac{1}{n}\sum_{k=0}^{2n-1} g(t_k)\cos(jt_k), \quad b_j = \frac{1}{n}\sum_{k=0}^{2n-1} g(t_k)\sin(jt_k)$$

Démonstration. La démonstration découle du théorème 5.74 et des relations 5.72. Puisque $a_0 = 2\alpha_0$, on a, à partir de l'expression pour α_0 :

$$a_0 = \frac{1}{n} \sum_{k=0}^{2n-1} g(t_k)$$

De même, puisque $a_n = 2\alpha_n$ et $t_k = k\pi/n$:

$$a_n = \frac{1}{n} \sum_{k=0}^{2n-1} g(t_k)e^{-int_k} = \frac{1}{n} \sum_{k=0}^{2n-1} g(t_k)e^{-ik\pi} = \frac{1}{n} \sum_{k=0}^{2n-1} (-1)^k g(t_k)$$

Par la suite, $a_j = \alpha_j + \alpha_{-j}$ et :

$$a_j = \frac{1}{2n} \sum_{k=0}^{2n-1} g(t_k)\left(e^{-ijt_k} + e^{ijt_k}\right) = \frac{1}{2n} \sum_{k=0}^{2n-1} g(t_k)2\cos(jt_k)$$

et enfin, $b_j = i(\alpha_j - \alpha_{-j})$ et il suit que :

$$b_j = \frac{i}{2n} \sum_{k=0}^{2n-1} g(t_k)\left(e^{-ijt_k} - e^{ijt_k}\right) = \frac{i}{2n} \sum_{k=0}^{2n-1} g(t_k)(-2i\sin(jt_k))$$

ce qui complète la démonstration. ∎

Exemple 5.51. Reprenons l'exemple 5.47, mais en utilisant cette fois les relations 5.74. Rappelons que les points d'échantillonnage sont $[0 , \frac{\pi}{2} , \pi , \frac{3\pi}{2}]$ et que la fonction $g(t)$ y prend les valeurs $[0 , \frac{3}{16} , \frac{1}{4} , \frac{3}{16}]$. Rappelons de plus que $n = 2$ dans cet exemple. On a ainsi :

$$a_0 = \frac{1}{2} \sum_{k=0}^{3} g(t_k) = \frac{5}{16}$$

$$a_2 = \frac{1}{2} \sum_{k=0}^{3} g(t_k)(-1)^k = -\frac{1}{16}$$

$$a_1 = \frac{1}{2} \sum_{k=0}^{3} g(t_k)\cos(t_k) = -\frac{1}{8}$$

$$b_1 = \frac{1}{2} \sum_{k=0}^{3} g(t_k)\sin(t_k) = 0$$

On retrouve donc le polynôme trigonométrique :

$$T_2(t) = \frac{5 - \cos(2t)}{32} - \frac{1}{8}\cos(t)$$

résultat que nous avons déjà obtenu. Notons que par cette approche il n'y a pas de système linéaire à résoudre. ♦

5.8.2 Transformée de Fourier rapide

Dans le cas où le nombre de points d'échantillonnage est grand, l'évaluation des expressions 5.74 peut quand même poser des problèmes d'efficacité. L'algorithme de Cooley et Tukey [11], mieux connu sous le nom de transformée de Fourier rapide («Fast Fourier Transform» ou encore «FFT» en anglais) permet d'effectuer tous les calculs de manière extrêmement rapide, en particulier lorsque le nombre de points d'échantillonnage est une puissance de 2, c'est-à-dire $2n = 2^p$. Cela permet d'optimiser considérablement tous les calculs. Cet algorithme est sans doute l'un des plus révolutionnaires du vingtième siècle.

La transformée de Fourier rapide permet une utilisation intensive et à très grande échelle de la transformée de Fourier, sans que le temps de calcul ne devienne prohibitif. Pour décrire cet algorithme, on introduit dans un premier temps de nouveaux coefficients complexes dénotés c_l et définis par la somme :

$$c_l = \sum_{k=0}^{2n-1} g(t_k)e^{ilt_k} = \sum_{k=0}^{2n-1} g(t_k)e^{\frac{ilk\pi}{n}} = \sum_{k=0}^{2n-1} g(t_k)w^{lk} \tag{5.76}$$

pour $l = 0, 1, 2, \cdots, 2n - 1$ et où l'on a encore posé $w = e^{\frac{i\pi}{n}}$.

Lemme 5.52

On a la relation :

$$\frac{1}{n}c_l = a_l + ib_l \quad \text{pour } j = 0, 1, \cdots, n \tag{5.77}$$

et on récupère ainsi, une fois les coefficient c_l calculés, les coefficients du polynôme trigonométrique 5.67 qui interpole la fonction $g(t)$ aux points d'échantillonnage.

Démonstration. On a immédiatement :

$$\frac{1}{n}c_l = \frac{1}{n}\sum_{k=0}^{2n-1} g(t_k)e^{ilt_k} = \frac{1}{n}\sum_{k=0}^{2n-1} g(t_k)\left(\cos(lt_k) + i\sin(lt_k)\right) = a_l + ib_l$$

∎

L'évaluation de chaque coefficient c_l sous la forme 5.76 nécessite $2n$ multiplications, pour un total de $4n^2$ multiplications complexes, tout comme pour les coefficients α_l. On peut également écrire le tout sous forme matricielle :

$$\begin{bmatrix} c_0 \\ c_1 \\ c_2 \\ \vdots \\ c_{2n-1} \end{bmatrix} = \begin{bmatrix} 1 & 1 & 1 & \cdots & 1 \\ 1 & w & w^2 & \cdots & w^{(2n-1)} \\ 1 & w^2 & w^4 & \cdots & w^{2(2n-1)} \\ \vdots & \vdots & \vdots & \ddots & \vdots \\ 1 & w^{(2n-1)} & w^{2(2n-1)} & \cdots & w^{(2n-1)^2} \end{bmatrix} \begin{bmatrix} g(t_0) \\ g(t_1) \\ g(t_2) \\ \vdots \\ g(t_{2n-1}) \end{bmatrix} \tag{5.78}$$

Cette dernière matrice est appelée *matrice de Fourier*. C'est une matrice inversible et on montre assez facilement (en exercice) que son inverse est tout simplement :

$$\frac{1}{2n}\begin{bmatrix} 1 & 1 & 1 & \cdots & 1 \\ 1 & \bar{w} & \bar{w}^2 & \cdots & \bar{w}^{(2n-1)} \\ 1 & \bar{w}^2 & \bar{w}^4 & \cdots & \bar{w}^{2(2n-1)} \\ \vdots & \vdots & \vdots & \ddots & \vdots \\ 1 & \bar{w}^{(2n-1)} & \bar{w}^{2(2n-1)} & \cdots & \bar{w}^{(2n-1)^2} \end{bmatrix}$$

où $\bar{w} = e^{-i\pi/n}$ est le conjugué complexe de w. Pour le démontrer, on doit utiliser le fait que $w\bar{w} = 1$. On peut donc évaluer les c_i en faisant ce produit matriciel mais il existe une façon beaucoup plus rapide.

On constate en premier lieu que pour $l = 0, 1, \cdots, n-1$:

$$c_l + c_{n+l} = \sum_{k=0}^{2n-1} g(t_k)e^{\frac{ilk\pi}{n}} + \sum_{k=0}^{2n-1} g(t_k)e^{\frac{i(l+n)k\pi}{n}} = \sum_{k=0}^{2n-1} g(t_k)e^{\frac{ilk\pi}{n}}(1 + e^{ik\pi})$$

Or, $(1 + e^{ik\pi}) = 2$ si k est pair et s'annule si k est impair. Il ne reste donc dans la dernière sommation que les termes de rang pair. On a ainsi diminué de moitié le nombre de points d'échantillonnage. On a maintenant :

$$c_l + c_{n+l} = 2\sum_{\substack{k=0 \\ k \text{ pair}}}^{2n-2} g(t_k)e^{\frac{ilk\pi}{n}} = 2\sum_{k=0}^{n-1} g(t_{2k})e^{\frac{2ilk\pi}{n}} \tag{5.79}$$

Par un raisonnement semblable, on trouve :

$$c_l - c_{n+l} = 2e^{\frac{il\pi}{n}}\sum_{k=0}^{n-1} g(t_{2k+1})e^{\frac{2ilk\pi}{n}} = 2w^l\sum_{k=0}^{n-1} g(t_{2k+1})e^{\frac{2ilk\pi}{n}} \tag{5.80}$$

Les 2 dernières équations permettent de récupérer séparément les coefficients c_l et c_{n+l} :

$$\begin{aligned} c_l &= \sum_{k=0}^{n-1} g(t_{2k})e^{\frac{2ilk\pi}{n}} + w^l\sum_{k=0}^{n-1} g(t_{2k+1})e^{\frac{2ilk\pi}{n}} \\[2mm] c_{n+l} &= \sum_{k=0}^{n-1} g(t_{2k})e^{\frac{2ilk\pi}{n}} - w^l\sum_{k=0}^{n-1} g(t_{2k+1})e^{\frac{2ilk\pi}{n}} \end{aligned} \tag{5.81}$$

Ces équations nous ramènent à un calcul des coefficients de Fourier sur les points d'échantillonnage pairs et impairs respectivement. On remarque de plus que le nombre d'opérations nécessaires est réduit à $2n^2 + n$ multiplications complexes, ce qui est nettement inférieur aux $4n^2$ de la relation 5.76. La beauté de l'algorithme réside dans le fait que le raisonnement est récursif et que l'on peut le réemployer de nouveau pour évaluer l'une ou l'autre des expressions :

$$\sum_{k=0}^{n-1} g(t_{2k})e^{\frac{2ilk\pi}{n}} \quad \text{et} \quad \sum_{k=0}^{n-1} g(t_{2k+1})e^{\frac{2ilk\pi}{n}}$$

En effet, dans les 2 cas on doit calculer une expression de la forme :

$$\sum_{k=0}^{n-1} g(u_k)e^{\frac{2ilk\pi}{n}} = \sum_{k=0}^{n-1} g(u_k)w_1^{lk} \text{ pour } k = 0, 1, 2, \cdots, n-1 \tag{5.82}$$

où l'on a posé $w_1 = e^{\frac{2i\pi}{n}}$ et $u_k = t_{2k}$ (ou encore $u_k = t_{2k+1}$). Si n est pair, on peut encore diviser le nombre d'échantillons en parties paires et impaires. Par contre, si n est impair, on évalue directement l'expression 5.82 en utilisant une matrice de Fourier 5.78 mais de taille plus faible que celle de la matrice initiale :

$$\begin{bmatrix} 1 & 1 & 1 & \cdots & 1 \\ 1 & w_1 & w_1^2 & \cdots & w_1^{(n-1)} \\ 1 & w_1^2 & w_1^4 & \cdots & w_1^{2(n-1)} \\ \vdots & \vdots & \vdots & \ddots & \vdots \\ 1 & w_1^{(n-1)} & w_1^{2(n-1)} & \cdots & w_1^{(n-1)^2} \end{bmatrix} \begin{bmatrix} g(u_0) \\ g(u_1) \\ g(u_2) \\ \vdots \\ g(u_{n-1}) \end{bmatrix} \tag{5.83}$$

Idéalement, on ne doit recourir à la matrice de Fourier que pour de petites matrices. Cela signifie que le nombre de points d'échantillonnage de départ doit contenir autant de facteurs 2 que possible et, dans le cas optimal, être carrément une puissance de 2. Dans cette situation idéale, la matrice de Fourier qui sera employée sera de dimension 1 !

On peut donc définir une fonction récursive qui effectue les étapes précédentes jusqu'à ce que la taille de l'échantillon ne soit plus divisible par 2. À ce moment, on utilise la matrice de Fourier, mais pour une valeur de n généralement petite. L'algorithme général est présenté à la figure 5.21. On peut montrer que, si le nombre de points d'échantillonnage $2n$ est de la forme $2n = 2^p q$ où p est un entier strictement positif et q est impair, alors le nombre d'opérations passe de $4n^2$ à $p2^p q^2$. Les matrices de Fourier utilisées seront de taille q sur q. Plus il y a de facteurs 2 dans n, plus le gain est important. En particulier, si $2n = 2^p$, le nombre d'opérations est de l'ordre de $p2^p$. Par exemple, si $2n = 2^{10}$, le nombre d'opérations passe de $4(2^{20}) = 4\,194\,304$ à $10 \times 2^{10} = 10\,240$.

Exemple 5.53. Si l'on reprend une dernière fois notre exemple avec la fonction définie dans l'intervalle $[0 \, , 1]$ par $f(x) = x(1-x)$. On applique l'algorithme de la figure 5.21 dont voici les grandes lignes lorsque $2n = 4$.

1. On part du signal :

$$[0 \, , \tfrac{3}{16} \, , \tfrac{1}{4} \, , \tfrac{3}{16}]$$

2. On divise en parties paire et impaire :

$$[0 \, , \tfrac{1}{4}] \text{ et } [\tfrac{3}{16} \, , \tfrac{3}{16}];$$

3. que l'on redivise encore :

$$[0] \quad [\tfrac{1}{4}] \quad [\tfrac{3}{16}] \quad [\tfrac{3}{16}]$$

À cette étape, $n = 1$ n'est plus divisible par deux et, pour chacun de ces vecteurs, on doit doit utiliser le produit matriciel 5.83 mais la matrice de Fourier se réduit à $[1]$, et le produit ne change rien.

```
function c = TFR(g)
% Fonction récursive qui calcule le vecteur c à partir d'un
% vecteur d'échantillonnage noté g
  g = g(:);
  Longueur_de_g = length(g);

  if(rem(Longueur_de_g,2)) == 0

%   Si le nombre de points d'échantillonnage est pair
    Deux_n = Longueur_de_g;
    n = Deux_n / 2;
    w = exp(i* pi /n);

%   Attention: dans Matlab, le vecteur g est numéroté de 1 à 2n
%   alors que dans notre notation, il est numéroté de 0 à 2n-1;
%   On extrait les parties paires et impaires en posant:
    g_pair   = g(1:2:Deux_n-1);
    g_impair = g(2:2:Deux_n);

%   On appelle récursivement la fonction pour les parties paires
%   et impaires
    u = TFR(g_pair);
    v = TFR(g_impair);

%   On multiplie la partie impaire par les puissances de w
    l = (0: n-1)';
    v = (w.^l) .* v;

%   On applique la transformation
    c = [u+v; u-v];

  else

%   Si le nombre de points d'échantillonnage est impair
    n = Longueur_de_g
    w1 = exp(2* i* pi /n);

%   On construit la matrice de Fourier
    l=0:n-1;
    k=l';
    F = w1 .^(k*l);
%   et on fait le produit
    c = F * g;
  end
```

Figure 5.21 – Transformée de Fourier rapide

4. On multiplie les vecteurs impairs par w^l, $l = 0$, où $w = e^{i\pi}$ ce qui ici ne change rien :

$$[0] \quad [w^0 \tfrac{1}{4}] \quad [\tfrac{3}{16}] \quad [w^0 \tfrac{3}{16}]$$

5. On effectue l'opération 5.81 :

$$[0 + \tfrac{1}{4} , 0 - \tfrac{1}{4}] \quad [\tfrac{3}{16} + \tfrac{3}{16} , \tfrac{3}{16} - \tfrac{3}{16}]$$

c'est-à-dire :

$$[\tfrac{1}{4} , -\tfrac{1}{4}] \quad [\tfrac{3}{8} , 0]$$

6. On multiplie les vecteurs impairs par $w^l, l = 0, 1$ avec $w = e^{i\pi/2}$:

$$[\tfrac{1}{4} , -\tfrac{1}{4}] \quad [\tfrac{3}{8} w^0 , 0w^1]$$

c'est-à-dire :

$$[\tfrac{1}{4} , -\tfrac{1}{4}] \quad [\tfrac{3}{8} , 0]$$

7. On effectue ensuite l'opération 5.81 :

$$[\tfrac{1}{4} + \tfrac{3}{8} , -\tfrac{1}{4} + 0 , \tfrac{1}{4} - \tfrac{3}{8} , -\tfrac{1}{4} - 0]$$

et on obtient le vecteur $\vec{c}$ final :

$$[\tfrac{5}{8} , -\tfrac{1}{4} , -\tfrac{1}{8} , -\tfrac{1}{4}]$$

8. On récupère les vecteurs des a_j et b_j par le lemme 5.52 [6] :

$$a_0 = \tfrac{1}{2}\Re(c_0) = \tfrac{5}{16}, \quad a_2 = \tfrac{1}{2}\Re(c_2) = -\tfrac{1}{16}$$

$$a_1 = \tfrac{1}{2}\Re(c_1) = -\tfrac{1}{8}, \quad b_1 = \tfrac{1}{2}\Im(c_1) = 0$$

On retrouve donc encore le même résultat (illustré à la figure 5.20). Pour améliorer la précision de l'approximation, on doit augmenter le nombre de points d'échantillonnage. La figure 5.22 présente les résultats pour $2n = 10$ et $2n = 20$. On constate que la fonction $f(x)$ et le polynôme trigonométrique $T_n^*(x)$ se confondent rapidement dans cet exemple très simple. ◆

Exemple 5.54. Si on prend le signal suivant ($2n = 8$) :

$$\left[0, \frac{7}{64}, \frac{12}{64}, \frac{15}{64}, \frac{16}{64}, \frac{15}{64}, \frac{12}{64}, \frac{7}{64}\right]$$

On vérifiera (en exercice) que l'on obtient le vecteur $\vec{c}$ suivant :

$$\left[\left(\tfrac{84}{64}\right), \left(-\tfrac{16}{64} - \tfrac{8}{64}e^{i\pi/4} + \tfrac{8}{64}e^{3i\pi/4}\right), \left(-\tfrac{8}{64}\right), \left(-\tfrac{16}{64} - \tfrac{8}{64}e^{3i\pi/4} - \tfrac{8}{64}e^{5i\pi/4}\right), \ldots\right.$$

$$\left.\left(-\tfrac{4}{64}\right), \left(-\tfrac{16}{64} + \tfrac{8}{64}e^{i\pi/4} - \tfrac{8}{64}e^{3i\pi/4}\right), \left(-\tfrac{8}{64}\right), \left(-\tfrac{16}{64} + \tfrac{8}{64}e^{3i\pi/4} + \tfrac{8}{64}e^{5i\pi/4}\right)\right]$$

$$= \left[\tfrac{21}{16}, -\tfrac{1}{4} - \tfrac{\sqrt{2}}{8}, -\tfrac{1}{8}, -\tfrac{1}{4} + \tfrac{\sqrt{2}}{8}, -\tfrac{1}{16}, -\tfrac{1}{4} + \tfrac{\sqrt{2}}{8}, -\tfrac{1}{8}, -\tfrac{1}{4} - \tfrac{\sqrt{2}}{8}\right]$$

On revient aux coefficients a_j et b_j par le lemme 5.52. ◆

---

6. Les symboles $\Re$ et $\Im$ dénotent respectivement les parties réelle et imaginaire d'un nombre complexe.

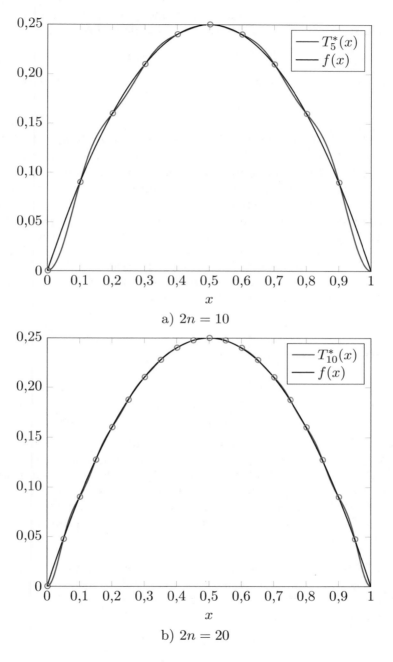

a) $2n = 10$

b) $2n = 20$

Figure 5.22 – $T_n^*(x)$ et $f(x)$

5.8.3   Traitement de signal

La transformée de Fourier est fort utile en pratique pour analyser des signaux. Nous en présenterons maintenant quelques exemples. La transformée de Fourier discrète est constituée d'une somme de termes de la forme :

$$S_j(t) = a_j \cos jt + b_j \sin jt$$

et il est facile de vérifier que l'on peut aussi écrire cette composante sous la forme :

$$S_j(t) = A_j \cos(jt - \delta_j)$$

où $A_j = \sqrt{a_j^2 + b_j^2}$ est l'amplitude et δ_j est la phase vérifiant $\delta_j = \arctan(b_j/a_j)$. Pour s'en convaincre, il suffit de développer la dernière expression.

Pour une fonction périodique, la fréquence est tout simplement le nombre de fois que le motif périodique se répète par unité de temps, en supposant que le temps soit la variable indépendante, ce qui est souvent le cas. Ainsi une fonction comme $\cos jt$ se répète $j/2\pi$ fois par unité de temps. Sa fréquence est donc $j/2\pi$. Il ne faut toutefois pas oublier que le signal de base est une fonction de la variable x et que la fonction $T_n^*(x)$ se répète le même nombre de fois que $T_n(t)$ mais dans l'intervalle $[a\,,\,b]$. Sa fréquence est alors $j/(b-a)$.

Pour déterminer les différentes composantes d'un signal, il suffit donc de regarder le vecteur $\vec{c}$ donné par la transformée de Fourier rapide. On a ainsi :

$$A_j = |c_j| = \sqrt{a_j^2 + b_j^2}, \ \ \text{pour } j = 1, 2, \cdots, n$$

alors que les fréquences sont simplement :

$$f_j = j/(b-a) \ \ \text{pour } j = 1, 2, \cdots, n$$

On peut ensuite tracer sur un graphique les amplitudes en fonction des fréquences et on obtient ce que l'on appelle le spectre du signal.

Exemple 5.55. On a échantillonné le signal du haut de la figure 5.23 avec $2n = 2^9$ points. Un simple coup d'oeil indique que la fonction se répète environ 15 fois dans l'intervalle $[0\,,\,10]$, pour une fréquence de 1,5. L'amplitude est de toute évidence 15 et c'est ce que l'on peut voir sur la figure du bas. La fonction qui a été échantillonnée est en fait $f(x) = 15 \cos 3\pi x$ dont la fréquence est précisément $3\pi/2\pi = 1{,}5$. La transformée de Fourier a bien retourné l'amplitude 15 et la fréquence calculée est 1,5. ◆

Exemple 5.56. Terminons cette section par l'analyse d'un signal un peu plus complexe illustré en haut de la figure 5.24. Il est beaucoup plus difficile de décortiquer ce signal que celui de l'exemple précédent. Le signal présenté est en fait celui de la fonction :

$$15 \cos(20x) + 5 \sin(30x) - 10 \cos(42x)$$

que nous avons échantillonné sur un intervalle de 5 secondes et $n = 2^8$ points. Les fréquences exactes sont donc $20/2\pi$, $30/2\pi$ et $42/2\pi$.

L'analyse de Fourier a permis d'identifier des fréquences de 3,2, 4,8 et 6,6 hertz et des amplitudes respectives de 14,8, 5,1 et 7,4, qui sont toutes assez proches des valeurs exactes. ◆

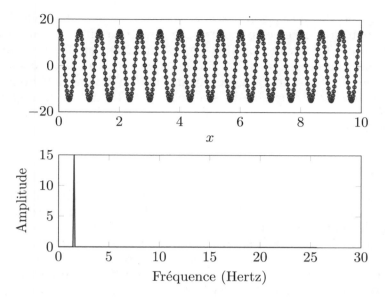

Figure 5.23 – Analyse du signal correspondant à $f(x) = 15\cos 3\pi x$.

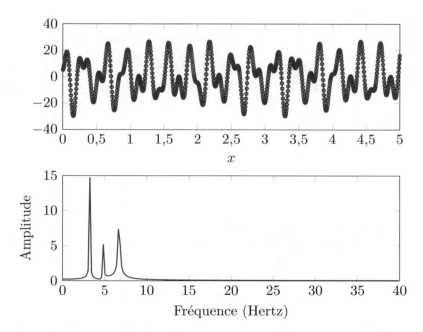

Figure 5.24 – Analyse d'un signal plus complexe.

5.9   Introduction aux NURBS

Les logiciels de conception assistée par ordinateur (CAO) ou d'animation sur ordinateur doivent être en mesure de représenter efficacement des courbes et surfaces d'une grande complexité. Ce besoin a mené au développement d'outils modernes comme les *B-splines rationnelles non uniformes*, mieux connues sous le sigle NURBS (de l'anglais «Non Uniform Rational B-Splines»), que nous allons brièvement décrire dans cette section. Pour de plus amples détails, on se référera au livre de Farin [18], qui constitue un excellent ouvrage de référence dans ce domaine.

5.9.1   B-splines

Au préalable, il faut introduire des courbes plus simples que l'on nomme B-splines ou splines de base. Les splines de base sont aussi parfois appelées fonctions de base, fonctions de pondération, polynômes de pondération ou fonctions de mélange. Les B-splines sont des courbes paramétrées. On note t le paramètre qui varie entre 0 et L. Dans l'intervalle $[0 , L]$, on choisit $n + 1$ valeurs appelées nœuds $t_0, t_1, t_2, \cdots, t_n$ et qui constituent le vecteur nodal que nous dénoterons T. Les nœuds vérifient $t_i \leq t_{i+1}$, ce qui signifie qu'ils sont classés par ordre croissant et que certains nœuds pourront être doubles ou même triples.

Définition 5.57: Multiplicité d'un nœud

Un nœud t_i est de multiplicité m s'il est répété m fois.

Exemple 5.58. Le vecteur $T = [0 , 0 , 0 , 1 , 2 , 2 , 3]$ possède 1 nœud triple ($t = 0$), deux nœuds simples ($t = 1$ et $t = 3$) ainsi qu'un nœud double ($t = 2$). Au total, on considère qu'il y a quand même 7 nœuds ($n = 6$) en tenant compte des multiplicités. ♦

On définit ensuite les n fonctions :

$$N_i^0(t) = \begin{cases} 1 & \text{si } t_i \leq t < t_{i+1} \\ 0 & \text{ailleurs} \end{cases} \tag{5.84}$$

pour i allant de 0 à $n - 1$. Les fonctions $N_i^0(t)$ constituent les splines de base de degré 0. On définit celles de degré p par la récurrence suivante :

$$N_i^p(t) = \frac{(t - t_i)}{(t_{i+p} - t_i)} N_i^{p-1} + \frac{(t_{i+1+p} - t)}{(t_{i+1+p} - t_{i+1})} N_{i+1}^{p-1} \tag{5.85}$$

La fonction $N_i^p(t)$ n'est définie que dans l'intervalle $[t_i , t_{i+1+p}[$ et touche donc $p + 2$ nœuds. Avec au total $n + 1$ nœuds, on peut ainsi construire $n + 1 - (p + 2) + 1 = n - p$ fonctions différentes. Illustrons tout ceci par des exemples simples.

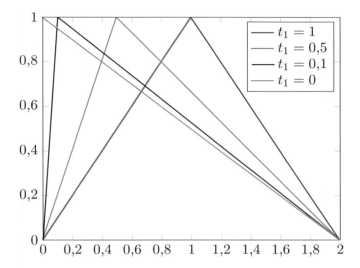

Figure 5.25 – Splines de base de degré 1 avec $T = [0 \, , t_1 \, , 2]$

Exemple 5.59. On prend le vecteur de nœuds $T = [0 \, , t_1 \, , 2]$. On a ainsi deux fonctions N_i^0 et une seule fonction de degré 1 soit :

$$N_0^1(t) = \frac{(t-0)}{(t_1-0)} N_0^0(t) + \frac{(2-t)}{(2-t_1)} N_1^0(t)$$

Cette fonction est présentée à la figure 5.25 pour différentes valeurs de t_1.

Remarquons immédiatement que les fonctions sont définies pour les valeurs de t entre 0 et 2. Si l'on déplace, le nœud t_1 à partir de 1 et en l'approchant de plus en plus de 0, on obtient les différentes fonctions illustrées à la figure 5.25. À la limite, on peut prendre $t_1 = 0$ (nœud double en 0) tel qu'illustré sur la même figure. On constate ainsi que la distance entre les nœuds est importante et a une influence sur la forme de la spline de base. ◆

Exemple 5.60. On considère maintenant des splines de base de degré 2. Comme dans l'exemple précédent, nous allons jouer avec le vecteur nodal pour mieux en saisir le rôle. On choisit un vecteur nodal de longueur 4 ($n = 3$) et il y a ainsi $3 - 2 = 1$ spline de base quadratique à construire. La figure 5.26 illustre le résultat pour différents vecteurs T. On remarque le rôle des nœuds multiples et, en particulier, ce qui se passe si on met un nœud triple en 0. ◆

Exemple 5.61. Un exemple intéressant consiste à prendre le vecteur de nœuds :
$$T = [0 \, , 1 \, , 2 \, , 3 \, , 4 \, , 5 \, , 6 \, , 7]$$

et des splines de base de degré 3. On peut ainsi former 4 (7-3) splines de base $N_i^3(t)$ illustrées à la figure 5.27. On remarque que chaque fonction $N_i^3(t)$ porte sur un intervalle de 5 (3+2) nœuds. Ces splines cubiques sont cependant différentes de celles introduites à la section 5.6.

Terminons cet exemple en illustrant une fois de plus le rôle des nœuds multiples. Si l'on prend un nœud triple en 2 et le vecteur :
$$T = [0 \, , 1 \, , 2 \, , \ 2 \, , 2 \, , 5 \, , 6 \, , 7]$$

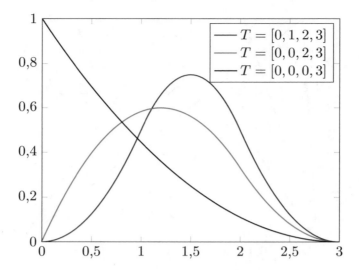

Figure 5.26 – Splines de base de degré 2

on obtient la spline $N_2^3(t)$ de la figure 5.28 alors que le vecteur :

$$T_1 = [0\,,1\,,2\,,\ 2\,,2\,,2\,,6\,,7]$$

produit une fonction discontinue (nœud quadruple en $t = 2$) comme le montre encore la figure 5.28. ◆

Proposition 5.62

À l'exclusion des p premiers et des p derniers intervalles, c'est-à-dire pour $t_p \leq t \leq t_{n-p}$, on a :

$$\sum_{i=0}^{n-p} N_i^p(t) = 1 \qquad (5.86)$$

Corollaire 5.63

Si le premier et le dernier nœuds sont de multiplicité $p + 1$, alors :

$$\sum_{i=0}^{n-p} N_i^p(t) = 1 \quad \forall t \qquad (5.87)$$

Démonstration. Cela découle du théorème précédent dans la mesure où les intervalles $[t_0\,,t_p[$ et $]t_{n-p}\,,t_n]$ sont tous deux vides. ∎

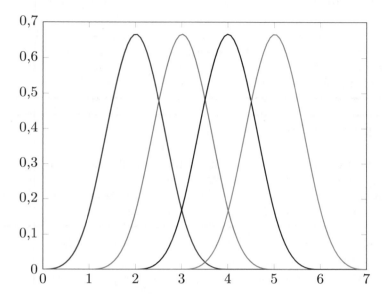

Figure 5.27 – Splines de base de degré 3 : $T = [0, 1, 2, 3, 4, 5, 6, 7]$

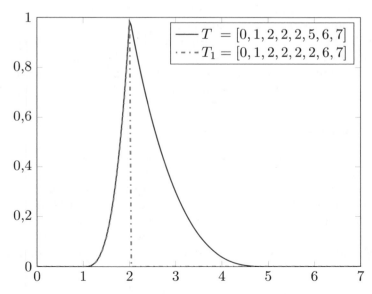

Figure 5.28 – Splines de base de degré 3 avec nœuds triple et quadruple

---

Définition 5.64: Ordre de continuité d'une spline

L'ordre de continuité d'une spline de base est le nombre de fois que la spline est dérivable. Ainsi, une continuité d'ordre 0 signifie que la spline est continue (0 fois dérivable), une continuité d'ordre 1 signifie que la spline est une fois dérivable et ainsi de suite.

Proposition 5.65

Si le vecteur des nœuds est constitué uniquement de points de multiplicité 1, l'ordre de continuité des splines de base $N_i^p(t)$ est $p-1$. Par contre, à l'exclusion du premier et du dernier nœuds, un nœud double fera baisser l'ordre de continuité de 1, un nœud triple de 2, etc.

Terminons en résumant les propriétés des splines de base :

1. $N_i^p(t) \geq 0$ pour tout i, p et t ;
2. $N_i^p(t)$ est non nulle seulement dans l'intervalle $[t_i \, , t_{i+1+p}[$;
3. dans l'intervalle $[t_i \, , t_{i+1}[$, seules les splines de base $N_{i-p}^p(t)$, $N_{i-p+1}^p(t)$, $\cdots$, $N_i^p(t)$ sont non nulles ;
4. une B-spline ne vaut exactement 1 qu'en un nœud de multiplicité p ou de multiplicité $p+1$ s'il s'agit du premier ou du dernier nœud.

Exemple 5.66. On prend le vecteur $T = [0 \, , 0 \, , 0 \, , 0 \, , 1 \, , 1 \, , 1 \, , 1]$ et des splines de base de degré 3. Il n'y a dans cet exemple que deux nœuds distincts soit 0 et 1 qui sont de multiplicité 4. On pourra néanmoins construire 4 splines de base qui sont illustrées à la figure 5.29.

On vérifie facilement sur le graphique que la somme de ces 4 fonctions donne 1 partout (voir la relation 5.87). En particulier, $N_0^3(0) = 1$ et $N_3^3(1) = 1$ puisque 0 et 1 sont de multiplicité $3+1$. Notons enfin que ces quatre fonctions sont en fait les splines dites de Bézier. ♦

5.9.2   Génération de courbes

On peut engendrer des courbes dans le plan ou dans l'espace en se servant des splines de base que nous venons d'introduire. Dans ce qui suit, nous nous concentrerons sur les splines de degré 2 ou 3 qui sont les plus utilisées.

On considère un vecteur de nœuds T pour lequel le premier et le dernier nœuds sont de multiplicité $p+1$. Si au total on a $n+1$ nœuds, on peut construire $n-p$ fonctions de base. On se donne maintenant $n-p$ points de contrôle $\boldsymbol{P}_i$ dans le plan ou dans l'espace et l'on considère la courbe :

$$\boldsymbol{\gamma}(t) = \sum_{i=0}^{n-p-1} N_i^p(t)\boldsymbol{P}_i \tag{5.88}$$

Cette courbe passe par $\boldsymbol{P}_0$, car $N_0^p(0) = 1$ et toutes les autres B-splines s'annulent en 0. Le même phénomène se produit au dernier nœud $\boldsymbol{P}_{n-p-1}$ avec la

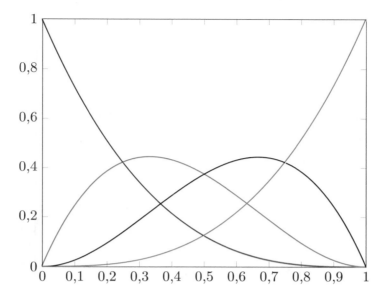

Figure 5.29 – Splines de base de degré 3 : $T = [0, 0, 0, 0, 1, 1, 1, 1]$

fonction $N_{n-p-1}^p(t)$ qui vaut 1 en t_n alors que toutes les autres B-splines s'y annulent. Par contre, la spline obtenue ne passe pas forcément par les autres points de contrôle. En ce sens, la B-spline n'est pas une courbe d'interpolation.

Exemple 5.67. On considère les 5 points de contrôle $(0 , 0)$, $(1 , 1)$, $(2 , 0)$, $(3 , 1)$ et $(4 , 0)$ qui, lorsque reliés par des segments de droite, forment la lettre M. On considère maintenant des splines de degré 3. Il faut donc un vecteur de 9 nœuds $(n = 8)$ $T = [0 , 0 , 0 , 0 , 1 , 2 , 2 , 2 , 2]$. On constate immédiatement à la figure 5.30 que la courbe passe par le premier et le dernier points et est en quelque sorte influencée par les autres points mais sans les interpoler. ♦

5.9.3 B-splines rationnelles non uniformes

Les B-splines rationnelles non uniformes (en anglais NURBS), comme leur nom l'indique, sont en fait un quotient de fonctions B-splines. La non-uniformité vient du fait que les nœuds du vecteur T ne sont pas forcément équidistants. Dorénavant, nous utiliserons l'expression anglaise NURBS, car elle est largement utilisée partout ailleurs.

Une des principales raisons de l'introduction des NURBS est que l'on ne peut pas représenter exactement des coniques (cercles, ellipses, hyperboles) par des fonctions B-splines. On comprend alors les limitations pour un logiciel de dessin par ordinateur de ne pouvoir représenter facilement un cercle ou une sphère.

On peut par contre montrer que cela est possible par des quotients de B-splines. On définit alors les NURBS comme suit.

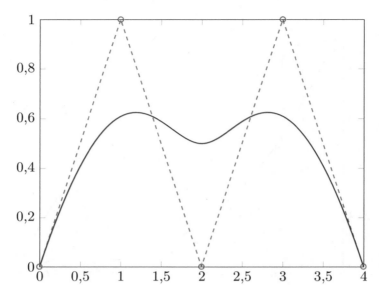

Figure 5.30 – B-spline (en bleu) et points de contrôle (en rouge)

Définition 5.68: NURBS

On construit une NURBS de degré p en suivant les étapes ci-dessous :

— on donne un vecteur de nœuds T de longueur $n+1$ et dont le premier et le dernier nœuds sont de multiplicité $p+1$;

— on choisit $n-p$ points de contrôle $\boldsymbol{P}_i$;

— à chaque point de contrôle $\boldsymbol{P}_i$, on associe un poids w_i ;

— on définit la NURBS d'ordre p par :

$$\gamma(t) = \frac{\displaystyle\sum_{i=0}^{n-p-1} w_i N_i^p(t)\boldsymbol{P}_i}{\displaystyle\sum_{i=0}^{n-p-1} w_i N_i^p(t)} \tag{5.89}$$

Cette définition constructive nécessite quelques précisions. Tout d'abord, on constate que, si les poids w_i sont tous égaux, on peut les éliminer et l'on retombe sur une B-spline non rationnelle puisque le dénominateur devient tout simplement 1 en vertu de l'équation 5.87. Les poids w_i jouent essentiellement le rôle inverse de celui qu'ils jouaient dans le krigeage. Plus le poids w_i sera grand, plus la NURBS calculée passera près du point $\boldsymbol{P}_i$.

On peut également écrire l'expression 5.89 sous la forme :

$$\gamma(t) = \sum_{i=0}^{n-p-1} R_i^p(t)\boldsymbol{P}_i$$

où les fonctions rationnelles $R_i^p(t)$ sont définies par :

$$R_i^p(t) = \frac{w_i N_i^p(t)}{\displaystyle\sum_{i=0}^{n-p-1} w_i N_i^p(t)}$$

Les fonctions $R_i^p(t)$ jouent le rôle de fonctions de base pour la courbe, un peu comme les fonctions de Lagrange 5.4 pour l'interpolation. Rappelons encore une fois que la NURBS ne passe pas forcément par tous les points de contrôle.

5.9.4   Construction des coniques

On réalise les coniques au moyen de splines quadratiques ($p = 2$). Pour comprendre le processus, nous procéderons à l'aide d'un exemple.

Exemple 5.69. On choisit 3 points de contrôle aux sommets d'un triangle équilatéral. On peut prendre par exemple les points $\boldsymbol{P}_0 = (0 \ , \ 0)$, $\boldsymbol{P}_1 = (1 \ , \ \sqrt{3})$ et $\boldsymbol{P}_2 = (2 \ , \ 0)$ avec poids respectifs $w_0 = 1$ et $w_2 = 1$. Nous ferons par la suite varier w_1 pour obtenir les différentes coniques. Le vecteur de nœuds est :

$$T = [0 \ , \ 0 \ , \ 0 \ , \ 1 \ , \ 1 \ , \ 1]$$

La courbe résultante passera donc par $\boldsymbol{P}_0$ et $\boldsymbol{P}_2$ mais pas forcément par $\boldsymbol{P}_1$. La NURBS a donc dans ce cas la forme :

$$\begin{aligned}
\gamma(t) &= \frac{w_0 N_0^2 \boldsymbol{P}_0 + w_1 N_1^2 \boldsymbol{P}_1 + w_2 N_2^2 \boldsymbol{P}_2}{w_0 N_0^2 + w_1 N_1^2 + w_2 N_2^2} \\
&= \frac{(1-t)^2 \boldsymbol{P}_0 + 2w_1 t(1-t)\boldsymbol{P}_1 + t^2 \boldsymbol{P}_2}{(1-t)^2 + 2w_1 t(1-t) + t^2}
\end{aligned}$$

Il est en effet facile de montrer, à l'aide de la récurrence 5.85, que :

$$N_0^2(t) = (1-t)^2, \quad N_1^2(t) = 2t(1-t) \text{ et } N_2^2(t) = t^2$$

Si l'on trace successivement les NURBS calculées avec ces paramètres en faisant varier w_1, on obtient les courbes illustrées à la figure 5.31. On peut montrer que ces courbes sont des ellipses si $0 < w_1 < 1$ (en particulier un cercle si $w_1 = \frac{1}{2}$), une parabole si $w_1 = 1$ et des hyperboles si $w_1 > 1$. ◆

Exemple 5.70. On considère 7 points de contrôle sur un triangle équilatéral et dont le dernier est répété. Prenons par exemple les points $(1 \ , \ 0)$, $(0 \ , \ 0)$, $(0{,}5 \ , \ \frac{\sqrt{3}}{2})$, $(1 \ , \ \sqrt{3})$, $(1{,}5 \ , \ \frac{\sqrt{3}}{2})$, $(2 \ , \ 0)$ et enfin $(1 \ , \ 0)$. On associe à chacun de ces points des poids w_i valant respectivement 1, $\frac{1}{2}$, 1, $\frac{1}{2}$, 1, $\frac{1}{2}$, 1. Le vecteur de nœuds associé est :

$$T = [0 \ , \ 0 \ , \ 0 \ , \ 1 \ , \ 1 \ , \ 2 \ , \ 2 \ , \ 3 \ , \ 3 \ , \ 3]$$

À la figure 5.32, on constate facilement que ce cercle complet est constitué de 3 arcs de 120 degrés. ◆

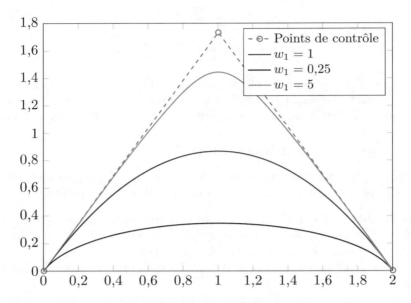

Figure 5.31 – Coniques pour différentes valeurs de w_1

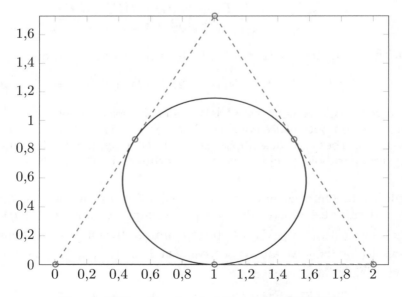

Figure 5.32 – Cercle généré par une NURBS

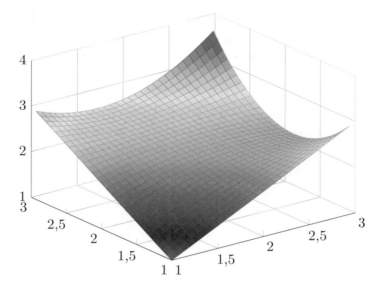

Figure 5.33 – Surface produite par la formule 5.90

5.9.5 Construction des surfaces

On construit une surface NURBS en suivant les étapes ci-dessous :

— on donne un vecteur de nœuds U de longueur $n + 1$ et dont le premier et le dernier nœuds sont de multiplicité $p + 1$;

— on donne un vecteur de nœuds V de longueur $m + 1$ et dont le premier et le dernier nœuds sont de multiplicité $q + 1$;

— on choisit $(n - p)(m - q)$ points de contrôle $\boldsymbol{P}_{ij}$, $i = 0, 1, 2, \cdots n - p - 1$ et $j = 0, 1, 2, \cdots m - q - 1$;

— à chaque point de contrôle $\boldsymbol{P}_{ij}$, on associe un poids w_{ij} ;

— on définit la NURBS surfacique par :

$$S(u, v) = \frac{\displaystyle\sum_{i=0}^{n-p-1} \sum_{j=0}^{m-q-1} w_{ij} N_i^p(u) N_j^q(v) \boldsymbol{P}_{ij}}{\displaystyle\sum_{i=0}^{n-p-1} \sum_{j=0}^{m-q-1} w_{ij} N_i^p(u) N_j^q(v)} \tag{5.90}$$

La surface est obtenue par un produit cartésien de 2 courbes : l'une de degré p en u et l'autre de degré q en v. Dans plusieurs situations, on prendra $p = q$, mais il est utile de se laisser la possibilité d'utiliser des degrés différents dans chaque direction.

Le fait d'imposer que les premiers et derniers nœuds des vecteurs U et V soient de multiplicité $p + 1$ et $q + 1$ respectivement assure que la surface résultante passera par les points de contrôle situés sur les coins de la surface.

Exemple 5.71. On considère les 9 points de l'espace suivant : $(1 \, , \, 1 \, , \, 1)$, $(2 \, , \, 1 \, , \, 2)$, $(3 \, , \, 1 \, , \, 3)$, $(1 \, , \, 2 \, , \, 2)$, $(2 \, , \, 2 \, , \, 3)$, $(3 \, , \, 2 \, , \, 1)$, $(1 \, , \, 3 \, , \, 3)$, $(2 \, , \, 3 \, , \, 2)$, et (3 , 3 , 4). Ces points sont répartis au-dessus du carré du plan *xoy* dont les coins sont les premier, troisième, septième et neuvième points. Dans un premier temps, on prendra tous les poids $w_{ij} = 1$. Enfin, on pose :

$$U = V = [0\ ,\ 0\ ,\ 0\ ,\ 1\ ,\ 1\ ,\ 1]$$

Il en résulte immédiatement que $p = q = 2$. La NURBS résultante est illustrée à la figure 5.33. On constate bien que la surface passe par les 4 coins. ◆

Exercices

5.1 Il n'existe pas de polynôme de degré n dont la courbe passe par $(n+2)$ points donnés. Commenter.

5.2 Obtenir le polynôme de degré 2 passant par les points suivants.

Fonction tabulée	
x	$f(x)$
1,0	2,0
2,0	6,0
3,0	12,0

Utiliser la matrice de Vandermonde.

5.3 Déterminer un polynôme de degré 2 vérifiant les conditions suivantes :

(a) $p(0) = 1$, $p(1) = 0$, $p(2) = 0$.

(b) $p(0) = 1$, $p'(0) = 0$, $p(1) = 1$.

(c) $p(0) = 1$, $p'(0) = 1$, $p(1) = 0$.

Dans les deux derniers cas, justifier le fait que le problème possède une solution unique. Refaire la question a) en utilisant la formule de Lagrange.

5.4 Soit les points suivants.

Fonction tabulée			
x	$f(x)$	x	$f(x)$
0,0	0,0	3,0	252,0
1,0	2,0	4,0	1040,0
2,0	36,0		

(a) Obtenir le polynôme de Lagrange passant par les 3 premiers points.

(b) Obtenir le polynôme de Lagrange passant par les 4 premiers points. Est-ce possible d'utiliser les calculs faits en a) ?

(c) Donner l'expression analytique de l'erreur pour les polynômes obtenus en a) et en b).

(d) Obtenir des approximations de $f(1,5)$ à l'aide des 2 polynômes obtenus en a) et en b).

5.5 Répondre aux mêmes questions qu'à l'exercice précédent, mais en utilisant la méthode de Newton. Donner en plus des approximations des erreurs commises en d).

5.6 Obtenir, sans faire de calculs, le polynôme de degré 4 passant par les 5 points suivants :

Fonction tabulée			
x	$f(x)$	x	$f(x)$
$-1,0$	1,0	2,0	1,0
0,0	1,0	11,0	1,0
1,0	1,0		

Cette solution est-elle unique ?

5.7 Soit les points suivants :

Fonction tabulée			
x	$f(x)$	x	$f(x)$
$-3{,}0$	$-23{,}0$	$2{,}0$	$-23{,}0$
$1{,}0$	$-11{,}0$	$5{,}0$	$1{,}0$

Calculer le polynôme d'interpolation en utilisant :

(a) La matrice de Vandermonde.

(b) La méthode de Lagrange.

(c) La méthode de Newton.

5.8 Une expérience de thermodynamique a conduit aux résultats suivants :

Pression (kPa)	308,6	362,6	423,3	491,4
V_g (m^3/kg)	0,055 389	0,0474 85	0,040 914	0,035 413

où V_g est le volume spécifique du gaz en fonction de la pression.

(a) Obtenir le polynôme de Lagrange passant par les 4 points.

(b) Obtenir une approximation de V_g lorsque la pression est de 400kPa.

5.9 On pose $f(x) = \sin(\pi x)$.

(a) Calculer le développement de Taylor de degré 3 de $f(x)$ autour de $x_0 = 0$.

(b) Obtenir le polynôme de Lagrange qui interpole $f(x)$ aux nœuds $0, 1/4, 3/4$ et 1.

(c) Comparer les valeurs des dérivées de ces deux approximants en $x = 1/3$ avec la valeur exacte de la dérivée de $f(x)$. Quelle est l'approximation la plus précise. Justifier votre réponse.

5.10 On interpole $f(x) = \ln x$ par un polynôme aux nœuds $x_0 = 1$, $x_1 = 2, x_2 = 3, x_3 = 4$ et $x_4 = 5$.

(a) Trouver une expression algébrique de ce polynôme en utilisant la méthode de Newton.

(b) Estimer la valeur de $f(6{,}32)$ avec le polynôme trouvé en a) et calculer l'erreur absolue. Comparer cette valeur avec l'approximation fournie par la formule 5.23 en prenant comme nœud supplémentaire $x = 5{,}5$.

(c) Combien de nœuds à intervalle régulier de 0,5 faudrait-il ajouter, en partant de $x_5 = 5{,}5$, afin que l'erreur absolue de l'estimé de $f(6{,}32)$ obtenu en b) diminue d'un facteur 100.

(d) Sur l'intervalle $[3, 4]$, le graphe du polynôme trouvé en a) est-il au dessus de celui de $f(x)$, en dessous, ou se croisent-ils ?

5.11 Si on utilise les nœuds également espacés :

$$x_i = 1 + i\frac{9}{n}, \quad i = 0, \ldots, n$$

sur l'intervalle $[1, 10]$ pour interpoler $f(x) = \sqrt{x}$ par une fonction linéaire par morceaux, quelle devrait être la valeur de n pour que l'erreur d'interpolation soit d'au plus 10^{-6} ?

5.12 On a tabulé une fonction $f(x)$ dont on sait par ailleurs que pour x entre 0,0 et 0,3, on a $|f^{(2)}(x)| \le 5$ et $|f^{(3)}(x)| \le 3$:

Fonction tabulée			
x_i	$f(x_i)$	x_i	$f(x_i)$
0,0	0,1	0,2	0,3
0,1	0,2	0,3	0,5

(a) Calculer la table des différences divisées.

(b) Utiliser cette table pour calculer le polynôme d'interpolation de degré 3 passant par tous les points.

(c) Est-il possible d'approcher $f(x)$ au point $x = 0,18$ avec une erreur inférieure à 10^{-4} en utilisant l'interpolation quadratique basée sur les nœuds $0,1, 0,2$ et $0,3$? Justifier.

5.13 À partir des données de l'exercice 4 :

(a) Obtenir le système linéaire nécessaire pour calculer la spline naturelle dans l'intervalle $[0 , 4]$.

(b) Résoudre ce système et obtenir la valeur des dérivées secondes de la spline en chaque point d'interpolation.

(c) Obtenir une approximation de $f(1,5)$ à l'aide de la spline.

5.14 Obtenir une approximation de $f(4,5)$ en utilisant un polynôme de degré 2 ainsi que les données suivantes.

Fonction tabulée			
x	$f(x)$	x	$f(x)$
1,0	0,0000	5,0	1,6094
2,0	0,6931	7,0	1,9459
3,5	1,2528		

(a) Utiliser la méthode de Newton et un polynôme de degré 2. Donner l'expression analytique du terme d'erreur.

(b) Répondre à la question posée en a), mais en utilisant cette fois la méthode de Lagrange.

(c) Obtenir une approximation de l'erreur commise en a).

(d) Est-ce possible d'obtenir une approximation de l'erreur commise en b) ?

(e) Quelles différences présentent ces deux méthodes ?

5.15 Soit une fonction aléatoire X suivant une loi normale. La probabilité que X soit inférieure ou égale à x (notée $P(X \le x)$) est donnée par la fonction :

$$P(X \le x) = \frac{1}{\sqrt{2\pi}} \int_{-\infty}^{x} e^{-\frac{t^2}{2}} \, dt$$

Comme la fonction $e^{-t^2/2}$ n'a pas de primitive, on calcule cette proba-bilité pour différentes valeurs de x (par des méthodes que nous verrons au prochain chapitre) et l'on garde les résultats dans des tables comme celle-ci :

Fonction $P(X \leq x)$			
x	$P(X \leq x)$	x	$P(X \leq x)$
1,0	0,841 3447	1,3	0,903 1995
1,1	0,864 3339	1,4	0,919 2433
1,2	0,884 9303		

À l'aide de cette table, obtenir $P(X \leq 1{,}05)$ avec une erreur absolue inférieure à $0{,}5 \times 10^{-5}$.

5.16 🖥 [7] En se basant sur l'algorithme de Horner (voir la section 1.5.3), écrire un algorithme qui évalue de manière efficace le polynôme :

$$p(x) = c_1 + c_2(x - x_1) + c_3(x - x_1)(x - x_2) + \cdots + c_{n+1}(x - x_1)\ldots(x - x_n)$$

au point x pour des abscisses x_i et des coefficients c_j donnés. Modifier l'algorithme afin de pouvoir évaluer plusieurs points regroupés sous la forme d'un vecteur $\vec{x}$.

5.17 Un cas particulier intéressant de la formule d'interpolation de Newton se présente lorsque les points d'interpolation x_i sont également distants, c'est-à-dire lorsque :

$$x_{i+1} - x_i = h$$

Obtenir l'expression des premières, deuxièmes et troisièmes différences divisées dans ce cas précis. Donner un aperçu de ce que pourraient être les autres différences divisées.

5.18 Soit les trois points $(0\,,\,0)$, $(1\,,\,1)$ et $(2\,,\,8)$ de la fonction $f(x) = x^3$.

(a) Obtenir le système linéaire de dimension 3 permettant de calculer la spline cubique naturelle passant par ces trois points.

(b) À l'aide de la spline trouvée en a), donner une approximation de $f(\frac{1}{2})$ et comparer le résultat avec la valeur exacte $\frac{1}{8}$.

(c) En interpolant une fonction cubique $(f(x) = x^3)$ par des polynômes de degré 3 dans chaque intervalle, on obtient quand même une erreur. Expliquer.

5.19 (a) Reprendre l'exercice précédent, mais en utilisant cette fois une spline qui vérifie $f''_0 = 0$ et $f''_2 = 12$. Expliquer les résultats.

(b) Si l'on impose $f''_0 = f''_1$ et $f''_1 = f''_2$, est-ce que la spline obtenue sera précisément $f(x) = x^3$?

5.20 On souhaite concevoir un virage d'une voie de chemin de fer entre les points $(0\,,\,0)$ et $(1\,,\,1)$. Le virage est décrit par une courbe de la forme $y = f(x)$ qui satisfait :

$$f(0) = 0 \quad \text{et} \quad f(1) = 1$$

---

7. Les exercices précédés du symbole 🖥 nécessitent l'utilisation d'un ordinateur. Pour faciliter la tâche de programmation, nous recommandons le logiciel Matlab® qui possède toutes les fonctionnalités de base nécessaires à l'apprentissage des méthodes numériques.

De plus, pour assurer une transition en douceur, la pente de la courbe doit satisfaire :

$$f'(0) = 0 \quad \text{et} \quad f'(1) = 0{,}3$$

On représente la courbe à l'aide d'un polynôme dans l'intervalle $[0\,,\,1]$.

(a) Quel est le degré minimal que ce polynôme devra avoir pour remplir toutes les conditions ?

(b) Calculer ce polynôme.

5.21 Soit une fonction $f(x)$ dont on connaît la valeur en certains points.

\multicolumn{4}{c}{**Fonction tabulée**}			
x	$f(x)$	x	$f(x)$
0,0	3,0	3,0	6,0
1,0	2,0	4,0	11,0
2,0	3,0	5,0	18,0

(a) Calculer la table de différences divisées. Montrer que les troisièmes différences divisées sont nulles.

(b) Que conclure au sujet de la fonction $f(x)$?

5.22 On choisit au hasard 10 points $(x_i, f(x_i)), i = 0, 1, \cdots 9$ sur la courbe d'équation $f(x) = x^2$. On utilise alors la méthode de Lagrange ou la méthode de Newton pour calculer le polynôme passant par tous ces points. Puisque l'on sait que les polynômes de degré élevé ont tendance à osciller fortement, croyez-vous que ce sera le cas pour ces points ?

5.23 On considère la table suivante d'une fonction $f(x)$:

Fonction tabulée			
x	$f(x)$	x	$f(x)$
0,0	1,000 000	3,0	10,067 66
1,0	1,543 081	4,0	27,308 23
2,0	3,762 196		

Obtenir la meilleure approximation possible de $f(2{,}1)$ en utilisant un polynôme de degré 2 et la méthode d'interpolation de Newton.

5.24 Soit les points $(0\,,\,1)$, $(1\,,\,2)$ et $(2\,,\,\frac{7}{6})$ d'une fonction $f(x)$. Dans les intervalles $[0\,,\,1]$ et $[1\,,\,2]$, on définit les polynômes :

$$p_0(x) = 1 + \frac{3x}{2} - \frac{x^3}{2} \quad \text{pour} \ x \in [0\,,\,1]$$

et :

$$p_1(x) = -\frac{1}{6} + 5x - \frac{7x^2}{2} + \frac{2x^3}{3} \quad \text{pour} \ x \in [1\,,\,2]$$

(a) Vérifier que ces 2 polynômes satisfont toutes les propriétés d'une spline cubique.

(b) Est-ce une spline naturelle ?

5.25 On a compilé un certain nombre de valeurs d'une fonction $f(x)$:

Fonction tabulée			
x	$f(x)$	x	$f(x)$
1,0	0,000 000	3,5	1,252 763
1,5	0,405 465	4,0	1,386 294
2,5	0,916 291	5,0	1,609 438
3,0	1,098 612	6,0	1,791 760

(a) Déterminer le polynôme de degré le moins élevé possible qui permette de trouver une approximation de $f(3,1)$ avec une erreur absolue inférieure à $0,5 \times 10^{-3}$.

(b) Donner l'expression analytique du terme d'erreur associé à l'approximation trouvée en a).

5.26 On désire faire passer une spline cubique naturelle par les points :

Fonction tabulée					
i	x_i	$f(x_i)$	i	x_i	$f(x_i)$
0	0,0	1,000 000	3	1,5	2,352 409
1	0,5	1,127 626	4	2,0	3,762 196
2	1,0	1,543 081			

En résolvant le système linéaire requis, on a trouvé :

Coefficients de la spline					
i	x_i	f_i''	i	x_i	f_i''
0	0,0	0,000 000	3	1,5	3,308 238
1	0,5	1,432 458	4	2,0	0,000 000
2	1,0	1,178 064			

(a) Obtenir une approximation de $f(0,75)$ à l'aide de cette spline.

(b) Toujours en se servant de cette spline, on veut obtenir une approximation de $f'(1,0)$. On peut donc choisir entre le polynôme $p_2(x)$ défini dans l'intervalle $[0,5 , 1,0]$ et le polynôme $p_3(x)$ défini dans l'intervalle $[1,0 , 1,5]$. Lequel de ces 2 polynômes donnera la meilleure approximation de $f'(1,0)$? **Ne pas calculer cette approximation**.

(c) Toujours en vous servant de cette spline, obtenir une approximation de $f''(1,5)$.

5.27 En vous servant des points $(x_i, f(x_i))$ de l'exercice précédent, obtenir le système linéaire 5×5 permettant de calculer une spline cubique vérifiant :

(a) $f_0'' = a$ et $f_4'' = b$ (a et b sont supposées connues).

(b) $f_0'' = f_1''$ et $f_3'' = f_4''$.

(c) $f_0' = a$ et $f_4' = b$ (a et b sont supposées connues).

(N.B. Ne pas résoudre)

5.28 Soit $p_2(x)$ le polynôme qui interpole $f(x) = x^3$ aux points $(0,0), (-1,-1)$ et $(1,1)$. Sans déterminer l'équation de $p_2(x)$, calculer :

$$E_2(x) = f(x) - p_2(x)$$

et déterminer en quel(s) point(s) de $[-1,1]$ $E_2(x)$ est maximale.

5.29 Soit la fonction :

$$f(x) = x^2 - x$$

définie sur l'intervalle $[-1,1]$. Déterminez la spline cubique naturelle interpolant $f(x)$ aux nœuds $x_0 = -1$, $x_1 = 0$ et $x_2 = 1$.

5.30 Dans chacun des cas suivants, dire si l'énoncé est vrai ou faux, puis justifier brièvement votre réponse.

(a) La spline cubique $S(x)$, qui interpole $f(x) = x^2$ aux nœuds $x = 1, 2, 3$ et qui satisfait $S'(1) = 2$ et $S'(3) = 2$ est $S(x) = x^2$.

(b) La spline cubique $S(x)$, qui interpole $f(x) = x^2$ aux nœuds $x = 0, 1, 2, 3$ et qui satisfait $S'(0) = 0$ et $S''(3) = 2$ est $S(x) = x^2$.

(c) La spline cubique $S(x)$, qui interpole $f(x) = x^3$ aux nœuds $x = 0, 4, 7, 10$ et qui satisfait $S''(0) = 0$ et $S''(10) = 0$ est $S(x) = x$.

(d) La spline cubique $S(x)$, qui interpole $f(x) = \sin x$ aux nœuds $x = 0, \pi, 2\pi$ et qui satisfait $S''(0) = 0$ et $S''(2\pi) = 0$ est $S(x) = 0$.

(e) La spline cubique $S(x)$, qui interpole $f(x) = x^3$ aux nœuds $x = 0, 1, 2$ et qui satisfait $S'(0) = 0$ et $S'(2) = 8$ est $S(x) = x^3$.

5.31 Deux modèles permettent de décrire la friction de l'air sur un parachutiste. Avant l'ouverture du parachute, le coefficient de friction est constant et vaut $\frac{2}{11}$ tandis que, une fois le parachute complètement ouvert, ce coefficient est de 2. Le parachute prend environ 3 secondes pour se déployer. On supposera pour simplifier les calculs que le parachute s'ouvre au temps $t = 0$ s.

(a) Trouver l'interpolation linéaire qui rend le modèle de friction continu.

(b) Trouver l'interpolation cubique qui rend le modèle de friction différentiable.

5.32 Soit les points de la table suivante.

Fonction tabulée	
x	$f(x)$
0,0	1,0
2,0	4,0
5,0	7,0

(a) Construire le système linéaire de krigeage en utilisant la fonction $g(h) = h$ et une dérive linéaire.

(b) Résoudre ce système par décomposition LU et donner l'expression de la fonction de krigeage $u(x)$. Évaluer $u(3)$.

(c) Montrer qu'il s'agit bien d'une interpolation linéaire par morceaux.

5.33 Répondre aux questions a) et b) de l'exercice précédent, mais en utilisant cette fois la fonction $g(h) = h^3$.

5.34 En utilisant les mêmes points que ceux des deux exercices précédents, montrer que le système linéaire de krigeage obtenu en prenant la fonction $g(h) = h^2$ est singulier (ce qui indique que le choix de $g(h)$ n'est pas arbitraire).

5.35 Obtenir le système linéaire de krigeage qui permette de construire une surface passant par les points suivants.

Fonction tabulée					
x_1	x_2	$f(x_1, x_2)$	x_1	x_2	$f(x_1, x_2)$
1,0	1,0	1,0	1,0	2,0	2,0
2,0	1,0	2,0	2,0	2,0	4,0

Évaluer la fonction de krigeage en $(\frac{3}{2}, \frac{3}{2})$ et comparer le résultat avec la valeur exacte $\frac{9}{4}$ (les points donnés appartiennent à la fonction $f(x_1, x_2) = x_1 x_2$). Utiliser pour ce faire une dérive linéaire et la fonction $g(h) = h^2 \ln h$.

5.36 À l'aide de la méthode du krigeage, donner l'équation paramétrique du carré $[0, 1] \times [0, 1]$.

Suggestion : Considérer les 5 points $(0, 0)$, $(1, 0)$, $(1, 1)$, $(0, 1)$ et $(0, 0)$ de même que la fonction $g(h) = h$ pour obtenir une approximation linéaire par morceaux.

Chapitre 6

Différentiation et intégration numériques

6.1 Introduction

Le contenu de ce chapitre prolonge celui du chapitre 5 sur l'interpolation. À peu de choses près, on y manie les mêmes outils d'analyse. Dans le cas de l'interpolation, on cherchait à évaluer une fonction $f(x)$ connue seulement en quelques points. Dans le présent chapitre, le problème consiste à obtenir des approximations des différentes dérivées de cette fonction de même que de :

$$\int_{x_0}^{x_n} f(x)dx$$

On parle alors de *dérivation numérique* et d'*intégration numérique*. On fait face à ce type de problèmes lorsque, par exemple, on connaît la position d'une particule à intervalles de temps réguliers et que l'on souhaite obtenir sa vitesse. On doit alors effectuer la dérivée de la position connue seulement en quelques points. De même, l'accélération de cette particule nécessite le calcul de la dérivée seconde.

Si, à l'inverse, on connaît la vitesse d'une particule à certains intervalles de temps, on obtient la distance parcourue en intégrant la vitesse dans l'intervalle $[x_0 \,, x_n]$.

Nous avons vu au chapitre précédent que la fonction $f(x)$ peut être convenablement estimée à l'aide d'un polynôme de degré n avec une certaine erreur. En termes concis :

$$f(x) = p_n(x) + E_n(x) \tag{6.1}$$

où $E_n(x)$ est le terme d'erreur d'ordre $(n+1)$ donné par la relation 5.21. L'expression 6.1 est à la base des développements de ce chapitre.

6.2 Différentiation numérique

On peut aborder la différentiation numérique d'au moins deux façons. La première approche consiste à utiliser le développement de Taylor et la seconde est fondée sur l'égalité 6.1. Nous utiliserons un mélange des deux approches, ce qui nous permettra d'avoir un portrait assez complet de la situation.

Commençons d'abord par l'équation 6.1. Si l'on dérive de chaque côté de l'égalité, on obtient successivement :

$$
\begin{aligned}
f'(x) &= p_n'(x) + E_n'(x) \\
f''(x) &= p_n''(x) + E_n''(x) \\
f'''(x) &= p_n'''(x) + E_n'''(x) \\
\vdots \;\; &= \;\; \vdots
\end{aligned}
\tag{6.2}
$$

Ainsi, pour évaluer la dérivée d'une fonction connue aux points $((x_i, f(x_i))$ pour $i = 0, 1, 2, \cdots, n)$, il suffit de dériver le polynôme d'interpolation passant par ces points. De plus, *le terme d'erreur associé à cette approximation de la dérivée est tout simplement la dérivée de l'erreur d'interpolation.* Ce résultat est vrai quel que soit l'ordre de la dérivée.

Remarque 6.1. Bien qu'en théorie on soit en mesure d'estimer les dérivées de tout ordre, sur le plan pratique, on dépasse rarement l'ordre 4. Cela s'explique par le fait que, comme nous le verrons un peu plus loin, la différentiation numérique est un procédé numériquement instable. ◄

6.2.1   Dérivées d'ordre 1

Commençons par faire l'approximation des dérivées d'ordre 1, ce qui revient à évaluer la pente de la fonction $f(x)$. Tout comme pour l'interpolation, nous avons le choix entre plusieurs polynômes de degré plus ou moins élevé. De ce choix dépendent l'ordre et la précision de l'approximation. Nous avons rencontré un problème semblable dans le cas de l'interpolation : si un polynôme de degré n est utilisé, on obtient une approximation d'ordre $(n + 1)$ de la fonction $f(x)$ (voir la relation 5.26).

Il est également utile de se rappeler que l'erreur d'interpolation s'écrit :

$$
E_n(x) = \frac{f^{(n+1)}(\xi(x))}{(n+1)!}[(x - x_0)(x - x_1) \cdots (x - x_n)]
\tag{6.3}
$$

pour un certain ξ compris dans l'intervalle $[x_0 \,, x_n]$. En dérivant l'expression précédente, tout en tenant compte de la dépendance de ξ envers x, on obtient une relation pour la dérivée de l'erreur d'interpolation :

$$
\begin{aligned}
E_n'(x) &= \frac{f^{(n+2)}(\xi(x))\xi'(x)}{(n+1)!}[(x - x_0)(x - x_1) \cdots (x - x_n)] \\[2mm]
&\quad + \frac{f^{(n+1)}(\xi(x))}{(n+1)!}[(x - x_0)(x - x_1) \cdots (x - x_n)]'
\end{aligned}
$$

La dérivée du produit apparaissant dans le deuxième terme de droite est plus délicate. Cette dérivée débouche sur une somme de produits où, tour à tour, l'un des facteurs $(x - x_i)$ est manquant. Il est facile de se convaincre, en reprenant ce développement avec $n = 2$ ou $n = 3$ par exemple, que l'on obtient :

$$E'_n(x) = \frac{f^{(n+2)}(\xi(x))\xi'(x)}{(n+1)!}[(x-x_0)(x-x_1)\cdots(x-x_n)]$$

$$+ \frac{f^{(n+1)}(\xi(x))}{(n+1)!}\left(\sum_{k=0}^{n}\prod_{j=0(j\neq k)}^{n}(x-x_j)\right) \tag{6.4}$$

On peut simplifier cette expression quelque peu complexe en choisissant l'un ou l'autre des points d'interpolation. En effet, en $x = x_i$, le premier terme de droite s'annule, faisant disparaître la dérivée de $\xi(x)$, qui est inconnue. De la somme, il ne reste qu'un seul terme puisque tous les autres contiennent un facteur $(x - x_i)$ et s'annulent. Il reste :

$$E'_n(x_i) = \frac{f^{(n+1)}(\xi(x_i))}{(n+1)!}\left(\prod_{j=0(j\neq i)}^{n}(x_i-x_j)\right)$$

Si l'on suppose de plus que les x_i sont également distancés, c'est-à-dire que $x_{i+1} - x_i = h$, ce qui signifie que $x_i - x_j = (i - j)h$, on obtient :

$$E'_n(x_i) = \frac{f^{(n+1)}(\xi_i)h^n}{(n+1)!}\left(\prod_{j=0(j\neq i)}^{n}(i-j)\right) \tag{6.5}$$

où ξ_i est simplement une notation différente de $\xi(x_i)$. En particulier, si $i = 0$, on trouve :

$$E'_n(x_0) = \frac{f^{(n+1)}(\xi_0)h^n}{(n+1)!}\left(\prod_{j=0(j\neq 0)}^{n}(-j)\right) = \frac{f^{(n+1)}(\xi_0)h^n}{(n+1)!}\left(\prod_{j=1}^{n}(-j)\right)$$

c'est-à-dire :

$$E'_n(x_0) = \frac{(-1)^n h^n f^{(n+1)}(\xi_0)}{(n+1)} \tag{6.6}$$

pour un certain ξ_0 compris dans l'intervalle $[x_0, x_n]$.

Définition 6.2: Formule aux différences finies

Aux points d'interpolation, on a :

$$f'(x_i) = p'_n(x_i) + E'_n(x_i) \tag{6.7}$$

Le terme $p'_n(x_i)$ dans l'équation 6.7 est une *formule aux différences finies* ou plus simplement une formule aux différences.

Remarque 6.3. Les équations 6.5 et 6.7 montrent que, si l'on utilise un polynôme d'interpolation de degré n (c'est-à-dire d'ordre $(n+1)$), la dérivée de ce polynôme évaluée en $x = x_i$ est une approximation d'ordre n de $f'(x_i)$.
◄

Nous proposons dans ce qui suit plusieurs formules aux différences finies pour évaluer les différentes dérivées de $f(x)$. Elles se distinguent principalement par le degré du polynôme et par les points d'interpolation retenus.

Appproximations d'ordre 1

Si l'on choisit le polynôme de degré 1 passant par les points $(x_0, f(x_0))$ et $(x_1, f(x_1))$, on a, grâce à la formule d'interpolation de Newton :

$$p_1(x) = f(x_0) + f[x_0, x_1](x - x_0)$$

et donc :

$$f'(x) = p_1'(x) + E_1'(x) = f[x_0, x_1] + E_1'(x) \tag{6.8}$$

En vertu de la relation 6.6 avec $n = 1$ et puisque $(x_1 - x_0) = h$, on arrive à :

$$f'(x_0) = \frac{f(x_1) - f(x_0)}{x_1 - x_0} + E_1'(x_0) = \frac{f(x_1) - f(x_0)}{h} + \frac{(-1)^1 h^1 f^{(2)}(\xi_0)}{2}$$

qui peut encore s'écrire :

$$f'(x_0) = \frac{f(x_1) - f(x_0)}{h} - \frac{h f^{(2)}(\xi_0)}{2} \quad \text{pour} \ \xi_0 \in [x_0 , x_1] \tag{6.9}$$

qui est la *différence avant d'ordre 1*. On l'appelle différence avant car, pour évaluer la dérivée en $x = x_0$, on cherche de l'information vers l'avant (en $x = x_1$).

De la même manière, si l'on évalue l'équation 6.8 en $x = x_1$, la relation 6.5 avec $(i = 1)$ donne :

$$f'(x_1) \ = \ \frac{f(x_1) - f(x_0)}{x_1 - x_0} + E_1'(x_1)$$

$$= \ \frac{f(x_1) - f(x_0)}{h} + \frac{h^1 f^{(2)}(\xi_1)}{2!} \left(\prod_{j=0(j \neq 1)}^{1} (1 - j) \right)$$

ou encore :

$$f'(x_1) = \frac{f(x_1) - f(x_0)}{h} + \frac{h f^{(2)}(\xi_1)}{2} \quad \text{pour} \ \xi_1 \in [x_0 , x_1] \tag{6.10}$$

qui est la *différence arrière d'ordre 1*.

On constate ainsi que la même différence divisée est une approximation de la dérivée à la fois en $x = x_0$ et en $x = x_1$. On remarque cependant que le terme d'erreur est différent aux deux endroits.

Appproximations d'ordre 2

Passons maintenant aux polynômes de degré 2 en considérant les points $(x_0, f(x_0))$, $(x_1, f(x_1))$ et $(x_2, f(x_2))$. Le polynôme de degré 2 passant par ces trois points est :

$$p_2(x) = f(x_0) + f[x_0, x_1](x - x_0) + f[x_0, x_1, x_2](x - x_0)(x - x_1)$$

dont la dérivée est :

$$p_2'(x) = f[x_0, x_1] + f[x_0, x_1, x_2](2x - (x_0 + x_1))$$

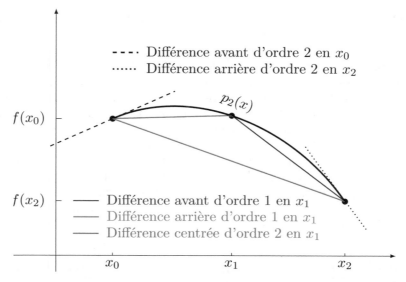

Figure 6.1 – Interprétation géométrique des formules aux différences

Lorsque x prend successivement les valeurs x_0, x_1 et x_2, il est facile de montrer que l'on obtient des approximations d'ordre 2 de la dérivée.

Formules de différences d'ordre 2 pour $f'(x)$

$$f'(x_0) = \frac{-f(x_2) + 4f(x_1) - 3f(x_0)}{2h} + \frac{h^2 f'''(\xi_0)}{3}$$

Différence avant d'ordre 2

$$f'(x_1) = \frac{f(x_2) - f(x_0)}{2h} - \frac{h^2 f'''(\xi_1)}{6}$$

Différence centrée d'ordre 2

$$f'(x_2) = \frac{3f(x_2) - 4f(x_1) + f(x_0)}{2h} + \frac{h^2 f'''(\xi_2)}{3}$$

Différence arrière d'ordre 2

(6.11)

Les termes d'erreur de ces formules aux différences finies découlent tous de la relation 6.5 lorsque l'on pose successivement $i = 0, 1$ et 2. Pour $i = 0$, on peut utiliser directement l'équation 6.6. Les points ξ_0, ξ_1 et ξ_2 sont situés quelque part dans l'intervalle $[x_0 , x_2]$ et sont inconnus (voir les exercices de fin de chapitre).

Remarque 6.4. Toutes ces formules aux différences sont d'ordre 2. Les mentions avant, centrée et arrière renvoient au point où l'on calcule la dérivée et aux points utilisés pour l'approcher. Ainsi, la différence avant est évaluée en x_0 sur la base des valeurs situées vers l'avant, soit en x_1 et en x_2. La différence arrière fixe la dérivée en $x = x_2$ avec l'appui des valeurs de la fonction en x_0 et en x_1. La différence centrée, quant à elle, fait intervenir des valeurs situées de part et d'autre de x_1.

La figure 6.1 illustre les différentes possibilités. Pour les différences d'ordre 1, on estime la dérivée par la pente du segment de droite joignant les points $(x_0, f(x_0))$ et $(x_1, f(x_1))$. Dans le cas des différences d'ordre 2, on détermine un polynôme de degré 2 dont la pente en x_0, en x_1 et en x_2 donne respectivement les différences avant, centrée et arrière. ◄

On peut aussi convenir de toujours évaluer la dérivée en x. Dans ce cas, on utilise les valeurs de $f(x + h)$ et de $f(x + 2h)$ pour la différence avant et les valeurs de $f(x + h)$ et de $f(x - h)$ pour la différence centrée. En ce qui concerne le terme d'erreur, on ne retient que son ordre. Les tableaux suivants résument la situation.

Formules de différences finies d'ordre 1 pour $f'(x)$

$$f'(x) \;=\; \frac{f(x + h) - f(x)}{h} + O(h)$$

Différence avant d'ordre 1

$$f'(x) \;=\; \frac{f(x) - f(x - h)}{h} + O(h)$$

Différence arrière d'ordre 1

$$(6.12)$$

Formules de différences finies d'ordre 2 pour $f'(x)$

$$f'(x) \;=\; \frac{-f(x + 2h) + 4f(x + h) - 3f(x)}{2h} + O(h^2)$$

Différence avant d'ordre 2

$$f'(x) \;=\; \frac{f(x + h) - f(x - h)}{2h} + O(h^2)$$

Différence centrée d'ordre 2

$$f'(x) \;=\; \frac{3f(x) - 4f(x - h) + f(x - 2h)}{2h} + O(h^2)$$

Différence arrière d'ordre 2

$$(6.13)$$

Exemple 6.5. On tente d'évaluer la dérivée de $f(x) = e^x$ en $x = 0$. La solution exacte est dans ce cas $f'(0) = e^0 = 1$. On peut dès lors comparer ce résultat avec ceux que l'on obtient par les différentes formules aux différences.

Par exemple, la différence avant d'ordre 1 donne pour $h = 0{,}1$:

$$f'(0) \simeq \frac{e^{0+h} - e^0}{h} = \frac{e^{0{,}1} - 1}{0{,}1} = 1{,}051\,709\,18$$

Une valeur plus petite de h conduit à un résultat plus précis. Ainsi, si $h = 0{,}05$:

$$f'(0) \simeq \frac{e^{0{,}05} - 1}{0{,}05} = 1{,}025\,4219$$

On obtient ainsi une erreur à peu près deux fois plus petite, ce qui confirme que cette approximation est d'ordre 1. Si l'on utilise cette fois une différence centrée d'ordre 2, on obtient avec $h = 0{,}05$:

$$f'(0) \simeq \frac{e^{0{,}05} - e^{-0{,}05}}{2(0{,}05)} = 1{,}000\,4167$$

qui est un résultat beaucoup plus précis. Avec $h = 0{,}025$, on obtient :

$$f'(0) \simeq \frac{e^{0{,}025} - e^{-0{,}025}}{2(0{,}025)} = 1{,}000\,104\,18$$

soit une erreur à peu près 4 fois plus petite qu'avec $h = 0{,}05$. On obtiendrait des résultats similaires avec les différences avant et arrière d'ordre 2. ♦

6.2.2 Dérivées d'ordre supérieur

Avec les dérivées d'ordre supérieur, on agit à peu près de la même manière qu'avec les dérivées d'ordre 1, c'est-à-dire que l'on dérive un polynôme d'interpolation aussi souvent que nécessaire. Les dérivées d'ordre supérieur posent toutefois une difficulté supplémentaire, qui provient principalement de l'analyse d'erreur. En effet, dériver plusieurs fois le terme d'erreur 5.21 est long et fastidieux. Nous préférons suivre une approche légèrement différente basée sur le développement de Taylor.

Reprenons le polynôme de degré 2 déjà utilisé pour calculer la dérivée première. Ce polynôme s'écrit :

$$p_2(x) = f(x_0) + f[x_0, x_1](x - x_0) + f[x_0, x_1, x_2](x - x_0)(x - x_1)$$

et sa dérivée seconde est :

$$p_2''(x) = 2f[x_0, x_1, x_2] = \frac{f(x_2) - 2f(x_1) + f(x_0)}{h^2} \tag{6.14}$$

qui constitue une approximation de la dérivée seconde $f''(x)$ partout dans l'intervalle $[x_0\ , x_2]$. Il reste à en déterminer l'ordre qui dépend du point retenu pour l'approximation.

— Premier cas : On fait l'approximation de la dérivée en x_0.

L'équation 6.14 peut alors s'écrire :

$$f''(x_0) \simeq p_2''(x_0) = \frac{f(x_0 + 2h) - 2f(x_0 + h) + f(x_0)}{h^2}$$

On remarque immédiatement qu'il s'agit d'une formule aux différences avant. Pour déterminer l'ordre de l'erreur liée à cette approximation, on utilise le développement de Taylor 1.21. Dans un premier temps, on a :

$$f(x_0 + 2h) = f(x_0) + f'(x_0)(2h) + \frac{f''(x_0)}{2!}(2h)^2$$

$$+ \frac{f'''(x_0)}{3!}(2h)^3 + \frac{f^{(4)}(x_0)}{4!}(2h)^4 + \cdots$$

et de même :

$$f(x_0 + h) = f(x_0) + f'(x_0)h + \frac{f''(x_0)}{2!}h^2$$

$$+ \frac{f'''(x_0)}{3!}h^3 + \frac{f^{(4)}(x_0)}{4!}h^4 + \cdots$$

On parvient alors à :

$$\frac{f(x_0 + 2h) - 2f(x_0 + h) + f(x_0)}{h^2} = \frac{f''(x_0)h^2 + f'''(x_0)h^3 + O(h^4)}{h^2}$$

$$= f''(x_0) + f'''(x_0)h + O(h^2)$$

$$= f''(x_0) + O(h)$$

Cette différence avant est donc une approximation d'ordre 1 de la dérivée seconde. *C'est cette approximation que l'on a utilisée pour évaluer l'erreur d'interpolation 5.21 à l'aide de la formule 5.22 au chapitre précédent.*

— Deuxième cas : On fait l'approximation de la dérivée en x_1.
L'équation 6.14 peut alors s'écrire :

$$f''(x_1) \simeq p_2''(x_1) = \frac{f(x_1 + h) - 2f(x_1) + f(x_1 - h)}{h^2}$$

qui est une différence centrée. Pour en déterminer l'ordre, on fait appel, comme dans le cas précédent, aux développements de Taylor, mais cette fois autour de x_1. On a :

$$f(x_1 + h) = f(x_1) + f'(x_1)h + \frac{f''(x_1)}{2!}h^2$$

$$+ \frac{f'''(x_1)}{3!}h^3 + \frac{f^{(4)}(x_1)}{4!}h^4 + \cdots$$

En remplaçant h par $(-h)$, on obtient également :

$$f(x_1 - h) = f(x_1) - f'(x_1)h + \frac{f''(x_1)}{2!}h^2$$

$$- \frac{f'''(x_1)}{3!}h^3 + \frac{f^{(4)}(x_1)}{4!}h^4 + \cdots$$

Une fois combinées, ces deux relations deviennent :

$$\frac{f(x_1 + h) - 2f(x_1) + f(x_1 - h)}{h^2} = \frac{f''(x_1)h^2 + \frac{f^{(4)}(x_1)}{12}h^4 + O(h^6)}{h^2}$$

$$= f''(x_1) + \frac{f^{(4)}(x_1)}{12}h^2 + O(h^4)$$

$$= f''(x_1) + O(h^2)$$

c'est-à-dire une approximation d'ordre 2 de la dérivée.

— Troisième cas : On fait l'approximation de la dérivée en x_2.

En reprenant un raisonnement similaire à celui du premier cas, on pourrait montrer que la relation 6.14 est une approximation d'ordre 1 de la dérivée seconde en $x = x_2$.

Remarque 6.6. Il peut sembler surprenant de constater que la même équation aux différences, obtenue à partir d'un polynôme de degré 2, soit d'ordre 1 en $x = x_0$ et en $x = x_2$ et soit d'ordre 2 en $x = x_1$. Cela s'explique par la symétrie des différences centrées, qui permet de gagner un ordre de précision. ◄

On peut obtenir toute une série de formules aux différences finies en utilisant des polynômes de degré plus ou moins élevé et en choisissant les développements de Taylor appropriés pour en obtenir l'ordre de convergence. Les tableaux suivants présentent les principales d'entre elles.

Formules de différences finies pour $f''(x)$
$f''(x) = \dfrac{f(x - 2h) - 2f(x - h) + f(x)}{h^2} + O(h)$ *Différence arrière d'ordre 1*
$f''(x) = \dfrac{f(x + 2h) - 2f(x + h) + f(x)}{h^2} + O(h)$ *Différence avant d'ordre 1*
$f''(x) = \dfrac{f(x + h) - 2f(x) + f(x - h)}{h^2} + O(h^2)$ *Différence centrée d'ordre 2*
$f''(x) = \dfrac{-f(x+2h)+16f(x+h)-30f(x)+16f(x-h)-f(x-2h)}{12h^2} + O(h^4)$ *Différence centrée d'ordre 4*

(6.15)

Formule de différences finies pour $f^{(4)}(x)$
$f^{(4)}(x) = \dfrac{f(x+2h)-4f(x+h)+6f(x)-4f(x-h)+f(x-2h)}{h^4} + O(h^2)$ *Différence centrée d'ordre 2*

(6.16)

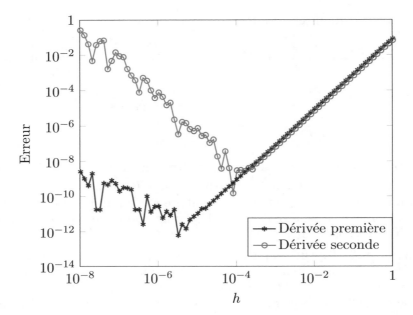

Figure 6.2 – Instabilité de la différentiation numérique

Pour terminer, nous démontrons que la différentiation est un procédé numériquement instable. En effet, toutes les formules de différences finies dépendent de la distance h entre les points d'interpolation. On pourrait croire, de façon intuitive, que la précision du résultat augmente à mesure que diminue la valeur de h. Dans le cas de la différentiation numérique, il y a une limite aux valeurs de h qui peuvent être utilisées. En effet, si l'on prend, par exemple, une différence centrée pour estimer la dérivée première, c'est-à-dire :

$$f'(x_0) \simeq \frac{f(x_0 + h) - f(x_0 - h)}{2h}$$

on constate que, lorsque h tend vers 0, le numérateur contient la soustraction de deux termes très proches l'un de l'autre. Cela résulte en l'élimination par soustraction (voir la section 1.5.2) de plusieurs chiffres significatifs lorsque h est trop petit. À quoi s'ajoute une division par un nombre très petit. L'exemple suivant illustre ce phénomène.

Exemple 6.7. On considère les différences centrées d'ordre 2 pour le calcul des dérivées première et deuxième de la fonction $f(x) = e^x$ en $x_0 = 0$. On obtiendrait des résultats similaires pour d'autres fonctions $f(x)$ ou en un autre point x_0. Comme on connaît la valeur exacte des dérivées (en l'occurrence 1 dans les deux cas), ces deux calculs permettent d'apprécier la précision des résultats en fonction de h.

La valeur de h est donc systématiquement réduite à partir de $h = 1$ et les erreurs absolues :

$$\left| f'(x_0) - \left(\frac{f(x_0 + h) - f(x_0 - h)}{2h} \right) \right|$$

et :

$$\left| f''(x_0) - \left(\frac{f(x_0 + h) - 2f(x_0) + f(x_0 - h)}{h^2} \right) \right|$$

sont calculées et illustrées à la figure 6.2. Cette figure se lit pour ainsi dire de droite à gauche. On constate dans un premier temps que lorsque h diminue (à partir de 1), l'erreur diminue quadratiquement pour les deux formules de différentiation car elles sont toutes deux d'ordre 2. L'erreur atteint ensuite un minimum autour de $h \simeq 10^{-6}$ pour la dérivée première et pour une valeur un peu plus grande pour la dérivée seconde ($h \simeq 10^{-4}$).

Pour de plus petites valeurs de h, l'erreur se met ensuite à augmenter tout en oscillant plus ou moins fortement. Pour ces valeurs de h, l'élimination par soustraction des chiffres significatifs a un impact dévastateur sur la précision des résultats. En pratique, il est donc recommandé d'être très prudent dans le choix de h et d'éviter des valeurs trop petites. ◆

6.3 Extrapolation de Richardson

La méthode d'extrapolation de Richardson est valable non seulement pour la différentiation et l'intégration numériques, mais aussi pour l'interpolation, la résolution numérique des équations différentielles, etc. Cette technique permet d'augmenter la précision d'une méthode d'approximation par une technique d'extrapolation que nous décrivons dans cette section.

Prenons comme point de départ une approximation numérique, que nous noterons $Q_{app}(h)$, d'une certaine quantité exacte Q_{exa} inconnue. L'approximation numérique dépend d'un paramètre h, comme c'est souvent le cas. Généralement, plus h est petit, plus l'approximation est précise. On suppose de plus que cette approximation est d'ordre n, c'est-à-dire :

$$Q_{exa} = Q_{app}(h) + O(h^n)$$

La notation $O(h^n)$ signifie en fait que l'on a :

$$Q_{exa} = Q_{app}(h) + c_n h^n + c_{n+1} h^{n+1} + c_{n+2} h^{n+2} + \cdots \qquad (6.17)$$

où les constantes c_n dépendent de la méthode numérique utilisée. La technique d'extrapolation de Richardson consiste à obtenir, à partir de l'approximation 6.17 d'ordre n, une nouvelle approximation d'ordre *au moins* $(n + 1)$. Pour ce faire, il suffit de remplacer h par $\frac{h}{2}$ dans l'équation 6.17, ce qui conduit à la relation :

$$Q_{exa} = Q_{app}\left(\frac{h}{2}\right) + c_n \left(\frac{h}{2}\right)^n + c_{n+1} \left(\frac{h}{2}\right)^{n+1} + c_{n+2} \left(\frac{h}{2}\right)^{n+2} + \cdots \quad (6.18)$$

L'approximation $Q_{app}(\frac{h}{2})$ est généralement plus précise que $Q_{app}(h)$. On peut cependant se servir de ces deux approximations pour en obtenir une nouvelle, encore plus précise. L'idée consiste à combiner les relations 6.17 et 6.18 de telle sorte que le terme d'ordre n $(c_n h^n)$ disparaisse. Cela est possible si l'on multiplie l'équation 6.18 par 2^n pour obtenir :

$$2^n Q_{exa} = 2^n Q_{app}\left(\frac{h}{2}\right) + c_n h^n + c_{n+1} \left(\frac{h^{n+1}}{2}\right) + c_{n+2} \left(\frac{h^{n+2}}{2^2}\right) + \cdots$$

En soustrayant l'énoncé 6.17 de cette dernière relation, on obtient :

$$(2^n - 1)Q_{exa} = 2^n Q_{app}\left(\frac{h}{2}\right) - Q_{app}(h) - \frac{1}{2}c_{n+1}h^{n+1} - \frac{3}{4}c_{n+2}h^{n+2} + \cdots$$

d'où :

$$Q_{exa} = \frac{2^n Q_{app}(\frac{h}{2}) - Q_{app}(h)}{(2^n - 1)} + \frac{-\frac{1}{2}c_{n+1}h^{n+1} - \frac{3}{4}c_{n+2}h^{n+2} + \cdots}{(2^n - 1)} \qquad (6.19)$$

qui s'écrit plus simplement :

$$Q_{exa} = \frac{2^n Q_{app}(\frac{h}{2}) - Q_{app}(h)}{(2^n - 1)} + O(h^{n+1})$$

L'expression de droite est donc une approximation d'ordre au moins $(n+1)$ de Q_{exa}. *L'extrapolation de Richardson permet donc de gagner au moins un ordre de convergence.* En fait, on peut en gagner davantage si, par exemple, on a $c_{n+1} = 0$ dès le départ. Dans ce cas, la nouvelle approximation est d'ordre $(n+2)$. Cette situation se produit fréquemment, notamment avec les différences centrées et la méthode d'intégration dite des trapèzes que nous verrons plus loin.

Exemple 6.8. On a vu qu'en utilisant une différence avant d'*ordre 1* pour calculer la dérivée de e^x en $x = 0$ on obtient, pour $h = 0{,}1$:

$$f'(0) \simeq \frac{e^{0+h} - e^0}{h} = \frac{e^{0,1} - 1}{0{,}1} = 1{,}051\,709\,18 = Q_{app}(0{,}1)$$

alors que pour $h = 0{,}05$, on a :

$$f'(0) \simeq \frac{e^{0,05} - 1}{0{,}05} = 1{,}025\,4219 = Q_{app}(0{,}05)$$

On peut maintenant faire le calcul à l'aide de l'équation 6.19 avec $n = 1$:

$$f'(0) \quad \simeq \quad \frac{2^1 Q_{app}(0{,}05) - Q_{app}(0{,}1)}{2^1 - 1}$$

$$= \quad (2)(1{,}025\,421\,9) - 1{,}051\,709\,18 = 0{,}999\,134\,62$$

qui est une approximation d'ordre 2 et donc plus précise de $f'(0)$. De même, si l'on utilise une différence centrée d'ordre 2, on obtient pour $h = 0{,}05$:

$$f'(0) \simeq \frac{e^{0,05} - e^{-0,05}}{2(0{,}05)} = 1{,}000\,4167$$

et avec $h = 0{,}025$:

$$f'(0) \simeq \frac{e^{0,025} - e^{-0,025}}{2(0{,}025)} = 1{,}000\,104\,18$$

Dans ce cas, l'extrapolation de Richardson permet de gagner 2 ordres de précision puisque seules les puissances paires de h apparaissent dans le terme d'erreur (voir les exercices de fin de chapitre). Plus précisément, on a :

$$\frac{f(x+h) - f(x-h)}{2h} = f'(x) + \frac{f'''(x)h^2}{3!} + \frac{f^{(5)}(x)h^4}{5!} + O(h^6)$$

La différence centrée étant d'ordre 2, l'extrapolation de Richardson avec $n = 2$ permet d'éliminer le terme de l'erreur en h^2 et donne :

$$f'(0) \simeq \frac{2^2 Q_{app}(0{,}025) - Q_{app}(0{,}05)}{2^2 - 1}$$

$$= \frac{(4)(1{,}000\,104\,18) - 1{,}000\,4167}{3} = 1{,}000\,000\,007$$

qui est une approximation d'ordre 4 de la solution exacte. ◆

Remarque 6.9. Des exemples précédents, on conclut qu'il vaut mieux éviter d'utiliser des valeurs de h très petites pour calculer une dérivée à l'aide d'une formule de différences finies. Il est en effet préférable de choisir une valeur de h pas trop petite et de faire des extrapolations de Richardson. ◄

6.4   Intégration numérique

L'intégration numérique est basée principalement sur la relation :

$$\int_{x_0}^{x_n} f(x)dx = \int_{x_0}^{x_n} p_n(x)dx + \int_{x_0}^{x_n} E_n(x)dx \qquad (6.20)$$

où $p_n(x)$ est un polynôme d'interpolation et $E_n(x)$ est l'erreur qui y est associée. En faisant varier la valeur de n, on obtient les *formules de Newton-Cotes*. En principe, plus n est élevé, plus grande est la précision liée à la valeur de l'intégrale recherchée. En pratique cependant, on emploie rarement des valeurs de n supérieures à 4.

Par ailleurs, l'extrapolation de Richardson, alliée judicieusement à l'une des formules de Newton-Cotes, conduit à la méthode de Romberg, l'une des techniques d'intégration numérique les plus précises. Enfin, nous traitons des quadratures de Gauss-Legendre, très fréquemment utilisées dans les méthodes numériques plus avancées comme celle des éléments finis (voir Reddy, réf. [38]).

6.4.1   Formules de Newton-Cotes simples et composées

Méthode des trapèzes

Commençons par la méthode la plus simple. On souhaite évaluer :

$$\int_{x_0}^{x_1} f(x)dx$$

où $f(x)$ est une fonction connue seulement en deux points ou encore dont la primitive ne peut pas s'exprimer à l'aide des fonctions usuelles. La solution

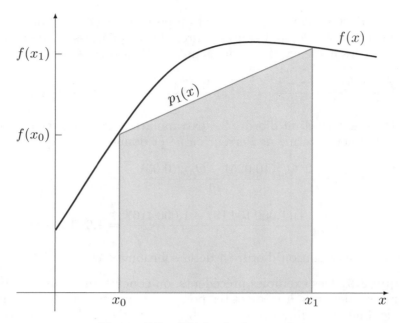

Figure 6.3 – Méthode du trapèze

qui vient tout de suite à l'esprit consiste à remplacer $f(x)$ par le polynôme de degré 1 passant par les points $(x_0, f(x_0))$ et $(x_1, f(x_1))$ comme l'illustre la figure 6.3.

La valeur approximative de l'intégrale correspond à l'aire sous la courbe du polynôme. Cette aire forme un trapèze qui donne son nom à la *méthode du trapèze*. Évidemment, l'approximation est grossière et l'on peut d'ores et déjà soupçonner que le résultat sera peu précis. Le polynôme de Newton 5.6 et la relation 5.21 conduisent à :

$$\int_{x_0}^{x_1} f(x)dx \quad = \quad \int_{x_0}^{x_1} p_1(x)dx + \int_{x_0}^{x_1} E_1(x)dx$$

$$= \quad \int_{x_0}^{x_1} \{f(x_0) + f[x_0, x_1](x - x_0)\}dx$$

$$+ \int_{x_0}^{x_1} \frac{f''(\xi(x))}{2!}(x - x_0)(x - x_1)dx$$

ce qui peut également s'écrire, si l'on intègre le polynôme :

$$\int_{x_0}^{x_1} f(x)dx \quad = \quad \frac{(x_1 - x_0)}{2}\left(f(x_0) + f(x_1)\right)$$

$$+ \int_{x_0}^{x_1} \frac{f''(\xi(x))}{2!}(x - x_0)(x - x_1)dx$$

(6.21)

Le premier terme de droite n'est rien d'autre que l'aire du trapèze de la figure 6.3, tandis que le deuxième terme est l'erreur commise. Le changement de variable 5.25 permet d'écrire :

$$s = \frac{x - x_0}{h}$$

d'où l'on tire que $(x - x_i) = (s - i)h$ et que $dx = hds$. Le terme d'erreur devient alors :

$$\int_{x_0}^{x_1} \frac{f''(\xi(x))}{2!}(x - x_0)(x - x_1)dx = \int_0^1 \frac{f''(\xi(s))}{2!}s(s - 1)h^3ds$$

On peut encore simplifier cette expression en faisant appel au second théorème de la moyenne.

Théorème 6.10: de la moyenne

Soit $f_1(x)$, une fonction continue dans l'intervalle $[a\ ,\ b]$ et $f_2(x)$, une fonction intégrable qui ne change pas de signe dans l'intervalle $[a\ ,\ b]$. Il existe alors un point $\eta \in [a\ ,\ b]$ tel que :

$$\int_a^b f_1(x)f_2(x)dx = f_1(\eta) \int_a^b f_2(x)dx \qquad (6.22)$$

Comme la fonction $(s(s - 1))$ ne change pas de signe dans $[0\ ,\ 1]$, on peut mettre à profit ce théorème, ce qui donne :

$$\int_0^1 \frac{f''(\xi(s))}{2!}s(s - 1)h^3ds = \frac{f''(\eta)}{2!}h^3 \int_0^1 s(s - 1)ds = -\frac{f''(\eta)}{12}h^3$$

La méthode du trapèze se résume donc à l'égalité :

$$\int_{x_0}^{x_1} f(x)dx = \frac{h}{2}(f(x_0) + f(x_1)) - \frac{f''(\eta)}{12}h^3 \ \text{ pour } \ \eta \in [x_0\ ,\ x_1] \qquad (6.23)$$

La méthode du trapèze demeure peu précise, comme en témoigne l'exemple suivant.

Exemple 6.11. Il s'agit d'évaluer numériquement :

$$\int_0^{\frac{\pi}{2}} \sin x \, dx$$

dont la valeur exacte est 1. La méthode du trapèze donne dans ce cas :

$$\int_0^{\frac{\pi}{2}} \sin x \, dx \simeq \frac{\frac{\pi}{2}}{2}\left(\sin 0 + \sin \frac{\pi}{2}\right) = \frac{\pi}{4} = 0{,}785\,398\,163$$

qui est une piètre approximation de la valeur exacte 1. Ce résultat peu impressionnant vient du fait que l'on approche la fonction $\sin x$ dans l'intervalle $[0\ ,\ \frac{\pi}{2}]$ au moyen d'un polynôme de degré 1. Cette approximation est assez médiocre, comme en témoigne la figure 6.4. ♦

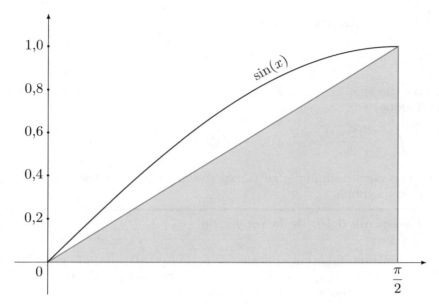

Figure 6.4 – Méthode du trapèze : $f(x) = \sin x$

Une meilleure stratégie consiste à décomposer l'intervalle où l'on doit faire l'intégration, soit l'intervalle $[a \, , b]$, en n sous-intervalles (voir la figure 6.5) de longueur :

$$h = x_{i+1} - x_i = \frac{b-a}{n} \tag{6.24}$$

Les différents points engendrés sont notés x_i pour $i = 0, 1, 2, \cdots, n$. Les valeurs aux extrémités sont $a = x_0$ et $b = x_n$. Dans chaque sous-intervalle $[x_i \, , x_{i+1}]$, on peut utiliser la méthode du trapèze. On a alors :

$$
\begin{aligned}
\int_a^b f(x)dx &= \sum_{i=0}^{n-1} \int_{x_i}^{x_{i+1}} f(x)dx \simeq \sum_{i=0}^{n-1} \frac{h}{2}\left[f(x_i) + f(x_{i+1})\right] \\
&= \frac{h}{2}\left([f(x_0) + f(x_1)] + [f(x_1) + f(x_2)] + \cdots \right. \\
&\qquad \left. + [f(x_{n-2}) + f(x_{n-1})] + [f(x_{n-1}) + f(x_n)]\right)
\end{aligned}
$$

On remarque que tous les termes $f(x_i)$ sont répétés deux fois, sauf le premier et le dernier. On en conclut que :

$$\int_a^b f(x)dx \simeq \frac{h}{2}\left(f(x_0) + 2\left[f(x_1) + f(x_2) + \cdots + f(x_{n-1})\right] + f(x_n)\right) \tag{6.25}$$

qui est la *formule des trapèzes composée*. Qu'en est-il du terme d'erreur ? Dans chacun des n sous-intervalles $[x_i \, , x_{i+1}]$, on commet une erreur liée à la méthode du trapèze. Puisque :

$$h = \frac{(b-a)}{n} \text{ et donc } n = \frac{(b-a)}{h}$$

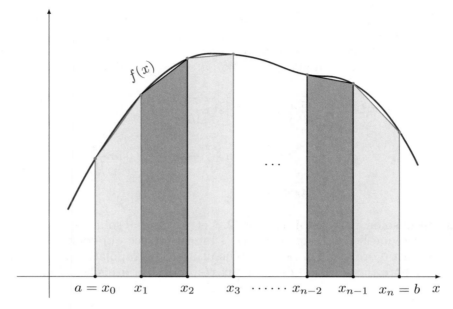

Figure 6.5 – Méthode des trapèzes composée

l'erreur totale commise est :

$$n\left(-\frac{f''(\eta)}{12}h^3\right) = -\frac{(b-a)}{h}\frac{f''(\eta)}{12}h^3 = -\frac{(b-a)}{12}f''(\eta)h^2$$

Remarque 6.12. Le raisonnement précédent n'est pas parfaitement rigoureux, même si le résultat final est juste. En effet, dans chaque sous-intervalle $[x_i\,,\,x_{i+1}]$, l'erreur liée à la méthode du trapèze simple devrait faire intervenir $f''(\eta_i)$, c'est-à-dire une valeur de η différente pour chaque sous-intervalle. Un autre théorème de la moyenne est alors nécessaire pour conclure (voir Burden et Faires, réf. [6]).
L'erreur globale étant donnée par :

$$-\frac{(b-a)}{12}f''(\eta)h^2 \ \ \text{pour} \ \ \eta \in [a\,,\,b] \tag{6.26}$$

la méthode des trapèzes composée est d'ordre 2. ◀

Exemple 6.13. On reprend le calcul de :

$$I = \int_0^{\frac{\pi}{2}} \sin x \, dx$$

mais cette fois à l'aide de la méthode des trapèzes composée. Soit d'abord 4 intervalles de longueur :

$$h = \frac{(\frac{\pi}{2} - 0)}{4} = \frac{\pi}{8}$$

tels que les montre la figure 6.6a). On a alors :

$$I \ \simeq \ \frac{\frac{\pi}{8}}{2}\left(\sin 0 + 2\left[\sin\frac{\pi}{8} + \sin\frac{\pi}{4} + \sin\frac{3\pi}{8}\right] + \sin\frac{\pi}{2}\right) = 0{,}987\,115\,801$$

soit une erreur absolue d'environ $0,012\,88$ par rapport à la solution exacte. On constate une nette amélioration en comparaison du résultat obtenu avec un seul intervalle. Il est intéressant de refaire ce calcul avec 8 intervalles (fig. 6.6b). La valeur de h est maintenant $\frac{\pi}{16}$ et l'on a :

$$\int_0^{\frac{\pi}{2}} \sin x \, dx \;\simeq\; \frac{\frac{\pi}{16}}{2} \left(\sin 0 + 2 \left[\sin \frac{\pi}{16} + \sin \frac{\pi}{8} + \sin \frac{3\pi}{16} \right.\right.$$

$$\left.\left. + \; \sin \frac{\pi}{4} + \sin \frac{5\pi}{16} + \sin \frac{3\pi}{8} + \sin \frac{7\pi}{16} \right] + \sin \frac{\pi}{2} \right)$$

$$= \; 0,996\,785\,172$$

L'erreur absolue a été réduite à $0,0032$. Cette erreur absolue est environ 4 fois plus petite que l'erreur obtenue avec 4 intervalles, ce qui confirme que cette méthode est d'ordre 2. On peut de plus utiliser l'extrapolation de Richardson pour améliorer la précision de ces deux résultats. En utilisant l'équation 6.19 avec $n = 2$, on obtient l'approximation d'ordre au moins 3 suivante :

$$\int_0^{\frac{\pi}{2}} \sin x \, dx \simeq \frac{2^2 (0,996\,785\,172) - 0,987\,115\,801}{2^2 - 1} = 1,000\,008\,295$$

ce qui s'approche de plus en plus de la valeur exacte. Comme il sera démontré un peu plus loin, il s'agit en fait d'une approximation d'ordre 4. ◆

Remarque 6.14. La méthode du trapèze avec un seul intervalle est également connue sous le nom de méthode des trapèzes simple. La méthode des trapèzes composée est d'ordre 2. La méthode des trapèzes simple, bien que d'ordre 3, est rarement utilisée, car elle est trop imprécise. ◄

Remarque 6.15. La méthode des trapèzes composée donne un résultat exact si la fonction $f(x)$ est un polynôme de degré inférieur ou égal à 1. Cela s'explique par la présence de la dérivée seconde de $f(x)$ dans le terme d'erreur : celle-ci s'annule dans le cas de polynômes de degré 1. ◄

Définition 6.16: Formule de quadrature

Les formules d'intégration numérique sont également appelées *formules de quadrature*.

Définition 6.17: Degré d'exactitude d'une quadrature

Le *degré d'exactitude* ou encore le *degré de précision* d'une formule de quadrature est le plus grand entier n pour lequel la formule de quadrature est exacte pour tout polynôme de degré inférieur ou égal à n.

Remarque 6.18. Le degré d'exactitude de la formule des trapèzes est 1. ◄

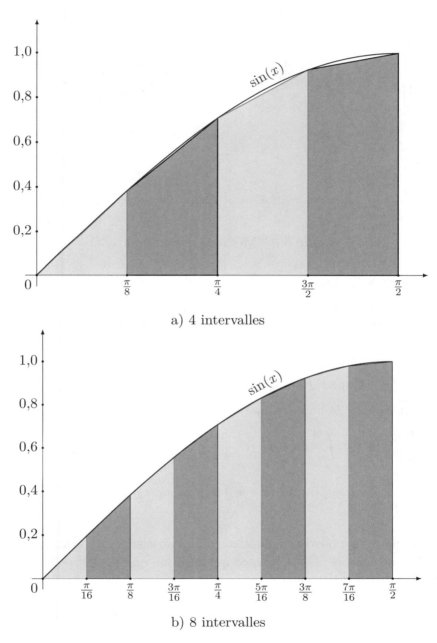

a) 4 intervalles

b) 8 intervalles

Figure 6.6 – Méthode des trapèzes composée : $f(x) = \sin x$

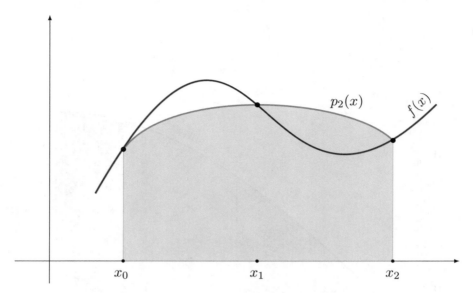

Figure 6.7 – Méthode de Simpson 1/3

Formule de Simpson 1/3

Reprenons le raisonnement utilisé avec la méthode des trapèzes, mais cette fois en utilisant un polynôme de degré 2 dont la courbe passe par les points $(x_0, f(x_0))$, $(x_1, f(x_1))$ et $(x_2, f(x_2))$ tel qu'illustré à la figure 6.7. Ce polynôme est donné par la formule de Newton :

$$p_2(x) = f(x_0) + f[x_0, x_1](x - x_0) + f[x_0, x_1, x_2](x - x_0)(x - x_1)$$

On se sert ensuite de l'approximation :

$$\int_{x_0}^{x_2} f(x)dx \simeq \int_{x_0}^{x_2} p_2(x)dx$$

$$= \int_{x_0}^{x_2} \{f(x_0) + f[x_0, x_1](x - x_0) + f[x_0, x_1, x_2](x - x_0)(x - x_1)\}dx$$

On se place de nouveau dans le cas où les abscisses sont également distancées. On pose encore $\frac{(x - x_0)}{h} = s$, ce qui entraîne que $(x - x_i) = (s - i)h$. La dernière expression devient :

$$\int_0^2 \left(f(x_0) + f[x_0, x_1]hs + f[x_0, x_1, x_2]h^2 s(s - 1) \right) hds$$

$$= \frac{h}{3} \left(f(x_0) + 4f(x_1) + f(x_2) \right)$$

où l'on a remplacé les différences divisées par leur valeur respective :

$$f[x_0, x_1] = \frac{f(x_1) - f(x_0)}{h} \quad \text{et} \quad f[x_0, x_1, x_2] = \frac{f(x_2) - 2f(x_1) + f(x_0)}{2h^2}$$

En résumé, on a :

$$\int_{x_0}^{x_2} f(x)dx \simeq \frac{h}{3}\left(f(x_0) + 4f(x_1) + f(x_2)\right)$$

qui est la *formule de Simpson 1/3 simple*. Cette terminologie est due au facteur de $\frac{1}{3}$ qui multiplie h.

L'analyse de l'erreur est plus délicate dans ce cas. On s'est vite rendu compte que la méthode de Simpson 1/3 était plus précise que ce que l'on escomptait. Une analyse plus fine est donc nécessaire. Cette méthode est basée sur l'utilisation d'un polynôme de degré 2 et l'on devrait s'attendre à ce que l'erreur soit donnée par :

$$\int_{x_0}^{x_2} E_2(x)dx$$

On peut pousser plus loin l'analyse de l'erreur en introduisant un quatrième point $(x_3, f(x_3))$ quelconque et le polynôme de degré 3 correspondant :

$$p_3(x) = p_2(x) + \frac{(f(x_3) - p_2(x_3))}{(x_3 - x_0)(x_3 - x_1)(x_3 - x_2)}(x - x_0)(x - x_1)(x - x_2) \quad (6.27)$$

qui n'est rien d'autre que le polynôme de degré 2 déjà utilisé auquel on ajoute une correction de degré 3 permettant au polynôme de passer également par le point $(x_3, f(x_3))$. Or :

$$\int_{x_0}^{x_2} (x - x_0)(x - x_1)(x - x_2)dx = \int_0^2 s(s-1)(s-2)h^4 ds = 0$$

comme on peut le vérifier facilement. Il s'ensuit que :

$$\int_{x_0}^{x_2} p_2(x)dx = \int_{x_0}^{x_2} p_3(x)dx$$

En utilisant un polynôme de degré 2, on obtient en fait la même précision qu'avec un polynôme de degré 3. Le terme d'erreur est donc de ce fait :

$$\int_{x_0}^{x_2} E_3(x)dx = \int_{x_0}^{x_2} \frac{f^{(4)}(\xi)}{4!}(x - x_0)(x - x_1)(x - x_2)(x - x_3)dx$$

Il n'est pas possible à ce stade-ci d'appliquer le théorème de la moyenne 6.10, comme nous l'avons fait pour la méthode du trapèze. En effet, la fonction $(x-x_0)(x-x_1)(x-x_2)(x-x_3)$ peut changer de signe dans l'intervalle $[x_0, x_2]$, à moins de choisir judicieusement x_3. Comme le choix de x_3 est arbitraire, on peut poser $x_3 = x_1$. Le terme d'erreur devient alors :

$$\int_{x_0}^{x_2} E_3(x)dx = \int_{x_0}^{x_2} \frac{f^{(4)}(\xi)}{4!}(x - x_0)(x - x_1)(x - x_2)(x - x_1)dx$$

$$= \int_0^2 \frac{f^{(4)}(\xi)}{4!}s(s-1)^2(s-2)h^5 ds$$

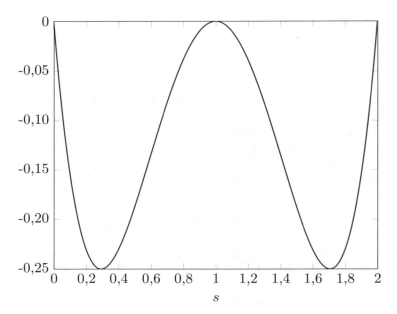

Figure 6.8 – Fonction $s(s-1)^2(s-2)$

On remarque que la fonction $s(s-1)^2(s-2)$ ne change pas de signe dans l'intervalle $[0\ ,\ 2]$ (elle est toujours négative). La figure 6.8 illustre cette fonction. On peut maintenant se servir du théorème 6.10 pour obtenir :

$$\int_{x_0}^{x_2} E_3(x)dx = \frac{f^{(4)}(\eta)}{4!}h^5 \int_0^2 s(s-1)^2(s-2)ds = -\frac{f^{(4)}(\eta)}{90}h^5$$

La méthode de Simpson 1/3 simple se résume donc à :

$$\int_{x_0}^{x_2} f(x)dx = \frac{h}{3}\left(f(x_0) + 4f(x_1) + f(x_2)\right) - \frac{f^{(4)}(\eta)}{90}h^5 \qquad (6.28)$$

où $\eta \in [x_0\ ,\ x_2]$.

Remarque 6.19. Choisir comme nous l'avons fait $x_3 = x_1$ dans l'équation 6.27 n'est pas tout à fait immédiat. En effet, on constate facilement que le dernier terme de la relation 6.27 devient singulier. En fait, il faut faire un passage à la limite comme suit :

$$\begin{aligned}
\lim_{x_3 \to x_1} p_3(x) &= \lim_{x_3 \to x_1} p_2(x) + \\
&\quad \lim_{x_3 \to x_1} \frac{(f(x_3) - p_2(x_3))(x - x_0)(x - x_1)(x - x_2)}{(x_3 - x_0)(x_3 - x_1)(x_3 - x_2)} \\
&= p_2(x) + \\
&\quad \lim_{x_3 \to x_1} \frac{(x - x_0)(x - x_1)(x - x_2)}{(x_3 - x_0)(x_3 - x_2)} \lim_{x_3 \to x_1} \frac{(f(x_3) - p_2(x_3))}{(x_3 - x_1)} \\
&= p_2(x) + \frac{(x - x_0)(x - x_1)(x - x_2)}{(x_1 - x_0)(x_1 - x_2)} \lim_{x_3 \to x_1} \frac{(f(x_3) - p_2(x_3))}{(x_3 - x_1)}
\end{aligned}$$

Étudions donc maintenant la seule limite qui reste que nous noterons L. On peut utiliser un développement de Taylor autour de x_1 en posant :

$$x_3 = x_1 + (x_3 - x_1) = x_1 + h'$$

de sorte que :

$$
\begin{aligned}
L &= \lim_{x_3 \to x_1} \frac{(f(x_1 + (x_3 - x_1)) - p_2(x_1 + (x_3 - x_1)))}{(x_3 - x_1)} \\
&= \lim_{h' \to 0} \frac{(f(x_1 + h') - p_2(x_1 + h'))}{h'} \\
&= \lim_{h' \to 0} \frac{(f(x_1) + f'(x_1)h' + O(h'^2)) - (p_2(x_1) + p_2'(x_1)h' + O(h'^2))}{h'}
\end{aligned}
$$

Puisque $f(x_1) = p_2(x_1)$, on obtient finalement que $L = f'(x_1) - p_2'(x_1)$, ce qui entraîne que :

$$\lim_{x_3 \to x_1} p_3(x) = p_2(x) + (f'(x_1) - p_2'(x_1))\frac{(x - x_0)(x - x_1)(x - x_2)}{(x_1 - x_0)(x_1 - x_2)}$$

ce qui montre que $p_3(x)$ est bien défini. ◄

Remarque 6.20. La valeur de h exprime toujours la distance entre les points x_i, c'est-à-dire qu'elle équivaut dans ce cas à la longueur de l'intervalle divisée par 2. ◄

La méthode de Simpson 1/3 simple est peu précise, tout comme la méthode du trapèze, comme en témoigne l'exemple suivant.

Exemple 6.21. On reprend une fois de plus le calcul des exemples précédents. Pour la fonction $f(x) = \sin x$ dans l'intervalle $[0\,,\frac{\pi}{2}]$, on a :

$$\int_0^{\frac{\pi}{2}} \sin x \, dx \simeq \frac{\frac{\pi}{4}}{3}\left(\sin 0 + 4\sin\frac{\pi}{4} + \sin\frac{\pi}{2}\right) = 1{,}002\,279\,877$$

Ce résultat est plus précis que l'approximation obtenue par la méthode du trapèze simple, mais il demeure peu satisfaisant. ◆

On peut encore une fois améliorer la précision de la formule de Simpson 1/3 en la composant. Puisque la méthode simple requiert deux intervalles, il semble souhaitable de diviser l'intervalle d'intégration $[a\,,b]$ en $2n$ sous-intervalles et d'utiliser la méthode de Simpson 1/3 simple dans chaque paire de sous-intervalles $[x_{2i}, x_{2i+2}]$. On a alors :

$$\int_a^b f(x)dx = \sum_{i=0}^{n-1} \int_{x_{2i}}^{x_{2i+2}} f(x)dx \simeq \sum_{i=0}^{n-1} \frac{h}{3}\left(f(x_{2i}) + 4f(x_{2i+1}) + f(x_{2i+2})\right)$$

$$= \frac{h}{3} \left((f(x_0) + 4f(x_1) + f(x_2)) + (f(x_2) + 4f(x_3) + f(x_4)) + \cdots \right.$$

$$+ (f(x_{2n-4}) + 4f(x_{2n-3}) + f(x_{2n-2}))$$

$$\left. + (f(x_{2n-2}) + 4f(x_{2n-1}) + f(x_{2n})) \right)$$

$$= \frac{h}{3} \left(f(x_0) + 4f(x_1) + 2f(x_2) + 4f(x_3) + 2f(x_4) + \cdots \right.$$

$$\left. + 4f(x_{2n-3}) + 2f(x_{2n-2}) + 4f(x_{2n-1}) + f(x_{2n}) \right)$$

Tous les termes de rang impair sont multipliés par 4 tandis que ceux de rang pair sont multipliés par 2, sauf le premier ($f(x_0)$) et le dernier ($f(x_{2n})$).

L'analyse de l'erreur liée à la méthode de Simpson 1/3 composée est similaire à celle qui s'applique à la méthode des trapèzes composée. En divisant $[a\,,b]$ en $2n$ intervalles, on utilise n fois la méthode de Simpson 1/3 simple et l'on commet donc n fois l'erreur liée à cette méthode. On a alors :

$$h = \frac{b-a}{2n} \ \text{ et donc } \ n = \frac{b-a}{2h}$$

et l'erreur totale est :

$$n \left(-\frac{f^{(4)}(\eta)}{90} h^5 \right) = -\frac{(b-a)}{2h} \left(\frac{f^{(4)}(\eta)}{90} h^5 \right) = -\frac{(b-a)}{180} f^{(4)}(\eta) h^4$$

Remarque 6.22. Le terme d'erreur de la méthode de Simpson 1/3 composée est :

$$-\frac{(b-a)}{180} f^{(4)}(\eta) h^4 \ \text{ pour un certain } \ \eta \in [a\,,b] \tag{6.29}$$

ce qui en fait une *méthode d'ordre* 4. De plus, en raison de la présence de la dérivée quatrième de $f(x)$, cette méthode est exacte dans le cas des polynômes de degré 3. *Le degré d'exactitude de cette méthode est donc 3.* ◄

Exemple 6.23. On divise l'intervalle $[0\,,\frac{\pi}{2}]$ en 4 sous-intervalles de longueur $h = \frac{\pi}{8}$. On a alors :

$$\int_0^{\frac{\pi}{2}} \sin x \, dx \ \simeq \ \frac{\frac{\pi}{8}}{3} \left(\sin 0 + 4\sin\frac{\pi}{8} + 2\sin\frac{\pi}{4} + 4\sin\frac{3\pi}{8} + \sin\frac{\pi}{2} \right)$$

$$= \ 1,000\,134\,585$$

Pour une quantité de travail similaire, on obtient une précision supérieure à celle de la méthode des trapèzes. Avec 8 sous-intervalles de longueur $\frac{\pi}{16}$, on a :

$$\int_0^{\frac{\pi}{2}} \sin x \, dx \ \simeq \ \frac{\frac{\pi}{16}}{3} \left(\sin 0 + 4\sin\frac{\pi}{16} + 2\sin\frac{\pi}{8} + 4\sin\frac{3\pi}{16} \right.$$

$$\left. + 2\sin\frac{\pi}{4} + 4\sin\frac{5\pi}{16} + 2\sin\frac{3\pi}{8} + 4\sin\frac{7\pi}{16} + \sin\frac{\pi}{2} \right)$$

$$= 1,000\,008\,2955$$

Cette plus grande précision vient du fait que cette méthode est d'ordre 4. On constate qu'en passant de 4 à 8 intervalles (c'est-à-dire en divisant h par 2) on divise l'erreur par un facteur d'environ 16,22, ce qui confirme l'ordre 4 de la méthode. On peut également utiliser l'extrapolation de Richardson 6.19 avec $n = 4$ à partir de ces deux valeurs. On obtient ainsi l'approximation :

$$\frac{2^4(1,000\,008\,2955) - 1,000\,134\,585}{2^4 - 1} = 0,999\,999\,876$$

qui est d'ordre au moins 5. On verra plus loin qu'elle est en fait d'ordre 6. ♦

Exemple 6.24. On doit calculer :

$$\int_0^1 e^{-x^2} dx$$

à l'aide de la méthode de Simpson 1/3 composée avec 8 intervalles de longueur :

$$\frac{1 - 0}{8} = \frac{1}{8}$$

Puisque la primitive de la fonction e^{-x^2} ne peut pas s'écrire à l'aide des fonctions usuelles, il faut absolument utiliser une méthode numérique. Dans ce cas :

$$\int_0^1 e^{-x^2} dx \simeq \frac{\frac{1}{8}}{3}(e^0 + 4e^{-0,125^2} + 2e^{-0,25^2} + 4e^{-0,375^2} + 2e^{-0,5^2}$$

$$+ 4e^{-0,625^2} + 2e^{-0,75^2} + 4e^{-0,875^2} + e^{-1,0^2})$$

$$= 0,746\,826\,1205$$

Il est intéressant de poursuivre les calculs un peu plus loin et de comparer une fois de plus les méthodes des trapèzes et de Simpson 1/3 composées. En prenant 64 intervalles et en travaillant en double précision, on obtient les valeurs suivantes.

Calcul de $\int_0^1 e^{-x^2} dx$	
Méthode des trapèzes composée	0,746 809 163 638
Méthode de Simpson 1/3 composée	0,746 824 133 299
Solution exacte à 12 chiffres	0,746 824 132 812

ce qui démontre la supériorité de la méthode de Simpson. ♦

On peut poursuivre dans la même voie et développer des formules de Newton-Cotes basées sur des polynômes de degré de plus en plus élevé. Nous ne présentons ci-dessous que les formules de Simpson 3/8 et de Boole sans les démontrer.

Formule de Simpson 3/8

Si l'on utilise un polynôme de degré 3 dans l'intervalle $[x_0\,,\,x_3]$ et passant par les points $((x_i, f(x_i))$ pour $i = 0, 1, 2, 3)$, on obtient la formule de Simpson 3/8 simple qui s'écrit :

$$\int_{x_0}^{x_3} f(x)dx = \frac{3h}{8}(f(x_0) + 3f(x_1) + 3f(x_2) + f(x_3)) - \frac{3f^{(4)}(\eta)}{80}h^5 \qquad (6.30)$$

pour un certain $\eta \in [x_0\,,\,x_3]$. On peut également composer cette méthode en divisant l'intervalle d'intégration $[a\,,\,b]$ en $3n$ sous-intervalles de longueur :

$$h = \frac{b-a}{3n}$$

et en utilisant la formule de Simpson 3/8 simple dans chaque triplet de sous-intervalles. On obtient alors :

$$
\begin{aligned}
\int_a^b f(x)dx &= \sum_{i=0}^{n-1} \int_{x_{3i}}^{x_{3i+3}} f(x)dx \\[2mm]
&\simeq \sum_{i=0}^{n-1} \frac{3h}{8}\left(f(x_{3i}) + 3f(x_{3i+1}) + 3f(x_{3i+2}) + f(x_{3i+3})\right) \\[2mm]
&= \frac{3h}{8}\left(f(x_0) + 3f(x_1) + 3f(x_2) + 2f(x_3) + 3f(x_4) + \cdots\right. \\[2mm]
&\quad\left. + 2f(x_{3n-3}) + 3f(x_{3n-2}) + 3f(x_{3n-1}) + f(x_{3n})\right)
\end{aligned}
$$

et le terme d'erreur :

$$n\left(-\frac{3f^{(4)}(\eta)}{80}h^5\right) = -\frac{(b-a)}{3h}\frac{3f^{(4)}(\eta)}{80}h^5 = -\frac{(b-a)f^{(4)}(\eta)}{80}h^4$$

Remarque 6.25. La méthode de Simpson 3/8 composée a le même ordre de convergence (4) et le même degré d'exactitude (3) que la méthode de Simpson 1/3 composée. Pour cette raison, on lui préfère souvent la méthode de Simpson 1/3. Elle peut cependant être utile dans le cas où on a par exemple 5 sous-intervalles et que l'on souhaite travailler à l'ordre 4. On pourrait alors utiliser la méthode de Simpson 1/3 dans les deux premiers et la méthode de Simpson 3/8 dans les trois derniers intervalles. ◄

Formule de Boole

Si l'on a au départ un polynôme de degré 4 dans l'intervalle $[x_0\,,\,x_4]$ dont la courbe passe par les points $((x_i, f(x_i))$ pour $i = 0, 1, 2, 3, 4)$, la formule de Boole simple s'écrit :

$$
\begin{aligned}
\int_{x_0}^{x_4} f(x)dx &= \frac{2h}{45}\left(7f(x_0) + 32f(x_1) + 12f(x_2) + 32f(x_3) + 7f(x_4)\right) \\[2mm]
&\quad - \frac{8f^{(6)}(\eta)}{945}h^7
\end{aligned}
$$

$$(6.31)$$

pour un certain $\eta \in [x_0 \, , x_4]$. On compose cette méthode en divisant cette fois l'intervalle d'intégration $[a \, , b]$ en $4n$ sous-intervalles de longueur :

$$h = \frac{b-a}{4n}$$

et en utilisant la formule de Boole simple dans chaque quadruplet de sous-intervalles. On obtient alors :

$$\int_a^b f(x)dx = \sum_{i=0}^{n-1} \int_{x_{4i}}^{x_{4i+4}} f(x)dx$$

$$\simeq \sum_{i=0}^{n-1} \frac{2h}{45} \left(7f(x_{4i}) + 32f(x_{4i+1}) + 12f(x_{4i+2})\right.$$

$$\left. + 32f(x_{4i+3}) + 7f(x_{4i+4})\right)$$

$$= \frac{2h}{45} \left(7f(x_0) + 32f(x_1) + 12f(x_2) + 32f(x_3) + 14f(x_4) + \cdots\right.$$

$$+ 32f(x_{4n-5}) + 14f(x_{4n-4}) + 32f(x_{4n-3}) + 12f(x_{4n-2})$$

$$\left. + 32f(x_{4n-1}) + 7f(x_{4n})\right)$$

et le terme d'erreur :

$$n\left(-\frac{8f^{(6)}(\eta)}{945}h^7\right) = -\frac{(b-a)}{4h}\frac{8f^{(6)}(\eta)}{945}h^7 = -\frac{2(b-a)f^{(6)}(\eta)}{945}h^6$$

Remarque 6.26. En ce qui concerne l'erreur, il se produit un phénomène déjà observé avec la formule de Simpson 1/3 en ce sens que la formule de Boole conduit à une approximation d'ordre 6 au lieu de 5. La méthode de Boole a de plus un degré d'exactitude de 5 puisqu'elle est exacte pour tous les polynômes de degré inférieur ou égal à 5. ◄

6.4.2   Méthode de Romberg

La méthode de Romberg est une méthode d'intégration qui permet d'atteindre des résultats très précis. Elle est basée sur une utilisation très astucieuse de la méthode des trapèzes composée (d'ordre 2) et de la technique d'extrapolation de Richardson 6.19. On peut en effet démontrer, sous des hypothèses de régularité suffisante de la fonction $f(x)$, que le terme d'erreur de la méthode des trapèzes composée s'écrit :

$$-\frac{(b-a)}{12}f''(\eta)h^2 = c_2h^2 + c_4h^4 + c_6h^6 + \cdots$$

où les c_i sont des constantes. L'information supplémentaire que l'on tire de cette relation est que seuls les termes d'ordre pair sont présents. L'absence des puissances impaires de h permet, du point de vue de l'extrapolation de

Richardson, de gagner deux ordres de convergence à chaque extrapolation. De plus, les valeurs extrapolées, qui sont d'ordre 4, peuvent à leur tour être extrapolées pour passer à l'ordre 6, et ainsi de suite. Cette utilisation systématique de l'extrapolation de Richardson permet d'obtenir successivement des approximations d'ordre $2, 4, 6, 8, \cdots$ de l'intégrale d'une fonction. Sur le plan pratique, on obtient généralement des résultats extrêmement précis.

Dans un premier temps, introduisons quelques notations. *On note $T_{1,i}$ le résultat obtenu à l'aide de la méthode des trapèzes composée avec 2^{i-1} intervalles.* Les $T_{1,i}$ sont des approximations d'ordre 2. Pour passer de $T_{1,i}$ à $T_{1,i+1}$, on doit doubler le nombre de sous-intervalles, ce qui revient à diviser la valeur de h par deux. Au moyen de l'extrapolation de Richardson 6.19 avec $n = 2$, on définit alors :

$$T_{2,i} = \frac{2^2 T_{1,i+1} - T_{1,i}}{2^2 - 1} \tag{6.32}$$

et les $T_{2,i}$ sont des approximations d'ordre 4. On pose ensuite successivement :

$$T_{3,i} = \frac{2^4 T_{2,i+1} - T_{2,i}}{2^4 - 1} \quad T_{4,i} = \frac{2^6 T_{3,i+1} - T_{3,i}}{2^6 - 1}$$

$$\tag{6.33}$$

$$T_{5,i} = \frac{2^8 T_{4,i+1} - T_{4,i}}{2^8 - 1} \quad T_{6,i} = \frac{2^{10} T_{5,i+1} - T_{5,i}}{2^{10} - 1}$$

et ainsi de suite, ce qui définit un tableau triangulaire de la forme :

Méthode de Romberg						
$T_{1,1}$	$T_{1,2}$	$T_{1,3}$	$T_{1,4}$	$T_{1,5}$	$T_{1,6}$	(ordre 2)
$T_{2,1}$	$T_{2,2}$	$T_{2,3}$	$T_{2,4}$	$T_{2,5}$		(ordre 4)
$T_{3,1}$	$T_{3,2}$	$T_{3,3}$	$T_{3,4}$			(ordre 6)
$T_{4,1}$	$T_{4,2}$	$T_{4,3}$				(ordre 8)
$T_{5,1}$	$T_{5,2}$					(ordre 10)
$T_{6,1}$						(ordre 12)

Chaque ligne de ce triangle est de deux ordres de convergence plus précis que la ligne précédente. La première ligne est tout simplement constituée des approximations obtenues à l'aide de la méthode des trapèzes composée avec $1, 2, 4, 8, 16 \cdots$ intervalles. Pour passer d'une ligne à l'autre, on utilise l'extrapolation de Richardson par le biais des relations 6.32 et 6.33.

Remarque 6.27. On peut montrer (voir les exercices de fin de chapitre) que la deuxième ligne de ce tableau n'est autre que le résultat de la méthode de Simpson 1/3 avec respectivement $2, 4, 8 \cdots$ intervalles. On pourrait donc éliminer la première ligne et commencer directement avec la méthode de Simpson.
◄

Exemple 6.28. On a déjà obtenu, lors de calculs précédents, les valeurs $T_{1,1} = 0{,}785\,398\,163$, $T_{1,3} = 0{,}987\,115\,801$ et $T_{1,4} = 0{,}996\,785\,172$ correspondant à la formule des trapèzes composée avec respectivement 1, 4 et 8 intervalles pour évaluer :

$$\int_0^{\frac{\pi}{2}} \sin x\, dx$$

Il est alors possible de remplir la première ligne du tableau en calculant :

$$T_{1,2} = \frac{\frac{\pi}{4}}{2}\left(\sin 0 + 2\sin\frac{\pi}{4} + \sin\frac{\pi}{2}\right) = 0{,}948\,059\,449$$

On peut ensuite effectuer les différentes extrapolations de Richardson.

Méthode de Romberg : $\displaystyle\int_0^{\frac{\pi}{2}} \sin x\, dx$				
0,785 398 163	0,948 059 449	0,987 115 801	0,996 785 172	(ordre 2)
1,002 279 877	1,000 134 585	1,000 008 295		(ordre 4)
0,999 991 565	0,999 999 876			(ordre 6)
1,000 000 008				(ordre 8)

La première ligne du tableau étant d'ordre 2, la deuxième ligne est donnée par :

$$\frac{(2^2)(0{,}948\,059\,449) - 0{,}785\,398\,163}{2^2 - 1} = 1{,}002\,279\,877$$

$$\frac{(2^2)(0{,}987\,115\,801) - 0{,}948\,059\,449}{2^2 - 1} = 1{,}000\,134\,585$$

$$\frac{(2^2)(0{,}996\,785\,172) - 0{,}987\,115\,801}{2^2 - 1} = 1{,}000\,008\,295$$

qui sont toutes des approximations d'ordre 4. La troisième ligne devient alors :

$$\frac{(2^4)(1{,}000\,134\,585) - 1{,}002\,279\,877}{2^4 - 1} = 0{,}999\,991\,565$$

$$\frac{(2^4)(1{,}000\,008\,295) - 1{,}000\,134\,585}{2^4 - 1} = 0{,}999\,999\,876$$

d'ordre 6. Puis enfin :

$$\frac{(2^6)(0{,}999\,999\,876) - 0{,}999\,991\,565}{2^6 - 1} = 1{,}000\,000\,008$$

Il en résulte une approximation d'ordre 8 ayant plus de 7 chiffres significatifs. On remarque que la précision augmente à mesure que l'on se déplace vers le bas (car l'ordre de l'approximation augmente) et vers la droite sur une même ligne (car h est divisé par 2 entre chaque valeur). ◆

Exemple 6.29. Soit une fonction $f(x)$ connue seulement pour quelques valeurs de x.

Valeurs d'une fonction tabulée			
x	$f(x)$	x	$f(x)$
0,00	0,3989	0,75	0,3011
0,25	0,3867	1,00	0,2420
0,50	0,3521		

On tente d'évaluer :

$$\int_0^1 f(x)dx$$

selon la méthode de Romberg. Puisqu'il y a en tout 5 points, on peut utiliser la méthode des trapèzes composée avec 1, 2 et 4 intervalles seulement. On a respectivement :

$$T_{1,1} = \frac{1}{2}(0{,}3989 + 0{,}2420) = 0{,}320\,45$$

$$T_{1,2} = \frac{\frac{1}{2}}{2}(0{,}3989 + 2(0{,}3521) + 0{,}2420) = 0{,}336\,275$$

$$T_{1,3} = \frac{\frac{1}{4}}{2}(0{,}3989 + 2(0{,}3867 + 0{,}3521 + 0{,}3011) + 0{,}2420) = 0{,}340\,0875$$

On peut dès lors remplir la première ligne du tableau de la méthode de Romberg.

Méthode de Romberg			
0,320 4500	0,336 2750	0,340 0875	(ordre 2)
0,341 5500	0,341 3583		(ordre 4)
0,341 3456			(ordre 6)

Les autres lignes du tableau sont tirées elles aussi des relations 6.32 et 6.33 :

$$T_{2,1} = \frac{(2^2)(0{,}336\,275) - 0{,}320\,450}{2^2 - 1} = 0{,}341\,5500$$

$$T_{2,2} = \frac{(2^2)(0{,}340\,0875) - 0{,}336\,275}{2^2 - 1} = 0{,}341\,3583$$

$$T_{3,1} = \frac{(2^4)(0{,}341\,3583) - 0{,}341\,550}{2^4 - 1} = 0{,}341\,3456$$

On obtient ainsi une approximation d'ordre 6 de l'intégrale. ◆

Remarque 6.30. Dans le cas d'une fonction connue seulement en certains points, comme dans l'exemple précédent, le nombre de points doit être de la forme $2^n + 1$ pour que la méthode de Romberg puisse s'appliquer. En effet, il faut que le nombre de sous-intervalles soit une puissance de 2. Dans l'exemple précédent, on avait $2^2 + 1$ points et 4 intervalles. ◀

Exemple 6.31. Nous faisons maintenant un grand pas en arrière pour revenir sur l'exemple 1.37 du chapitre 1 pour évaluer :

$$p_n = \int_0^1 x^n e^x \, dx$$

Nous avions alors utilisé la récurrence $p_{n+1} = e - (n+1)p_n$, à partir de $p_1 = 1$, et constaté des résultats catastrophiques à partir de $n \simeq 18$ dues à l'élimination de chiffres significatifs par soustraction de nombres voisins. Pour cette dernière valeur, nous avions observé une valeur négative, ce qui est absurde pour l'intégrale d'une fonction positive. Nous sommes maintenant en mesure de corriger cette situation en procédant autrement. Au lieu d'utiliser une récurrence, nous allons attaquer directement l'intégrale puisque plusieurs méthodes sont maintenant disponibles. La méthode de Romberg, parmi d'autres, permet aisément d'obtenir des résultats beaucoup plus précis. Dans le tableau suivant, nous avons utilisé 64 sous-intervalles c'est-à-dire des approximations d'ordre 14.

Évaluation de la suite p_n			
n	p_n	n	p_n
1	$1{,}000\,000\,000 \times 10^0$	11	$2{,}102\,651\,581 \times 10^{-1}$
2	$7{,}182\,818\,284 \times 10^{-1}$	12	$1{,}950\,999\,311 \times 10^{-1}$
3	$5{,}634\,363\,430 \times 10^{-1}$	13	$1{,}819\,827\,233 \times 10^{-1}$
4	$4{,}645\,364\,561 \times 10^{-1}$	14	$1{,}705\,237\,013 \times 10^{-1}$
5	$3{,}955\,995\,478 \times 10^{-1}$	15	$1{,}604\,263\,089 \times 10^{-1}$
6	$3{,}446\,845\,416 \times 10^{-1}$	16	$1{,}514\,608\,856 \times 10^{-1}$
7	$3{,}054\,900\,369 \times 10^{-1}$	17	$1{,}434\,467\,745 \times 10^{-1}$
8	$2{,}743\,615\,330 \times 10^{-1}$	18	$1{,}362\,398\,915 \times 10^{-1}$
9	$2{,}490\,280\,312 \times 10^{-1}$	19	$1{,}297\,239\,010 \times 10^{-1}$
10	$2{,}280\,015\,154 \times 10^{-1}$	20	$1{,}238\,038\,328 \times 10^{-1}$

La suite est parfaitement décroissante et positive, comme il se doit. On peut même considérer des valeurs de n beaucoup plus grandes, quitte à prendre davantage de sous-intervalles pour évaluer l'intégrale. ♦

6.4.3   Quadratures de Gauss-Legendre

Les quadratures de Gauss-Legendre reposent sur un raisonnement différent de celui qui est à la base des méthodes de Newton-Cotes. D'une certaine façon, on cherche à optimiser les schémas d'intégration numérique en choisissant plus judicieusement les points où est évaluée la fonction $f(x)$. Dans le cas où l'évaluation de $f(x)$ est coûteuse en temps de calcul, ces quadratures permettent d'atteindre une grande précision avec relativement peu d'évaluations de $f(x)$. Par exemple, la méthode du trapèze requiert l'évaluation de la fonction $f(x)$ aux deux extrémités de l'intervalle sous la forme :

$$\int_a^b f(x)dx \simeq \frac{(b-a)}{2}(f(a) + f(b))$$

Nous avons vu que le degré d'exactitude de cette méthode est 1, car cette quadrature est exacte dans le cas de tout polynôme de degré inférieur ou égal à 1. On peut se demander s'il est possible de trouver deux points situés dans l'intervalle d'intégration ainsi que des coefficients appropriés de telle sorte que l'expression :

$$\int_a^b f(x)dx \simeq w_1 f(t_1) + w_2 f(t_2)$$

ait un degré d'exactitude supérieur à celui de la méthode du trapèze. Bien sûr, si :

$$w_1 = w_2 = \frac{(b-a)}{2}, \quad t_1 = a \text{ et } t_2 = b$$

on retrouve la formule du trapèze. Mais est-ce un choix optimal ?

Pour répondre à cette question, nous allons dans un premier temps nous restreindre à l'intervalle $[-1\,,\,1]$, où nous ferons tout le développement. Pour un intervalle quelconque, il suffira d'effectuer le changement de variable :

$$x = \frac{(b-a)t + (a+b)}{2} \text{ et } dx = \frac{(b-a)}{2}dt \tag{6.34}$$

qui envoie l'intervalle $[-1\,,\,1]$ sur un intervalle quelconque $[a\,,\,b]$. En effet, le changement de variable 6.34 permet d'écrire que :

$$\int_a^b f(x)dx = \int_{-1}^1 f\left(\frac{(b-a)t + (a+b)}{2}\right)\frac{(b-a)}{2}dt = \frac{(b-a)}{2}\int_{-1}^1 g(t)dt$$

où :

$$g(t) = f\left(\frac{(b-a)t + (a+b)}{2}\right)$$

Il est donc toujours possible de revenir à l'intervalle $[-1\,,\,1]$. De manière générale, on cherche des expressions de la forme :

$$\int_{-1}^1 g(t)dt \simeq \sum_{i=1}^n w_i g(t_i) \tag{6.35}$$

dont le degré d'exactitude soit le plus élevé possible.

Définition 6.32: Quadrature de Gauss-Legendre

L'expression 6.35 est appelée *quadrature de Gauss-Legendre à n points*. Les t_i sont appelés *points d'intégration*, tandis que les coefficients w_i sont les *poids d'intégration*.

On choisit les points et les poids d'intégration de façon à ce que la quadrature 6.35 soit exacte dans le cas des polynômes de degré le plus élevé possible. De toute évidence, les points d'intégration t_i doivent tous être distincts les uns des autres et les poids d'intégration doivent être non nuls. Puisque tout polynôme de degré m peut s'écrire :

$$p_m(t) = \sum_{k=0}^m c_k t^k$$

il suffit que la relation 6.35 soit exacte successivement pour les monômes $g(t) = t^k$, pour $k = 0, 1, 2, \cdots, m$ qui constituent une base de l'espace des polynômes de degré m. On gagne alors à accroître le plus possible le degré m. Le degré maximal atteint dépend du nombre de points d'intégration n. *Puisqu'il y a $2n$ coefficients à déterminer dans l'équation 6.35, il est raisonnable de penser que l'on peut atteindre le degré $m = (2n - 1)$.* La valeur de k varie donc entre 0 et $2n - 1$.

Quadrature de Gauss-Legendre à 1 point

Cherchons donc une expression de la forme :

$$\int_{-1}^{1} g(t)dt = w_1 g(t_1) \tag{6.36}$$

qui soit exacte dans le cas des polynômes de degré le plus élevé possible. Commençons par les polynômes de degré 0. La formule 6.36 doit être exacte pour $g(t) = 1$, ce qui donne une première équation :

$$\int_{-1}^{1} 1 \, dt = 2 = w_1$$

et l'unique poids d'intégration est déjà déterminé. L'équation 6.35 doit de plus être exacte pour $g(t) = t$. On trouve donc :

$$\int_{-1}^{1} t \, dt = 0 = w_1 t_1 = 2t_1$$

ce qui entraîne que $t_1 = 0$. Ainsi, la *quadrature de Gauss-Legendre à 1 point* s'écrit :

$$\int_{-1}^{1} g(t)dt \simeq 2g(0)$$

et est exacte pour tout polynôme de degré 1.

Remarque 6.33. La quadrature de Gauss-Legendre à 1 point a le même degré d'exactitude (1) que la méthode du trapèze, qui est une formule à 2 points. La quadrature de Gauss-Legendre à 1 point est également connue sous le nom de *formule du point milieu.* ◄

Quadrature de Gauss-Legendre à 2 points

On doit maintenant déterminer les 4 coefficients inconnus de l'expression :

$$\int_{-1}^{1} g(t)dt \simeq w_1 g(t_1) + w_2 g(t_2) \tag{6.37}$$

On remarque immédiatement que t_1 doit être différent de t_2 et que les deux w_i doivent être non nuls. Sinon, on se retrouve avec une formule à 1 point. Il nous faut alors 4 équations qui proviendront de la relation 6.37, où l'on choisit successivement $g(t) = 1$, $g(t) = t$, $g(t) = t^2$ et $g(t) = t^3$. Les 4 équations résultantes sont :

$$\int_{-1}^{1} 1 \, dt = 2 \;\; = \;\; w_1 + w_2 \tag{6.38}$$

$$\int_{-1}^{1} t \, dt = 0 \;\; = \;\; w_1 t_1 + w_2 t_2 \tag{6.39}$$

$$\int_{-1}^{1} t^2 \, dt = \frac{2}{3} \;\; = \;\; w_1 t_1^2 + w_2 t_2^2 \tag{6.40}$$

$$\int_{-1}^{1} t^3 \, dt = 0 \;\; = \;\; w_1 t_1^3 + w_2 t_2^3 \tag{6.41}$$

et forment un système non linéaire qu'il est heureusement possible de résoudre analytiquement. On multiplie l'équation 6.39 par t_1^2 et l'on soustrait du résultat l'équation 6.41 pour obtenir :

$$w_2 t_2 (t_1^2 - t_2^2) = 0$$

Pour que ce produit soit nul, il faut que l'un ou l'autre des facteurs s'annule, c'est-à-dire :

— $w_2 = 0$.

Cette possibilité doit être écartée, car dans ce cas la formule de Gauss-Legendre à 2 points 6.37 dégénère en une formule à 1 seul point.

— $t_2 = 0$.

De l'équation 6.39, on tire que $w_1 = 0$ ou $t_1 = 0$, ce qui conduit de nouveau à une formule à 1 point.

— $t_1^2 = t_2^2$.

On en conclut que $t_1 = -t_2$, puisque le cas $t_1 = t_2$ conduit encore à une formule à 1 point.

Cette conclusion permet d'obtenir les poids d'intégration. En effet, en vertu de l'équation 6.39 :

$$t_1 (w_1 - w_2) = 0$$

et puisque t_1 ne peut être nul, $w_1 = w_2$ et la relation 6.38 entraîne que :

$$w_1 = w_2 = 1$$

Enfin, selon l'équation 6.40, on a :

$$\frac{2}{3} = t_1^2 + t_2^2 = t_1^2 + (-t_1)^2 = 2t_1^2$$

ce qui entraîne que $t_1 = -\sqrt{\dfrac{1}{3}}$ et $t_2 = \sqrt{\dfrac{1}{3}}$. La *formule de Gauss-Legendre à 2 points* s'écrit donc :

$$\int_{-1}^{1} g(t) dt \simeq g\left(-\sqrt{\frac{1}{3}}\right) + g\left(\sqrt{\frac{1}{3}}\right)$$

et est exacte dans le cas des polynômes de degré inférieur ou égal à 3.

Remarque 6.34. Pour un même nombre de points d'intégration, la quadrature de Gauss-Legendre à 2 points a un degré d'exactitude de 3 par comparaison avec 1 pour la méthode du trapèze. Pour un même effort de calcul, on a ainsi une plus grande précision. ◄

Quadratures de Gauss-Legendre à n points

Sans entrer dans les détails, il est possible de déterminer des quadratures de Gauss-Legendre avec un grand nombre de points. Ces quadratures sont particulièrement efficaces et sont utilisées, par exemple, dans la méthode des éléments finis (voir Reddy, réf. [38]). On détermine les $2n$ coefficients w_i et t_i en résolvant un système non linéaire de $2n$ équations que l'on obtient en prenant $g(t) = t^k$ pour $k = 0, 1, 2, \cdots, (2n - 1)$.

On peut également démontrer que les points d'intégration de Gauss-Legendre sont les racines des polynômes de Legendre définis par $L_0(x) = 1$, $L_1(x) = x$ et par la formule de récurrence :

$$(n + 1)L_{n+1}(x) = (2n + 1)xL_n(x) - nL_{n-1}(x)$$

Il est alors facile de démontrer que $L_2(x) = \frac{1}{2}(3x^2 - 1)$ dont les racines sont $\pm\sqrt{\frac{1}{3}}$. En résumé, on a le résultat général suivant.

Théorème 6.35: Formule d'erreur pour les quadratures de Gauss

La quadrature de Gauss-Legendre à n points 6.35 est exacte dans le cas des polynômes de degré $(2n - 1)$. Le degré d'exactitude de cette quadrature est donc $(2n - 1)$ et le terme d'erreur est donné par :

$$\frac{2^{2n+1}(n!)^4}{(2n + 1)((2n)!)^3}g^{(2n)}(\xi) \text{ où } \xi \in [-1, 1] \qquad (6.42)$$

Le tableau de la figure 6.9 résume les principales quadratures de Gauss-Legendre (voir Burden et Faires, réf. [6] ; Chapra et Canale, réf. [8] ; Gerald et Wheatly, réf. [25]).

Exemple 6.36. On doit évaluer :

$$I = \int_0^1 (4x^3 + 3x^2 + 2)dx$$

dont la valeur exacte est 4. Il faut d'abord effectuer le changement de variable 6.34 pour obtenir :

$$\int_0^1 (4x^3 + 3x^2 + 2)dx = \frac{1}{2}\int_{-1}^1 \left(4\left(\frac{t+1}{2}\right)^3 + 3\left(\frac{t+1}{2}\right)^2 + 2\right)dt$$

La formule de Gauss-Legendre à 1 point donne l'approximation :

$$I \simeq \frac{2}{2}\left(4\left(\frac{0+1}{2}\right)^3 + 3\left(\frac{0+1}{2}\right)^2 + 2\right) = 3{,}25$$

n	Points d'intégration t_i	Poids d'intégration w_i	Degré d'exactitude
1	0	2	1
2	$-\sqrt{3}/3$ $+\sqrt{3}/3$	1 1	3
3	$-\sqrt{15}/5$ 0 $+\sqrt{15}/5$	$5/9$ $8/9$ $5/9$	5
4	$-\left(\sqrt{525 + 70\sqrt{30}}\right)/35$ $-\left(\sqrt{525 - 70\sqrt{30}}\right)/35$ $+\left(\sqrt{525 - 70\sqrt{30}}\right)/35$ $+\left(\sqrt{525 + 70\sqrt{30}}\right)/35$	$\left(18 - \sqrt{30}\right)/36$ $\left(18 + \sqrt{30}\right)/36$ $\left(18 + \sqrt{30}\right)/36$ $\left(18 - \sqrt{30}\right)/36$	7
5	$-\left(\sqrt{245 + 14\sqrt{70}}\right)/35$ $-\left(\sqrt{245 - 14\sqrt{70}}\right)/35$ 0 $+\left(\sqrt{245 - 14\sqrt{70}}\right)/35$ $+\left(\sqrt{245 + 14\sqrt{70}}\right)/35$	$\left(322 - 13\sqrt{70}\right)/900$ $\left(322 + 13\sqrt{70}\right)/900$ $128/225$ $\left(322 + 13\sqrt{70}\right)/900$ $\left(322 - 13\sqrt{70}\right)/900$	9

Figure 6.9 – Quadratures de Gauss-Legendre

Par contre, la quadrature à 2 points donne :

$$I \simeq \frac{1}{2}\left[4\left(\frac{-\sqrt{\frac{1}{3}}+1}{2}\right)^3 + 3\left(\frac{-\sqrt{\frac{1}{3}}+1}{2}\right)^2 + 2\right.$$

$$\left. + 4\left(\frac{\sqrt{\frac{1}{3}}+1}{2}\right)^3 + 3\left(\frac{\sqrt{\frac{1}{3}}+1}{2}\right)^2 + 2\right]$$

$$I \simeq \frac{1}{2}\left[\left(\frac{-\sqrt{\frac{1}{3}}+1}{2}\right)^2\left[4\left(\frac{-\sqrt{\frac{1}{3}}+1}{2}\right) + 3\right] + 2\right.$$

$$\left. + \left(\frac{\sqrt{\frac{1}{3}}+1}{2}\right)^2\left[4\left(\frac{\sqrt{\frac{1}{3}}+1}{2}\right) + 3\right] + 2\right]$$

$$= \frac{1}{2}\left[\left(\frac{\frac{4}{3}-2\sqrt{\frac{1}{3}}}{4}\right)\left(5-2\sqrt{\frac{1}{3}}\right) + \left(\frac{\frac{4}{3}-2\sqrt{\frac{1}{3}}}{4}\right)\left(5-2\sqrt{\frac{1}{3}}\right) + 4\right]$$

$$= \frac{1}{2}[4+4] = 4$$

L'exactitude de ce résultat était prévisible, car la fonction intégrée est de degré 3 et la quadrature de Gauss-Legendre à 2 points est exacte (par construction) pour tout polynôme de degré inférieur ou égal à 3. ♦

Exemple 6.37. Grâce au changement de variable 6.34, on a :

$$\int_0^{\frac{\pi}{2}} \sin x\, dx = \frac{\frac{\pi}{2}}{2}\int_{-1}^1 \sin\left(\frac{\pi(t+1)}{4}\right) dt$$

La quadrature de Gauss-Legendre à 2 points donne l'approximation :

$$\int_0^{\frac{\pi}{2}} \sin x\, dx \simeq \frac{\pi}{4}\left(\sin\left(\frac{\pi(t_1+1)}{4}\right) + \sin\left(\frac{\pi(t_2+1)}{4}\right)\right)$$

$$= \frac{\pi}{4}\left(\sin(0{,}331\,948\,322) + \sin(1{,}238\,848\,005)\right) = 0{,}998\,472\,614$$

Si l'on tient compte du fait que l'on a évalué la fonction $\sin x$ en seulement deux points, ce résultat est d'une précision remarquable. Par ailleurs, la formule à trois points donne :

$$\int_0^{\frac{\pi}{2}} \sin x \, dx \simeq \frac{\pi}{4} \left(w_1 \sin\left(\frac{\pi(t_1+1)}{4}\right) + w_2 \sin\left(\frac{\pi(t_2+1)}{4}\right) \right.$$

$$\left. + w_3 \sin\left(\frac{\pi(t_3+1)}{4}\right) \right)$$

$$= \frac{\pi}{4} \left((0{,}555\,555\,556) \sin(0{,}177\,031\,362) \right.$$

$$+ (0{,}888\,888\,889) \sin(0{,}785\,398\,164)$$

$$\left. + (0{,}555\,555\,556) \sin(1{,}774\,596\,669) \right)$$

$$= 1{,}000\,008\,1821$$

La formule de Gauss-Legendre à 3 points est donc plus précise que la méthode de Simpson 1/3 simple, qui nécessite en outre l'évaluation de la fonction $\sin x$ en trois points. Pour obtenir une précision similaire avec la méthode de Simpson 1/3, nous avons dû utiliser 8 intervalles et donc 9 évaluations de la fonction $\sin x$. ◆

Exemple 6.38. Soit :

$$\int_0^1 \frac{1}{\sqrt{x}} dx$$

dont la valeur exacte est 2. On remarque immédiatement que, parmi les méthodes proposées, seules les quadratures de Gauss-Legendre peuvent s'appliquer. En effet, toutes les autres méthodes nécessitent l'évaluation de la fonction $x^{-\frac{1}{2}}$ en $x = 0$, qui n'est pas définie à cet endroit. On peut prévoir que le calcul de cette intégrale sera difficile. Dans un premier temps, le changement de variable 6.34 donne :

$$\int_0^1 \frac{1}{\sqrt{x}} dx = \frac{1}{2} \int_{-1}^1 \frac{1}{\sqrt{\frac{t+1}{2}}} dt = \frac{\sqrt{2}}{2} \int_{-1}^1 \frac{1}{\sqrt{t+1}} dt$$

La formule à 2 points donne :

$$\int_0^1 \frac{1}{\sqrt{x}} dx \simeq \frac{\sqrt{2}}{2} \left(\frac{1}{\sqrt{-\sqrt{\frac{1}{3}}+1}} + \frac{1}{\sqrt{\sqrt{\frac{1}{3}}+1}} \right) = 1{,}650\,680\,13$$

La formule à 3 points est légèrement plus précise. En se servant de la table des quadratures de Gauss-Legendre pour établir la valeur des différents coefficients, on obtient :

$$\int_0^1 \frac{1}{\sqrt{x}} dx \simeq \frac{\sqrt{2}}{2} \left(w_1 \frac{1}{\sqrt{t_1+1}} + w_2 \frac{1}{\sqrt{t_2+1}} + w_3 \frac{1}{\sqrt{t_3+1}} \right) = 1{,}750\,863\,166$$

La précision demeure insatisfaisante, mais il faut admettre qu'il s'agit d'un problème difficile. Les quadratures de Gauss-Legendre à 4 ou à 5 points amélioreraient encore la qualité des résultats. ◆

Remarque 6.39. Les quadratures de Gauss-Legendre permettent d'évaluer des intégrales avec une grande précision. Toutefois, chaque fois que l'on change l'ordre de la quadrature, les points t_i et les poids w_i d'intégration changent eux aussi. Il devient alors à peu près impossible d'utiliser une technique d'extrapolation comme la méthode de Romberg. ◄

6.4.4 Intégration à l'aide des splines

Si la spline constitue une bonne approximation d'une fonction $f(x)$ connue seulement en quelques points, elle peut également servir pour calculer l'intégrale de cette fonction. On obtiendra ainsi une expression voisine de celle qui caractérise la méthode des trapèzes composée, à laquelle s'ajoute une approximation du terme d'erreur de cette méthode. Pour y arriver, on se base sur l'approximation suivante :

$$\int_a^b f(x)dx \simeq \sum_{i=0}^{n-1} \int_{x_i}^{x_{i+1}} p_i(x)dx$$

où $p_i(x)$ est le polynôme de degré 3 de la spline dans l'intervalle $[x_i , x_{i+1}]$. L'expression de ce polynôme est bien sûr (voir l'équation 5.27) :

$$p_i(x) = f_i + f_i'(x-x_i) + \frac{f_i''(x-x_i)^2}{2!} + \frac{f_i'''(x-x_i)^3}{3!}$$

En intégrant ce polynôme, on obtient :

$$\int_a^b f(x)dx \simeq \sum_{i=0}^{n-1} \left\{ f_i x + \frac{f_i'(x-x_i)^2}{2!} + \frac{f_i''(x-x_i)^3}{3!} + \frac{f_i'''(x-x_i)^4}{4!} \right\}_{x_i}^{x_{i+1}}$$

$$= \sum_{i=0}^{n-1} \left\{ f_i h_i + \frac{f_i' h_i^2}{2!} + \frac{f_i'' h_i^3}{3!} + \frac{f_i''' h_i^4}{4!} \right\}$$

On remplace f_i, f_i' et f_i''' par les expressions 5.40.

$$= \sum_{i=0}^{n-1} \left\{ h_i f(x_i) + \frac{\left(f[x_i, x_{i+1}] - \frac{h_i f_i''}{3} - \frac{h_i f_{i+1}''}{6} \right) h_i^2}{2!} + \frac{f_i'' h_i^3}{3!} + \frac{\frac{(f_{i+1}'' - f_i'')}{h_i} h_i^4}{4!} \right\}$$

En simplifiant et en rappelant que $f[x_i, x_{i+1}] = (f(x_{i+1}) - f(x_i))/h_i$, on obtient l'approximation suivante de l'intégrale de $f(x)$ dans l'intervalle $[a , b] = [x_0 , x_n]$:

$$\int_a^b f(x)dx \simeq \sum_{i=0}^{n-1} \left\{ \frac{h_i}{2}(f(x_i) + f(x_{i+1})) - \frac{h_i^3}{24}(f_i'' + f_{i+1}'') \right\} \qquad (6.43)$$

Dans le cas où les abscisses x_i sont équidistantes $(h_i = h)$, on peut simplifier davantage l'expression précédente pour obtenir :

$$\int_a^b f(x)dx \simeq \frac{h}{2}\left[f(x_0) + 2(f(x_1) + f(x_2) + \cdots + f(x_{n-1})) + f(x_n)\right]$$

$$- \frac{h^3}{24}(f_0'' + 2(f_1'' + f_2'' + \cdots + f_{n-1}'') + f_n'')$$

$$(6.44)$$

Puisque $f_0'' = f_n'' = 0$ dans le cas de la spline naturelle, on a :

$$\int_a^b f(x)dx \simeq \frac{h}{2}\left[f(x_0) + 2(f(x_1) + f(x_2) + \cdots + f(x_{n-1})) + f(x_n)\right]$$

$$- \frac{h^3}{12}\left(f_1'' + f_2'' + \cdots + f_{n-1}''\right)$$

$$(6.45)$$

Ce résultat mérite quelques commentaires. En effet, cette approximation de l'intégrale comporte deux termes. Le premier terme n'est autre que l'expression de la méthode des trapèzes composée. Le deuxième terme est une approximation du terme d'erreur lié à cette même méthode. En effet, l'erreur d'approximation de la méthode du *trapèze simple* est donnée pour chaque intervalle $[x_i , x_{i+1}]$ par :

$$-\frac{f''(\eta_i)}{12}h^3 \quad \text{où} \quad \eta_i \in [x_i , x_{i+1}] \text{ pour } i = 0, 1, \cdots, n-1$$

La position exacte du point η_i étant inconnue, on lui attribue la valeur de x_i.

Remarque 6.40. La méthode du trapèze utilise un polynôme de degré 1 dans $[x_i , x_{i+1}]$. On peut interpréter le deuxième terme de droite de l'équation 6.45 comme étant une correction due à la courbure de la fonction $f(x)$ dans cet intervalle. Dans le cas général, on utilise l'expression 6.43 pour faire l'approximation de l'intégrale à l'aide de la spline. Si les abscisses x_i sont équidistantes, on utilise de préférence l'expression 6.44 qui se réduit à l'expression 6.45 dans le cas d'une spline naturelle. ◄

6.5 Applications

6.5.1 Courbe des puissances classées

La courbe des puissances classées d'un service d'électricité (par exemple Hydro-Québec) représente la proportion de l'année où la demande d'électricité atteint ou dépasse une puissance donnée (en gigawatt ou GW). Plus la puissance est grande, plus petite est la proportion de l'année où la demande dépasse cette valeur. Ainsi, la puissance maximale n'est atteinte que pendant une infime portion de l'année, généralement durant les grands froids de l'hiver. *Cette courbe est par définition décroissante.* L'aire sous cette courbe est tout simplement l'énergie totale E vendue au cours de l'année. Cette donnée est donc importante pour l'entreprise en question. On a en main les données suivantes relatives à une certaine année de référence.

Puissances classées			
Proportion de l'année	Puissance (GW)	Proportion de l'année	Puissance (GW)
0,0	30	0,8	18
0,1	29	0,9	15
0,2	24	1,0	0
0,5	19		

Pour obtenir l'aire sous la courbe et donc l'énergie, il suffit d'intégrer dans l'intervalle [0 , 1]. Comme les abscisses ne sont pas également distancées, il faut être prudent quant au choix de la méthode d'intégration. Pour obtenir la plus grande précision possible, il est souhaitable de diviser l'intervalle d'intégration en 3 parties et d'utiliser la méthode de Simpson 1/3. Les 3 sous-intervalles sont [0 , 0,2] où $h = 0,1$, [0,2 , 0,8] où $h = 0,3$ et [0,8 , 1,0] où $h = 0,1$. On a alors :

$$E = \frac{0,1}{3}(30 + 116 + 24) + \frac{0,3}{3}(24 + 76 + 18) + \frac{0,1}{3}(18 + 60 + 0)$$

$$= 20,0666 \text{ gigawatts-années} = 175,784 \text{ gigawatts-heures}$$

$$= 6,33 \times 10^8 \text{ gigawatts-secondes} = 6,33 \times 10^{17} \text{ joules} = 633 \text{ pétajoules}$$

6.5.2   Calcul de la trainée et de la portance

L'intégration numérique est omniprésente en ingénierie et cet exemple illustre comment calculer la trainée et la portance sur un profil d'aile d'avion. Bien entendu, il s'agit ici d'un exemple très simplifié mais l'idée générale est la même. Lorsqu'un objet se déplace dans un fluide, ce dernier exerce une traction $\vec{T}$ (force par unité de surface) sur la surface de l'objet. Si on intègre sur sa frontière γ, on obtient la force résultante $\vec{F}$ s'exerçant sur l'objet :

$$\int_\gamma \vec{T} \, ds = \vec{F}$$

où ds désigne un élément de longueur de la courbe. Il s'agit ici bien entendu d'une intégrale curviligne [43]. Bien que nous n'élaborerons pas sur ce sujet, le calcul de la traction n'est pas simple et peut être obtenu par exemple par une méthode d'éléments finis [23].

Si on suppose que l'objet se déplace horizontalement, la force horizontale F_x est appelée la trainée et la force verticale F_y est appelée la portance. La figure 6.10 illustre un exemple de cette situation où on a calculé la traction à tous les noeuds (identifiés par des cercles) sur la frontière d'un profil d'aile NACA (voir aussi les exercices du chapitre 2)). Dans ce type de situations, la trainée est responsable de la consommation de carburant alors que la portance permet à l'avion de voler. Un calcul précis de ces deux quantités est alors extrêmement important.

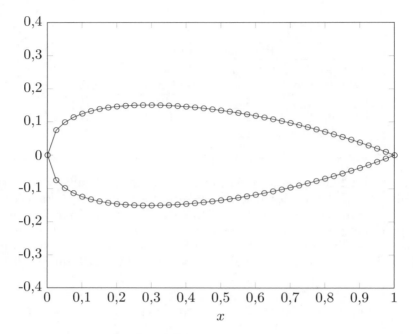

Figure 6.10 – Profil NACA constitué de segments de droite

Puisque l'on ne connaît la traction qu'aux noeuds, on devra recourir à l'intégration numérique et on aura :

$$\vec{F} = \int_{\gamma} \vec{T} \, ds = \sum_{i=1}^{n} \int_{\gamma_i} \vec{T} \, ds$$

où γ_i désignent chacun des segments de droite constituant la frontière du profil. On notera $\vec{T}^i$ et $\vec{T}^{i+1}$ les valeurs de la traction aux extrémités $\vec{x}^i$ et $\vec{x}^{i+1}$ de γ_i. On note de plus que ces segments ne sont malheureusement pas tous de la même longueur. On peut donc se servir de la méthode des trapèzes composées et écrire :

$$(F_x, F_y) \simeq \left(\sum_{i=1}^{n} \frac{ds_i}{2}(T_x^i + T_x^{i+1}) \, , \, \sum_{i=1}^{n} \frac{ds_i}{2}(T_y^i + T_y^{i+1}) \right)$$

où $ds_i = ||\vec{x}^{i+1} - \vec{x}^i||_2$ désigne la longueur du segment.

Exercices

6.1 À partir du polynôme de degré 2 passant par les points $(x_0, f(x_0))$, $(x_1, f(x_1))$ et $(x_2, f(x_2))$, obtenir les formules aux différences avant, centrée et arrière d'ordre 2 pour le calcul de $f'(x)$.

6.2 À partir de la relation 6.5, obtenir les termes d'erreur pour les différences d'ordre 2 obtenues à l'exercice précédent.

6.3 Évaluer la dérivée de $f(x) = e^x$ en $x = 0$ à l'aide des différences avant et arrière d'ordre 2. Prendre $h = 0{,}05$ et $h = 0{,}025$ et calculer le rapport des erreurs commises. Obtenir une approximation encore plus précise de $f'(0)$ à l'aide de l'extrapolation de Richardson.

6.4 À l'aide des développements de Taylor appropriés, obtenir l'expression du terme d'erreur lié à la différence centrée d'ordre 2 permettant de faire l'approximation de $f'(x)$ (voir l'équation 6.13). Montrer que ce terme d'erreur ne fait intervenir que les puissances paires de h. Que conclure au sujet de l'extrapolation de Richardson dans ce cas ?

6.5 À partir des données suivantes :

Fonction tabulée			
x	1,00	1,01	1,02
$f(x)$	1,27	1,32	1,38

calculer les approximations de $f'(1{,}005)$, $f'(1{,}015)$ et $f''(1{,}01)$ à l'aide des formules de différences centrées. Si les valeurs de $f(x)$ sont précises à $\pm 0{,}005$, quelle est l'erreur maximale sur chacune des approximations ?

6.6 Un polynôme $p(x)$ de degré 2 est tel que $p(0) = 1, p(1) = 7$ et $p(2) = 17$.

    (a) Calculer $p'(1)$ exactement sans calculer $p(x)$.

    (b) Pouvez-vous faire de même pour calculer $p''(x)$, où x est arbitraire ?

    (c) Déterminer $p(x)$ par la méthode de votre choix et comparer sa dérivée en $x = 1$ avec la valeur trouvée en a).

6.7 On donne le tableau suivant des valeurs d'une fonction $f(x)$:

Fonction tabulée			
x	$f(x)$	x	$f(x)$
2,7	10,2720,9350	3,025	10,152 708 53
2,9	10,188 543 49	3,1	10,137 470 96
3,0	10,158 837 43	3,2	10,124 539 27

Sachant que $f'(3) = -0{,}255\ 605\ 459\ 076\ 443$, comparer la précision des différentes formules d'ordre 2 que vous pouvez utiliser à partir de ces données.

6.8 Soit $f(x) = \dfrac{1}{2}\left(x\sqrt{1-x^2} + \arcsin(x)\right)$. Pour $x_0 = 0{,}5$, calculer des approximations de $f'(x_0)$ par la formule de différence arrière d'ordre 2 (voir le tableau 6.11) avec $h = 0{,}1$, $0{,}05$, $0{,}025$, $0{,}0125$ et $0{,}00625$. Dans chacun des cas, calculer l'erreur exacte en valeur absolue. Cette erreur se comporte-telle en $O(h^2)$?

6.9 Obtenir la formule de différence centrée d'ordre 4 (voir l'équation 6.15) permettant de faire l'approximation de $f''(x)$. Bien identifier le polynôme d'interpolation qui est nécessaire.

6.10 Intégrer les polynômes de degré 1, 2 et 3 respectivement permettant d'obtenir les formules du trapèze simple, de Simpson 1/3 simple et de Simpson 3/8 simple. Bien préciser l'intervalle sur lequel porte l'intégration et utiliser le changement de variable $s = \frac{(x-x_0)}{h}$.

6.11 Soit $f(x)$ une fonction convexe. L'approximation de $\int_a^b f(x)\,dx$ fournie par la méthode des trapèzes composée est-elle plus grande ou plus petite que la valeur exacte ? **Rappel** : une fonction est convexe si $f''(x) \geq 0$.

6.12   [1] On note $f(x) = \cos^2(x) + 2\sin(x)$ et on vérifie facilement que :

$$I = \int_0^{2\pi} f(x)\,dx = \pi$$

(a) Dans la formule des trapèzes composée, combien de sous-intervalles faudrait-il prendre pour obtenir I à 10^{-8} près.

(b) Calculer le tableau de la méthode de Romberg obtenu dans ce cas avec un maximum de 16 sous-intervalles et commenter sur la convergence respective de chacune des lignes. Ce comportement est-il conforme à la théorie ?

6.13 Intégrer la fonction $f(x) = e^x$ dans l'intervalle $[0\,,\,1]$ en utilisant la méthode des trapèzes composée avec 4 puis avec 8 intervalles. Utiliser l'extrapolation de Richardson avec les deux valeurs obtenues pour atteindre une valeur plus précise. Quel est l'ordre de cette nouvelle approximation ? Comparer les résultats avec la valeur exacte.

6.14 Refaire le même exercice en utilisant cette fois la méthode de Simpson 1/3 composée.

6.15 Utiliser la méthode de Simpson 3/8 avec 6 intervalles pour évaluer :

$$\int_1^9 \sqrt{x}\,dx$$

Comparer le résultat avec la valeur exacte.

6.16 Si on approche $I = \int_1^2 \ln x\,dx$ par la formule de Simpson 1/3, l'approximation sera-t-elle plus grande ou plus petite que I ? Répondre à cette question sans calculer d'approximation.

6.17 Utiliser la méthode de Boole avec 8 intervalles pour évaluer :

$$\int_0^{\frac{\pi}{4}} \sec x\,dx$$

Comparer le résultat avec la valeur exacte.

---

1. Les exercices précédés du symbole   nécessitent l'utilisation d'un ordinateur. Pour faciliter la tâche de programmation, nous recommandons le logiciel Matlab® qui possède toutes les fonctionnalités de base nécessaires à l'apprentissage des méthodes numériques.

6.18 Soit la fonction suivante.

Fonction tabulée			
x	$f(x)$	x	$f(x)$
0,00	1,570 796 327	0,75	0,722 734 248
0,25	1,318 116 072	1,00	0,000 000 000
0,50	1,047 197 551		

Évaluer $\int_0^1 f(x)dx$ à l'aide de la méthode de Romberg.

6.19 Donner les expressions complètes de $T_{1,1}$ et de $T_{1,2}$ dans l'intervalle $[a\,,\,b]$. Montrer que l'extrapolation de Richardson :

$$\frac{4T_{1,2} - T_{1,1}}{3}$$

donne le même résultat que la méthode de Simpson 1/3 simple. (En général, l'extrapolation de Richardson :

$$\frac{4T_{1,i+1} - T_{1,i}}{3}$$

donne le même résultat que la méthode Simpson 1/3 avec 2^i intervalles).

6.20 On considère $\int_0^1 \frac{dx}{1+x}$.

(a) Donner la valeur exacte de cette intégrale.

(b) Calculer les valeurs de $T_{1,i}$ jusqu'à ce que :

$$\frac{|T_{1,i+1} - T_{1,i}|}{|T_{1,i+1}|} < 0,005$$

(c) À partir des résultats obtenus en b), déterminer la valeur de l'intégrale à l'aide de la méthode de Romberg.

(d) *Sans faire de calculs supplémentaires*, donner le résultat que l'on obtiendrait à l'aide de la méthode de Simpson 1/3 avec 8 intervalles.

6.21 L'intégrale elliptique $I = \int_0^{2\pi} \sqrt{1 + \sin^2 t}\, dt = 7,640\ 396$ représente la longueur totale de la courbe elliptique d'équation $x^2 + 2y^2 = 2$.

(a) Augmenter le nombre d'intervalles avec la méthode de Simpson 1/3 composée jusqu'à obtenir la valeur de I ci-dessus. Combien de points faut-il ?

(b) Posons $f(t) = \sqrt{1 + \sin^2 t}$. Tracer le graphe de la fonction $f^{(4)}(t)$. Utiliser cette information pour déduire une borne supérieure de $f^{(4)}(t)$ dans $[0, 2\pi]$

(c) Déterminer théoriquement le pas h à utiliser dans la méthode de Simpson 1/3 afin d'obtenir une précision de 10^{-6}. Déduire le nombre de points de subdivisions de l'intervalle. Comparer votre réponse avec la sous-question a).

6.22 Utiliser une méthode numérique pour évaluer $\int_0^2 \ln x\, dx$.

6.23 Quelle serait l'erreur d'approximation si l'on utilisait la quadrature de Gauss-Legendre à 3 points pour évaluer :

$$\int_0^3 (3x^5 + 7x^2 + x + 1)\, dx$$

6.24 On désire développer une nouvelle formule d'intégration numérique dans l'intervalle $[0\ ,\ 3h]$ de la forme :

$$\int_0^{3h} f(x)\, dx \simeq af(h) + bf(2h)$$

    (a) Déterminer les valeurs des constantes a et b de telle sorte que cette quadrature soit exacte dans le cas de tout polynôme de degré inférieur ou égal à 1.

    (b) Calculer $\int_0^3 \dfrac{dx}{1+x}$ à l'aide de cette quadrature.

    (c) Calculer l'intégrale donnée en b) à l'aide de la formule de Simpson 1/3 simple.

    (d) Selon l'écart entre les résultats et la valeur exacte, déterminer le nombre de chiffres significatifs des valeurs obtenues en b) et en c). Conclure brièvement.

6.25 À l'aide d'une certaine méthode d'intégration numérique, on a évalué $I = \int_0^{\frac{\pi}{2}} \sin x\, dx$ en utilisant 3 valeurs différentes de h. On a obtenu les résultats suivants.

Valeurs de I	
h	I
0,1	1,001 235
0,2	1,009 872
0,4	1,078 979

Compte tenu de la valeur exacte de I, déduire l'ordre de convergence de la quadrature employée.

6.26 Soit l'approximation $\int_{x_0}^{x_0+h} f(x)\, dx \simeq \dfrac{h}{4}\left(f(x_0) + 3f\left(x_0 + \dfrac{2h}{3}\right)\right)$

    (a) Obtenir le développement de Taylor de $f\left(x_0 + \dfrac{2h}{3}\right)$ jusqu'à l'ordre 5 et proposer une nouvelle expression du terme de droite.

    (b) Obtenir un développement de Taylor d'ordre 5 du terme de gauche.
       Suggestion : Poser $f(x) = f(x_0 + (x - x_0))$ pour effectuer le développement de Taylor. Par la suite, intégrer les premiers termes de ce développement.

    (c) Soustraire les expressions obtenues en a) et en b) pour obtenir le premier terme de l'erreur. En déduire l'ordre de la méthode proposée.

    (d) Quel est le degré d'exactitude de cette méthode ?

6.27 Soit la différence centrée :

$$f''(x) \simeq \frac{f(x+h) - 2f(x) + f(x-h)}{h^2}$$

(a) Obtenir l'ordre de cette approximation en utilisant les développements de Taylor appropriés (conserver les termes jusqu'au degré 7 dans les développements de Taylor de façon à en déduire les 2 premiers termes de l'erreur).

(b) Utiliser cette formule de différence pour obtenir une approximation de $f''(2,0)$ pour la fonction tabulée suivante, en prenant d'abord $h = 0,2$ et ensuite $h = 0,1$.

Fonction tabulée			
x	$f(x)$	x	$f(x)$
1,8	1,587 7867	2,1	1,741 9373
1,9	1,641 8539	2,2	1,788 4574
2,0	1,693 1472		

(c) À partir des 2 approximations obtenues en b), obtenir une nouvelle approximation de $f''(2,0)$ qui soit plus précise. Préciser l'ordre de cette nouvelle approximation.

(d) Évaluer $\displaystyle\int_{1,8}^{2,2} f(x)dx$ par la méthode de Romberg et préciser l'ordre de chaque approximation obtenue.

6.28 Une voiture roulant à 60 km/h accélère au temps $t = 0$ s et sa vitesse v en km/h est mesurée régulièrement :

Vitesse en fonction du temps				
t_i[s]	0,0	0,5	1,0	1,5	2,0
v[km/h]	60,0	68,4	75,5	82,2	89,4

N.B. Attention aux unités de chaque variable dans cet exercice.

(a) En utilisant le meilleur polynôme de degré 2 possible, obtenir une approximation de la vitesse (en km/h) à $t = 1,2$ s.

(b) Obtenir l'expression analytique de l'erreur d'interpolation commise en a).

(c) Obtenir une approximation de cette erreur à $t = 1,2$ s.

(d) En vous servant au besoin plusieurs fois de la différence centrée :

$$f'(x) \simeq \frac{f(x+h) - f(x-h)}{2h}$$

obtenir une approximation de l'accélération a (en m/s^2) à $t = 1,0$ s et qui soit la plus précise possible. Donner l'ordre de précision de l'approximation obtenue.

   (e) Évaluer la distance parcourue d (en m) dans l'intervalle de temps [0 , 2,0] par la méthode la plus précise possible. Préciser l'ordre de votre approximation.

6.29 Déterminer les constantes a_0, a_1 et a_2 pour que la formule de quadrature :

$$\int_{-1}^{1} f(t)\,dt \simeq a_0 f\left(-\frac{1}{2}\right) + a_1 f(0) + a_2 f\left(\frac{1}{2}\right)$$

soit de degré d'exactitude le plus élevé possible. Donner ce degré d'exactitude.

6.30 Déterminer les poids d'intégration w_1 et w_2 ainsi que le point d'intégration t_2 de sorte que la formule de quadrature dite de Gauss-Radau :

$$\int_{-1}^{1} f(t)\,dt \simeq w_1 f(-1) + w_2 f(t_2)$$

soit de degré d'exactitude le plus élevé possible. Donner ce degré d'exactitude.

6.31 Trouver A, B, C pour que la formule d'intégration numérique :

$$\int_{0}^{1} f(x)\,dx \approx A f(0) + B f\left(\frac{1}{3}\right) + C f(1)$$

soit exacte pour tous les polynômes de degré au plus 2. En déduire le degré d'exactitude de la formule obtenue ?

6.32 On veut calculer l'intégrale de Fresnel définie par :

$$F = \int_{0}^{1} \sin(\pi^2 x^2)\,dx = 0{,}245\ 942\ 678\ 726\ 044$$

   (a) Pour ce faire, on divise [0, 1] en quatre sous-intervalles et on applique sur chacun d'eux la formule de Gauss-Legendre à 3 nœuds. Écrire la forme de la quadrature obtenue pour une fonction f générale, puis calculer la valeur de F demandée. Combien d'évaluations de l'intégrant avez-vous dû faire ?

   (b) Combien de nœuds devriez-vous utiliser avec la formule des trapèzes composée pour obtenir une précision comparable à celle obtenue en a) ? Serait-ce avantageux ?

6.33 L'intégrale elliptique :

$$I = \int_{0}^{2\pi} \sqrt{1 + \sin^2 x}\,dx = 7{,}640\ 395\ 578\ 055\ 424\ 035$$

est souvent rencontrée dans les applications. Utiliser la formule de Gauss-Legendre à 4 points, à l'aide du tableau de la figure 6.9, pour obtenir une approximation de I. Quel serait le résultat obtenu avec la formule de Simpson en utilisant 5 nœuds ?

6.34 (a) Montrer que la formule de différentiation numérique :

$$f'(x_0) \simeq \frac{-f(x_0 + 2h) + 8f(x_0 + h) - 8f(x_0 - h) + f(x_0 - 2h)}{12h}$$

peut être obtenue à partir de la formule de différence centrée d'ordre 2 et en utilisant l'extrapolation de Richardson.

(b) Déterminer numériquement l'ordre de cette formule de différences en considérant la fonction $f(x) = e^x$ au point $x_0 = 0$ et en utilisant successivement $h = 0{,}1$ et $h = 0{,}3$ (comparer avec la valeur exacte pour déterminer les erreurs commises).

6.35 Soit une fonction aléatoire X suivant une loi normale. La probabilité que X soit inférieure ou égale à x (notée $P(X \leq x)$) est donnée par la fonction :

$$P(X \leq x) = \frac{1}{\sqrt{2\pi}} \int_{-\infty}^{x} e^{-\frac{t^2}{2}} dt$$

Comme la fonction $e^{-\frac{t^2}{2}}$ n'a pas de primitive, on calcule cette probabilité pour différentes valeurs de x et l'on garde les résultats dans des tables comme celle-ci :

Valeurs de $P(X \leq x)$			
x	$P(X \leq x)$	x	$P(X \leq x)$
1,0	0,841 3447	1,3	0,903 1995
1,1	0,864 3339	1,4	0,919 2433
1,2	0,884 9303		

(a) Calculer, toujours en vous servant de la table fournie, la dérivée $P'(X \leq 1{,}2)$ avec une précision d'ordre 4. Comparer avec la valeur exacte de cette dérivée.

(b) Calculer, toujours en vous servant de la table fournie, la dérivée $P''(X \leq 1{,}2)$ avec une précision d'ordre 2.

6.36 La loi de Fourier pour le refroidissement d'un corps s'écrit :

$$T'(t) = -k(T(t) - T_\infty) \tag{6.46}$$

où T_∞ est la température du milieu ambiant et k est la diffusivité thermique. Pour un bille métallique initialement chauffée à une température de 90 °C et plongée dans de l'eau à 20 °C, on a obtenu les résultats suivants :

Température en fonction du temps				
t(min)	5	10	15	20	25
T(°C)	62,5	45,8	35,6	29,5	25,8

À l'aide de ces mesures et de la relation (6.46), donner une approximation d'ordre 4 de la diffusivité thermique k.

Chapitre 7

Équations différentielles

7.1 Introduction

La résolution numérique des équations différentielles est probablement le domaine de l'analyse numérique où les applications sont les plus nombreuses. Que ce soit en mécanique des fluides, en transfert de chaleur ou en analyse de structures, on aboutit souvent à la résolution d'équations différentielles, de systèmes d'équations différentielles ou plus généralement d'équations aux dérivées partielles.

Le problème du pendule abordé au chapitre 1 trouvera ici une solution numérique qui sera par la suite analysée et comparée à d'autres solutions approximatives ou quasi analytiques. Parmi leurs avantages, les méthodes numériques permettent d'étudier des problèmes complexes pour lesquels on ne connaît pas de solution analytique, mais qui sont d'un grand intérêt pratique.

Dans ce chapitre comme dans les précédents, les diverses méthodes de résolution proposées sont d'autant plus précises qu'elles sont d'ordre élevé. Nous amorçons l'exposé par des méthodes relativement simples ayant une interprétation géométrique. Elles nous conduiront progressivement à des méthodes plus complexes telles les méthodes de Runge-Kutta d'ordre 4, qui permettent d'obtenir des résultats d'une grande précision. Nous considérons principalement les équations différentielles avec conditions initiales, mais nous ferons une brève incursion du côté des équations différentielles avec conditions aux limites par le biais des méthodes de tir et de différences finies.

Nous prenons comme point de départ la formulation générale d'une équation différentielle d'ordre 1 avec condition initiale. La tâche consiste à déterminer une fonction $y(t)$ solution de :

$$\begin{cases} y'(t) & = & f(t, y(t)) \\ y(t_0) & = & y_0 \end{cases} \tag{7.1}$$

La variable indépendante t représente très souvent (mais pas toujours) le temps. La variable dépendante est notée y et dépend bien sûr de t. La fonction f est pour le moment une fonction quelconque de deux variables que nous supposons suffisamment régulière pour que le problème soit bien posé. La condition $y(t_0) = y_0$ est la condition initiale et est en quelque sorte l'état de la solution au moment où l'on commence à s'y intéresser. Il s'agit d'obtenir

$y(t)$ pour $t \geq t_0$, si l'on cherche une solution analytique, ou une approximation de $y(t)$, si l'on utilise une méthode numérique.

Définition 7.1: Ordre d'une équation différentielle

L'équation différentielle 7.1 est dite *d'ordre 1*, car seule la dérivée d'ordre 1 de la variable dépendante $y(t)$ est présente. Si des dérivées de $y(t)$ d'ordre 2 apparaissaient dans l'équation différentielle 7.1, on aurait une équation d'ordre 2, et ainsi de suite.

Commençons par présenter quelques exemples d'équations différentielles avec condition initiale.

Exemple 7.2. Soit l'équation différentielle du premier ordre :

$$\begin{cases} y'(t) &= t \\ y(0) &= 1 \end{cases} \tag{7.2}$$

Voilà certainement l'un des exemples les plus simples que l'on puisse imaginer. En intégrant de chaque côté, on obtient :

$$\int y'(t)\, dt = \int t\, dt$$

c'est-à-dire :

$$y(t) = \frac{t^2}{2} + C$$

où C est une constante d'intégration. Cette dernière expression est la *solution générale de l'équation différentielle* en ce sens qu'elle satisfait $y'(t) = t$, quelle que soit la constante C. Pour déterminer la constante C, il suffit d'imposer la condition initiale $y(0) = 1 = C$. La *solution particulière* est alors :

$$y(t) = \frac{t^2}{2} + 1$$

qui vérifie à la fois l'équation différentielle et la condition initiale. ◆

Exemple 7.3. Soit l'équation différentielle :

$$\begin{cases} y'(t) &= t\,y(t) \\ y(1) &= 2 \end{cases} \tag{7.3}$$

Il ne suffit pas dans ce cas d'intégrer les deux côtés de l'équation pour obtenir la solution. On doit d'abord séparer les variables en écrivant par exemple :

$$\frac{dy}{dt} = t\,y(t) \quad \text{qui devient} \quad \frac{dy}{y} = t\, dt$$

Les variables étant séparées, on peut maintenant faire l'intégration :

$$\ln y = \frac{t^2}{2} + C \text{ ou encore } y(t) = Ce^{\frac{t^2}{2}}$$

qui est la solution générale. On obtient la solution particulière en imposant la condition initiale $y(1) = 2 = Ce^{\frac{1}{2}}$, ce qui signifie que $C = 2e^{-\frac{1}{2}}$ et donc que la solution particulière est :

$$y(t) = 2e^{\frac{(t^2-1)}{2}}$$

◆

Les ouvrages de Simmons (réf. [41]) et de Derrick et Grossman (réf. [14]) contiennent d'autres exemples d'équations différentielles. Notre propos concerne plutôt les méthodes numériques de résolution de ces équations différentielles. À cet égard, nous suivons l'approche de Burden et Faires (réf. [6]), notamment en ce qui concerne la notion d'erreur de troncature locale qui indique l'ordre de précision de la méthode utilisée.

Avec les outils numériques de résolution d'équations différentielles, il n'est plus possible d'obtenir une solution pour toutes les valeurs de la variable indépendante t. On obtient plutôt une approximation de la solution analytique seulement à *certaines valeurs de t notées* t_i et distancées d'une valeur $h_i = t_{i+1} - t_i$ que l'on appelle le *pas de temps*. Dans la plupart des méthodes présentées dans cet ouvrage, le pas de temps sera constant pour tout i et sera noté h. Par abus de langage, une itération d'une méthode numérique permettant de faire avancer la solution numérique du temps t_i au temps t_{i+1} sera également appelée pas de temps.

Remarque 7.4. On note $y(t_i)$ la *solution analytique* de l'équation différentielle 7.1 en $t = t_i$. On note y_i la *solution approximative* en $t = t_i$ obtenue à l'aide d'une méthode numérique. L'erreur absolue commise sera alors tout simplement $|y(t_i) - y_i|$. ◄

7.2   Méthode d'Euler explicite

La méthode d'Euler explicite est de loin la méthode la plus simple de résolution numérique d'équations différentielles ordinaires. Elle possède une belle interprétation géométrique et son emploi est facile. Toutefois, elle est relativement peu utilisée en raison de sa faible précision. On la qualifie d'explicite car car elle ne nécessite pas de résolution d'équation non linéaire contrairement à la méthode d'Euler dite implicite que nous verrons à la section 7.8.1.

Reprenons l'équation différentielle 7.1 et considérons plus attentivement la condition initiale $y(t_0) = y_0$. Le but est maintenant d'obtenir une approximation de la solution en $t = t_1 = t_0 + h$. Avant d'effectuer la première itération, il faut déterminer dans quelle direction on doit avancer à partir du point (t_0, y_0) pour obtenir le point (t_1, y_1), qui sera une approximation du point $(t_1, y(t_1))$. Nous n'avons pas l'équation de la courbe $y(t)$, mais nous en connaissons la pente $y'(t)$ en $t = t_0$. En effet, l'équation différentielle assure que :

$$y'(t_0) = f(t_0, y(t_0)) = f(t_0, y_0)$$

On peut donc suivre la droite passant par (t_0, y_0) et de pente $f(t_0, y_0)$. L'équation de cette droite, notée $d_0(t)$, est :

$$d_0(t) = y_0 + f(t_0, y_0)(t - t_0)$$

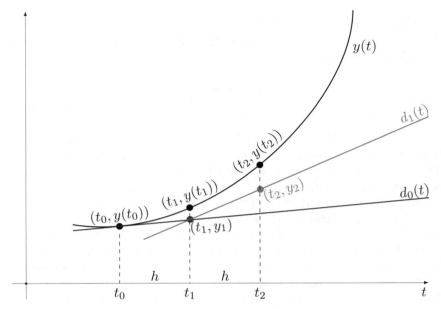

Figure 7.1 – Méthode d'Euler explicite

et est illustrée (en bleu) à la figure 7.1. En $t = t_1$, on a :

$$d_0(t_1) = y_0 + f(t_0, y_0)(t_1 - t_0) = y_0 + hf(t_0, y_0) = y_1$$

En d'autres termes, $d_0(t_1)$ est proche de la solution analytique $y(t_1)$, c'est-à-dire :

$$y(t_1) \simeq y_1 = d_0(t_1) = y_0 + hf(t_0, y_0)$$

Il est important de noter que, le plus souvent, $y_1 \neq y(t_1)$. Cette inégalité n'a rien pour étonner, mais elle a des conséquences sur la suite du raisonnement. En effet, si l'on souhaite faire une deuxième itération et obtenir une approximation de $y(t_2)$, on peut refaire l'analyse précédente à partir du point (t_1, y_1). On remarque cependant que la pente de la solution analytique en $t = t_1$ est :

$$y'(t_1) = f(t_1, y(t_1))$$

On ne connaît pas exactement $y(t_1)$, mais on possède l'approximation y_1 de $y(t_1)$. On doit alors utiliser l'expression :

$$y'(t_1) = f(t_1, y(t_1)) \simeq f(t_1, y_1)$$

et construire la droite (en rouge à la fig. 7.1) :

$$d_1(t) = y_1 + f(t_1, y_1)(t - t_1)$$

qui permettra d'estimer $y(t_2)$. *On constate que l'erreur commise à la première itération est réintroduite dans les calculs de la deuxième itération.* On a alors :

$$y(t_2) \simeq y_2 = d_1(t_2) = y_1 + hf(t_1, y_1)$$

Remarque 7.5. Le développement qui précède met en évidence une propriété importante des méthodes numériques de résolution des équations différentielles. En effet, l'erreur introduite à la première itération a des répercussions sur les calculs de la deuxième itération, ce qui signifie que les erreurs se propagent d'une itération à l'autre. Il en résulte de façon générale que l'erreur absolue $|y(t_n) - y_n|$ augmente légèrement avec n. ◄

On en arrive donc à l'algorithme suivant.

Algorithme 7.6: Méthode d'Euler explicite

1. Étant donnés :
   - un pas de temps h ;
   - un nombre maximal d'itérations (de pas de temps) N ;
   - une condition initiale (t_0, y_0).
2. Pour $0 \leq n \leq N$, effectuer :
   - 2.1. $y_{n+1} = y_n + h f(t_n, y_n)$
   - 2.2. $t_{n+1} = t_n + h$
   - 2.3. Écrire t_{n+1} et y_{n+1}
3. Arrêt.

Exemple 7.7. Soit l'équation différentielle :

$$y'(t) = -y(t) + t + 1$$

et la condition initiale $y(0) = 1$. On a donc $t_0 = 0$ et $y_0 = 1$ et l'on prend un pas de temps $h = 0{,}1$. On a ainsi $f(t, y) = -y + t + 1$ et on peut donc utiliser la méthode d'Euler explicite et obtenir successivement des approximations de $y(0{,}1), y(0{,}2), y(0{,}3) \cdots$, notées $y_1, y_2, y_3 \cdots$. Le premier pas de temps produit :

$$y_1 = y_0 + h f(t_0, y_0) = 1 + 0{,}1 f(0\ ,\ 1) = 1 + 0{,}1(-1 + 0 + 1) = 1$$

Le deuxième pas de temps s'effectue de manière similaire :

$$y_2 = y_1 + h f(t_1, y_1) = 1 + 0{,}1 f(0{,}1\ ,\ 1) = 1 + 0{,}1(-1 + 0{,}1 + 1) = 1{,}01$$

On parvient ensuite à :

$$
\begin{aligned}
y_3 &= y_2 + h f(t_2, y_2) = 1{,}01 + 0{,}1 f(0{,}2\ ,\ 1{,}01)\\
&= 1{,}01 + 0{,}1(-1{,}01 + 0{,}2 + 1) = 1{,}029
\end{aligned}
$$

Le tableau suivant rassemble les résultats des dix premiers pas de temps. La solution analytique de cette équation différentielle est $y(t) = e^{-t} + t$ (à vérifier en exercice), ce qui permet de comparer les solutions numérique et analytique et de constater la croissance de l'erreur.

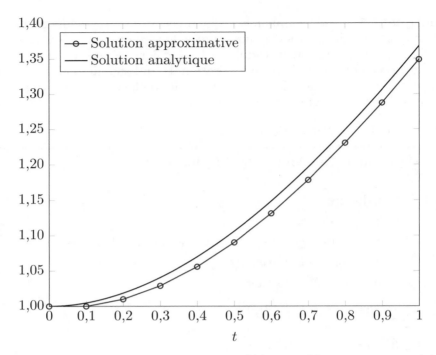

Figure 7.2 – Méthode d'Euler explicite : $y'(t) = -y(t) + t + 1$ pour $y(0) = 1$

Méthode d'Euler explicite : $y'(t) = -y(t) + t + 1$			
t_i	$y(t_i)$	y_i	$|y(t_i) - y_i|$
0,0	1,000 000	1,000 000	0,000 000
0,1	1,004 837	1,000 000	0,004 837
0,2	1,018 731	1,010 000	0,008 731
0,3	1,040 818	1,029 000	0,011 818
0,4	1,070 302	1,056 100	0,014 220
0,5	1,106 531	1,090 490	0,016 041
0,6	1,148 812	1,131 441	0,017 371
0,7	1,196 585	1,178 297	0,018 288
0,8	1,249 329	1,230 467	0,018 862
0,9	1,306 570	1,287 420	0,019 150
1,0	1,367 879	1,348 678	0,019 201

On peut aussi comparer les résultats à la figure 7.2. Les valeurs calculées sont indiquées par des cercles et reliées entre elles par des segments de droite. ♦

Les résultats précédents nous amènent à parler de précision et donc d'erreur. La figure 7.2 montre une légère différence entre la solution numérique et la solution analytique. On peut se demander comment se comporte cette erreur en fonction du pas de temps h. La définition qui suit aidera à apporter une réponse. Elle s'applique à la plupart des méthodes étudiées dans ce chapitre.

Définition 7.8: Méthode à un pas

Une méthode de résolution d'équations différentielles est dite *à un pas* si elle est de la forme :

$$y_{n+1} = y_n + h\phi(t_n, y_n) \tag{7.4}$$

où ϕ est une fonction quelconque. Une telle relation est appelée *équation aux différences*. La méthode est à un pas si, pour obtenir la solution en $t = t_{n+1}$, on doit utiliser la solution numérique au temps t_n seulement. On désigne *méthodes à pas multiples* les méthodes qui exigent également la solution numérique aux temps $t_{n-1}, t_{n-2}, t_{n-3} \cdots$.

La méthode d'Euler explicite est bien sûr une méthode à un pas où $\phi(t, y) = f(t, y)$. Dans ce chapitre, l'attention est principalement portée sur les méthodes à un pas. Nous pouvons maintenant définir l'ordre de convergence de ces méthodes.

Définition 7.9: Convergence d'ordre p

On dira qu'un schéma à un pas converge à l'ordre p si :

$$\max_{1 \leq n \leq N} |y(t_n) - y_n| = O(h^p) \tag{7.5}$$

où N est le nombre total de pas de temps.

L'ordre de convergence d'une méthode à un pas dépend de l'erreur commise à chaque pas de temps via l'erreur de troncature locale que nous allons maintenant définir.

Définition 7.10: Erreur de troncature locale

L'*erreur de troncature locale* au point $t = t_n$ est définie par :

$$\tau_{n+1}(h) = \frac{y(t_{n+1}) - y(t_n)}{h} - \phi(t_n, y(t_n)) \tag{7.6}$$

L'erreur de troncature locale mesure la précision avec laquelle la solution analytique vérifie l'équation aux différences 7.4.

Remarque 7.11. Il est très important de noter que l'on utilise la solution exacte $y(t_n)$ (et non y_n) dans la définition de l'erreur de troncature locale (voir l'équation 7.6). Cela s'explique par le fait que l'on cherche à mesurer l'erreur introduite par l'équation aux différences à un pas donné, en supposant que la méthode était exacte jusque-là. ◀

Remarque 7.12. L'erreur de troncature locale ne suffit pas à établir l'ordre de convergence d'une méthode à un pas. Pour pouvoir conclure, il faut introduire la zéro-stabilité (voir Asher et Petzold, réf. [3]), notion qui se situe hors des objectifs de ce livre d'introduction. On peut en effet montrer que si l'erreur de troncature locale est d'ordre p et si le schéma est zéro-stable, alors le schéma converge à l'ordre p. Dans ce qui suit, tous les schémas présentés seront supposés zéro-stables de telle sorte que l'ordre de l'erreur de troncature locale 7.6 correspondra à l'ordre de convergence de la méthode au sens de la relation 7.5. ◀

Examinons plus avant le cas de la méthode d'Euler explicite où $\phi(t, y) = f(t, y)$. En effectuant un développement de Taylor autour du point $t = t_n$, on trouve :

$$y(t_{n+1}) = y(t_n + h) = y(t_n) + y'(t_n)h + \frac{y''(t_n)h^2}{2} + O(h^3)$$

$$= y(t_n) + f(t_n, y(t_n))h + \frac{y''(t_n)h^2}{2} + O(h^3)$$

puisque $y'(t_n) = f(t_n, y(t_n))$. L'erreur de troncature locale 7.6 devient donc :

$$\tau_{n+1}(h) = \frac{y(t_{n+1}) - y(t_n)}{h} - f(t_n, y(t_n)) = \frac{y''(t_n)h}{2} + O(h^2)$$

ou plus simplement $\tau_{n+1}(h) = O(h)$ et la méthode d'Euler explicite converge donc à l'ordre 1 ($p = 1$ dans la relation 7.5).

Exemple 7.13. On tente de résoudre l'équation différentielle :

$$y'(t) = f(t, y) = -y(t) + t + 1$$

en prenant successivement $h = 0{,}1, 0{,}05$ et $0{,}025$. On compare les résultats numériques à la solution analytique à la figure 7.3. On présente également sur la deuxième figure un agrandissement dans l'intervalle $[0{,}6\,,0{,}8]$. On voit nettement diminuer d'un facteur 2 l'écart entre la solution analytique et la solution numérique chaque fois que le pas de temps h est divisé par 2. Ces résultats confirment que la méthode d'Euler explicite converge à l'ordre 1. ◆

7.3   Méthodes de Taylor

Le développement de Taylor autorise une généralisation immédiate de la méthode d'Euler, qui permet d'obtenir des algorithmes dont l'erreur de troncature locale est d'ordre plus élevé. Nous nous limitons cependant à la méthode de Taylor du second ordre.

On cherche, au temps $t = t_n$, une approximation de la solution en $t = t_{n+1}$. On a immédiatement, en se servant de l'équation différentielle 7.1 :

$$y(t_{n+1}) = y(t_n + h) = y(t_n) + y'(t_n)h + \frac{y''(t_n)h^2}{2} + O(h^3)$$

$$= y(t_n) + f(t_n, y(t_n))h + \frac{f'(t_n, y(t_n))h^2}{2} + O(h^3)$$

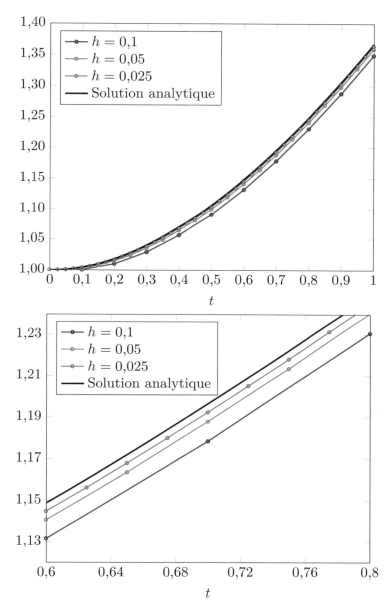

Figure 7.3 – Méthode d'Euler explicite : $h = 0{,}1$, $h = 0{,}05$ et $h = 0{,}025$

La dérivée de la fonction $f(t, y(t))$ par rapport au temps se fait par la règle de dérivation en chaîne usuelle (voir par exemple Thomas et Finney, réf. [44]) :

$$f'(t, y(t)) = \frac{\partial f(t, y(t))}{\partial t} + \frac{\partial f(t, y(t))}{\partial y} y'(t) = \frac{\partial f(t, y(t))}{\partial t} + \frac{\partial f(t, y(t))}{\partial y} f(t, y(t))$$

et on obtient ainsi :

$$
\begin{aligned}
y(t_{n+1}) \;=\; & y(t_n) + h f(t_n, y(t_n)) \\
& + \frac{h^2}{2} \left(\frac{\partial f(t_n, y(t_n))}{\partial t} + \frac{\partial f(t_n, y(t_n))}{\partial y} f(t_n, y(t_n)) \right) + O(h^3)
\end{aligned}
\tag{7.7}
$$

En négligeant les termes d'ordre supérieur ou égal à 3, on en arrive à poser :

$$
\begin{aligned}
y(t_{n+1}) \;\simeq\; & y(t_n) + h f(t_n, y(t_n)) \\
& + \frac{h^2}{2} \left(\frac{\partial f(t_n, y(t_n))}{\partial t} + \frac{\partial f(t_n, y(t_n))}{\partial y} f(t_n, y(t_n)) \right)
\end{aligned}
\tag{7.8}
$$

qui sera à la base de la méthode de Taylor. Précisons maintenant l'ordre de troncature locale de cette méthode. Suivant la notation 7.4, on a :

$$\phi(t, y(t)) = f(t, y(t)) + \frac{h}{2} \left(\frac{\partial f(t, y(t))}{\partial t} + \frac{\partial f(t, y(t))}{\partial y} f(t, y(t)) \right)$$

En vertu de la relation 7.7 et de la définition 7.6, il est facile de montrer que $\tau_{n+1}(h) = O(h^2)$ et donc que la méthode converge à l'ordre $p = 2$ (voir la relation 7.5). En remplaçant $y(t_n)$ par y_n dans l'équation 7.8, on arrive à l'algorithme de la méthode de Taylor d'ordre 2.

Algorithme 7.14: Méthode de Taylor d'ordre 2

1. Étant donnés :
    — un pas de temps h ;
    — un nombre maximal de pas de temps N ;
    — une condition initiale (t_0, y_0).
2. Pour $0 \leq n \leq N$, effectuer :

    2.1. $y_{n+1} = y_n + h f(t_n, y_n) + \dfrac{h^2}{2} \left(\dfrac{\partial f(t_n, y_n)}{\partial t} + \dfrac{\partial f(t_n, y_n)}{\partial y} f(t_n, y_n) \right)$

    2.2. $t_{n+1} = t_n + h$

    2.3. Écrire t_{n+1} et y_{n+1}
3. Arrêt.

Remarque 7.15. Puisque l'on a remplacé la solution analytique $y(t_n)$ par son approximation y_n dans la relation 7.8, on s'attendra à ce que les erreurs se propage ici encore d'un pas de temps à l'autre. ◄

Exemple 7.16. Soit l'équation différentielle déjà résolue par la méthode d'Euler à l'exemple 7.7 :

$$y'(t) = -y(t) + t + 1$$

et la condition initiale $y(0) = 1$. Dans ce cas :

$$f(t, y) = -y + t + 1 \quad \text{de même que} \quad \frac{\partial f}{\partial t} = 1 \quad \text{et} \quad \frac{\partial f}{\partial y} = -1$$

L'algorithme devient :

$$y_{n+1} = y_n + h(-y_n + t_n + 1) + \frac{h^2}{2}(1 + (-1)(-y_n + t_n + 1))$$

La première itération de la méthode de Taylor d'ordre 2 donne (avec $h = 0,1$) :

$$y_1 = 1 + 0,1(-1 + 0 + 1) + \frac{(0,1)^2}{2}(1 + (-1)(-1 + 0 + 1)) = 1,005$$

Une deuxième itération donne :

$$\begin{aligned} y_2 &= 1,005 + 0,1(-1,005 + 0,1 + 1) + \frac{(0,1)^2}{2}(1 + (-1)(-1,005 + 0,1 + 1)) \\ &= 1,019\,025 \end{aligned}$$

Les résultats sont compilés dans le tableau qui suit.

	Méthode de Taylor : $y'(t) = -y(t) + t + 1$		
t_i	$y(t_i)$	y_i	$|y(t_i) - y_i|$
0,0	1,000 000	1,000 000	0,000 000
0,1	1,004 837	1,005 000	0,000 163
0,2	1,018 731	1,019 025	0,000 294
0,3	1,040 818	1,041 218	0,000 400
0,4	1,070 302	1,070 802	0,000 482
0,5	1,106 531	1,107 075	0,000 544
0,6	1,148 812	1,149 404	0,000 592
0,7	1,196 585	1,197 210	0,000 625
0,8	1,249 329	1,249 975	0,000 646
0,9	1,306 570	1,307 228	0,000 658
1,0	1,367 879	1,368 541	0,000 662

On remarque que l'erreur est plus petite avec la méthode de Taylor d'ordre 2 qu'avec la méthode d'Euler explicite. Comme on le verra plus loin, cet avantage des méthodes d'ordre plus élevé vaut pour l'ensemble des méthodes de résolution d'équations différentielles. ◆

Remarque 7.17. Pour obtenir la méthode de Taylor d'ordre 2, nous avons dû calculer $\frac{d}{dt}(f(t, y(t)))$. Il est possible d'obtenir des méthodes de Taylor encore plus précises en poursuivant le développement de Taylor 7.7 jusqu'à des termes d'ordre élevé. On doit cependant évaluer les dérivées de la fonction $f(t, y(t))$ d'ordre de plus en plus élevé :

$$\frac{d^2}{dt^2}\left(f(t, y(t))\right), \frac{d^3}{dt^3}\left(f(t, y(t))\right), \cdots$$

travail qui peut être fastidieux, bien que les logiciels de calcul symbolique comme Maple ou Mathematica puissent grandement faciliter la tâche. Nous contournerons cette difficulté en développant les méthodes dites de Runge-Kutta qui ne nécessitent pas l'évaluation de ces dérivées. ◀

Exemple 7.18. Soit l'équation différentielle :

$$\begin{cases} y'(t) &= t\, y(t) \\ y(1) &= 2 \end{cases} \tag{7.9}$$

dont on connaît la solution exacte $y(t) = 2e^{(t^2-1)/2}$. On a dans ce cas $t_0 = 1, y_0 = 2$ et :

$$f(t, y) = ty \quad \text{de même que} \quad \frac{\partial f}{\partial t} = y \quad \text{et} \quad \frac{\partial f}{\partial y} = t$$

L'algorithme de la méthode de Taylor devient alors :

$$y_{n+1} = y_n + ht_n y_n + \frac{h^2}{2}\left(y_n + t_n^2 y_n\right)$$

Avec $h = 0{,}5$, la première itération donne :

$$y_1 = 2 + 0{,}5((1)(2)) + 0{,}125\left(2 + (1)^2(2)\right) = 3{,}5$$

La solution analytique est $y(1{,}5) = 3{,}736\,492$. Une deuxième itération donne :

$$y_2 = 3{,}5 + 0{,}5\left((1{,}5)(3{,}5)\right) + 0{,}125\left(3{,}5 + (1{,}5)^2(3{,}5)\right) = 7{,}546\,875$$

qui à son tour correspond à la solution analytique $y(2) = 8{,}963\,378$. On constate une erreur assez importante, qui est attribuable à la grande taille du pas de temps h. En effet, si l'on réduit la taille de h, l'erreur devrait diminuer en $O(h^2)$, car la méthode est d'ordre 2. Cela signifie que, si h est suffisamment petit, la diminution de h par un facteur de 2 réduit l'erreur selon un facteur approximatif de 4. Cependant, lorsque l'on diminue la valeur de h, il faut faire davantage d'itérations (de pas de temps) pour atteindre le temps final souhaité.

Le tableau qui suit regroupe les approximations de $y(2)$ pour différentes valeurs de h. On y indique également le nombre d'itérations i requis pour obtenir ces approximations. Par exemple, si $h = 0{,}5$, il faut faire deux itérations pour atteindre $t = 2$ à partir de $t = 1$. De même, si $h = 0{,}25$, il faut 4 itérations, et ainsi de suite. On remarque qu'entre chaque ligne du tableau la valeur de h est diminuée selon un facteur de 2, ce qui devrait abaisser l'erreur selon un facteur de 4 puisque la méthode est d'ordre 2. Ce facteur de 4 apparaît lorsque h est suffisamment petit.

Convergence de la méthode de Taylor : $y'(t) = ty(t)$				
h	i	y_i	$\|y(2) - y_i\|$	Rapport
0,500 0000	2	7,546 875	1,417 00	—
0,250 0000	4	8,444 292	0,519 00	2,72
0,125 0000	8	8,804 926	0,158 00	3,27
0,062 5000	16	8,919 646	0,043 70	3,61
0,031 2500	32	8,951 901	0,011 40	3,80
0,015 6250	64	8,960 439	0,002 90	3,87
0,007 8125	128	8,962 635	0,000 74	3,90

L'avant-dernière colonne du tableau donne l'erreur absolue commise, tandis que la dernière colonne indique le rapport entre l'erreur liée à la valeur de h précédente et celle liée à sa valeur actuelle. On voit bien que l'erreur a tendance à diminuer selon un facteur de 4. ◆

7.4 Méthodes de Runge-Kutta

Il serait avantageux de disposer de méthodes d'ordre de plus en plus élevé tout en évitant les désavantages des méthodes de Taylor, qui nécessitent l'évaluation des dérivées partielles de la fonction $f(t, y)$. Une voie est tracée par les méthodes de Runge-Kutta, qui sont calquées sur les méthodes de Taylor du même ordre.

7.4.1 Méthodes de Runge-Kutta d'ordre 2

On a vu que le développement de la méthode de Taylor passe par la relation 7.7 :

$$
\begin{aligned}
y(t_{n+1}) \;=\; & y(t_n) + hf(t_n, y(t_n)) \\
& + \frac{h^2}{2}\left(\frac{\partial f(t_n, y(t_n))}{\partial t} + \frac{\partial f(t_n, y(t_n))}{\partial y}f(t_n, y(t_n))\right) + O(h^3)
\end{aligned}
$$
$$(7.10)$$

Le but est de remplacer cette dernière relation par une expression équivalente possédant le même ordre de précision ($O(h^3)$). On propose la forme :

$$
y(t_{n+1}) \;=\; y(t_n) + a_1 hf(t_n, y(t_n)) + a_2 hf(t_n + a_3 h, y(t_n) + a_4 h) \quad (7.11)
$$

où l'on doit déterminer les paramètres a_1, a_2, a_3 et a_4 de telle sorte que les expressions 7.10 et 7.11 aient toutes deux une erreur en $O(h^3)$. On ne trouve par ailleurs aucune dérivée partielle dans cette expression. Pour y arriver, on doit recourir au développement de Taylor en deux variables (voir la section 1.6.2) autour du point $(t_n, y(t_n))$. On a ainsi :

$$
\begin{aligned}
f(t_n + a_3 h, y(t_n) + a_4 h) \;=\; & f(t_n, y(t_n)) + a_3 h\frac{\partial f(t_n, y(t_n))}{\partial t} \\
& + a_4 h\frac{\partial f(t_n, y(t_n))}{\partial y} + O(h^2)
\end{aligned}
$$

La relation 7.11 devient alors :

$$y(t_{n+1}) = y(t_n) + (a_1 + a_2)hf(t_n, y(t_n))$$

$$+ a_2 a_3 h^2 \frac{\partial f(t_n, y(t_n))}{\partial t} + a_2 a_4 h^2 \frac{\partial f(t_n, y(t_n))}{\partial y} + O(h^3) \tag{7.12}$$

On voit immédiatement que les expressions 7.10 et 7.12 sont du même ordre. Pour déterminer les coefficients a_i, il suffit de comparer dans ces deux expressions les coefficients respectifs de $f(t_n, y(t_n))$, $\frac{\partial f(t_n, y(t_n))}{\partial t}$ et de $\frac{\partial f(t_n, y(t_n))}{\partial y}$. On obtient ainsi un système non linéaire de 3 équations comprenant 4 inconnues :

$$\begin{cases} 1 = (a_1 + a_2) \\ \dfrac{1}{2} = a_2 a_3 \\ \dfrac{f(t_n, y(t_n))}{2} = a_2 a_4 \end{cases} \tag{7.13}$$

Le système 7.13 est sous-déterminé en ce sens qu'il y a moins d'équations que d'inconnues et qu'il n'a donc pas de solution unique. Cela offre une marge de manœuvre qui favorise la mise au point de plusieurs variantes de la méthode de Runge-Kutta. Voici le choix le plus couramment utilisé.

Méthode d'Euler modifiée

On choisit dans ce cas $a_1 = a_2 = \frac{1}{2}$, $a_3 = 1$ et $a_4 = f(t_n, y(t_n))$. On établit sans peine que ces coefficients satisfont aux trois équations du système non linéaire 7.13. Il suffit ensuite de remplacer ces valeurs dans l'équation 7.11. Pour ce faire, on doit négliger le terme en $O(h^3)$ et remplacer la valeur exacte $y(t_n)$ par son approximation y_n. On obtient alors l'algorithme suivant.

Algorithme 7.19: Méthode d'Euler modifiée

1. Étant donnés :
   — un pas de temps h ;
   — un nombre maximal de pas de temps N ;
   — une condition initiale (t_0, y_0).
2. Pour $0 \leq n \leq N$, effectuer :
   2.1. $\hat{y} = y_n + hf(t_n, y_n)$
   2.2. $y_{n+1} = y_n + \dfrac{h}{2}\left(f(t_n, y_n) + f(t_n + h, \hat{y})\right)$
   2.3. $t_{n+1} = t_n + h$
   2.4. Écrire t_{n+1} et y_{n+1}
3. Arrêt.

Remarque 7.20. Pour faciliter les calculs, l'évaluation de y_{n+1} a été scindée en deux étapes. La variable supplémentaire $\hat{y}$ correspond tout simplement à une itération de la méthode d'Euler explicite. On fait ainsi une prédiction $\hat{y}$ de la solution en t_{n+1} qui est corrigée (et améliorée) à la deuxième étape de l'algorithme. On parle alors d'une méthode de *prédiction-correction*. ◄

Exemple 7.21. Soit :

$$y'(t) = -y(t) + t + 1$$

et la condition initiale $y(0) = 1$. On choisit le pas de temps $h = 0{,}1$. Pour le premier pas de temps :

$$
\begin{aligned}
\hat{y} &= 1 + 0{,}1(-1 + 0 + 1) = 1 \\
y_1 &= 1 + 0{,}05((-1 + 0 + 1) + (-1 + 0{,}1 + 1)) = 1{,}005
\end{aligned}
$$

et on remarque que $\hat{y}$ est le résultat obtenu pour la méthode d'Euler explicite. De même, le deuxième pas de temps se fait en deux étapes :

$$
\begin{aligned}
\hat{y} &= 1{,}005 + 0{,}1(-1{,}005 + 0{,}1 + 1) = 1{,}0145 \\
y_2 &= 1{,}005 + 0{,}05((-1{,}005 + 0{,}1 + 1) + (-1{,}0145 + 0{,}2 + 1)) = 1{,}019\,025
\end{aligned}
$$

On retrouve ainsi les mêmes résultats qu'avec la méthode de Taylor d'ordre 2. Cette similitude est exceptionnelle et est due au fait que les dérivées partielles d'ordre supérieur ou égal à 2 de la fonction $f(t, y)$ sont nulles. On peut montrer dans ce cas particulier que les méthodes de Taylor et d'Euler modifiée sont parfaitement équivalentes. *Ce n'est pas toujours le cas.* ◆

Méthode du point milieu

La *méthode du point milieu* correspond au choix suivant des coefficients a_i : $a_1 = 0$, $a_2 = 1$, $a_3 = \frac{1}{2}$ et enfin $a_4 = \frac{f(t_n, y(t_n))}{2}$. En remplaçant ces valeurs dans l'équation 7.11, on obtient l'algorithme suivant.

Algorithme 7.22: Méthode du point milieu

1. Étant donnés :
   — un pas de temps h ;
   — un nombre maximal de pas de temps N ;
   — une condition initiale (t_0, y_0).
2. Pour $0 \leq n \leq N$, effectuer :
   2.1. $k_1 = hf(t_n, y_n)$
   2.2. $y_{n+1} = y_n + h\left(f\left(t_n + \dfrac{h}{2}, y_n + \dfrac{k_1}{2}\right)\right)$
   2.3. $t_{n+1} = t_n + h$
   2.4. Écrire t_{n+1} et y_{n+1}
3. Arrêt.

Remarque 7.23. L'algorithme précédent illustre bien pourquoi cette méthode est dite du point milieu. On remarque en effet que la fonction $f(t, y)$ est évaluée au point milieu de l'intervalle $[t_n, t_{n+1}]$. ◄

Remarque 7.24. Les méthodes d'Euler modifiée et du point milieu étant du même ordre de troncature locale, leur précision est comparable. D'autres choix sont possibles pour les coefficients a_i, mais nous nous limitons aux deux précédents. ◄

7.4.2 Méthode de Runge-Kutta d'ordre 4

En reprenant le développement de Taylor de la fonction f, mais cette fois jusqu'à l'ordre 5, un raisonnement similaire à celui qui a mené aux méthodes de Runge-Kutta d'ordre 2 aboutit à un système de 8 équations non linéaires comprenant 10 inconnues (voir Scheid, réf. [40]). Le résultat final est la méthode de Runge-Kutta d'ordre 4, qui représente un outil d'une grande utilité.

Algorithme 7.25: Méthode de Runge-Kutta d'ordre 4

1. Étant donnés :
   — un pas de temps h ;
   — un nombre maximal de pas de temps N ;
   — une condition initiale (t_0, y_0).

2. Pour $0 \leq n \leq N$, effectuer :

   2.1. $k_1 = hf(t_n, y_n)$

   2.2. $k_2 = hf\left(t_n + \dfrac{h}{2}, y_n + \dfrac{k_1}{2}\right)$

   2.3. $k_3 = hf\left(t_n + \dfrac{h}{2}, y_n + \dfrac{k_2}{2}\right)$

   2.4. $k_4 = hf(t_n + h, y_n + k_3)$

   2.5. $y_{n+1} = y_n + \dfrac{1}{6}(k_1 + 2k_2 + 2k_3 + k_4)$

   2.6. $t_{n+1} = t_n + h$

   2.7. Écrire t_{n+1} et y_{n+1}

3. Arrêt.

Remarque 7.26. La méthode de Runge-Kutta d'ordre 4 est très fréquemment utilisée en raison de sa grande précision qui est mise en évidence dans l'exemple suivant. ◄

Exemple 7.27. Soit de nouveau l'équation différentielle :

$$y'(t) = -y(t) + t + 1 \quad (y(0) = 1)$$

Il suffit maintenant d'évaluer les différentes constantes k_i. À la première itération ($h = 0,1$), on a :

$$
\begin{aligned}
k_1 &= 0,1f(0\,,\,1) &&= 0,1(-1+1) &&= 0 \\
k_2 &= 0,1f(0+0,05\,,\,1+0) &&= 0,1(-1+1,05) &&= 0,005 \\
k_3 &= 0,1f(0+0,05\,,\,1+0,0025) &&= 0,1(-1,0025+1,05) &&= 0,004\,75 \\
k_4 &= 0,1f(0+0,1\,,\,1+0,004\,75) &&= 0,1(-1,004\,75+1,1) &&= 0,009\,525
\end{aligned}
$$

ce qui entraîne que :

$$y_1 = 1 + \frac{1}{6}\left(0 + 2(0{,}005) + 2(0{,}004\,75) + 0{,}009\,525\right) = 1{,}004\,8375$$

Une deuxième itération produit :

$$
\begin{aligned}
k_1 &= 0{,}1f(0{,}1\ ,\ 1{,}004\,8375) \\
&= 0{,}1(-1{,}004\,8375 + 0{,}1 + 1) = 0{,}009\,516\,25 \\[2mm]
k_2 &= 0{,}1f(0{,}15\ ,\ 1{,}009\,595\,625) \\
&= 0{,}1(-1{,}009\,595\,625 + 0{,}15 + 1) = 0{,}014\,040\,438 \\[2mm]
k_3 &= 0{,}1f(0{,}15\ ,\ 1{,}011\,857\,719) \\
&= 0{,}1(-1{,}011\,857\,719 + 0{,}15 + 1) = 0{,}013\,814\,2281 \\[2mm]
k_4 &= 0{,}1f(0{,}2\ ,\ 1{,}018\,651\,728) \\
&= 0{,}1(-1{,}018\,651\,728 + 0{,}2 + 1) = 0{,}018\,134\,8272
\end{aligned}
$$

ce qui entraîne que :

$$y_2 = 1{,}004\,8375 + \frac{1}{6}(k_1 + 2k_2 + 2k_3 + k_4) = 1{,}018\,730\,9014$$

Le tableau qui suit compare les solutions numérique et exacte et donne l'erreur absolue.

Méthode de Runge-Kutta d'ordre 4 : $y'(t) = -y(t) + t + 1$			
t_i	$y(t_i)$	y_i	$\lvert y(t_i) - y_i \rvert$
0,0	1,0	1,0	0,0
0,1	1,004 837 4180	1,004 837 5000	$0{,}819 \times 10^{-7}$
0,2	1,018 730 7798	1,018 730 9014	$0{,}148 \times 10^{-6}$
0,3	1,040 818 2207	1,040 818 4220	$0{,}210 \times 10^{-6}$
0,4	1,070 320 0460	1,070 320 2889	$0{,}242 \times 10^{-6}$
0,5	1,106 530 6597	1,106 530 9344	$0{,}274 \times 10^{-6}$
0,6	1,148 811 6361	1,148 811 9343	$0{,}298 \times 10^{-6}$
0,7	1,196 585 3034	1,196 585 6186	$0{,}314 \times 10^{-6}$
0,8	1,249 328 9641	1,249 329 2897	$0{,}325 \times 10^{-6}$
0,9	1,306 569 6598	1,306 579 9912	$0{,}331 \times 10^{-6}$
1,0	1,367 879 4412	1,367 879 7744	$0{,}333 \times 10^{-6}$

On constate que l'erreur se situe autour de 10^{-6}, ce qui se compare avantageusement avec les erreurs obtenues à l'aide de méthodes d'ordre moins élevé. On remarque également une légère croissance de l'erreur au fil des itérations, ce qui indique encore une fois une propagation de l'erreur d'une itération à l'autre. ◆

Il est intéressant de comparer sur une base aussi rigoureuse que possible les différentes méthodes vues jusqu'à maintenant. On a constaté que plus l'ordre d'une méthode est élevé, plus cette méthode est précise. Par contre, plus l'ordre de la méthode est élevé, plus elle est coûteuse en temps de calcul. Par exemple, la méthode d'Euler explicite (d'ordre 1) ne nécessite qu'une seule évaluation de la fonction $f(t, y)$ à chaque pas de temps, alors que la méthode d'Euler modifiée (d'ordre 2) en demande 2 et que la méthode de Runge-Kutta d'ordre 4 exige 4 évaluations de la même fonction. En d'autres termes, la méthode de Runge-Kutta d'ordre 4 demande à peu près deux fois plus de calculs que la méthode d'Euler modifiée et quatre fois plus que la méthode d'Euler explicite.

Il est raisonnable de se demander s'il n'est pas préférable d'utiliser la méthode d'Euler explicite avec un pas de temps 4 fois plus petit ou la méthode d'Euler modifiée d'ordre 2 avec un pas de temps 2 fois plus petit, plutôt que de se servir de la méthode de Runge-Kutta d'ordre 4. L'exemple qui suit permet de comparer les différentes méthodes sur cette base plus équitable.

Exemple 7.28. On considère l'équation différentielle habituelle :

$$y'(t) = -y(t) + t + 1 \quad (y(0) = 1)$$

On recourt à trois méthodes de résolution : la méthode d'Euler explicite avec un pas $h = 0{,}025$, la méthode d'Euler modifiée avec $h = 0{,}05$ et la méthode de Runge-Kutta d'ordre 4 avec $h = 0{,}1$. Ces valeurs de h permettent de comparer les trois méthodes sur la base de coûts de calculs à peu près équivalents. Le tableau suivant présente les résultats obtenus en $t = 1$ pour ces différents choix. La valeur exacte de la solution est $y(1) = 1{,}367\,879\,4412$.

Comparaison des différentes méthodes : $y'(t) = -y(t) + t + 1$				
Méthode	h	Nombre de pas	Résultat	Erreur
Euler explicite	0,025	40	1,363 232 374 17	$0{,}464 \times 10^{-2}$
Euler modifiée	0,05	20	1,368 038 621 67	$0{,}159 \times 10^{-3}$
Runge-Kutta	0,1	10	1,367 879 774 41	$0{,}333 \times 10^{-6}$

Les résultats sont éloquents. Même en prenant un pas de temps quatre fois plus petit, la méthode d'Euler explicite reste très imprécise par rapport à celle de Runge-Kutta d'ordre 4. On peut porter le même jugement sur la méthode d'Euler modifiée. *Il est donc généralement préférable d'utiliser des méthodes d'ordre aussi élevé que possible.* ♦

7.4.3 Contrôle de l'erreur

Nous n'avons considéré jusqu'à maintenant que des méthodes de résolution à pas de temps h fixé dès le départ. Cette approche souffre toutefois de deux inconvénients majeurs :

— il faut déterminer le pas de temps h un peu au hasard ;

— il n'y a aucun contrôle sur la précision des résultats.

Il serait cependant souhaitable dans bon nombre de situations de faire varier la longueur du pas de temps et d'en tirer un certain contrôle sur la précision de la solution numérique. Ce sera le cas lorsque la solution présente de très brusques variations dans certaines régions. Une valeur donnée du pas de temps h peut s'avérer tout à fait adéquate à certains endroits et trop grande (ou trop petite) ailleurs. L'idée est alors de se servir du pas de temps h pour contrôler l'erreur de troncature locale. Si la solution présente des variations brusques, on prendra un pas de temps plus petit et on l'augmentera éventuellement là où la solution varie plus lentement.

La famille des méthodes de Runge-Kutta se prête parfaitement à cet exercice. Tout comme pour les méthodes de Runge-Kutta d'ordre 2 (section 7.4.1), on sait qu'il existe toute une famille de méthodes de Runge-Kutta d'ordre 4, 5 et même plus. Nous en avons vu une variante d'ordre 4 à la section 7.4.2. Il existe cependant une combinaison particulièrement utile due à Fehlberg [19] et que nous allons maintenant décrire. On définit en premier lieu les 6 constantes suivantes :

$$k_1 = hf(t_i, y_i)$$

$$k_2 = hf\left(t_i + \frac{1}{4}h, y_i + \frac{1}{4}k_1\right)$$

$$k_3 = hf\left(t_i + \frac{3}{8}h, y_i + \frac{3}{32}k_1 + \frac{9}{32}k_2\right)$$

$$k_4 = hf\left(t_i + \frac{12}{13}h, y_i + \frac{1932}{2197}k_1 - \frac{7200}{2197}k_2 + \frac{7296}{2197}k_3\right)$$

$$k_5 = hf\left(t_i + h, y_i + \frac{439}{216}k_1 - 8k_2 + \frac{3680}{513}k_3 - \frac{845}{4104}k_4\right)$$

$$k_6 = hf\left(t_i + \frac{1}{2}h, y_i - \frac{8}{27}k_1 + 2k_2 - \frac{3544}{2565}k_3 + \frac{1859}{4104}k_4 - \frac{11}{40}k_5\right)$$

À l'aide de ces constantes k_i, on construit une première méthode de Runge-Kutta d'ordre 4 ($\tau_{n+1}(h) = O(h^4)$) :

$$y_{n+1} = y_n + \left(\frac{25}{216}k_1 + \frac{1408}{2565}k_3 + \frac{2197}{4104}k_4 - \frac{1}{5}k_5\right) = y_n + h\phi(t_n, y_n)$$

et une deuxième d'ordre 5 ($\tilde{\tau}_{n+1}(h) = O(h^5)$) :

$$\tilde{y}_{n+1} = y_n + \left(\frac{16}{135}k_1 + \frac{6656}{12\,825}k_3 + \frac{28\,561}{56\,430}k_4 - \frac{9}{50}k_5 + \frac{2}{55}k_6\right) = y_n + h\tilde{\phi}(t_n, y_n)$$

qui sont 2 approximations d'ordres différents de la même quantité $y(t_{n+1})$. L'intérêt de cette combinaison de deux méthodes est qu'elle ne requiert le calcul que de 6 constantes k_i au total, et ce, pour les deux approximations.

La méthode de base sera celle d'ordre 4 et l'on se servira de la méthode d'ordre 5 pour contrôler l'erreur de troncature locale en modifiant au besoin la valeur du pas de temps h. C'est pourquoi nous supposerons dans ce qui suit que l'algorithme débute à partir d'une valeur de y_n qui est exacte, c'est-à-dire $y_n = y(t_n)$. Cette hypothèse est importante, car elle suppose qu'aucune erreur n'a été accumulée jusqu'au pas de temps t_n. Sous cette hypothèse, on a :

$$
\begin{aligned}
y(t_{n+1}) - y_{n+1} &= y(t_{n+1}) - y_n - h\phi(t_n, y_n) \\
&= y(t_{n+1}) - y(t_n) - h\phi(t_n, y(t_n)) \\
&= h\tau_{n+1}(h) = O(h^5)
\end{aligned}
$$

De même, on montre que :

$$
y(t_{n+1}) - \tilde{y}_{n+1} = h\tilde{\tau}_{n+1}(h) = O(h^6)
$$

Puisque :

$$
y(t_{n+1}) - y_{n+1} = (y(t_{n+1}) - \tilde{y}_{n+1}) + (\tilde{y}_{n+1} - y_{n+1})
$$

on a :

$$
h\tau_{n+1}(h) = h\tilde{\tau}_{n+1}(h) + (\tilde{y}_{n+1} - y_{n+1})
$$

ou encore :

$$
\tau_{n+1}(h) = \tilde{\tau}_{n+1}(h) + \frac{(\tilde{y}_{n+1} - y_{n+1})}{h}
$$

En regardant de chaque côté, on constate que :

$$
O(h^4) = O(h^5) + \frac{(\tilde{y}_{n+1} - y_{n+1})}{h}
$$

et pour que l'égalité puisse avoir lieu, il faut que la quantité :

$$
E \overset{\text{déf.}}{=} \frac{(\tilde{y}_{n+1} - y_{n+1})}{h} = \frac{1}{h}\left(\frac{1}{360}k_1 - \frac{128}{4275}k_3 - \frac{2197}{75\,240}k_4 + \frac{1}{50}k_5 + \frac{2}{55}k_6 \right)
\tag{7.14}
$$

faisant intervenir la différence entre les approximations d'ordre 4 et 5, se comporte en $O(h^4)$. Elle est donc déterminante pour contrôler l'erreur de troncature locale.

On peut ainsi calculer l'approximation 7.14 et modifier h de manière à rencontrer un seuil de tolérance *tol* spécifié à l'avance. La valeur de h sera augmentée si l'erreur de troncature estimée est sous le seuil de tolérance et sera diminuée si elle est jugée trop grande. Pour y arriver, rappelons que :

$$
\tau_{n+1}(h) = C(h)^4 \simeq E
$$

On remplace alors h par βh de sorte que :

$$
\tau_{n+1}(\beta h) = C(\beta h)^4 = tol
$$

En faisant le quotient des deux dernières relations, on a :

$$
\beta^4 \simeq \frac{tol}{E} \quad \text{ou encore} \quad \beta \simeq \left(\frac{tol}{E} \right)^{1/4}
$$

ce qui nous donne le facteur de réduction (ou d'augmentation si $\beta > 1$) souhaité du pas de temps h. Pour plus de sécurité, on peut introduire un facteur 2 supplémentaire de sorte que :

$$\beta \simeq \left(\frac{tol}{2E}\right)^{1/4} \simeq 0{,}8 \left(\frac{tol}{E}\right)^{1/4} \tag{7.15}$$

ce qui donne une meilleure assurance d'atteindre la précision désirée. On remplace ainsi la valeur actuelle de h par une nouvelle quantité βh. En pratique, on évitera de diminuer (ou d'augmenter) trop fortement la valeur de h en lui fixant une valeur maximale. On peut prendre par exemple $h_{max} = (t_f - t_0)/16$ où t_f est le temps final que l'on souhaite atteindre. Le facteur 16 est arbitraire, mais semble donner de bons résultats en pratique. De même, on peut prendre $h = h_{max}/8$ comme valeur initiale du pas de temps. Ainsi, l'algorithme résultant n'exige pas de donner cette valeur initiale puisqu'elle est déterminée automatiquement.

Exemple 7.29. La modélisation du problème du parachutiste est classique et on la retrouve dans plusieurs livres d'équations différentielles. Mais le modèle présenté est-il réaliste ? Décrit-il bien ce que peut expérimenter un parachutiste ? Nous allons essayer de le voir dans cet exemple.

Le modèle le plus souvent présenté est le suivant : on note $v(t)$ la vitesse d'un parachutiste au temps t. Si g est l'accélération gravitationnelle et m la masse du parachutiste, la deuxième loi de Newton donne l'équation suivante pour $v(t)$:

$$m\,\frac{dv(t)}{dt} = m\,g - c_f v(t) \quad \text{ou encore} \quad \frac{dv(t)}{dt} = g - \frac{c_f}{m}v(t) \tag{7.16}$$

avec la condition initiale $v(0) = 0$. Le quotient du coefficient de friction c_f et de la masse sont amalgamés dans des valeurs moyennes sous la forme d'une fonction $k(t)$ (en s^{-1}). Dans la plupart des livres, on pose :

$$\frac{c_f}{m} = k(t) = \left\{ \begin{array}{l} k_1 \text{ si } t \leq t_p \\ k_2 \text{ si } t > t_p \end{array} \right. \tag{7.17}$$

où t_p est le moment où le parachute s'ouvre et $k_1 < k_2$ car le coefficient de friction est plus grand lorsque le parachute est ouvert, heureusement pour le parachutiste ! On remarquera de plus que ce modèle signifie que le parachute s'ouvre instantanément, ce qui est peu réaliste.

Les quantités importantes dans cette modélisation sont bien sûr la vitesse $v(t)$, l'accélération :

$$a(t) = v'(t) = g - k(t)v(t)$$

et surtout la secousse («jerk» en anglais) définie par :

$$j(t) = \frac{da}{dt} = -k'(t)v(t) - k(t)v'(t) = -k'(t)v(t) - k(t)a(t)$$

Voyons maintenant ce qui se passe auprès de professionnels. L'équipe de parachutage de la «United States Air Force Academy» (USAFA) recommande les paramètres suivants : le temps de chute libre t_p doit être d'au plus 10 s (sous peine d'être retiré de l'équipe). On a de plus mesuré que $k_1 \simeq 2/11$ et $k_2 \simeq 2$ sont des valeurs moyennes raisonnables. La durée totale de la chute est autour de 200s mais la vitesse limite est atteinte bien avant ce temps. On fera donc la simulation sur 50s Les observations de l'USAFA sont les suivantes :

— la vitesse d'arrivée au sol est autour de 5 m/s ;

— l'accélération subie au moment de l'ouverture du parachute ne dépasse pas $3g$;

— la secousse subie est très progressive et facilement supportable.

La simulation numérique de ce problème est assez délicate. Le changement brusque du coefficient de friction est difficile à gérer pour la plupart des méthodes de résolution d'équation différentielle. En fait, la solution analytique de ce problème n'est pas dérivable en $t = t_p$. C'est pourquoi nous utiliserons la méthode de Runge-Kutta-Fehlberg qui saura adapter son pas de temps dans les zones de variation brusque, en particulier au moment de l'ouverture du parachute. On présente, au haut de la figure 7.4, la vitesse de même que l'accélération et la secousse. Ces deux dernières quantités sont normalisées en divisant par g. Dans cet exemple, nous n'avons pas pu exiger une tolérance (*tol*) inférieure à 10^{-1} sans que l'algorithme ne s'arrête en ayant atteint une taille de pas minimale fixée à 10^{-8}. La précision en souffre de toute évidence.

On constate quand même que la longueur du pas de temps s'est correctement ajustée et a diminué près de $t_p = 10$s, pour ensuite augmenter et demeurer à peu près constante. On note un net ralentissement de même qu'une forte décélération de plus de $5g$ au moment où le parachute s'ouvre. La secousse est également brutale. Ces résultats s'expliquent par la variation subite du coefficient de friction qui est peu représentative de la réalité.

On propose donc un autre modèle pour $k(t)$ qui sera différentiable et qui produira un changement de coefficient de friction plus progressif. On suppose donc que le parachute ne s'ouvre plus instantanément mais prend $t_d = 3{,}2$s pour se déployer et on imposera aussi que :

$$k(t) = \begin{cases} k_1 \text{ si } t \leq t_p \\[2mm] p_3(t) = a_0 + a_1 t + a_2 t^2 + a_3 t^3 & \text{si } t_p < t \leq t_p + t_d \\[2mm] k_2 \text{ si } t > t_p + t_d \end{cases} \qquad (7.18)$$

Le polynôme de degré 3 $p_3(t)$ vérifie les conditions suivantes : $p_3(t_p) = k_1$, $p_3(t_p + t_d) = k_2$, $p_3'(t_p) = 0$ et $p_3'(t_p + t_d) = 0$. On montre (en exercice) que :

$$p_3(t) = k_1 + \frac{(k_2 - k_1)}{t_d^2}(t - t_p)^2 - \frac{2(k_2 - k_1)}{t_d^3}(t - t_p)^2(t - (t_p + t_d))$$

On s'assure de cette manière que le coefficient de friction passe progressivement de k_1 à k_2 suivant une courbe différentiable.

Pour résoudre, on a encore ici utilisé la méthode de Runge-Kutta-Fehlberg mais avec une tolérance plus faible (*tol* $= 10^{-3}$). Les variations sur les différentes variables présentées au bas de la figure 7.4 sont toutes plus douces, et en particulier, la décélération ne dépasse guère $2g$, en accord avec les observations. La secousse est également plus progressive et donc plus facilement supportable. Ce dernier modèle est donc plus satisfaisant. ◆

7.5 Méthodes à pas multiples

Il existe une autre approche de résolution des équations différentielles qui a donné naissance à une famille de méthodes dites à pas multiples. L'idée de base de ces méthodes consiste à intégrer l'équation différentielle $y'(t) = f(t, y(t))$ dans l'intervalle $[t_n , t_{n+1}]$:

$$\int_{t_n}^{t_{n+1}} y'(u)du = \int_{t_n}^{t_{n+1}} f(u, y(u))du$$

ou encore :

$$y(t_{n+1}) = y(t_n) + \int_{t_n}^{t_{n+1}} f(u, y(u))du \tag{7.19}$$

expression qui sera à la base des méthodes de cette section.

Puisque $y(t)$ est inconnue, on devra bien sûr l'approcher mais surtout, on devra être en mesure d'évaluer l'intégrale de droite de 7.19 le plus précisément possible. Pour y arriver, on remplace la fonction $f(u, y(u))$ par un polynôme d'interpolation obtenu à partir des approximations de $y(u)$ calculées aux itérations précédentes. On note $f_n = f(t_n, y_n)$ l'approximation de $f(t_n, y(t_n))$. Il est alors possible de construire une table de différences divisées pour cette fonction et d'effectuer l'interpolation par la méthode de Newton (voir l'équation 5.6). Une première approche consiste à utiliser la table de différences divisées suivante, qui ne fait intervenir que des quantités déjà connues.

Première table de différences finies				
t_n	f_n			
		$f[t_n, t_{n-1}]$		
t_{n-1}	f_{n-1}		$f[t_n, t_{n-1}, t_{n-2}]$	
		$f[t_{n-1}, t_{n-2}]$		$f[t_n, t_{n-1}, t_{n-2}, t_{n-3}]$
t_{n-2}	f_{n-2}		$f[t_{n-1}, t_{n-2}, t_{n-3}]$	
		$f[t_{n-2}, t_{n-3}]$		
t_{n-3}	f_{n-3}			

On peut au besoin prolonger cette table. Le polynôme d'interpolation s'écrit :

$$\begin{aligned} p_n(t) &= f_n + f[t_n, t_{n-1}](t - t_n) + f[t_n, t_{n-1}, t_{n-2}](t - t_n)(t - t_{n-1}) \\ &+ f[t_n, t_{n-1}, t_{n-2}, t_{n-3}](t - t_n)(t - t_{n-1})(t - t_{n-2}) + \cdots \end{aligned} \tag{7.20}$$

et on approche la fonction $f(t, y(t))$ au moyen de ce polynôme dans l'intervalle $[t_n , t_{n+1}]$. L'évaluation de $p_n(t)$ ne requiert que des valeurs connues provenant des pas de temps antérieurs. On peut aussi utiliser la table de différences divisées suivante.

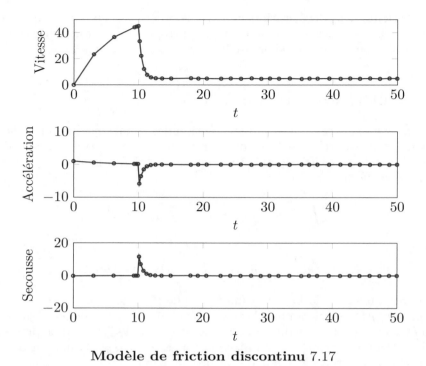

Modèle de friction discontinu 7.17

Modèle de friction différentiable 7.18

Figure 7.4 – Deux modèles de friction pour le problème du parachutiste

Deuxième table de différences finies			
t_{n+1} f_{n+1}			
	$f[t_{n+1}, t_n]$		
t_n f_n		$f[t_{n+1}, t_n, t_{n-1}]$	
	$f[t_n, t_{n-1}]$		$f[t_{n+1}, t_n, t_{n-1}, t_{n-2}]$
t_{n-1} f_{n-1}		$f[t_n, t_{n-1}, t_{n-2}]$	
	$f[t_{n-1}, t_{n-2}]$		
t_{n-2} f_{n-2}			

Le polynôme correspondant est :

$$p_n^*(t) = f_{n+1} + f[t_{n+1}, t_n](t - t_{n+1}) + f[t_{n+1}, t_n, t_{n-1}](t - t_{n+1})(t - t_n)$$

$$+ f[t_{n+1}, t_n, t_{n-1}, t_{n-2}](t - t_{n+1})(t - t_n)(t - t_{n-1}) + \cdots$$

$$(7.21)$$

On remarque immédiatement que l'évaluation de $p_n^*(t)$ requiert la connaissance préalable de $f_{n+1} = f(t_{n+1}, y_{n+1})$. Or, on ne connaît pas encore y_{n+1} mais nous verrons plus loin comment contourner cette difficulté.

Considérons d'abord le polynôme $p_n(t)$. En augmentant successivement le degré du polynôme, on obtient des approximations de plus en plus précises que l'on peut insérer dans la relation 7.19. Par exemple, si l'on utilise le polynôme de degré 0, on a l'approximation $f(t, y(t)) \simeq p_0(t) = f_n$ et l'on trouve (en remplaçant comme il se doit $y(t_n)$ par y_n) :

$$y_{n+1} = y_n + \int_{t_n}^{t_{n+1}} f_n \, du = y_n + (t_{n+1} - t_n)f_n = y_n + hf(t_n, y_n)$$

qui n'est rien d'autre que l'expression de la méthode d'Euler explicite. En utilisant maintenant un polynôme de degré 1, on a l'approximation :

$$f(t, y(t)) \simeq p_1(t) = f_n + f[t_n, t_{n-1}](t - t_n)$$

En insérant cette expression dans l'équation 7.19, on obtient :

$$y_{n+1} = y_n + \int_{t_n}^{t_{n+1}} (f_n + f[t_n, t_{n-1}](u - t_n))du$$

$$= y_n + (t_{n+1} - t_n)f_n + \frac{(f_n - f_{n-1})}{(t_n - t_{n-1})} \frac{(t_{n+1} - t_n)^2}{2}$$

$$= y_n + \frac{h}{2}(3f_n - f_{n-1})$$

ou encore :

$$y_{n+1} = y_n + \frac{h}{2}(3f(t_n, y_n) + f(t_{n-1}, y_{n-1}))$$

Dans l'équation précédente, on a posé $h = t_n - t_{n-1}$, ce qui suppose que le pas de temps est constant. On remarque qu'il s'agit d'une *méthode à deux pas*, en ce sens que pour obtenir y_{n+1} on doit utiliser y_n et y_{n-1}. Les méthodes vues jusqu'à maintenant (Euler, Taylor, Runge-Kutta, etc.) étaient à un pas.

On pourrait continuer ainsi en utilisant des polynômes de degré 2, 3, etc. En substituant ces polynômes dans l'équation 7.19, on obtient les formules d'Adams-Bashforth.

Formules d'Adams-Bashforth

$$y_{n+1} = y_n + hf_n \qquad \text{(ordre 1)}$$

$$y_{n+1} = y_n + \frac{h}{2}(3f_n - f_{n-1}) \qquad \text{(ordre 2)}$$

$$y_{n+1} = y_n + \frac{h}{12}(23f_n - 16f_{n-1} + 5f_{n-2}) \qquad \text{(ordre 3)}$$

$$y_{n+1} = y_n + \frac{h}{24}(55f_n - 59f_{n-1} + 37f_{n-2} - 9f_{n-3}) \quad \text{(ordre 4)}$$

Remarque 7.30. On définit l'erreur de troncature locale liée aux méthodes à pas multiples d'une manière semblable à ce que l'on fait dans le cas des méthodes à un pas. Dans ce qui suit, on indique sans démonstration l'ordre de l'erreur de troncature locale au fur et à mesure des besoins. On constate qu'en utilisant un polynôme de degré n dans la relation 7.19 on obtient une méthode à $(n+1)$ pas dont l'erreur de troncature locale est d'ordre $(n+1)$. ◄

Passons maintenant au polynôme $p_n^*(t)$. On peut reprendre le raisonnement précédent, mais cette fois-ci en prenant l'approximation :

$$f(t, y(t)) \simeq p_n^*(t)$$

En particulier, le polynôme de degré 0 est $p_0^*(t) = f_{n+1}$ et celui de degré 1 est :

$$p_1^*(t) = f_{n+1} + f[t_{n+1}, t_n](t - t_{n+1})$$

On peut ainsi passer à des polynômes de degré de plus en plus élevé dans l'équation 7.19 et obtenir les formules d'Adams-Moulton, qui sont résumées dans le tableau suivant.

Formules d'Adams-Moulton

$$y_{n+1} = y_n + hf_{n+1} \qquad \text{(ordre 1)}$$

$$y_{n+1} = y_n + \frac{h}{2}(f_{n+1} + f_n) \qquad \text{(ordre 2)}$$

$$y_{n+1} = y_n + \frac{h}{12}(5f_{n+1} + 8f_n - f_{n-1}) \qquad \text{(ordre 3)}$$

$$y_{n+1} = y_n + \frac{h}{24}(9f_{n+1} + 19f_n - 5f_{n-1} + f_{n-2}) \qquad \text{(ordre 4)}$$

Les formules d'Adams-Moulton sont dites *implicites* en ce sens que les relations qui permettent d'évaluer la solution y_{n+1} dépendent de y_{n+1} elle-même. Nous reverrons ce type de méthodes à la section 7.8.1.

Nous allons maintenant combiner les formules explicites d'Adams-Bashforth aux formules implicites d'Adams-Moulton en des schémas de type *prédicteurs-correcteurs*. Il s'agit simplement d'utiliser les schémas d'Adams-Bashforth pour obtenir une première approximation y_{n+1}^p de y_{n+1}, qui est l'étape de prédiction. On fait appel ensuite aux formules d'Adams-Moulton pour corriger et éventuellement améliorer cette approximation. Il est important de remarquer que, dans ce cas, l'évaluation de f_{n+1} dans les formules d'Adams-Moulton repose sur l'emploi de y_{n+1}^p, c'est-à-dire : $f_{n+1} \simeq f_{n+1}^p = f(t_{n+1}, y_{n+1}^p)$ On obtient ainsi les schémas suivants.

Schémas de prédiction-correction

$$y_{n+1}^p = y_n + hf_n$$
$$y_{n+1} = y_n + hf_{n+1}^p \qquad \text{(ordre 1)}$$

$$y_{n+1}^p = y_n + \frac{h}{2}(3f_n - f_{n-1})$$
$$y_{n+1} = y_n + \frac{h}{2}(f_{n+1}^p + f_n) \qquad \text{(ordre 2)}$$

$$y_{n+1}^p = y_n + \frac{h}{12}(23f_n - 16f_{n-1} + 5f_{n-2})$$
$$y_{n+1} = y_n + \frac{h}{12}(5f_{n+1}^p + 8f_n - f_{n-1}) \qquad \text{(ordre 3)}$$

$$y_{n+1}^p = y_n + \frac{h}{24}(55f_n - 59f_{n-1} + 37f_{n-2} - 9f_{n-3})$$
$$y_{n+1} = y_n + \frac{h}{24}(9f_{n+1}^p + 19f_n - 5f_{n-1} + f_{n-2}) \qquad \text{(ordre 4)}$$

Remarque 7.31. L'initialisation des méthodes de prédiction-correction nécessite l'usage d'une méthode à un pas. Si l'on prend par exemple le schéma d'ordre 4, il est clair que n doit être plus grand ou égal à 3, car autrement on aurait besoin de y_{-1}, y_{-2}, etc. Or, au départ, seul y_0 est connu, provenant de la condition initiale. Les valeurs de y_1, de y_2 et de y_3 doivent être calculées à l'aide d'une autre méthode. Le plus souvent, on recourt à une méthode de Runge-Kutta qui est au moins du même ordre de convergence que la méthode de prédiction-correction que l'on souhaite utiliser. ◄

Exemple 7.32. On reprend l'équation différentielle :

$$y'(t) = -y(t) + t + 1 \quad (y(0) = 1)$$

On fait appel cette fois aux méthodes de prédiction-correction d'ordre 2 et 4. Les premiers pas de temps sont calculés par une méthode de Runge-Kutta d'ordre 4 qui a déjà servi à résoudre cette équation différentielle. La méthode de prédiction-correction d'ordre 2 exige de connaître y_0, qui vaut 1, et y_1, qui a été calculé au préalable à l'aide de la méthode de Runge-Kutta d'ordre 4 (voir l'exemple 7.27) et qui vaut 1,004 8375 (une méthode de Runge-Kutta d'ordre 2 aurait été suffisante).

La première itération donne d'abord une prédiction :

$$
\begin{aligned}
y_2^p &= y_1 + \frac{h}{2}\left(3f(t_1, y_1) - f(t_0, y_0)\right) \\
&= 1{,}004\,8375 + \frac{0{,}1}{2}\left(3f(0{,}1\ ,\ 1{,}004\,8375) - f(0{,}0\ ,\ 1{,}0)\right) \\
&= 1{,}004\,8375 + 0{,}05(3(-1{,}004\,8375 + 0{,}1 + 1) - (-1 + 0 + 1)) \\
&= 1{,}019\,111\,875
\end{aligned}
$$

et ensuite une correction :

$$
\begin{aligned}
y_2 &= y_1 + \frac{h}{2}\left(f(t_2, y_2^p) + f(t_1, y_1)\right) \\
&= 1{,}004\,8375 + \frac{0{,}1}{2}\left(f(0{,}2\ ,\ 1{,}019\,111\,875) + f(0{,}1\ ,\ 1{,}004\,8375)\right) \\
&= 1{,}004\,8375 + 0{,}05(-1{,}019\,111\,875 + 1{,}2) + (-1{,}004\,8375 + 1{,}1)) \\
&= 1{,}018\,640\,031
\end{aligned}
$$

Les autres itérations sont résumées du tableau ci-dessous.

Schéma de prédiction-correction d'ordre 2 $y'(t) = -y(t) + t + 1$			
t	y_n^p	y_n	$|y(t_n) - y_n|$
0,0	—	1,000 000 000	0
0,1	—	1,004 837 500	$0{,}819\,640 \times 10^{-7}$
0,2	1,019 111 875	1,018 640 031	$0{,}907\,218 \times 10^{-4}$
0,3	1,041 085 901	1,040 653 734	$0{,}164\,486 \times 10^{-3}$
0,4	1,070 487 675	1,070 096 664	$0{,}223\,381 \times 10^{-3}$
0,5	1,106 614 851	1,106 261 088	$0{,}269\,571 \times 10^{-3}$
0,6	1,148 826 758	1,148 506 695	$0{,}304\,940 \times 10^{-3}$
0,7	1,196 543 746	1,196 254 173	$0{,}331\,129 \times 10^{-3}$
0,8	1,249 241 382	1,248 979 396	$0{,}349\,568 \times 10^{-3}$
0,9	1,306 445 195	1,306 208 166	$0{,}361\,493 \times 10^{-3}$
1,0	1,367 725 911	1,367 511 462	$0{,}367\,979 \times 10^{-3}$

L'erreur à $t = 0{,}1$ est beaucoup plus faible qu'aux autres valeurs de t puisque la solution numérique à cet endroit a été calculée à l'aide d'une méthode d'ordre 4. Cela explique également l'absence de prédicteur pour cette valeur.

De manière similaire, la méthode de prédiction-correction d'ordre 4 requiert le calcul de y_1, de y_2 et de y_3 à l'aide de la méthode de Runge-Kutta d'ordre 4. Par la suite, il suffit d'utiliser l'algorithme :

$$y^p_{n+1} = y_n + \frac{h}{24}(55f_n - 59f_{n-1} + 37f_{n-2} - 9f_{n-3})$$

$$y_{n+1} = y_n + \frac{h}{24}(9f^p_{n+1} + 19f_n - 5f_{n-1} + f_{n-2})$$

pour $n \geq 3$. La première itération s'effectue comme suit :

$$
\begin{aligned}
y^p_4 &= y_3 + \frac{0{,}1}{24}(55f(t_3, y_3) - 59f(t_2, y_2) + 37f(t_1, y_1) - 9f(t_0, y_0)) \\
&= 1{,}040\,818\,4220 + \frac{0{,}1}{24}\,(55f(0{,}3\,,\,1{,}040\,818\,4220) - 59f(0{,}2\,,\,1{,}018\,730\,9014) \\
&\quad + 37f(0{,}1\,,\,1{,}004\,8375) - 9f(0\,,\,1)) = 1{,}070\,323\,0990
\end{aligned}
$$

$$
\begin{aligned}
y_4 &= y_3 + \frac{0{,}1}{24}(9f(t_4, y^p_4) + 19f(t_3, y_3) - 5f(t_2, y_2) + f(t_1, y_1)) \\
&= 1{,}040\,818\,4220 + \frac{0{,}1}{24}\,(9f(0{,}4\,,\,1{,}070\,323\,0990) + 19f(0{,}3\,,\,1{,}040\,818\,4220) \\
&\quad - 5f(0{,}2\,,\,1{,}018\,730\,9014) + f(0{,}1\,,\,1{,}004\,8375)) = 1{,}070\,319\,9182
\end{aligned}
$$

On obtient enfin les résultats du tableau ci-dessous.

\multicolumn			

Schéma de prédiction-correction d'ordre 4 $y'(t) = -y(t) + t + 1$			
t	y^p_n	y_n	$\|y(t_n) - y_n\|$
0,0	—	1,000 000 0000	0
0,1	—	1,004 837 5000	$0{,}819\,640 \times 10^{-7}$
0,2	—	1,018 730 9014	$0{,}148\,328 \times 10^{-6}$
0,3	—	1,040 818 4220	$0{,}201\,319 \times 10^{-6}$
0,4	1,070 323 0990	1,070 319 9182	$0{,}127\,791 \times 10^{-6}$
0,5	1,106 533 1913	1,106 530 2684	$0{,}391\,302 \times 10^{-6}$
0,6	1,148 813 6305	1,148 811 0325	$0{,}603\,539 \times 10^{-6}$
0,7	1,196 586 9867	1,196 584 5313	$0{,}772\,415 \times 10^{-6}$
0,8	1,249 330 2023	1,249 328 0604	$0{,}903\,669 \times 10^{-6}$
0,9	1,306 570 5947	1,306 568 6567	$0{,}100\,294 \times 10^{-5}$
1,0	1,367 880 1196	1,367 878 3660	$0{,}107\,514 \times 10^{-5}$

L'erreur est ici beaucoup plus petite qu'avec la méthode d'ordre 2. ◆

Remarque 7.33. La précision des méthodes de prédiction-correction est comparable à celle des méthodes à un pas d'ordre équivalent. Si l'on considère, par exemple, le schéma d'ordre 4, les résultats sont comparables à ceux de la méthode de Runge-Kutta d'ordre 4. Par contre, si l'on calcule le coût lié à l'emploi d'une méthode selon le nombre d'évaluations de la fonction $f(t, y)$ à chaque itération, on se rend compte que la méthode de prédiction-correction d'ordre 4 est moins coûteuse. En effet, chaque itération de la méthode de Runge-Kutta nécessite 4 évaluations de la fonction $f(t, y)$, alors que la méthode de prédiction-correction n'exige que 2 nouvelles évaluations, compte tenu de celles qui ont déjà été effectuées aux itérations précédentes. Cela est également vrai dans le cas des méthodes d'ordre 2 et 3. ◄

7.6   Systèmes d'équations différentielles

Cette section traite de la façon dont on peut utiliser les méthodes de résolution d'équations différentielles ordinaires dans le cas de *systèmes d'équations différentielles avec conditions initiales*. Fort heureusement, il suffit d'adapter légèrement les méthodes déjà vues.

La forme générale d'un système de m équations différentielles avec conditions initiales s'écrit :

$$\begin{cases} y_1'(t) &=& f_1(t, y_1(t), y_2(t), \cdots, y_m(t)) & (y_1(t_0) = y_{1,0}) \\ y_2'(t) &=& f_2(t, y_1(t), y_2(t), \cdots, y_m(t)) & (y_2(t_0) = y_{2,0}) \\ y_3'(t) &=& f_3(t, y_1(t), y_2(t), \cdots, y_m(t)) & (y_3(t_0) = y_{3,0}) \\ \vdots & & \vdots & \vdots \\ y_m'(t) &=& f_m(t, y_1(t), y_2(t), \cdots, y_m(t)) & (y_m(t_0) = y_{m,0}) \end{cases} \tag{7.22}$$

ou de manière plus compacte (vectorielle) :

$$\begin{cases} \vec{y}'(t) &=& \vec{f}(t, \vec{y}(t)) \\ \\ \vec{y}(t_0) &=& \vec{y}_0 \end{cases} \tag{7.23}$$

où la définition des vecteurs $\vec{y}$, $\vec{y}_0$ et $\vec{f}$, tous de longueur m, découle directement de la forme 7.22. Ici encore, on notera $y_i(t_n)$, la valeur exacte de la i^e variable dépendante en $t = t_n$ et $y_{i,n}$, son approximation numérique.

Remarque 7.34. Ces m équations sont *couplées* en ce sens que l'équation différentielle régissant la variable dépendante $y_i(t)$ peut dépendre de toutes les autres variables dépendantes. On ne peut donc pas les résoudre une à une séparément. On remarque de plus les m conditions initiales qui assurent l'unicité de la solution sous des hypothèses que nous ne précisons pas. ◄

7.6.1   La méthode d'Euler explicite

La forme 7.23 permet de généraliser très rapidement aux systèmes d'équations toutes les méthodes numériques précédentes. Pour la méthode d'Euler explicite, on part de $(t_0, \vec{y}_0)$ et on écrit tout simplement, en s'inspirant de la section 7.2 :

$$\vec{y}_{n+1} = \vec{y}_n + h\vec{f}(t_n, \vec{y}_n)$$

ou en développant :

$$\begin{cases} y_{1,n+1} &=& y_{1,n} + hf_1(t_n, y_{1,n}, y_{2,n}, \cdots, y_{m,n}) \\ y_{2,n+1} &=& y_{2,n} + hf_2(t_n, y_{1,n}, y_{2,n}, \cdots, y_{m,n}) \\ \vdots & & \vdots \\ y_{m,n+1} &=& y_{m,n} + hf_m(t_n, y_{1,n}, y_{2,n}, \cdots, y_{m,n}) \end{cases}$$

On voit clairement qu'il s'agit du même algorithme que dans le cas d'une seule équation.

Algorithme 7.35: Euler explicite pour les systèmes

1. Étant donnés :

   — un pas de temps h ;

   — un nombre maximal de pas de temps N ;

   — une condition initiale $(t_0, y_{1,0}, y_{2,0}, \cdots, y_{m,0})$.

2. Pour $0 \leq n \leq N$, effectuer :

   2.1. $\vec{y}_{n+1} = \vec{y}_n + h\vec{f}(t_n, \vec{y}_n)$ c.-à-d. pour $i = 1, 2, 3, \cdots, m$:
   $$y_{i,n+1} = y_{i,n} + hf_i(t_n, y_{1,n}, y_{2,n}, \cdots, y_{m,n})$$

   2.2. $t_{n+1} = t_n + h$

   2.3. Écrire t_{n+1} et $\vec{y}_{n+1}$

3. Arrêt.

Exemple 7.36. Soit le système de deux équations différentielles suivant :

$$\begin{cases} y_1'(t) &= y_2(t) & (y_1(0) = 2) \\ y_2'(t) &= 2y_2(t) - y_1(t) & (y_2(0) = 1) \end{cases} \tag{7.24}$$

dont la solution analytique est (à vérifier en exercice) :

$$\begin{cases} y_1(t) &= 2e^t - te^t \\ y_2(t) &= e^t - te^t \end{cases} \tag{7.25}$$

On a alors :

$$\begin{aligned} f_1(t, y_1(t), y_2(t)) &= y_2(t) \\ f_2(t, y_1(t), y_2(t)) &= 2y_2(t) - y_1(t) \end{aligned}$$

et la condition initiale $(t_0, y_{1,0}, y_{2,0}) = (0 \, , 2 \, , 1)$. Le premier pas de temps s'écrit tout simplement, en prenant $h = 0,1$:

$$\begin{aligned} y_{1,1} &= y_{1,0} + hf_1(t_0, y_{1,0}, y_{2,0}) = 2 + 0,1f_1(0 \, , 2 \, , 1) = 2,1 \\ y_{2,1} &= y_{2,0} + hf_2(t_0, y_{1,0}, y_{2,0}) = 1 + 0,1f_2(0 \, , 2 \, , 1) = 1,0 \end{aligned}$$

Le deuxième pas de temps devient :

$$\begin{aligned} y_{1,2} &= y_{1,1} + hf_1(t_1, y_{1,1}, y_{2,1}) = 2,1 + 0,1f_1(0,1 \, , 2,1 \, , 1) = 2,2 \\ y_{2,2} &= y_{2,1} + hf_2(t_1, y_{1,1}, y_{2,1}) = 1,0 + 0,1f_2(0,1 \, , 2,1 \, , 1) = 0,99 \end{aligned}$$

et ainsi de suite. ♦

7.6.2 La méthode de Runge-Kutta d'ordre 4

Parmi les techniques de résolution des systèmes d'équations différentielles, la méthode de Runge-Kutta d'ordre 4 est souvent recommandée en raison de sa plus grande précision. Il est bien entendu possible d'utiliser les autres méthodes déjà vues, comme la méthode d'Euler explicite, mais leur précision se révèle souvent décevante.

Ici encore, on s'inspire directement de l'algorithme de la section 7.4.2 en se servant de la forme 7.23. Rappelons qu'à chaque pas de temps, on doit calculer les constantes k_1, k_2, k_3 et k_4 qui, dans le cas d'un système d'équations, deviennent des vecteurs. Par exemple, pour la première de ces constantes, on écrit $\vec{k}_1 = h\vec{f}(t_n, \vec{y}_n)$, ce qui signifie que pour $i = 1, 2, 3, \cdots, m$, on a :

$$k_{i,1} = hf_i\left(t_n, y_{1,n}, y_{2,n}, \cdots, y_{m,n}\right)$$

Pour la deuxième constante, on écriera $\vec{k}_2 = h\vec{f}\left(t_n + \dfrac{h}{2}, \vec{y}_n + \dfrac{\vec{k}_1}{2}\right)$, qui devient, pour i allant de 1 à m :

$$k_{i,2} = hf_i\left(t_n + \frac{h}{2}, y_{1,n} + \frac{k_{1,1}}{2}, y_{2,n} + \frac{k_{2,1}}{2}, \cdots, y_{m,n} + \frac{k_{m,1}}{2}\right)$$

et il en va de même pour les autres constantes. L'algorithme complet devient :

Algorithme 7.37: Méthode de Runge-Kutta d'ordre 4

1. Étant donnés :
   — un pas de temps h ;
   — un nombre maximal de pas de temps N ;
   — une condition initiale $(t_0, y_{1,0}, y_{2,0}, \cdots, y_{m,0})$.

2. Pour $0 \le n \le N$, effectuer :

   2.1. Pour $i = 1, 2, 3, \cdots, m$:
   $$k_{i,1} = hf_i\left(t_n, y_{1,n}, y_{2,n}, \cdots, y_{m,n}\right)$$

   2.2. Pour $i = 1, 2, 3, \cdots, m$:
   $$k_{i,2} = hf_i\left(t_n + \frac{h}{2}, y_{1,n} + \frac{k_{1,1}}{2}, y_{2,n} + \frac{k_{2,1}}{2}, \cdots, y_{m,n} + \frac{k_{m,1}}{2}\right)$$

   2.3. Pour $i = 1, 2, 3, \cdots, m$:
   $$k_{i,3} = hf_i\left(t_n + \frac{h}{2}, y_{1,n} + \frac{k_{1,2}}{2}, y_{2,n} + \frac{k_{2,2}}{2}, \cdots, y_{m,n} + \frac{k_{m,2}}{2}\right)$$

   2.4. Pour $i = 1, 2, 3, \cdots, m$:
   $$k_{i,4} = hf_i\left(t_n + h, y_{1,n} + k_{1,3}, y_{2,n} + k_{2,3}, \cdots, y_{m,n} + k_{m,3}\right)$$

   2.5. Pour $i = 1, 2, 3, \cdots, m$:
   $$y_{i,n+1} = y_{i,n} + \frac{1}{6}\left(k_{i,1} + 2k_{i,2} + 2k_{i,3} + k_{i,4}\right)$$

   2.6. $t_{n+1} = t_n + h$

   2.7. Écrire t_{n+1} et $\vec{y}_{n+1}$

3. Arrêt

Exemple 7.38. Reprenons le système de deux équations différentielles de l'exemple précédent et que nous avons résolu par la méthode d'Euler :

$$\begin{cases} y_1'(t) &= y_2(t) & (y_1(0) = 2) \\ y_2'(t) &= 2y_2(t) - y_1(t) & (y_2(0) = 1) \end{cases} \tag{7.26}$$

On a encore :

$$\begin{aligned} f_1(t, y_1(t), y_2(t)) &= y_2(t) \\ f_2(t, y_1(t), y_2(t)) &= 2y_2(t) - y_1(t) \end{aligned}$$

et la condition initiale $(t_0, y_{1,0}, y_{2,0}) = (0 \ , \ 2 \ , \ 1)$. Si l'on prend par exemple $h = 0{,}1$, on trouve :

$$\begin{aligned} k_{1,1} &= 0{,}1(f_1(0 \ , \ 2 \ , \ 1)) = 0{,}1 \\ k_{2,1} &= 0{,}1(f_2(0 \ , \ 2 \ , \ 1)) = 0 \end{aligned}$$

$$\begin{aligned} k_{1,2} &= 0{,}1(f_1(0{,}05 \ , \ 2{,}05 \ , \ 1{,}0)) = 0{,}1 \\ k_{2,2} &= 0{,}1(f_2(0{,}05 \ , \ 2{,}05 \ , \ 1{,}0)) = -0{,}005 \end{aligned}$$

$$\begin{aligned} k_{1,3} &= 0{,}1(f_1(0{,}05 \ , \ 2{,}05 \ , \ 0{,}9975)) = 0{,}099\,75 \\ k_{2,3} &= 0{,}1(f_2(0{,}05 \ , \ 2{,}05 \ , \ 0{,}9975)) = -0{,}0055 \end{aligned}$$

$$\begin{aligned} k_{1,4} &= 0{,}1(f_1(0{,}1 \ , \ 2{,}099\,75 \ , \ 0{,}9945)) = 0{,}099\,45 \\ k_{2,4} &= 0{,}1(f_2(0{,}1 \ , \ 2{,}099\,75 \ , \ 0{,}9945)) = -0{,}011\,075 \end{aligned}$$

$$\begin{aligned} y_{1,1} &= y_{1,0} + \frac{1}{6}(0{,}1 + 2(0{,}1) + 2(0{,}099\,75) + 0{,}099\,45) \\ &= 2{,}099\,825 \end{aligned}$$

$$\begin{aligned} y_{2,1} &= y_{2,0} + \frac{1}{6}(0 + 2(-0{,}005) + 2(-0{,}0055) + (-0{,}011\,075)) \\ &= 0{,}994\,651\,667 \end{aligned}$$

La figure 7.5 illustre les solutions analytiques $y_1(t)$ et $y_2(t)$ (voir 7.25) de même que leurs approximations respectives. On peut y apprécier la grande précision des résultats. ◆

7.7 Équations d'ordre supérieur

Dans la section précédente, nous nous sommes intéressés à la résolution d'un système de m équations différentielles d'ordre 1. Passons maintenant à la résolution numérique d'une équation différentielle d'ordre m avec conditions initiales. Ici encore, nous n'avons pas besoin de développer de nouvelles méthodes numériques car, comme nous le verrons, une équation différentielle d'ordre m avec conditions initiales est parfaitement équivalente à un système de m équations différentielles d'ordre 1.

La forme générale d'une équation différentielle d'ordre m avec conditions initiales est :

$$y^{(m)}(t) = g(t, y(t), y^{(1)}(t), y^{(2)}(t), \cdots, y^{(m-1)}(t)) \tag{7.27}$$

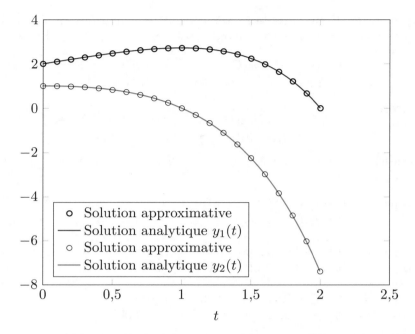

Figure 7.5 – $y_1'(t) = y_2(t)$ $(y_1(0) = 2)$ et $y_2'(t) = 2y_2(t) - y_1(t)$ $(y_2(0) = 1)$

où $y^{(i)}(t)$ désigne la i-ième dérivée de $y(t)$ et g est une fonction de plusieurs variables supposée régulière. On complète la donnée du problème par m conditions initiales portant sur la fonction $y(t)$ et ses $(m-1)$ premières dérivées en $t = t_0$:

$$\begin{cases} y(t_0) & = c_1 \\ y^{(1)}(t_0) & = c_2 \\ y^{(2)}(t_0) & = c_3 \\ \quad\vdots & \quad\vdots \\ y^{(m-2)}(t_0) & = c_{m-1} \\ y^{(m-1)}(t_0) & = c_m \end{cases} \tag{7.28}$$

La première dérivée de la variable $y(t)$ est notée $y'(t)$ ou $y^{(1)}(t)$ selon la situation. On se doit également de distinguer la dérivée seconde $y^{(2)}(t)$ (ou $y''(t)$) du carré de la fonction $y(t)$, qui est noté $(y(t))^2$.

De telles équations différentielles apparaissent dans plusieurs applications. Le problème du pendule (section 7.11.2) et les systèmes de masses et ressorts (voir la section 7.11.1) sont des exemples typiques d'ordre $m = 2$. Dans ce dernier cas, il s'agira en fait d'un système de deux équations différentielles d'ordre 2, que nous transformerons en un système de quatre équations différentielles d'ordre 1. Dans les deux cas, les équations différentielles sont complétées par la donnée de positions et de vitesses initiales.

> ### Proposition 7.39
>
> L'équation différentielle 7.27 d'ordre m avec ses m conditions initiales 7.28 est équivalente à ce système de m équations différentielles d'ordre 1 :
>
> $$\begin{cases} y_1'(t) & = & y_2(t) & \quad y_1(t_0) & = & c_1 \\ y_2'(t) & = & y_3(t) & \quad y_2(t_0) & = & c_2 \\ \vdots & & \vdots & \quad \vdots & & \vdots \\ y_{m-1}'(t) & = & y_m(t) & \quad y_{m-1}(t_0) & = & c_{m-1} \\ y_m'(t) & = & g(t, y_1(t), y_2(t), \cdots, y_m(t)) & \quad y_m(t_0) & = & c_m \end{cases} \tag{7.29}$$

Démonstration. Pour voir l'équivalence, il suffit d'introduire les m variables suivantes :

$$\begin{aligned} y_1(t) & = & y(t) \\ y_2(t) & = & y^{(1)}(t) \\ y_3(t) & = & y^{(2)}(t) \\ \vdots & & \vdots \\ y_{m-1}(t) & = & y^{(m-2)}(t) \\ y_m(t) & = & y^{(m-1)}(t) \end{aligned} \tag{7.30}$$

On a alors :

$$\begin{aligned} y_1'(t) & = & y^{(1)}(t) & = & y_2(t) \\ y_2'(t) & = & y^{(2)}(t) & = & y_3(t) \\ y_3'(t) & = & y^{(3)}(t) & = & y_4(t) \\ \vdots & & \vdots & & \vdots \\ y_{m-1}'(t) & = & y^{(m-1)}(t) & = & y_m(t) \\ y_m'(t) & = & y^{(m)}(t) & = & g(t, y_1(t), y_2(t), \cdots, y_m(t)) \end{aligned} \tag{7.31}$$

et on trouve un système de la forme 7.22 où $\vec{f}$ prend une forme bien particulière :

$$\vec{f} = \begin{cases} f_1(t, y_1, y_2, \cdots, y_m) & = & y_2 \\ f_2(t, y_1, y_2, \cdots, y_m) & = & y_3 \\ f_3(t, y_1, y_2, \cdots, y_m) & = & y_4 \\ \vdots & = & \vdots \\ f_{m-1}(t, y_1, y_2, \cdots, y_m) & = & y_m \\ f_m(t, y_1, y_2, \cdots, y_m) & = & g(t, y_1, y_2, \cdots, y_m) \end{cases}$$

Un raisonnement similaire permet de déterminer les conditions initiales de ce système d'équations pour chaque variable $y_i(t)$:

$$\begin{array}{rcccl}
y_1(t_0) & = & y(t_0) & = & c_1 \\
y_2(t_0) & = & y^{(1)}(t_0) & = & c_2 \\
y_3(t_0) & = & y^{(2)}(t_0) & = & c_3 \\
\vdots & & \vdots & & \vdots \\
y_{m-1}(t_0) & = & y^{(m-2)}(t_0) & = & c_{m-1} \\
y_m(t_0) & = & y^{(m-1)}(t_0) & = & c_m
\end{array} \qquad (7.32)$$

Il est alors clair que le système 7.31 sous les conditions initiales 7.32 est un cas particulier de systèmes d'équations d'ordre 1 dont la forme générale est donnée par l'équation 7.22.   ■

Exemple 7.40. Soit l'équation différentielle d'ordre 2 :

$$y^{(2)}(t) = -y^{(1)}(t) + (y(t))^2 + t^2 - 5$$

avec les conditions initiales $y(0) = 1$ et $y^{(1)}(0) = 2$. La marche à suivre est toujours la même. Il suffit de poser :

$$\begin{array}{rcl}
y_1(t) & = & y(t) \\
y_2(t) & = & y^{(1)}(t)
\end{array}$$

pour transformer l'équation différentielle d'ordre 2 en un système de 2 équations différentielles du premier ordre :

$$\left\{ \begin{array}{rcll}
y_1'(t) & = & y_2(t) & (y_1(0) = 1) \\
y_2'(t) & = & -y_2(t) + (y_1(t))^2 + t^2 - 5 & (y_2(0) = 2)
\end{array} \right.$$

◆

Exemple 7.41. Soit l'équation différentielle du troisième ordre :

$$y^{(3)}(t) = (y^{(2)}(t))^2 + 2y^{(1)}(t) + (y(t))^3 + t^4 + 1$$

avec les conditions initiales $y(1) = 1$, $y^{(1)}(1) = 0$ et $y^{(2)}(1) = 3$. On pose :

$$\begin{array}{rcl}
y_1(t) & = & y(t) \\
y_2(t) & = & y^{(1)}(t) \\
y_3(t) & = & y^{(2)}(t)
\end{array}$$

On obtient le système de 3 équations différentielles du premier ordre suivant :

$$\left\{ \begin{array}{rcll}
y_1'(t) & = & y_2(t) & (y_1(1) = 1) \\
y_2'(t) & = & y_3(t) & (y_2(1) = 0) \\
y_3'(t) & = & (y_3(t))^2 + 2y_2(t) + (y_1(t))^3 + t^4 + 1 & (y_3(1) = 3)
\end{array} \right.$$

◆

Remarque 7.42. Une fois l'équation d'ordre m transformée en un système de m équations différentielles d'ordre 1, on peut recourir aux différentes méthodes de la section 7.6 et en particulier à la méthode de Runge-Kutta (voir l'algorithme 7.37 pour sa résolution. ◀

7.8   Stabilité absolue

Certains problèmes de stabilité peuvent survenir lors de la résolution d'une équation différentielle (ou d'un système d'équations différentielles). On peut illustrer facilement les difficultés que l'on peut rencontrer au moyen d'un exemple.

Exemple 7.43. Considérons le système :

$$\begin{cases} y_1'(t) &=& 97y_1 + \frac{49}{2}y_2 - \frac{217}{4}\cos t - \frac{157}{16}\sin t, & y_1(0) = 3/4 \\ y_2'(t) &=& -588y_1 - 148y_2 + \frac{2639}{8}\cos t + \frac{223}{4}\sin t, & y_2(0) = 5/4 \end{cases} \quad (7.33)$$

dont la solution analytique est (à vérifier en exercice) :

$$y_1(t) = y_{1h}(t) + y_{1p}(t) = (e^{-t} - e^{-50t}) + \left(\frac{3}{4}\cos t + \frac{1}{8}\sin t\right)$$

$$y_2(t) = y_{2h}(t) + y_{2p}(t) = (-4e^{-t} + 6e^{-50t}) + \left(-\frac{3}{4}\cos t - \frac{1}{8}\sin t\right)$$

où $\vec{y}_h(t) = (y_{1h}(t), y_{2h}(t))$ est une solution du système homogène et $\vec{y}_p(t) = (y_{1p}(t), y_{2p}(t))$ est une solution particulière du système non homogène. La solution du système homogène s'obtient en considérant les valeurs propres de la matrice jacobienne du système qui est :

$$A = \begin{bmatrix} 97 & \frac{49}{2} \\ -588 & -148 \end{bmatrix} \quad (7.34)$$

et dont les valeurs propres sont les solutions de :

$$p(\lambda) = (97 - \lambda)(-148 - \lambda) + 588\left(\frac{49}{2}\right) = \lambda^2 + 51\,\lambda + 50 = 0$$

Les racines sont donc -1 et -50 d'où la présence des termes e^{-t} et e^{-50t} dans $\vec{y}_h(t)$. L'équation est dite *raide* en raison de la présence du terme e^{-50t} qui varie extrêmement rapidement au voisinage de 0. Une méthode numérique éprouvera beaucoup de difficultés à capturer une telle variation, ce qui peut provoquer de violentes oscillations dans la solution calculée. Si on résout le système 7.33 avec la méthode de Runge-Kutta d'ordre 4, on trouve que pour $h = 0{,}056$, la solution est très mauvaise (décroissante alors qu'elle devrait croître), alors que pour des valeurs comme $h = 0{,}046$ ou $h = 0{,}036$ (voir fig. 7.6), la solution semble acceptable. Comment expliquer ces résultats ? ◆

Pour répondre à cette question, on considèrera l'équation différentielle dite de Dahlquist [12] :

$$\begin{cases} y'(t) &=& \lambda y \\ y(0) &=& y_0 \end{cases} \quad (7.35)$$

où $\lambda = \lambda_R + i\lambda_I$ est un nombre complexe. C'est l'équation la plus simple pour laquelle la solution est exponentielle. Du point de vue numérique, le

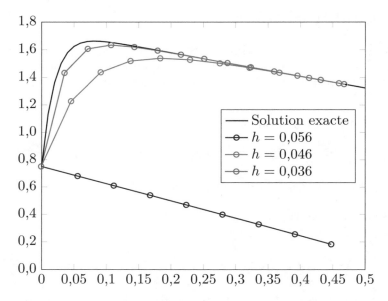

Figure 7.6 – Solutions numériques pour $h = 0{,}056, h = 0{,}046$ et $h = 0{,}036$

comportement des schémas de résolution sur cette équation très simple permet de tirer des conclusions assez générales. Nous passerons ensuite aux systèmes linéaires d'équations de la forme :

$$\begin{cases} \vec{y}'(t) &= A\vec{y}(t) \\ \vec{y}(0) &= \vec{y_0} \end{cases} \tag{7.36}$$

où A est une matrice constante de dimension n. Les conclusions tirées sur le comportement et les conditions stabilité sur λ pour l'équation 7.35 s'appliqueront aux valeurs propres du système.

La solution analytique de l'équation 7.35 est :

$$y(t) = y_0 e^{\lambda t} = y_0 e^{\lambda_R t}(\cos \lambda_I t + i \sin \lambda_I t)$$

Trois cas peuvent survenir :

1. $\lambda_R > 0$: la solution croît de manière exponentielle. C'est un problème instable mais on peut calculer une solution si $\lambda_R t$ n'est pas trop grand.

2. $\lambda_R = 0$: la solution est périodique et ne pose pas de problème particulier.

3. $\lambda_R < 0$: c'est le cas intéressant. La solution décroît exponentiellement et on voudrait que la solution numérique fasse de même c.-à-d. que :

$$|y_{n+1}| < |y_n| \tag{7.37}$$

Les conditions sur h et λ pour lesquelles une méthode de résolution numérique vérifie la condition 7.37 définissent la zone de stabilité absolue de la méthode.

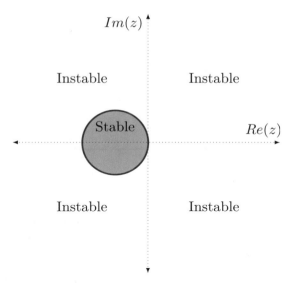

Figure 7.7 – Zone de stabilité de la méthode d'Euler explicite

Stabilité absolue de la méthode d'Euler explicite

La méthode d'Euler explicite appliquée à l'équation 7.35 donne :

$$y_{n+1} = y_n + hf(t_n, y_n) = y_n + h\lambda y_n = (1 + h\lambda)y_n \qquad (7.38)$$

et on observera donc une décroissance de la solution si $|1 + \lambda h| < 1$. En posant $z = \lambda h$, la région de stabilité absolue est donc :

$$|1 + z| < 1 \qquad (7.39)$$

qui n'est rien d'autre que l'intérieur du cercle de centre $(-1 + 0i)$ et de rayon 1 (fig. 7.7). Si $z = \lambda h$ est à l'intérieur de ce cercle, la solution numérique sera décroissante alors qu'à l'extérieur de ce cercle, la solution sera croissante et donc peu représentative de la solution analytique.

Remarque 7.44. Si λ est réel c.-à-d. $\lambda = \lambda_R < 0$, alors le module complexe de l'équation 7.39 devient une simple valeur absolue et la zone de stabilité vérifie :

$$-1 < 1 + h\lambda_R < 1 \text{ c.-à-d. } -2 < h\lambda_R < 0$$

L'inégalité de droite est triviale car λ_R est négatif mais celle de gauche force une contrainte sur la taille de h à savoir qu'il faut que $h < -\frac{2}{\lambda_R}$.

On note également qu'en vertu de la relation 7.38, la solution numérique peut osciller du négatif au positif, tout en diminuant en valeur absolue. Il suffit en effet que :

$$-1 \leq 1 + h\lambda_R < 0 \ \text{ c.-à-d. pour } \ -\frac{1}{\lambda_R} < h < -\frac{2}{\lambda_R}$$

Il est donc souvent préférable en pratique de restreindre h à des valeurs inférieures à $-1/\lambda_R$ pour éviter les oscillations. ◀

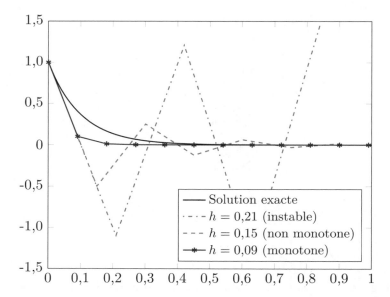

Figure 7.8 – Solutions numériques pour $h = 0{,}21, h = 0{,}15$ et $h = 0{,}09$

Exemple 7.45. Pour illustrer ce qui se passe, considérons le cas où $\lambda = \lambda_R = -10$. Pour la méthode d'Euler explicite, on doit donc prendre $h < 0{,}2$ pour demeurer dans la zone de stabilité absolue et même choisir $h < 0{,}1$ pour éviter les oscillations. On peut voir le comportement de la solution numérique à la figure 7.8 comparativement à la solution analytique $y(t) = e^{-10t}$. Pour $h = 0{,}21$, la solution numérique oscille du positif au négatif tout en croissant en valeur absolue et est essentiellement inutilisable. Par contre, pour $h = 0{,}15$ la solution numérique oscille mais décroît en valeur absolue. Enfin, pour $h = 0{,}09$ $(h < -\frac{1}{\lambda_R})$, la solution est décroissante et présente le bon comportement. $\blacklozenge$

Remarque 7.46. Si on veut appliquer la méthode d'Euler explicite au système 7.33, on devra prendre $h < -\frac{2}{-50} = 0{,}04$ pour demeurer dans la zone de stabilité absolue et même $h < -\frac{1}{-50} = 0{,}02$ pour éviter les oscillations. $\blacktriangleleft$

Stabilité absolue de la méthode de Runge-Kutta d'ordre 4

De manière plus générale, les méthodes à 1 pas que nous avons vues vont donner, lorsqu'appliquées à l'équation 7.35 une expression de la forme :

$$y_{n+1} = Q(\lambda h)y_n = Q(z)y_n$$

et la condition de stabilité 7.37 prendra la forme $|Q(z)| < 1$. En particulier, dans le cas de la méthode de Runge-Kutta d'ordre 4, on a :

$$k_1 = hf(t_n, y_n) = h\lambda \, y_n$$

$$k_2 = hf\left(t_n + \tfrac{h}{2}, y_n + \tfrac{k_1}{2}\right) = hf\left(t_n + \tfrac{h}{2}, y_n + \tfrac{h\lambda y_n}{2}\right) = \lambda hy_n\left(1 + \tfrac{\lambda h}{2}\right)$$

$$
\begin{aligned}
k_3 &= hf\left(t_n + \tfrac{h}{2}, y_n + \tfrac{k_2}{2}\right) = hf\left(t_n + \tfrac{h}{2}, y_n + \tfrac{h\lambda y_n}{2}(1 + \tfrac{h\lambda}{2})\right) \\[2mm]
&= h\lambda\left(y_n + \tfrac{\lambda h y_n}{2}(1 + \tfrac{h\lambda}{2})\right) = h\lambda y_n\left(1 + \tfrac{\lambda h}{2} + \tfrac{(h\lambda)^2}{4}\right) \\[3mm]
k_4 &= hf(t_n + h, y_n + k_3) = hf\left(t_n + h, y_n + h\lambda y_n(1 + \tfrac{\lambda h}{2} + \tfrac{(h\lambda)^2}{4})\right) \\[2mm]
&= h\lambda\left[y_n + h\lambda y_n\left(1 + \tfrac{\lambda h}{2} + (\tfrac{h\lambda}{4})^2\right)\right] = \lambda h y_n\left[1 + \lambda h + \tfrac{(\lambda h)^2}{2} + \tfrac{(\lambda h)^3}{4}\right]
\end{aligned}
$$

en rappelant que dans notre problème type, $f(t,y) = \lambda y$. La solution au pas de temps suivant sera donc, après simplifications :

$$
y_{n+1} = y_n + \frac{1}{6}(k_1 + 2k_2 + 2k_3 + k_4) = y_n\left[1 + \lambda h + \frac{(\lambda h)^2}{2} + \frac{(\lambda h)^3}{6} + \frac{(\lambda h)^4}{24}\right]
$$

La zone de stabilité absolue est donc donnée par $|Q(z)| < 1$ où :

$$
Q(z) = 1 + z + \frac{z^2}{2} + \frac{z^3}{3!} + \frac{z^4}{4!}
$$

expression contenant les premiers termes du développement de Taylor de l'exponentielle. La figure 7.9 montre que cette zone de stabilité absolue est plus vaste que celle de la méthode d'Euler explicite. On pourrait vérifier (en exercice) de la même manière que la zone de stabilité des schémas de Runge-Kutta d'ordre 2 (Euler modifiée, point-milieu, etc.) est donnée par $|1 + z + \frac{z^2}{2}| < 1$. Ces zones de stabilité sont toutes illustrées à la figure 7.9.

Si on se reporte à notre système initial 7.33, $\lambda = -50$ et on vérifie que :

$$
\begin{aligned}
\text{si} \quad & h = 0{,}100 \quad \text{alors} \quad Q(\lambda h) = 13{,}7 \\
\text{si} \quad & h = 0{,}075 \quad \text{alors} \quad Q(\lambda h) = 3{,}73 \\
\text{si} \quad & h = 0{,}056 \quad \text{alors} \quad Q(\lambda h) = 1{,}02 \\
\text{si} \quad & h = 0{,}055 \quad \text{alors} \quad Q(\lambda h) = 0{,}95 \\
\text{si} \quad & h = 0{,}046 \quad \text{alors} \quad Q(\lambda h) = 0{,}48 \\
\text{si} \quad & h = 0{,}036 \quad \text{alors} \quad Q(\lambda h) = 0{,}28
\end{aligned}
$$

ce qui montre que le pas de temps critique h est légèrement supérieur à 0,055 mais inférieur à 0,056. Cela explique donc les résultats de la figure 7.6.

7.8.1   Quelques mots sur les méthodes implicites

Méthode d'Euler implicite

Pour établir la méthode d'Euler explicite, nous avons utilisé une formule de différences avant d'ordre 1 pour approcher la dérivée $y'(t)$ en $t = t_n$. On peut aussi utiliser une différence arrière d'ordre 1 en $t = t_{n+1}$ pour obtenir la méthode d'Euler dite implicite :

$$
\frac{y_{n+1} - y_n}{h} - f(t_{n+1}, y_{n+1}) = 0 \Leftrightarrow y_{n+1} - y_n - hf(t_{n+1}, y_{n+1}) = 0
$$

C'est une équation non linéaire que l'on peut résoudre par les techniques du chapitre 2 (ou du chapitre 3 pour les systèmes). On notera de plus qu'il s'agit

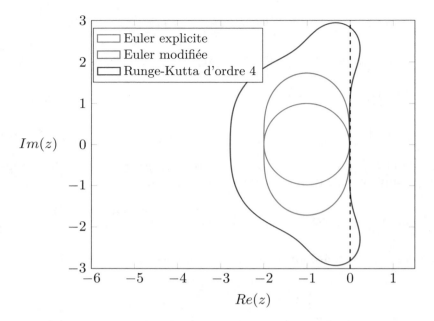

Figure 7.9 – Zones de stabilité absolue pour quelques méthodes explicites

aussi du schéma d'Adams-Moulton d'ordre 1 (voir la section 7.5). À chaque pas de temps, on devra résoudre l'équation :

$$g(x) = x - y_n - h f(t_{n+1}, x) = 0 \quad \text{(pour } y_n \text{ et } h \text{ connus)}$$

Si on prend la méthode de Newton par exemple (en 1 variable), on a besoin de la dérivée :

$$g'(x) = 1 - h \, \frac{\partial f}{\partial y} \, (t_{n+1}, x)$$

et on obtient l'algorithme :

$$\begin{cases} x_0 & = \quad y_n \\[2em] x_{k+1} & = \quad x_k - \dfrac{g(x_k)}{g'(x_k)} = x_k - \dfrac{x_k - y_n - h f(t_{n+1}, x_k)}{1 - h \, \frac{\partial f}{\partial y} \, (t_{n+1}, x_k)} \end{cases}$$

À la convergence, on obtient y_{n+1}. Si on applique cette méthode implicite à notre équation test, on peut résoudre directement (nul besoin de la méthode de Newton) et on obtient $y_{n+1} = y_n + h\lambda y_{n+1}$ qui devient $(1 - \lambda h)y_{n+1} = y_n$ de sorte que $y_{n+1} = \dfrac{1}{1 - \lambda h} \, y_n$. On a donc stabilité absolue si :

$$\left| \frac{1}{z - 1} \right| < 1 \quad \text{ou encore} \quad |z - 1| > 1$$

c.-à-d. à l'extérieur du cercle de rayon 1 centré en $z = 1$ du plan complexe (fig. 7.10).

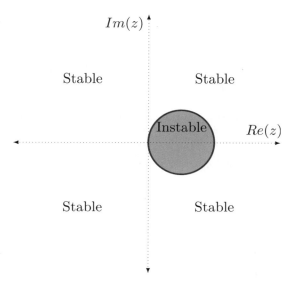

Figure 7.10 – Zone de stabilité de la méthode d'Euler implicite

---

Définition 7.47: A-stabilité

Une méthode à un pas est dite A-stable si sa zone de stabilité absolue comprend tout le demi-plan $h\lambda_R < 0$.

Remarque 7.48. La méthode d'Euler implicite est donc A-stable. On remarquera que pour $h\lambda_R > 0$ (sauf à l'intérieur du cercle), on aura tout de même $|y_{n+1}| < |y_n|$ même si la solution analytique est croissante ! Enfin, il n'y a pas de contrainte sur la valeur de h c.-à-d. toute valeur de h donnera des résultats corrects mais d'autant plus précis que h est petit. ◀

Méthode des trapèzes implicite

L'idée générale de la méthode s'inspire encore de l'équation 7.19. On approche ensuite l'intégrale de droite par la méthode des trapèzes simple et on obtient, en remplaçant $y(t_n)$ par y_n et $y(t_{n+1})$ par y_{n+1}, le schéma numérique :

$$y_{n+1} = y_n + \frac{h}{2}\left[f(t_n, y_n) + f(t_{n+1}, y_{n+1})\right]$$

qui n'est rien d'autre que la formule d'Adams-Moulton d'ordre 2. Contrairement à l'approche retenue à la section 7.5 qui nous a menés aux schémas de prédiction-correction, nous allons résoudre directement cette équation non linéaire en lui appliquant la méthode de Newton. À chaque pas de temps, on doit résoudre :

$$g(x) = x - y_n - \tfrac{h}{2}\left[f(t_n, y_n) + f(t_{n+1}, x)\right] = 0$$

par la méthode de Newton qui nous amène à l'algorithme :

$$\begin{cases} x_0 & = & y_n \\ x_{k+1} & = & x_k - \dfrac{g(x_k)}{g'(x_k)} = x_k - \dfrac{x_k - y_n - \frac{h}{2}\left[f(t_n, y_n) + f(t_{n+1}, x_k)\right]}{1 - \frac{h}{2} \frac{\partial f}{\partial y}(t_{n+1}, x_k)} \end{cases}$$

Pour étudier la stabilité absolue de cette méthode, on l'applique à notre problème test :

$$y_{n+1} = y_n + \frac{h}{2}\left[\lambda y_n + \lambda y_{n+1}\right] \text{ c.-à-d. } \left(1 - \frac{\lambda h}{2}\right) y_{n+1} = \left(1 + \frac{\lambda h}{2}\right) y_n$$

qui devient

$$y_{n+1} = \left(\frac{2 + \lambda h}{2 - \lambda h}\right) y_n \tag{7.40}$$

et la zone de stabilité absolue est (toujours en posant $z = h\lambda$) :

$$\left|\frac{2 + z}{2 - z}\right| < 1 \text{ ou encore } |2 + z| < |2 - z|$$

Puisque $z = \lambda h = h(\lambda_R + i\lambda_I)$, on a :

$$(2 + h\lambda_R)^2 + h^2\lambda_I^2 < (2 - h\lambda_R)^2 + h^2\lambda_I^2 \Rightarrow 4h\lambda_R < -4h\lambda_R \Rightarrow \lambda_R < 0$$

et la zone de stabilité est précisément le demi-plan $\lambda_R < 0$ et la méthode des trapèzes implicite est A-stable.

Remarque 7.49. Dans le cas où $\lambda = \lambda_R$ est réel, il y aura des valeurs de h pour lesquelles le schéma 7.40 produira une solution décroissante (vérifiant l'inégalité 7.37) mais de manière oscillatoire. Ce sera en effet le cas si le coefficient de y_n est négatif c.-à-d. si :

$$-1 < \frac{2 + \lambda_R h}{2 - \lambda_R h} < 0 \quad \text{ c.-à-d. } -2 + \lambda_R h < 2 + \lambda_R h < 0 \text{ puisque } (2 - \lambda_R h > 0)$$

On a ainsi les inégalités $-4 + \lambda_R h < \lambda_R h < -2$ à respecter. La première inégalité est toujours vraie mais la deuxième, par contre, entraîne que si h est supérieur à $\frac{-2}{\lambda_R}$, la solution numérique présentera des oscillations (tout en demeurant stable). On préférera donc éviter cela en prenant $h < -2/\lambda_R$. ◄

7.9   Méthodes de tir

Dans les deux sections qui suivent, nous ferons une brève incursion dans le domaine des équations différentielles avec conditions aux limites. La différence entre les équations différentielles avec conditions initiales et celles avec conditions aux limites est illustrée à la figure 7.11. Dans le premier cas, à $t = t_0$, la fonction $y(t_0)$ ainsi que sa pente $y'(t_0)$ sont connues. Dans le cas des équations avec conditions aux limites, on connaît les valeurs de la fonction $y(x)$ aux deux extrémités de l'intervalle, soit $y(a)$ et $y(b)$, mais on ne connaît pas la dérivée de la fonction en $x = a$. On note également que la variable indépendante est maintenant notée x, car il s'agit le plus souvent en pratique d'une variable d'espace, plus rarement de temps.

7.9.1 Équations linéaires

Commençons par l'étude des équations différentielles linéaires d'ordre 2 avec conditions aux limites dont la forme générale est :

$$\begin{cases} y''(x) &=& a_2(x)y'(x) + a_1(x)y(x) + a_0(x) \\ y(a) &=& y_a \\ y(b) &=& y_b \end{cases} \qquad (7.41)$$

On suppose les fonctions $a_i(x)$ suffisamment régulières pour assurer l'existence et l'unicité de la solution des équations différentielles que nous rencontrerons.

Bien que nous ne connaissions pas $y'(a)$, on peut quand même résoudre l'équation par les méthodes connues. Il nous faudra pour cela «deviner» la bonne valeur de $y'(a)$ qui s'interprète comme une pente et donc comme un angle de tir, d'où le nom *méthode de tir*. Pour y arriver, on tirera successivement avec une pente nulle ($y'(a) = 0$) et ensuite avec une pente de 1 ($y'(a) = 1$) comme l'indique le théorème qui suit.

Théorème 7.50: Méthode de tir

La solution de l'équation différentielle avec conditions aux limites 7.41 est donnée par :

$$y(x) = \left(\frac{y_b - y_2(b)}{y_1(b) - y_2(b)} \right) y_1(x) + \left(\frac{y_1(b) - y_b}{y_1(b) - y_2(b)} \right) y_2(x) \qquad (7.42)$$

où $y_1(x)$ et $y_2(x)$ sont les solutions des équations différentielles avec conditions initiales suivantes :

$$\begin{cases} y_1''(x) &=& a_2(x)y_1'(x) + a_1(x)y_1(x) + a_0(x) \\ y_1(a) &=& y_a \\ y_1'(a) &=& 0 \end{cases} \qquad (7.43)$$

$$\text{et} \begin{cases} y_2''(x) &=& a_2(x)y_2'(x) + a_1(x)y_2(x) + a_0(x) \\ y_2(a) &=& y_a \\ y_2'(a) &=& 1 \end{cases} \qquad (7.44)$$

Démonstration. Montrons d'abord que l'expression 7.42 est bien la solution de l'équation 7.41. On pose :

$$c_1 = \frac{y_b - y_2(b)}{y_1(b) - y_2(b)} \quad \text{et} \quad c_2 = \frac{y_1(b) - y_b}{y_1(b) - y_2(b)}$$

pour simplifier la notation tout en remarquant que $c_1 + c_2 = 1$. On doit maintenant s'assurer que $c_1 y_1(x) + c_2 y_2(x)$ est la solution de l'équation différentielle 7.41. La dérivée seconde de $y(x)$ peut alors s'écrire :

$$y''(x) = (c_1 y_1(x) + c_2 y_2(x))'' = c_1 y_1''(x) + c_2 y_2''(x)$$

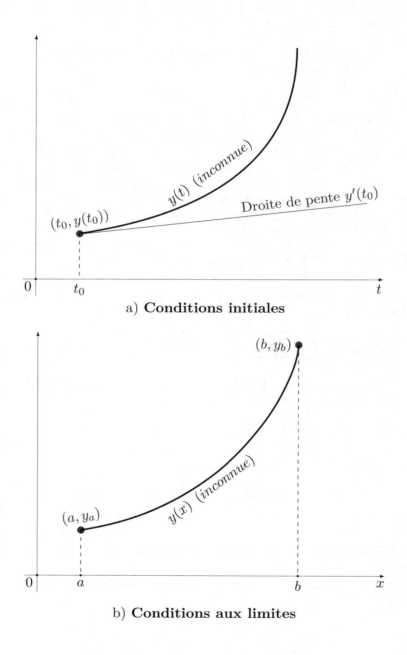

a) **Conditions initiales**

b) **Conditions aux limites**

Figure 7.11 – Conditions initiales et conditions aux limites

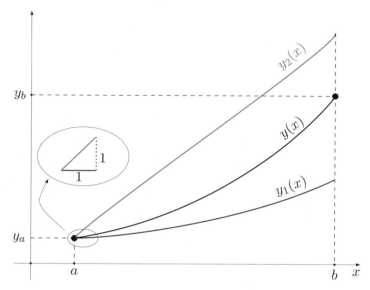

Figure 7.12 – Méthode de tir

Les fonctions $y_1(x)$ et $y_2(x)$ sont respectivement les solutions des équations 7.43 et 7.44 et sont illustrées à la figure 7.12. On a alors :

$$
\begin{aligned}
y''(x) &= c_1\left(a_2(x)y_1'(x) + a_1(x)y_1(x) + a_0(x)\right) \\
&\quad + c_2\left(a_2(x)y_2'(x) + a_1(x)y_2(x) + a_0(x)\right) \\
&= a_2(x)(c_1 y_1'(x) + c_2 y_2'(x)) + a_1(x)(c_1 y_1(x) + c_2 y_2(x)) \\
&\quad + (c_1 + c_2)a_0(x) \\
&= a_2(x)y'(x) + a_1(x)y(x) + a_0(x)
\end{aligned}
$$

puisque $c_1 + c_2 = 1$, ce qui montre bien que $y(x)$, définie par la relation 7.42, est une solution de l'équation différentielle 7.41.

On doit maintenant vérifier les conditions aux limites. Si les fonctions $y_1(x)$ et $y_2(x)$ satisfont respectivement les équations 7.43 et 7.44, on a alors en $x = a$:

$$
y(a) = c_1 y_1(a) + c_2 y_2(a) = (c_1 + c_2)y_a = y_a
$$

Par ailleurs :

$$
y(b) = c_1 y_1(b) + c_2 y_2(b) = \left(\frac{y_b - y_2(b)}{y_1(b) - y_2(b)}\right) y_1(b) + \left(\frac{y_1(b) - y_b}{y_1(b) - y_2(b)}\right) y_2(b) = y_b
$$

ce qui complète la démonstration. ∎

Remarque 7.51. On peut s'inquiéter du dénominateur $y_1(b) - y_2(b)$ des constantes c_1 et c_2 et s'interroger sur la possibilité qu'il s'annule. Cela n'est heureusement pas possible. En effet, si $y_1(b) = y_2(b)$, considérons le problème :

$$
\left\{
\begin{aligned}
y''(x) &= a_2(x)y'(x) + a_1(x)y(x) + a_0(x) \\
y(a) &= y_a \\
y(b) &= y_1(b) \quad \text{(ou } y_2(b))
\end{aligned}
\right.
$$

Sous les hypothèses appropriées sur les fonctions $a_i(x)$, ce problème possède une solution unique. Toutefois, on constate facilement que $y_1(x)$ et $y_2(x)$ sont des solutions de ce problème. Par unicité, elles devraient être égales, mais elles vérifient respectivement $y_1'(a) = 0$ et $y_2'(a) = 1$, ce qui est impossible. ◀

Remarque 7.52. En $x = a$, on a $y'(a) = c_1 y_1'(a) + c_2 y_2'(a) = c_2$ et la constante c_2 est précisément la pente en $x = a$ qui était inconnue. ◀

La figure 7.12 illustre les fonctions $y_1(x)$ et $y_2(x)$ ainsi que la solution recherchée. Si l'on regarde les conditions initiales imposées à $y_1(x)$ et à $y_2(x)$, on constate entre autres choses que ni $y_1(x)$ ni $y_2(x)$ ne vérifie la bonne condition aux limites en $x = b$. Par contre, en combinant ces deux solutions intermédiaires à l'aide de l'équation 7.42, on obtient la bonne solution.

On peut résoudre les équations différentielles avec conditions initiales 7.43 et 7.44 à l'aide de la méthode de Runge-Kutta d'ordre 4. On doit tout d'abord transformer chacune d'elles en un système de 2 équations différentielles d'ordre 1. En posant :

$$\begin{cases} u_1(x) = y_1(x) \\ u_2(x) = y_1'(x) \end{cases} \quad \text{et} \quad \begin{cases} v_1(x) = y_2(x) \\ v_2(x) = y_2'(x) \end{cases}$$

on obtient les deux systèmes suivants :

$$\begin{cases} u_1'(x) &= u_2(x) & (u_1(a) = y_a) \\ u_2'(x) &= a_2(x)u_2(x) + a_1(x)u_1(x) + a_0(x) & (u_2(a) = 0) \\ \\ v_1'(x) &= v_2(x) & (v_1(a) = y_a) \\ v_2'(x) &= a_2(x)v_2(x) + a_1(x)v_1(x) + a_0(x) & (v_2(a) = 1) \end{cases} \quad (7.45)$$

La solution finale peut alors s'écrire :

$$\begin{aligned} y(x) &= \left(\frac{y_b - y_2(b)}{y_1(b) - y_2(b)} \right) y_1(x) + \left(\frac{y_1(b) - y_b}{y_1(b) - y_2(b)} \right) y_2(x) \\ \\ &= \left(\frac{y_b - v_1(b)}{u_1(b) - v_1(b)} \right) u_1(x) + \left(\frac{u_1(b) - y_b}{u_1(b) - v_1(b)} \right) v_1(x) \end{aligned}$$

selon les nouvelles variables $u_1(x)$ et $v_1(x)$.

Exemple 7.53. Un fluide à haute température et pression circule dans une conduite métallique. Pour supporter les conditions d'opération, les parois de la conduite sont très épaisses, car on y observe un important transfert thermique. On peut montrer que la température T dans la paroi vérifie l'équation différentielle :

$$\frac{d^2T}{dr^2} + \frac{1}{r}\frac{dT}{dr} = 0 \quad \text{ou encore} \quad T''(r) = -\frac{1}{r}T'(r)$$

où r est la distance radiale (qui remplace la variable x). Sur la paroi intérieure (en $r = 1$ cm), la température est celle du fluide, soit 100°C tandis que la paroi externe (en $r = 2$ cm) est maintenue à la température ambiante soit 20°C (fig. 7.13). Les conditions aux limites sont donc $T(1) = 100$ et $T(2) = 20$.

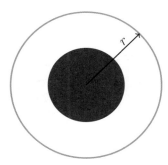

Figure 7.13 – Conduite cylindrique

On peut dès lors appliquer la méthode de tir en posant :

$$a_2(r) = -\frac{1}{r} \text{ ainsi que } a_1(r) = a_0(r) = 0$$

Les tableaux qui suivent présentent les solutions des problèmes intermédiaires pour $y_1(r)$ et $y_2(r)$ calculées par la méthode de Runge-Kutta d'ordre 4.

Problème intermédiaire 7.43			Problème intermédiaire 7.44		
r	$y_1(r) = u_1(r)$	$y_1'(r) = u_2(r)$	r	$y_2(r) = v_1(r)$	$y_2'(r) = v_2(r)$
1,0	100,000	0,000 000	1,0	100,000 000	1,000 000 000
1,1	100,000	0,000 000	1,1	100,095 309	0,909 090 909
1,2	100,000	0,000 000	1,2	100,182 321	0,833 333 333
1,3	100,000	0,000 000	1,3	100,262 363	0,769 230 769
1,4	100,000	0,000 000	1,4	100,336 471	0,714 285 714
1,5	100,000	0,000 000	1,5	100,405 464	0,666 666 667
1,6	100,000	0,000 000	1,6	100,470 002	0,625 000 000
1,7	100,000	0,000 000	1,7	100,530 627	0,588 235 294
1,8	100,000	0,000 000	1,8	100,587 785	0,555 555 555
1,9	100,000	0,000 000	1,9	100,641 853	0,526 315 789
2,0	100,000	0,000 000	2,0	100,693 146	0,500 000 000

On remarque la forme particulière de la solution $y_1(r)$ qui est simplement $y_1(r) = 100$, ce que l'on vérifie aisément. On note que :

$$y_1(b) = y_1(2,0) = 100 \text{ et } y_2(b) = y_2(2,0) = 100{,}693\,146$$

ce qui permet d'évaluer $c_1 = 116{,}415\,739$, $c_2 = -115{,}415\,739$ ainsi que $T(r)$ à l'aide de l'équation 7.42 (illustrée à la figure 7.14). On peut démontrer facilement que la solution analytique de cette équation est $y(x) = 100 - 115{,}415\,6032\ln x$, ce qui permet de calculer l'erreur absolue également illustrée.

Notons enfin que $T'(a) = c_1 y_1'(a) + c_2 y_2'(a) = c_2 = -115{,}415\,739$. On constate donc que c_2 est la pente $T'(1)$ (l'angle de tir) qui était inconnue en $r = 1$. ♦

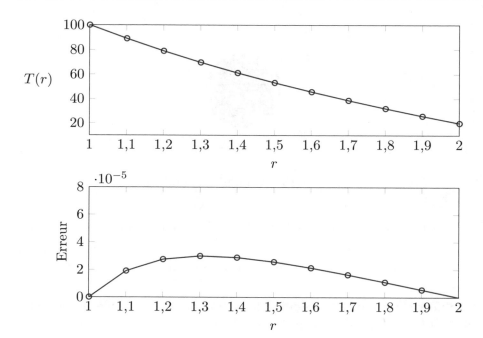

Figure 7.14 – Température (et erreur commise) dans la paroi d'une conduite

On rencontre fréquemment un autre type d'équations différentielles avec conditions aux limites de la forme :

$$\begin{cases} y''(x) &=& a_2(x)y'(x) + a_1(x)y(x) + a_0(x) \\ y(a) &=& y_a \\ y'(b) &=& y'_b \end{cases} \qquad (7.46)$$

La deuxième condition aux limites (c'est-à-dire en $x = b$) porte cette fois sur la dérivée de $y(x)$. Un raisonnement similaire au précédent conduit au théorème suivant dont la démonstration est laissée en exercice.

Théorème 7.54

La solution de l'équation différentielle avec conditions aux limites 7.46 est donnée par :

$$y(x) = \left(\frac{y'_b - y'_2(b)}{y'_1(b) - y'_2(b)} \right) y_1(x) + \left(\frac{y'_1(b) - y'_b}{y'_1(b) - y'_2(b)} \right) y_2(x) \qquad (7.47)$$

où $y_1(x)$ et $y_2(x)$ sont les solutions des équations différentielles avec conditions initiales 7.43 et 7.44.

Remarque 7.55. Suivant la notation du système 7.45, la solution 7.47 s'écrit également :

$$y(x) \;=\; \left(\frac{y'_b - y'_2(b)}{y'_1(b) - y'_2(b)} \right) y_1(x) + \left(\frac{y'_1(b) - y'_b}{y'_1(b) - y'_2(b)} \right) y_2(x)$$

$$=\; \left(\frac{y'_b - v_2(b)}{u_2(b) - v_2(b)} \right) u_1(x) + \left(\frac{u_2(b) - y'_b}{u_2(b) - v_2(b)} \right) v_1(x)$$

en fonction des variables des deux systèmes linéaires d'ordre 1. ◄

Exemple 7.56. Une tige métallique (voir Reddy, réf. [38]) de diamètre $D = 0{,}02$ m et de longueur $L = 0{,}05$ m est exposée à l'air ambiant à une température $T_\infty = 20°$C. La première extrémité de la tige est maintenue à $T_0 = 320°$C, tandis que l'autre extrémité est supposée parfaitement isolée, c'est-à-dire qu'il n'y a aucun flux de chaleur à cette extrémité ou encore que $T'(L) = 0$.

On peut montrer que l'équation différentielle régissant la température $T(x)$ dans la tige est de la forme :

$$\theta''(x) = N^2 \theta(x)$$

où $\theta(x) = T(x) - T_\infty$ et $N^2 = \dfrac{4\beta}{kD}$.

Dans la définition de N, β est un coefficient de transfert de chaleur avec le milieu ambiant ($\beta = 100$ W$\cdot$ °C$^{-1}\cdot$ m^{-2}) et $k = 50$ W $\cdot$ °C$^{-1}\cdot$ m^{-1} est la conductivité thermique. Les conditions aux limites relatives à θ sont donc :

$$\theta(0) = T(0) - 20 \text{ °C} = 300 \text{ °C} \quad \text{et} \quad \theta'(0{,}05) = 0$$

ce qui correspond aux conditions du théorème précédent. On retrouve dans les tableaux qui suivent les valeurs des différentes variables obtenues en prenant un pas de temps $h = 0{,}005$. La solution des équations différentielles 7.43 et 7.44 pour $y_1(x)$ et $y_2(x)$ donne :

Problème intermédiaire 7.43			Problème intermédiaire 7.44		
x	$y_1(x) = u_1(x)$	$y'_1(x) = u_2(x)$	x	$y_2(x) = v_1(x)$	$y'_2(x) = v_2(x)$
0,000	300,000 000	0,000 000 000	0,000	300,000 000	1,000 000 000
0,005	301,501 250	601,000 0000	0,005	301,506 258	602,005 0041
0,010	306,020 020	1208,015 008	0,010	306,030 087	1209,035 075
0,015	313,601 537	1827,120 225	0,015	313,616 763	1828,165 563
0,020	324,321 679	2464,511 853	0,020	324,342 216	2465,592 925
0,025	338,287 735	3126,569 112	0,025	338,313 790	3127,696 738
0,030	355,639 484	3819,918 083	0,030	355,671 317	3821,103 548
0,035	376,550 586	4551,498 023	0,035	376,588 515	4552,753 192
0,040	401,230 327	5328,630 820	0,040	401,274 733	5329,968 255
0,045	429,925 710	6159,094 267	0,045	429,977 036	6160,527 353
0,050	462,923 927	7051,199 909	0,050	462,982 687	7052,742 989

Les valeurs :

$$y'_1(0{,}05) = 7051{,}199\,909 \quad \text{et} \quad y'_2(0{,}05) = 7052{,}742\,989$$

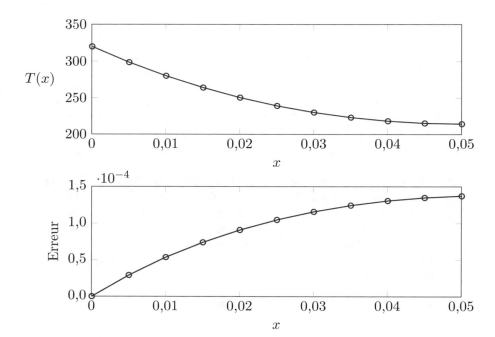

Figure 7.15 – Température (et erreur commise) dans une tige métallique : $T(x) = \theta(x) + T_\infty$

sont nécessaires pour déterminer $\theta(x)$ en vertu de l'équation 7.47 qui devient dans ce cas :

$$\theta(x) = (4570{,}562\,828)y_1(x) - (4569{,}562\,828)y_2(x)$$

ce qui nous amène à la solution numérique. Ici encore, une solution analytique existe :

$$\theta(x) = 300\frac{\cosh(N(L-x))}{\cosh(NL)}$$

qui permet de comparer et d'évaluer l'erreur commise (voir la figure 7.15). On remarque que les deux conditions aux limites sont bien vérifiées et en particulier que la pente de la température est nulle en $x = 0{,}05$, ce qui confirme que le flux de chaleur est nul. ◆

7.9.2   Équations non linéaires

Nous allons maintenant généraliser la démarche précédente au cas des équations non linéaires d'ordre 2 :

$$y''(x) = f(x, y(x), y'(x)) \tag{7.48}$$

Nous distinguons ici encore deux types de conditions aux limites, complétant ainsi le problème 7.48. Dans le premier cas, la condition aux limites en $x = b$ porte sur la fonction $y(x)$:

$$y(a) = y_a \ \text{ et } \ y(b) = y_b \tag{7.49}$$

tandis que, dans le deuxième cas, la condition aux limites est sur la dérivée $y'(x)$:

$$y(a) = y_a \text{ et } y'(b) = y'_b \tag{7.50}$$

Ces 2 cas résulteront en des algorithmes légèrement différents, mais l'idée de base sera toujours la même. De toute évidence, le problème linéaire (équation 7.41) déjà étudié en est un cas particulier.

Tout comme dans le cas linéaire, nous allons utiliser des problèmes intermédiaires bien choisis mais avec conditions initiales. Par contre, puisque le problème est non linéaire, il ne suffira pas de résoudre seulement deux problèmes intermédiaires. Nous allons en fait établir un lien avec les méthodes de résolution d'équations non linéaires du chapitre 2.

Considérons pour ce faire le problème intermédiaire suivant avec conditions initiales :

$$\begin{cases} y''_\beta(x) &= f(x, y_\beta(x), y'_\beta(x)) \\ y_\beta(a) &= y_a \\ y'_\beta(a) &= \beta \end{cases} \tag{7.51}$$

Comme nous l'avons déjà vu, l'équation 7.51 se ramène à un système de deux équations d'ordre 1 en posant $y_\beta(x) = y_{\beta,1}(x)$ et $y'_\beta(x) = y_{\beta,2}(x)$:

$$\begin{cases} y'_{\beta,1}(x) &= y_{\beta,2}(x) & y_{\beta,1}(a) = y_a \\ y'_{\beta,2}(x) &= f(x, y_{\beta,1}(x), y_{\beta,2}(x)) & y_{\beta,2}(a) = \beta \end{cases} \tag{7.52}$$

Considérons dans un premier temps la condition aux limites 7.49. L'idée est de trouver la bonne valeur de β (la pente en $x = a$) de sorte que $y_\beta(b) = y_b$, ce qui revient à déterminer l'angle de tir en $x = a$ permettant d'atteindre la cible y_b en $x = b$. On constate alors que cela revient à résoudre l'équation non linéaire de la variable β :

$$f(\beta) = y_\beta(b) - y_b = y_{\beta,1}(b) - y_b = 0 \tag{7.53}$$

Dans le cas des conditions aux limites 7.50, on résout de manière similaire l'équation non linéaire :

$$f(\beta) = y'_\beta(b) - y'_b = y_{\beta,2}(b) - y'_b = 0 \tag{7.54}$$

L'évaluation de la fonction $f(\beta)$ s'effectue en deux étapes :

1. pour une valeur de β donnée, on résout le système 7.52 (par une méthode de Runge-Kutta) ;

2. (a) pour les conditions aux limites 7.49, on pose $f(\beta) = y_{\beta,1}(b) - y_b$;

   (b) pour les conditions aux limites 7.50, on pose $f(\beta) = y_{\beta,2}(b) - y'_b$.

On peut dès lors appliquer les méthodes du chapitre 2. On peut appliquer la méthode de Newton, mais cela nécessite la résolution d'une équation différentielle supplémentaire (provenant du calcul de $f'(\beta)$), ce qui alourdit significativement le travail. On se réfère à Burden et Faires (réf. [6]) pour plus de détails. La méthode des points fixes n'est pas appropriée ou, à tout le moins, est difficile à appliquer. Il reste donc les méthodes de la bissection et de la sécante.

On a ainsi ramené la résolution de l'équation différentielle 7.48 avec comme conditions aux limites l'une ou l'autre des conditions 7.49 ou 7.50 à la solution d'une équation non linéaire d'une variable réelle. Les algorithmes des méthodes de la sécante et de la bissection restent les mêmes.

Algorithme de la sécante

1. Pour β_0 et β_1 donnés

2. Pour $n \geq 1$:

$$\beta_{n+1} = \beta_n - f(\beta_n)\frac{(\beta_n - \beta_{n-1})}{(f(\beta_n) - f(\beta_{n-1}))}$$

Algorithme de la bissection

1. Pour β_0 et β_1 donnés et vérifiant $f(\beta_0)f(\beta_1) < 0$

2. On pose $\beta_m = \dfrac{\beta_0 + \beta_1}{2}$

3. On choisit entre les intervalles $[\beta_0\ ,\ \beta_m]$ et $[\beta_m\ ,\ \beta_1]$ celui où il y a changement de signe de la fonction $f(\beta)$

4. On recommence le processus avec le nouvel intervalle

Remarque 7.57. Le choix de β_0 et β_1 pour les méthodes de la bissection et de la sécante est toujours délicat. Dans le cas des conditions aux limites 7.49, une valeur approximative de β_0 est :

$$\beta_0 = \frac{y_b - y_a}{b - a}$$

ce qui correspond à calculer la pente de la droite passant par les points (a, y_a) et (b, y_b). Pour des conditions aux limites de la forme 7.50, on prendra simplement $\beta_0 = y_b'$, ce qui signifie que l'on utilise la droite de pente y_b' et passant par (a, y_a).

Une fois β_0 convenablement choisi, on détermine β_1 pour la méthode de la bissection de sorte que la fonction $f(\beta)$ change de signe dans l'intervalle $[\beta_0\ ,\ \beta_1]$. Enfin, pour la méthode de la sécante, on peut prendre par exemple $\beta_1 = 1{,}001\beta_0$.

Rappelons que les valeurs suggérées de β_0 et β_1 ne fonctionnent pas toujours et que rien ne garantit la convergence des méthodes de bissection et de la sécante. ◄

Exemple 7.58. Soit l'équation différentielle suivante :

$$y''(x) = -\frac{2}{x}y'(x) + \frac{1}{x^2}$$

avec les conditions aux limites $y(1) = 0$ et $y(2) = 0{,}693\,147$. Cette équation est linéaire. On peut cependant essayer de la résoudre comme si elle était non linéaire. Puisque les conditions aux limites imposées sont de la forme 7.49, on pose :

$$\beta_0 = \frac{0{,}693\,147 - 0}{1 - 0} = 0{,}693\,147 \quad \text{et} \quad \beta_1 = 1{,}001\beta_0$$

Dès la deuxième itération, on trouve $\beta_2 = 1{,}000\,001\,927$ pour laquelle la fonction f de l'équation 7.53 vaut $-3{,}55 \times 10^{-15}$. Ce résultat impressionnant vient

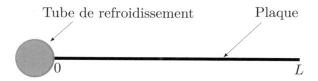

Figure 7.16 – Rayonnement dans une plaque

du fait que l'équation de départ était linéaire. Pour une équation non linéaire, il faut habituellement quelques itérations comme le montre l'exemple qui suit.
◆

Exemple 7.59. L'exemple qui suit s'inspire d'un problème tiré du livre de James, Smith et Wolford [29]. On souhaite calculer la dissipation de chaleur dans un corps soumis au rayonnement solaire. Pour y arriver, on utilise des canaux de refroidissement auxquels sont greffées des plaques métalliques qui permettent d'augmenter la surface de rayonnement. Un liquide de refroidissement circule dans les canaux ainsi qu'à l'intérieur des plaques. On rencontre ce type de problèmes dans la conception de satellites dont la chaleur interne est dissipée par radiation (rayonnement) avec le milieu ambiant. On suppose que la plaque est très longue par rapport à sa largeur et que l'on peut considérer le problème comme étant unidimensionnel comme illustré à la figure 7.16. On doit alors résoudre une équation différentielle non linéaire de la forme :

$$\begin{cases} T''(x) & = & \dfrac{2\sigma\epsilon_1}{kh}(T^4 - T_\infty^4) \\[2mm] T(0) & = & 1110 \text{ °K} \\[2mm] T'(L) & = & 0 \end{cases} \tag{7.55}$$

Dans ce modèle, T est bien sûr la température (en °K), $T_\infty = 0$°K est la température du milieu ambiant (l'espace), $\sigma = 5{,}67 \times 10^{-8}$ joule $\cdot$ °K$^{-4} \cdot$ m$^{-2} \cdot$ s^{-1} est la constante de Boltzmann, $k = 13{,}4136$ joule $\cdot$ °K$^{-1} \cdot$ m$^{-1} \cdot$ s^{-1} est la conductivité thermique tandis que $\epsilon_1 = 0{,}8$, $h = 0{,}0015$ m et $L = 0{,}075$ m désignent respectivement l'émissivité (nombre adimensionnel), l'épaisseur et la longueur de la plaque. Les conditions aux limites signifient que la température de la plaque est connue à l'une des extrémités, car maintenue à une température fixe d'environ 1110°K par un tube de refroidissement. À l'autre extrémité, on suppose que la plaque est parfaitement isolée et donc que le flux de chaleur est nul.

On peut résoudre ce problème par la méthode de tir que nous venons de décrire. Dans un premier temps, on transforme l'équation différentielle d'ordre 2 en un système de deux équations différentielles d'ordre 1 en posant $T(x) =$

$T_1(x)$ et $T'(x) = T_2(x)$:

$$\begin{cases} T'_1(x) & = & T_2(x) & T_1(0) = 1110 \\[2mm] T'_2(x) & = & \dfrac{2\sigma\epsilon_1}{kh}(T_1^4 - T_\infty^4) & T_2(0) = \beta \end{cases} \qquad (7.56)$$

La valeur du flux de température $T'(0) = T_2(0)$ étant inconnue, on devra itérer pour modifier β jusqu'à ce que la solution vérifie :

$$T'(L) = T_2(L) = 0$$

Nous utiliserons la méthode de la sécante bien que la variation de température risque d'être extrêmement brusque dans la plaque. La principale difficulté est de trouver des valeurs initiales β_0 et β_1. Dans un premier temps, il semble approprié de tracer le graphique de la fonction $f(\beta)$ (fig. 7.17) qui, dans ce cas, est donnée par la relation 7.54 avec $y'_b = 0$. Rappelons que, pour chaque valeur de β de ce graphique, on doit résoudre le système 7.56.

On constate qu'il existe une racine de cette fonction autour de $-55\,000$. En partant de $\beta_0 = -54\,500$ et $\beta_1 = -55\,000$, la méthode de la sécante a produit une valeur $\beta = -54\,983,88$ en 5 itérations. Cette dernière valeur de β est donc celle qui nous assure qu'à l'autre extrémité de la plaque, on a un flux de température nul comme illustré à la figure 7.17. Cette valeur s'interprète également comme le gradient de température près du canal de refroidissement. On y constate donc une décroissance très rapide de la température, ce qui est précisément l'effet recherché. ◆

7.10   Méthodes des différences finies

Dans cette section, nous nous intéressons uniquement aux équations différentielles avec conditions aux limites et nous proposons une solution de remplacement à la méthode de tir de la section précédente. Il s'agit de la *méthode des différences finies*, qui constitue la principale application des techniques de différentiation numérique que nous avons vues au chapitre 6. De plus, cette méthode s'étend facilement aux équations aux dérivées partielles, ce qui n'est pas le cas de la méthode de tir.

On considère l'équation différentielle avec conditions aux limites :

$$\begin{cases} y''(x) = a_2(x)y'(x) + a_1(x)y(x) + a_0(x) \\ y(a) = y_a \text{ et } y(b) = y_b \end{cases}$$

que l'on réécrit sous la forme :

$$\begin{cases} y''(x) - a_2(x)y'(x) - a_1(x)y(x) = a_0(x) \\ y(a) = y_a \text{ et } y(b) = y_b \end{cases}$$

L'objectif est toujours de trouver une approximation y_i de $y(x_i)$ en certains points x_i de l'intervalle $[a \ , \ b]$. On divise d'abord cet intervalle en n sous-intervalles de longueur $h = \frac{(b-a)}{n}$ et l'on note $x_0 = a$, $x_i = a + ih$ et enfin $x_n = $

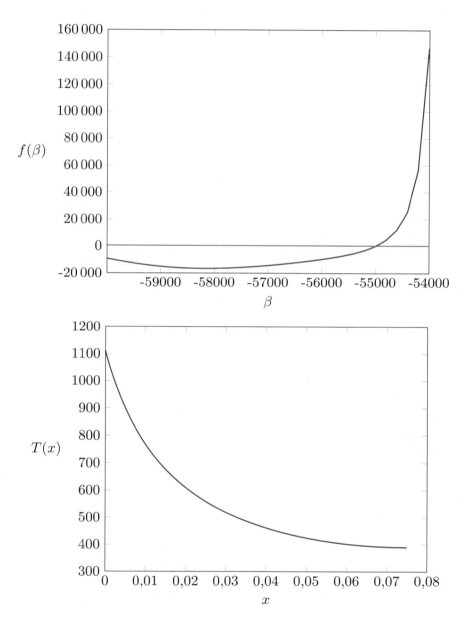

Figure 7.17 – Dissipation de chaleur dans une plaque

$a + nh = b$. Les conditions aux limites imposent immédiatement que $y_0 = y_a$ et que $y_n = y_b$. Il reste donc à déterminer les $(n-1)$ inconnues $y_1, y_2, \cdots, y_{n-1}$ et pour ce faire, on construira un système linéaire de même dimension. La stratégie de résolution consiste à remplacer dans l'équation différentielle toutes les dérivées de la fonction $y(x)$ par des formules aux différences finies, et ce, en chaque point x_i pour i allant de 1 à $(n-1)$. Plus précisément, au point x_i, l'équation différentielle s'écrit :

$$y''(x_i) - a_2(x_i)y'(x_i) - a_1(x_i)y(x_i) = a_0(x_i)$$

On introduit ici les différences centrées :

$$y''(x_i) = \frac{y(x_{i+1}) - 2y(x_i) + y(x_{i-1})}{h^2} + O(h^2)$$

et :

$$y'(x_i) = \frac{y(x_{i+1}) - y(x_{i-1})}{2h} + O(h^2)$$

Il suffit maintenant de remplacer ces expressions dans l'équation différentielle. On doit cependant négliger les différents termes d'erreur, ce qui nous oblige à remplacer les $y(x_i)$ par leur approximation y_i. On obtient alors :

$$\frac{y_{i+1} - 2y_i + y_{i-1}}{h^2} - a_2(x_i)\left(\frac{y_{i+1} - y_{i-1}}{2h}\right) - a_1(x_i)y_i = a_0(x_i)$$

et on multiplie ensuite l'équation précédente par $-2h^2$:

$$-\left(2 + ha_2(x_i)\right)y_{i-1} + (4 + 2h^2a_1(x_i))y_i + \left(-2 + ha_2(x_i)\right)y_{i+1} = -2h^2a_0(x_i)$$

Cette dernière relation est vérifiée pour $i = 1, 2, \cdots, (n-1)$. On note de plus que, dans la première équation $(i = 1)$, $y_{i-1} = y_0 = y_a$ est une quantité connue. De même, à l'autre extrémité $(i = n-1)$, on a $y_{i+1} = y_n = y_b$. Puisqu'ils sont connus, les termes correspondants sont passés dans le membre de droite. On est ainsi amené à résoudre le système linéaire :

$$\begin{bmatrix} 4 + 2h^2a_1(x_1) & -2 + ha_2(x_1) & 0 & 0 \\ -2 - ha_2(x_2) & 4 + 2h^2a_1(x_2) & -2 + ha_2(x_2) & \vdots \\ 0 & \ddots & \ddots & \vdots \\ 0 & -2 - ha_2(x_{n-2}) & 4 + 2h^2a_1(x_{n-2}) & -2 + ha_2(x_{n-2}) \\ 0 & \cdots & -2 - ha_2(x_{n-1}) & 4 + 2h^2a_1(x_{n-1}) \end{bmatrix}$$

$$\times \begin{bmatrix} y_1 \\ y_2 \\ \vdots \\ y_{n-2} \\ y_{n-1} \end{bmatrix} = \begin{bmatrix} -2h^2a_0(x_1) + (2 + ha_2(x_1))y_a \\ -2h^2a_0(x_2) \\ \vdots \\ -2h^2a_0(x_{n-2}) \\ -2h^2a_0(x_{n-1}) + (2 - ha_2(x_{n-1}))y_b \end{bmatrix} \quad (7.57)$$

Cette matrice est tridiagonale. Sa diagonale principale vaut $4 + 2h^2a_1(x_i)$ pour $i = 1, 2, \cdots, (n-1)$, sa diagonale inférieure vaut $-2 - ha_2(x_i)$ pour

$i = 2, 3, \cdots, (n-1)$ et enfin sa diagonale supérieure vaut $-2 + ha_2(x_i)$ pour $i = 1, 2, \cdots, (n-2)$. Tous les autres termes sont nuls. On remarque de plus que les première et dernière lignes tiennent compte des conditions aux limites, par le biais du terme de droite. La résolution numérique d'un tel système linéaire est, comme nous l'avons déjà constaté au chapitre 3, très rapide et on peut lui appliquer directement l'algorithme 3.46 spécifique aux matrices tridiagonales.

Exemple 7.60. On considère l'équation différentielle avec conditions aux limites :

$$T''(r) \;=\; -\frac{1}{r}T'(r)$$

$$T(1) \;=\; 100$$
$$T(2) \;=\; 20$$

permettant de calculer la température dans une conduite cylindrique et que nous avons résolue par une méthode de tir à l'exemple 7.53. On a encore ici :

$$a_2(r) = -\frac{1}{r}, \quad a_1(r) = a_0(r) = 0$$

Si l'on prend 10 intervalles ($h = 0{,}1$), le système 7.57 est de dimension 9 et s'écrit (les coefficients de la matrice ont été tronqués à 3 chiffres) :

$$
\begin{bmatrix}
4{,}00 & -2{,}09 & 0{,}0 & 0{,}0 & 0{,}0 & 0{,}0 & 0{,}0 & 0{,}0 & 0{,}0 \\
-1{,}91 & 4{,}00 & -2{,}08 & 0{,}0 & 0{,}0 & 0{,}0 & 0{,}0 & 0{,}0 & 0{,}0 \\
0{,}0 & -1{,}92 & 4{,}00 & -2{,}07 & 0{,}0 & 0{,}0 & 0{,}0 & 0{,}0 & 0{,}0 \\
0{,}0 & 0{,}0 & -1{,}92 & 4{,}00 & -2{,}07 & 0{,}0 & 0{,}0 & 0{,}0 & 0{,}0 \\
0{,}0 & 0{,}0 & 0{,}0 & -1{,}93 & 4{,}00 & -2{,}06 & 0{,}0 & 0{,}0 & 0{,}0 \\
0{,}0 & 0{,}0 & 0{,}0 & 0{,}0 & -1{,}93 & 4{,}00 & -2{,}06 & 0{,}0 & 0{,}0 \\
0{,}0 & 0{,}0 & 0{,}0 & 0{,}0 & 0{,}0 & -1{,}94 & 4{,}00 & -2{,}05 & 0{,}0 \\
0{,}0 & 0{,}0 & 0{,}0 & 0{,}0 & 0{,}0 & 0{,}0 & -1{,}94 & 4{,}00 & -2{,}05 \\
0{,}0 & 0{,}0 & 0{,}0 & 0{,}0 & 0{,}0 & 0{,}0 & 0{,}0 & -1{,}94 & 4{,}00
\end{bmatrix}
\times
\begin{bmatrix}
y_1 \\ y_2 \\ y_3 \\ y_4 \\ y_5 \\ y_6 \\ y_7 \\ y_8 \\ y_9
\end{bmatrix}
=
\begin{bmatrix}
190{,}9091 \\ 0 \\ 0 \\ 0 \\ 0 \\ 0 \\ 0 \\ 0 \\ 41{,}0526
\end{bmatrix}
$$

On obtient les résultats suivants illustrés à la figure 7.18. En comparant avec la figure 7.14, on remarque immédiatement que l'erreur commise ici est plus grande que l'erreur produite par la méthode de tir. Cette différence d'erreur provient de l'ordre de précision des méthodes employées. En effet, la méthode de tir est d'ordre 4 puisqu'elle s'appuie sur une méthode de Runge-Kutta d'ordre 4. Dans le cas de la méthode des différences finies, l'erreur commise est d'ordre 2 puisqu'on a utilisé des différences centrées d'ordre 2. On pourrait améliorer la précision en insérant par exemple des différences centrées d'ordre 4. ◆

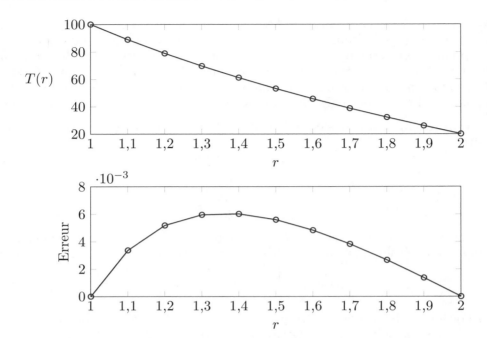

Figure 7.18 – Température (et erreur commise) dans la paroi d'une conduite

Remarque 7.61. Le choix de différences centrées, plutôt que de différences avant ou arrière, permet d'obtenir des résultats davantage précis, car d'ordre plus élevé. Toutefois, il peut se révéler utile dans certaines situations d'utiliser des différences avant ou arrière lorsque l'on recherche des schémas aux différences finies ayant des propriétés quelque peu différentes. ◄

7.11   Applications

Cette dernière section présente un certain nombre d'applications des méthodes de résolution d'équations différentielles et plus précisément des sytèmes d'équations différentielles. Le lecteur pourra y apprécier la variété des applications de même que la puissance des méthodes que nous avons vues.

7.11.1   Problème du pendule

Comme nous l'avons vu à l'exemple 1.9 du chapitre 1, si un pendule de masse m et de longueur l fait un angle $\theta(t)$ avec la verticale, $\theta(t)$ est la solution de l'équation différentielle :

$$\begin{cases} \theta''(t) & = & -\dfrac{c_f \theta'(t)}{m} - \dfrac{g\sin(\theta(t))}{l} \\ \theta(0) & = & \theta_0 \\ \theta'(0) & = & \theta'_0 \end{cases}$$

Le paramètre c_f est un coefficient de frottement qui est souvent négligé et $g = 9{,}8$ m/s^2. Il s'agit bien sûr d'une équation différentielle d'ordre 2 avec des conditions relatives à la position et à la vitesse angulaire initiales. Suivant les techniques de la section 7.7, on transforme cette équation d'ordre 2 en un système de 2 équations d'ordre 1. Ce système s'écrit, dans le cas d'un pendule *de masse et de longueur unitaires* :

$$\begin{cases} y_1'(t) &= y_2(t) & (y_1(0) = \theta_0) \\ y_2'(t) &= -c_f y_2(t) - g\sin(y_1(t)) & (y_2(0) = \theta_0') \end{cases} \qquad (7.58)$$

Dans cet exemple, la variable $y_1(t)$ est l'angle $\theta(t)$ et la variable $y_2(t)$ est la vitesse angulaire $\theta'(t)$. On résout ce système à l'aide de la méthode de Runge-Kutta d'ordre 4 et de l'algorithme 7.25. Dans un premier temps, on néglige le terme de frottement en posant $c_f = 0$, qui est une approximation fréquemment utilisée. De plus, on fait appel à l'approximation $\sin(\theta(t)) \simeq \theta(t)$, qui est valide dans le cas où l'angle $\theta(t)$ reste petit en tout temps. Le système 7.58 devient alors :

$$\begin{cases} y_1'(t) &= y_2(t) & (y_1(0) = \theta_0) \\ y_2'(t) &= -g y_1(t) & (y_2(0) = \theta_0') \end{cases}$$

Comme conditions initiales on pose $\theta_0 = 0{,}1$ rad et $\theta_0' = 0$, qui indiquent que la position initiale du pendule fait un angle de 0,1 rad avec la verticale et que sa vitesse angulaire initiale est nulle.

Les conditions initiales choisies résultent en des oscillations de faible amplitude. Si l'on retire l'approximation $\sin(\theta(t)) \simeq \theta(t)$ tout en maintenant les mêmes conditions initiales, on doit résoudre :

$$\begin{cases} y_1'(t) &= y_2(t) & (y_1(0) = \theta_0) \\ y_2'(t) &= -g\sin(y_1(t)) & (y_2(0) = \theta_0') \end{cases}$$

La figure 7.19 illustre les solutions de ces deux modèles. Les courbes sont parfaitement superposables, ce qui démontre la validité de l'approximation $\sin(\theta(t)) \simeq \theta(t)$ pour ces conditions initiales.

Cette approximation n'est cependant plus valable dans le cas où les angles $\theta(t)$ deviennent grands. Ce cas est illustré à la figure 7.20, où l'on a retenu les conditions initiales $\theta_0 = 1{,}5$ rad et $\theta_0' = 0$ qui permettent des oscillations de forte amplitude. On voit nettement à la figure 7.20 que, bien que les deux courbes demeurent périodiques, elles diffèrent de manière importante.

Un dernier exemple permet de mettre en évidence l'influence de la force de frottement et du coefficient c_f. La figure 7.21 illustre le cas où $c_f = 0{,}1$. On voit très nettement l'amplitude des oscillations diminuer. Le pendule finit par s'arrêter complètement. Un coefficient c_f plus grand amortit plus rapidement les oscillations.

7.11.2 Systèmes de masses et de ressorts

Prenons comme deuxième application un système de deux masses et de trois ressorts, tel que l'illustre la figure 7.22 (voir Strang, réf. [42]). La position d'équilibre est atteinte lorsque les forces de tension dans les ressorts sont équilibrées par le poids des masses.

On note m_i, les masses et c_i, les coefficients de rigidité des ressorts. La *loi de Hooke* établit une relation linéaire entre la force f_i et l'élongation e_i du i^e ressort de la forme :

$$f_i = c_i e_i \qquad (7.59)$$

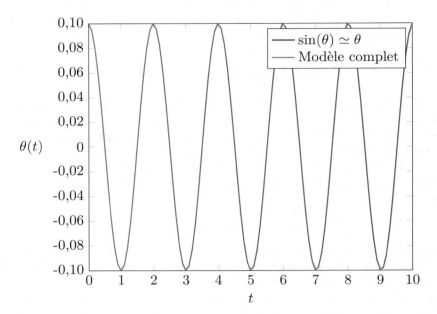

Figure 7.19 – Pendule : $c_f = 0, \theta_0 = 0{,}1$ et $\theta_0' = 0$

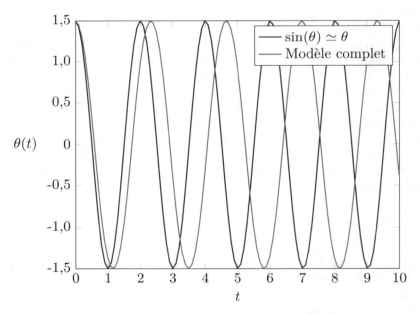

Figure 7.20 – Pendule : $c_f = 0, \theta_0 = 1{,}5$ et $\theta_0' = 0$

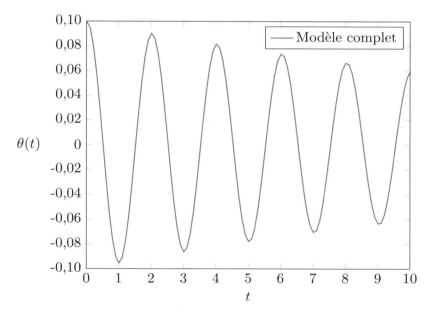

Figure 7.21 – Pendule : $c_f = 0{,}1$, $\theta_0 = 0{,}1$ et $\theta'_0 = 0$

Si l'on perturbe l'équilibre en déplaçant une ou plusieurs masses, le système se met à vibrer suivant les équations :

$$M\frac{d^2\vec{u}}{dt^2} = -K\vec{u}$$

ou encore :

$$\frac{d^2\vec{u}}{dt^2} = -M^{-1}K\vec{u} \tag{7.60}$$

où le vecteur $\vec{u}(t) = \begin{bmatrix} u_1(t) & u_2(t) \end{bmatrix}^T$ exprime le déplacement de chacune des masses par rapport à la position d'équilibre. Le vecteur vitesse est bien sûr noté $\vec{u}'(t)$. Les conditions initiales $\vec{u}(0) = \begin{bmatrix} u_{1,0} & u_{2,0} \end{bmatrix}^T$ et $\vec{u}'(0) = \begin{bmatrix} u'_{1,0} & u'_{2,0} \end{bmatrix}^T$ complètent le système. La matrice M est la *matrice de masse* définie par :

$$M = \begin{bmatrix} m_1 & 0 \\ 0 & m_2 \end{bmatrix}$$

K est la *matrice de rigidité* définie par :

$$K = A^T C A$$

où A est la *matrice d'incidence* :

$$A = \begin{bmatrix} 1 & 0 \\ -1 & 1 \\ 0 & -1 \end{bmatrix}$$

et C est la matrice :

$$C = \begin{bmatrix} c_1 & 0 & 0 \\ 0 & c_2 & 0 \\ 0 & 0 & c_3 \end{bmatrix}$$

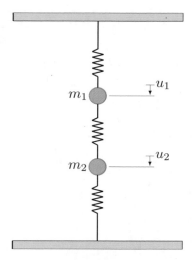

Figure 7.22 – Système de masses et de ressorts

La matrice d'incidence A est construite de telle sorte que :

$$A\vec{u} = \vec{e}$$

En d'autres mots, pour des déplacements $\vec{u}$ donnés, $A\vec{u}$ donne l'élongation $\vec{e}$ de chaque ressort.

Le système 7.60 est le résultat de l'application de la loi de Hooke 7.59 et du second principe de Newton. Dans le cas où les masses m_i et les constantes de rigidité c_i sont unitaires, les matrices M et C deviennent des matrices identité et la matrice K est simplement égale à $A^T A$, c'est-à-dire :

$$K = \begin{bmatrix} 2 & -1 \\ -1 & 2 \end{bmatrix}$$

Le système 7.60 devient alors :

$$\begin{array}{rcll} u_1''(t) & = & -2u_1(t) + u_2(t) & (u_1(0) = u_{1,0} \text{ et } u_1'(0) = u_{1,0}') \\ u_2''(t) & = & u_1(t) - 2u_2(t) & (u_2(0) = u_{2,0} \text{ et } u_2'(0) = u_{2,0}') \end{array}$$

où $u_{i,0}$ et $u_{i,0}'$ sont respectivement la position et la vitesse initiales de la i^{e} masse. Il faut maintenant ramener ce système de 2 équations différentielles d'ordre 2 à un système de 4 équations différentielles d'ordre 1. Il suffit pour ce faire de poser :

$$\begin{cases} y_1(t) & = & u_1(t) \\ y_2(t) & = & u_1'(t) \\ y_3(t) & = & u_2(t) \\ y_4(t) & = & u_2'(t) \end{cases}$$

et le système devient :

$$\begin{cases} y_1'(t) & = & y_2(t) & (y_1(0) = u_{1,0}) \\ y_2'(t) & = & -2y_1(t) + y_3(t) & (y_2(0) = u_{1,0}') \\ y_3'(t) & = & y_4(t) & (y_1(0) = u_{2,0}) \\ y_4'(t) & = & y_1(t) - 2y_3(t) & (y_2(0) = u_{2,0}') \end{cases}$$

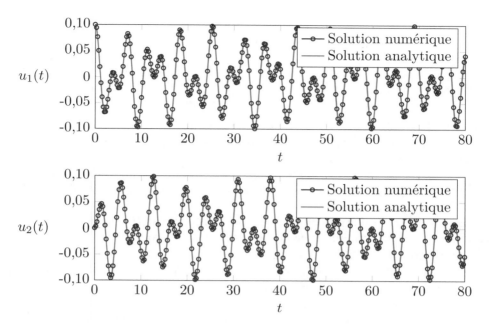

Figure 7.23 – Déplacements $u_1(t)$ et $u_2(t)$ des deux masses

La figure 7.23 illustre les déplacements de chacune des deux masses en fonction du temps selon les conditions initiales $\vec{u}(0) = \begin{bmatrix} 0{,}1 & 0{,}0 \end{bmatrix}^T$ et $\vec{u}'(0) = \begin{bmatrix} 0{,}0 & 0{,}0 \end{bmatrix}^T$ qui indiquent qu'une seule des masses est initialement déplacée. Une méthode de Runge-Kutta d'ordre 4 a été utilisée avec un pas de temps $h = 0{,}25$.

On remarque le caractère non périodique de chacun des déplacements. On pourrait montrer que la solution analytique est de la forme :

$$\begin{array}{rcl} u_1(t) = y_1(t) & = & 0{,}05(\cos t + \cos \sqrt{3}t) \\ u_2(t) = y_3(t) & = & 0{,}05(\cos t - \cos \sqrt{3}t) \end{array}$$

Cette solution est une combinaison de deux signaux dont les fréquences respectives sont 1 et $\sqrt{3}$. Ces fréquences sont dites *incommensurables*, ce qui signifie que leur rapport est un nombre irrationnel. C'est ce qui explique la non-périodicité de la solution. On note enfin qu'une fois de plus, les solutions numériques et analytiques sont très proches.

7.11.3 Attracteur étrange de Lorenz

On connaît l'importance accordée aux prévisions météorologiques dans la vie de tous les jours. Il importe en effet de pouvoir prédire les conditions climatiques afin de planifier bon nombre d'activités. Ce besoin est encore plus aigu lorsque se préparent des ouragans ou de simples tempêtes de neige.

La prévision météorologique est largement basée sur les méthodes numériques. Les travaux dans ce domaine remontent à quelques dizaines d'années. Un des pionniers fut Lorenz (réf. [32]), qui mit au point un modèle très simple de la forme :

$$
\begin{cases}
y_1'(t) &= \sigma(y_2(t) - y_1(t)) \\[2mm]
y_2'(t) &= ry_1(t) - y_2(t) - y_1(t)y_3(t) \\[2mm]
y_3'(t) &= y_1(t)y_2(t) - by_3(t)
\end{cases}
\qquad (7.61)
$$

Selon Gulick (réf. [26]), la variable $y_1(t)$ est proportionnelle à l'intensité des mouvements de convection, la variable $y_2(t)$ est proportionnelle à la différence de température entre les courants ascendants et descendants, tandis que la variable $y_3(t)$ est proportionnelle à la distorsion du profil vertical de température par rapport au profil linéaire. Les paramètres sont $\sigma = 10$, $r = 28$ et $b = 2,666\,6667$.

Lors de l'introduction de ce modèle, Lorenz s'est livré malgré lui à une expérience numérique que nous allons tâcher de reproduire ici. À partir de la condition initiale $\begin{bmatrix} y_1(0) & y_2(0) & y_3(0) \end{bmatrix}^T = \begin{bmatrix} 1 & 0 & 0 \end{bmatrix}^T$ (on obtiendrait des résultats similaires avec toute autre condition initiale) et d'un pas de temps $h = 0,01$, Lorenz entreprit une simulation numérique qui devait produire une prévision météorologique sur plusieurs jours. Cependant, comme cela arrive souvent dans ce type de calcul, une malheureuse panne d'électricité se produisit autour de $t = 100$. Plutôt que de reprendre les calculs à partir du début—les ordinateurs de l'époque étaient beaucoup plus lents que ceux d'aujourd'hui—, Lorenz choisit de reprendre la simulation à partir de $t = 80$ correspondant à la dernière solution mise en mémoire par son programme. Cela lui permettait de comparer les deux simulations sur une période d'environ 2 000 pas de temps, c'est-à-dire entre $t = 80$ et $t = 100$, et de vérifier ainsi si tout se passait bien.

Lorenz constata à sa grande surprise que les deux solutions n'étaient pas du tout identiques. La figure 7.24 montre les résultats des deux simulations pour les 2 000 derniers pas de temps (les 8 000 premiers pas de temps ne sont pas illustrés). On constate aisément que les deux courbes sont superposées au début, mais qu'elles diffèrent totalement par la suite.

Il fallait donner une explication à ce curieux phénomène. Après plusieurs jours, on comprit que le format suivant lequel le programme écrivait la solution dans un fichier ne comptait que 5 chiffres significatifs, alors que les calculs étaient effectués avec l'équivalent de 7 ou 8 chiffres (en simple précision). La condition initiale de la deuxième simulation était donc de ce fait légèrement perturbée par rapport à ce qu'elle aurait dû être. Ainsi, une petite erreur dans la connaissance de la condition initiale entraîne une très grande erreur dans la prévision numérique.

Une telle sensibilité par rapport aux conditions initiales est dramatique en ce qui concerne la prévision météorologique. En effet, les conditions initiales pour tous les modèles numériques de prévision sont obtenues à partir d'observations et de mesures dont la précision n'est pas parfaite. Il y a donc toujours une erreur dans les conditions initiales du modèle. L'expérience de Lorenz démontre que, dans ces conditions, la prévision météorologique à court terme est possible, mais qu'il en est tout autrement des prévisions à moyen et à long termes. En effet, après un temps relativement court, l'imprécision relative aux conditions initiales domine la simulation. C'est ce que l'on appelle l'*effet papillon*. Le simple battement des ailes d'un papillon à Tokyo pourrait être suffisant pour provoquer une tempête tropicale aux Antilles...

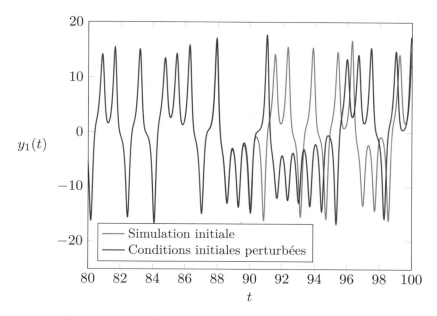

Figure 7.24 – Superposition des deux simulations

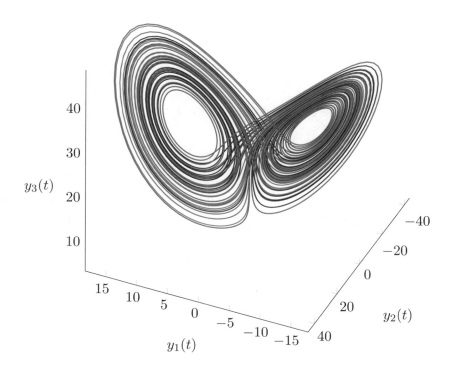

Figure 7.25 – Attracteur de Lorenz

Terminons ce cas d'application en présentant le *plan de phase* que l'on obtient en traçant dans l'espace à 3 dimensions les points $(y_1(t), y_2(t), y_3(t))$. Il s'agit de l'*attracteur étrange de Lorenz* illustré à la figure 7.25.

Les plans de phase sont souvent utilisés pour visualiser l'interaction des différentes variables d'un système entre elles. Il s'agit de la trajectoire tracée par la solution $(y_1(t), y_2(t), y_3(t))$ à partir de la condition initiale. On obtiendrait un résultat semblable en partant de toute autre condition initiale. C'est pourquoi on qualifie cet attracteur d'étrange. Quelle que soit la condition initiale, la figure finale sera toujours celle de la figure 7.25. Les trajectoires sont donc invariablement attirées par cet «objet» que l'on nomme attracteur. Par ailleurs, si l'on considère deux conditions initiales très voisines, les deux trajectoires seront attirées par l'attracteur de Lorenz, mais elles suivront chacune un parcours totalement différent. C'est pourquoi on dit que l'attracteur est *étrange*. Cette extrême sensibilité aux conditions initiales crée l'effet papillon et rend ce type de problèmes tout à fait passionnant.

7.11.4 Défi du golfeur

Cet exemple s'inspire d'un problème présenté par Alessandrini à la référence [2]. Un golfeur souhaite améliorer ses coups roulés (son «putting»). La surface d'un vert est donnée par l'équation :

$$x_3 = s(x_1, x_2) = \frac{(x_1 - 10)^2}{125} + \frac{(x_2 - 5)^2}{125} - 1$$

dont le vecteur normal unitaire est :

$$\vec{n} = (n_1, n_2, n_3) = \frac{\vec{N}}{||\vec{N}||}$$

où $\vec{N}$ est le gradient de la surface $x_3 - s(x_1, x_2) = 0$, qui est perpendiculaire à cette surface et s'écrit :

$$\vec{N} = \left(-\frac{\partial s}{\partial x_1}, -\frac{\partial s}{\partial x_2}, 1\right)$$

La balle est initialement située à l'origine $(0, 0, 0)$, le drapeau en $(20, 0, 0)$ et le problème consiste à faire rouler la balle dans le trou. On note $\vec{x}(t) = (x_1(t), x_2(t), x_3(t))$ la position de la balle au temps t et, de ce fait, $\dot{\vec{x}}(t) = (\dot{x}_1(t), \dot{x}_2(t), \dot{x}_3(t))$ est le vecteur vitesse.

La deuxième loi de Newton permet d'écrire :

$$m\ddot{\vec{x}}(t) = \vec{f}_G + \vec{f}_N + \vec{f}_F$$

où m est la masse de la balle et où l'on distingue trois forces agissant sur la balle. La première est la force gravitationnelle $\vec{f}_G = (0, 0, -mg)$ ($g = 9,8$ m/s^2). On compte ensuite la force exercée par la surface $\vec{f}_N = mgn_3\vec{n}$ et qui agit dans la direction normale à cette surface. Enfin, la force de friction s'oppose au mouvement et agit dans la direction tangente à la trajectoire, c'est-à-dire dans la direction du vecteur vitesse (normalisé) et son module est proportionnel à la force normale ($||\vec{f}_G|| = \mu||\vec{f}_N||$). On a donc $\vec{f}_F = -\mu mgn_3 \frac{\dot{\vec{x}}(t)}{||\dot{\vec{x}}(t)||}$. On estime la valeur du coefficient cinématique (adimensionnel) de friction μ à 0,2. Le système s'écrit :

$$\begin{cases} \ddot{x}_1(t) & = & gn_3n_1 - \mu gn_3 \dfrac{\dot{x}_1(t)}{\sqrt{\dot{x}_1^2(t) + \dot{x}_2^2(t) + \dot{x}_3^2(t)}} \\[2em] \ddot{x}_2(t) & = & gn_3n_2 - \mu gn_3 \dfrac{\dot{x}_2(t)}{\sqrt{\dot{x}_1^2(t) + \dot{x}_2^2(t) + \dot{x}_3^2(t)}} \\[2em] \ddot{x}_3(t) & = & -g + gn_3n_3 - \mu gn_3 \dfrac{\dot{x}_3(t)}{\sqrt{\dot{x}_1^2(t) + \dot{x}_2^2(t) + \dot{x}_3^2(t)}} \end{cases}$$

On a ainsi un système de 3 équations différentielles d'ordre 2 qui peut être transformé en un système équivalent de 6 équations différentielles d'ordre 1. Cependant, puisque :

$$x_3(t) = \frac{(x_1(t) - 10)^2}{125} + \frac{(x_2(t) - 5)^2}{125} - 1 \tag{7.62}$$

on a :

$$\dot{x}_3(t) = \frac{2}{125} \left((x_1(t) - 10)\dot{x}_1(t) + (x_2(t) - 5)\dot{x}_2(t) \right) \tag{7.63}$$

et l'on peut donc exprimer ces 2 variables en fonction des autres et les éliminer du système. On pose maintenant :

$$\begin{array}{rcl} y_1(t) & = & x_1(t) \\ y_2(t) & = & x_2(t) \\ y_3(t) & = & \dot{x}_1(t) \\ y_4(t) & = & \dot{x}_2(t) \end{array}$$

et le système devient :

$$\begin{cases} \dot{y}_1(t) & = & y_3(t) \\[1em] \dot{y}_2(t) & = & y_4(t) \\[1em] \dot{y}_3(t) & = & gn_3n_1 - \mu gn_3 \dfrac{y_3(t)}{\sqrt{y_3^2(t) + y_4^2(t) + \dot{x}_3^2(t)}} \\[2em] \dot{y}_4(t) & = & gn_3n_2 - \mu gn_3 \dfrac{y_4(t)}{\sqrt{y_3^2(t) + y_4^2(t) + \dot{x}_3^2(t)}} \end{cases}$$

où l'on a posé, en vertu de l'équation 7.63 :

$$\dot{x}_3(t) = \frac{2}{125} \left((y_1(t) - 10)y_3(t) + (y_2(t) - 5)y_4(t) \right)$$

Supposons que l'on frappe la balle au temps $t = 0$. On connaît un certain nombre de conditions initiales. On sait que la position initiale de la balle est en $(0, 0, 0)$ et donc que $y_1(0) = 0$, $y_2(0) = 0$. Par contre, le vecteur vitesse initial est inconnu et donc $y_3(0)$ et $y_4(0)$ sont à déterminer.

De plus, on ignore le temps T que prendra la balle pour tomber dans la coupe. On ignore donc sur quelle période on devra effectuer la résolution du système d'équations différentielles. Pour contourner cette difficulté, on introduit une nouvelle inconnue :

$$y_5(t) = T$$

de sorte que :

$$\dot{y}_5(t) = 0$$

et l'on effectue le changement de variable :

$$\tau = \frac{t}{T} \quad \text{et} \quad y_i(t) = y_i(T\tau) = Y_i(\tau)$$

La variable indépendante t varie entre 0 et T, mais τ varie entre 0 et 1. On résoudra donc le système d'équations différentielles à l'aide de cette nouvelle variable. De plus, les dérivées par rapport à t deviennent :

$$\dot{Y}_i(\tau) = \frac{dY_i}{d\tau} = \frac{dy_i}{dt}\frac{dt}{d\tau} = \frac{dy_i}{dt}T = \frac{dy_i}{dt}Y_5 = \dot{y}_i(t)Y_5(\tau)$$

et il suffit de multiplier le système par $Y_5(\tau)$ pour obtenir :

$$\left\{ \begin{array}{rcl} \dot{Y}_1(\tau) & = & Y_3(\tau)Y_5(\tau) \\[2mm] \dot{Y}_2(\tau) & = & Y_4(\tau)Y_5(\tau) \\[2mm] \dot{Y}_3(\tau) & = & \left(gn_3n_1 - \mu gn_3 \dfrac{Y_3(t)}{\sqrt{Y_3^2(t) + Y_4^2(t) + \dot{x}_3^2(t)}} \right) Y_5(\tau) \\[4mm] \dot{Y}_4(\tau) & = & \left(gn_3n_2 - \mu gn_3 \dfrac{Y_4(t)}{\sqrt{Y_3^2(t) + Y_4^2(t) + \dot{x}_3^2(t)}} \right) Y_5(\tau) \\[4mm] \dot{Y}_5(\tau) & = & 0 \end{array} \right. \tag{7.64}$$

Les conditions initiales sont :

$$\begin{array}{l} Y_1(0) = 0 \\ Y_2(0) = 0 \\ Y_3(0) = a \\ Y_4(0) = b \\ Y_5(0) = T \end{array} \tag{7.65}$$

et il y a donc 3 conditions initiales inconnues que l'on a noté a, b et T. En revanche, on sait qu'en $t = T$ ou encore en $\tau = 1$, la balle devra se retrouver dans la coupe et sa vitesse à ce moment devra être nulle. On a donc :

$$
\begin{array}{rcl}
Y_1(1) &=& 20 \\
Y_2(1) &=& 0 \\
Y_3(1) &=& 0 \\
Y_4(1) &=& 0
\end{array}
$$

On doit donc déterminer les 3 paramètres a, b et T de sorte que :

$$
\vec{R}(a,b,T) = \begin{bmatrix} Y_1(1) - 20 \\ Y_2(1) - 0 \\ Y_3^2(1) + Y_4^2(1) + \dot{x}_3^2(1) \end{bmatrix} = \begin{bmatrix} 0 \\ 0 \\ 0 \end{bmatrix}
$$

et l'on a un système non linéaire à résoudre. En effet, si l'on arrive à annuler ce vecteur résidu, la balle sera dans la coupe et sa vitesse sera nulle ! On va donc utiliser une méthode de Newton pour les systèmes non linéaires. Il faut cependant remarquer que, pour évaluer ce résidu, il faut d'abord résoudre le système 7.64 avec les conditions initiales 7.65. Il s'agit d'un problème relativement complexe. On utilise une méthode de Runge-Kutta d'ordre 4 pour le système d'équations différentielles.

Il faut déterminer une approximation initiale du vecteur $\begin{bmatrix} a & b & T \end{bmatrix}^T$. En première approximation, il semble raisonnable de viser directement vers la coupe, c'est-à-dire de choisir $Y_3(0) = a_0 = 4$ et $Y_4(0) = b_0 = 0$. La distance à la coupe étant de 20 mètres, on prendra $Y_5(0) = T_0 = 5$. On vise donc directement la coupe à une vitesse de 4 m/s et l'on estime à 5 s le temps de parcours de la balle. Contrairement à un golfeur, nous avons droit à l'erreur sur ces valeurs initiales, car la méthode de Newton va corriger le tir. Remarquons enfin qu'il n'est nullement nécessaire de réduire la norme du résidu à une valeur extrêmement petite puisque la coupe est de largeur non nulle et la vitesse finale doit être faible, mais pas forcément nulle pour que la balle tombe dans la coupe.

Après 14 itérations, la méthode de Newton converge vers $a = 8{,}8655$, $b = -2{,}0628$ et $T = 6{,}2019$. Le vecteur vitesse est donc en vertu de l'équation 7.63 :

$$
\dot{\vec{x}}(0) = (8{,}865\,541 \ , \ -2{,}062\,796 \ , \ -1{,}253\,463)
$$

Frappée dans cette direction et avec cette vitesse (9,188 m/s), la balle roulera pendant 6,2019 s pour tomber dans la coupe ! On peut voir la trajectoire de la balle à la figure 7.26.

Remarque 7.62. On peut difficilement parler d'une application en ingénierie dans l'exemple précédent. Ce type de problème est toutefois relativement fréquent et la technique de résolution développée peut s'appliquer directement.

Considérons par exemple la convection naturelle le long d'une plaque verticale chauffée à une température T_0 et immergée dans un fluide de densité ρ_∞, de viscosité μ_∞ et à une température T_∞. On cherche à obtenir la température T dans le fluide. On pose ensuite :

$$
\theta = \frac{T - T_\infty}{T_0 - T_\infty}
$$

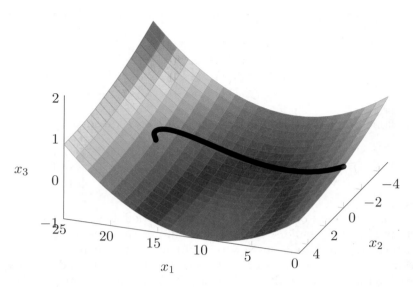

Figure 7.26 – Surface du vert et trajectoire de la balle

qui vérifie :

$$\theta'' = \tfrac{3}{4}F\theta'$$

$$F''' = \theta - \tfrac{1}{Pr}\left(\tfrac{1}{2}F'^2 - \tfrac{3}{4}FF''\right)$$

où Pr est le nombre adimensionnel de Prandl et F est une fonction auxiliaire. Les 5 conditions initiales sont :

$$
\begin{aligned}
F(0) &= 0 \\
F'(0) &= 0 \\
F''(0) &= ? \\
\theta(0) &= 1 \\
\theta'(0) &= ?
\end{aligned}
$$

Deux des conditions initiales sont donc inconnues. Par contre, on sait qu'à une distance L suffisamment grande de la plaque, on a :

$$
\begin{aligned}
F(L) &= 0 \\
\theta(L) &= 0
\end{aligned}
$$

On a donc ici un problème similaire dont la solution nécessite de résoudre un système non linéaire. ◄

Exercices

7.1 Faire trois itérations avec $h = 0,1$ des méthodes d'Euler explicite, d'Euler modifiée, du point milieu et de Runge-Kutta d'ordre 4 pour les équations différentielles suivantes :

$$
\begin{array}{lll}
\text{a)} & y'(t) = t\sin(y(t)) & (y(0) = 2) \\
\text{b)} & y'(t) = t^2 + (y(t))^2 + 1 & (y(1) = 0) \\
\text{c)} & y'(t) = y(t)e^t & (y(0) = 2)
\end{array}
$$

7.2 L'équation différentielle :

$$
y'(t) = y(t) + e^{2t} \quad (y(0) = 2)
$$

possède la solution analytique $y(t) = e^t + e^{2t}$.

(a) En prenant $h = 0,1$, faire 3 itérations de la méthode d'Euler modifiée et calculer l'erreur commise sur y_3 en comparant les résultats avec la solution analytique $y(0,3)$.

(b) En prenant $h = 0,05$, faire 6 itérations de la méthode d'Euler modifiée et calculer l'erreur commise sur y_6 en comparant les résultats avec la solution analytique $y(0,3)$.

(c) Faire le rapport des erreurs commises en a) et en b) et commenter le résultat en fonction de l'erreur de troncature locale liée à la méthode utilisée.

(d) Utiliser l'extrapolation de Richardson pour obtenir une meilleure approximation de $y(0,3)$.

7.3 Refaire l'exercice précédent, mais cette fois à l'aide de la méthode de Runge-Kutta d'ordre 4.

7.4 On considère l'équation différentielle :

$$
\left\{
\begin{array}{rcl}
y'(t) & = & 2y(t) \\
y(0) & = & 5
\end{array}
\right. \tag{7.66}
$$

(a) Vérifier que la solution analytique est $y(t) = 5e^{2t}$.

(b) En posant $h = \frac{1}{N}$, montrer que les approximations fournies par la méthode d'Euler explicite peuvent s'écrire $y_n = 5(1 + 2h)^n$, pour $n = 0, \ldots, N$.

(c) Vérifier numériquement que l'erreur $e(h)$ se comporte suivant la relation $e(h) \approx Kh$, où K est une constante.

7.5 🖳 [1] On considère l'équation différentielle :

$$
\left\{
\begin{array}{rcl}
y'(t) & = & -11y(t) \\
y(0) & = & 2
\end{array}
\right. \tag{7.67}
$$

Pour résoudre cette équation numériquement sur l'intervalle $[0, 1]$, on se donne, pour chaque entier N, un pas $h = 1/N$ et des noeuds $x_n = nh$, $n = 1, \ldots, N$.

---

1. Les exercices précédés du symbole 🖳 nécessitent l'utilisation d'un ordinateur. Pour faciliter la tâche de programmation, nous recommandons le logiciel Matlab® qui possède toutes les fonctionnalités de base nécessaires à l'apprentissage des méthodes numériques.

(a) En répétant le raisonnement de l'exercice précédent, montrer que l'application de la méthode d'Euler explicite conduit aux approximations : $y_n = 2(1 - 11h)^n$.

(b) Représenter graphiquement les approximations ainsi obtenues pour $h = 0{,}2$, $0{,}1$, $0{,}09$ et $0{,}01$. Parmi ces courbes, quelles sont celles qui correspondent à une approximation acceptable de la courbe intégrale recherchée.

(c) Recommencer cet exercice avec la méthode d'Euler modifiée (Runge-Kutta d'ordre 2). Quelle est la limite supérieure des valeurs de h qui donnent des approximations acceptables ?

   Suggestion : la solution du problème 7.67 est de la forme $y = Ae^{at}$, où A et a sont faciles à calculer.

7.6 Montrer que l'ordre de l'erreur de troncature locale de la méthode du point milieu est 2. Identifier en premier lieu la fonction $\phi(t, y(t))$.

7.7 Faire deux itérations de la méthode de Runge-Kutta d'ordre 4 (en prenant $h = 0{,}1$) pour le système d'équations différentielles suivant :

$$\begin{cases} y_1'(t) = y_2(t) + y_1(t) & (y_1(1) = 2) \\ y_2'(t) = y_1(t) + t & (y_2(1) = 1) \end{cases}$$

7.8 Transformer les équations différentielles d'ordre supérieur suivantes en systèmes d'équations différentielles d'ordre 1.

   a) $y^{(3)}(t) = y^{(2)}(t) + y^{(1)}(t) - y(t) + 1$
   $y(0) = 2$, $y^{(1)}(0) = 2$ et $y^{(2)}(0) = 1$

   b) $y^{(2)}(t) = t^2 + (y(t))^2 + 1$
   $y(1) = 0$ et $y^{(1)}(1) = 2$

   c) $y^{(4)}(t) = y^{(2)}(t)e^t + (y^{(3)}(t))^3$
   $y(0) = 2$, $y^{(1)}(0) = 1$, $y^{(2)}(0) = 0$ et $y^{(3)}(0) = 4$

7.9 On doit résoudre l'équation différentielle d'ordre 2 :

$$y^{(2)}(x) + y^{(1)}(x) - 2y(x) + 16 = 0$$

avec $y(0) = -7$ et $y(3) = 12{,}0855$, à l'aide d'une méthode de tir.

(a) Donner l'expression des deux équations différentielles d'ordre 2 avec conditions initiales qui permettent de résoudre cette équation différentielle (on notera $y_1(x)$ et $y_2(x)$ les solutions de ces 2 équations différentielles).

(b) Ramener chacune des équations différentielles avec conditions initiales obtenues en a) à un système de deux équations différentielles d'ordre 1.

   On a résolu les 2 systèmes d'équations différentielles décrits en b) par une méthode de Runge-Kutta d'ordre 4 en utilisant un pas de temps $h = 0,03$ (la solution est indiquée seulement à tous les 10 pas de temps). On a ainsi obtenu les résultats suivants :

	Solution $y_1(x)$	
x_i	$y_1(x_i)$	$y_1'(x_i)$
0,0	$-0,700\,000 \times 10^1$	$+0,000\,000 \times 10^0$
0,3	$-0,824\,264 \times 10^1$	$-0,801\,047 \times 10^1$
0,6	$-0,117\,271 \times 10^2$	$-0,152\,092 \times 10^2$
0,9	$-0,174\,225 \times 10^2$	$-0,229\,430 \times 10^2$
1,2	$-0,256\,547 \times 10^2$	$-0,322\,939 \times 10^2$
1,5	$-0,370\,658 \times 10^2$	$-0,443\,190 \times 10^2$
1,8	$-0,526\,330 \times 10^2$	$-0,602\,232 \times 10^2$
2,1	$-0,737\,366 \times 10^2$	$-0,815\,117 \times 10^2$
2,4	$-0,102\,272 \times 10^3$	$-0,110\,149 \times 10^3$
2,7	$-0,140\,819 \times 10^3$	$-0,148\,752 \times 10^3$
3,0	$-0,192\,867 \times 10^3$	$-0,200\,830 \times 10^3$

	Solution $y_2(x)$	
x_i	$y_2(x_i)$	$y_2'(x_i)$
0,0	$-0,700\,000 \times 10^1$	$+0,100\,000 \times 10^1$
0,3	$-0,797\,563 \times 10^1$	$-0,719\,464 \times 10^1$
0,6	$-0,112\,201 \times 10^2$	$-0,144\,010 \times 10^2$
0,9	$-0,166\,577 \times 10^2$	$-0,220\,129 \times 10^2$
1,2	$-0,245\,782 \times 10^2$	$-0,311\,268 \times 10^2$
1,5	$-0,355\,885 \times 10^2$	$-0,427\,919 \times 10^2$
1,8	$-0,506\,256 \times 10^2$	$-0,581\,844 \times 10^2$
2,1	$-0,710\,196 \times 10^2$	$-0,787\,796 \times 10^2$
2,4	$-0,986\,012 \times 10^2$	$-0,106\,469 \times 10^3$
2,7	$-0,135\,861 \times 10^3$	$-0,143\,789 \times 10^3$
3,0	$-0,186\,173 \times 10^3$	$-0,194\,133 \times 10^3$

(c) En vous servant de ces résultats, obtenir une approximation de $y(1,2)$.

(d) Même question qu'en c), mais en remplaçant les conditions aux limites de l'équation différentielle de départ par $y(0) = -7$ et $y'(3) = 4,198\,559$.

7.10 Montrer que l'équation 7.47 est bien une solution de l'équation différentielle 7.46.

7.11 Montrer que l'équation différentielle avec conditions aux limites :

$$\begin{cases} y''(x) = a_2(x)y'(x) + a_1(x)y(x) + a_0(x) \\ \quad y'(a) = y_a' \ \text{ et } \ y(b) = y_b \end{cases}$$

possède la solution :

$$y(x) = \left(\frac{y_b - y_2(b)}{y_1(b) - y_2(b)} \right) y_1(x) + \left(\frac{y_1(b) - y_b}{y_1(b) - y_2(b)} \right) y_2(x)$$

où $y_1(x)$ et $y_2(x)$ sont les solutions de :

$$\begin{cases} y_1''(x) = a_2(x)y_1'(x) + a_1(x)y_1(x) + a_0(x) \\ \quad y_1(a) = 0 \ \text{ et } \ y_1'(a) = y_a' \end{cases}$$

et :

$$\begin{cases} y_2''(x) = a_2(x)y_2'(x) + a_1(x)y_2(x) + a_0(x) \\ y_2(a) = 1 \ \text{ et } \ y_2'(a) = y_a' \end{cases}$$

7.12 On considère l'équation différentielle :

$$y'(t) = 2t - 3y(t), \quad y(0) = 1$$

(a) Montrer que la solution exacte est donnée par :

$$y(t) = -\frac{2}{9} + \frac{2}{3}\,t + \frac{11}{9}\,e^{-3t}$$

(b) Vérifier que les approximations obtenues en prenant $h = 0{,}25$ et la méthode de Taylor d'ordre 2 ou les méthodes de Runge-Kutta d'ordre 2 (Euler modifiée par exemple) sont égales.

(c) Écrire les formules aux différences (voir l'équation 7.4) obtenues pour chacune des deux approches. Expliquer pourquoi, dans ce cas particulier, les deux formules coïncident.

7.13 💻 On considère le problème d'équation différentielle :

$$\begin{cases} y'(t) &= ty^2(t) \\ y(0) &= 1 \end{cases} \tag{7.68}$$

(a) Calculer la solution exacte de cette équation différentielle et remarquer ce qui se passe en $t = \sqrt{2}$.

(b) Trouver une approximation de la solution sur $[0, b]$, où $b < \sqrt{2}$, par les méthodes d'Euler explicite et d'Euler modifiée (Runge-Kutta d'ordre 2). En variant h, comparer le comportement des deux méthodes lorsque b tend vers $\sqrt{2}$.

7.14 💻 On considère le problème :

$$\begin{cases} y'(t) &= -\dfrac{3y(t)}{t^2} \\ y(1) &= 2e^3 \end{cases}$$

Comparer les approximations de la solution obtenues en $t = 1{,}4$ par la méthode d'Euler explicite avec $h = 0{,}0016$, par la méthode du point milieu avec $h = 0{,}04$ et par la méthode de Runge-Kutta d'ordre 4 avec $h = 0{,}2$. La comparaison se fera sur la base de la précision et du nombre de fois qu'il faut évaluer $f(t, y)$.

7.15 Résoudre l'équation différentielle :

$$y'(t) = t\sin(y(t)) \quad (y(0) = 2)$$

à l'aide des méthodes de prédiction-correction d'ordre 2 et 4 (prendre $h = 0{,}1$ et utiliser les valeurs calculées à l'exercice 1 a) à l'aide de la méthode de Runge-Kutta d'ordre 4 pour obtenir les premières valeurs des y_i). Effectuer 3 pas de temps.

7.16 Donner le système tridiagonal requis pour résoudre l'équation différentielle :

$$\begin{cases} y''(x) = \left(1 + \dfrac{2}{x}\right) y(x) - (x+2) \\ y(0) = 0 \ \text{ et } \ y(1) = 2 \end{cases}$$

à l'aide de la méthode des différences finies centrées (prendre 5 intervalles).

7.17 On veut résoudre par la méthode des différences finies l'équation différentielle :

$$y''(x) - a_2(x)y'(x) - a_1(x)y(x) = a_0(x)$$

avec les conditions aux limites $y(a) = y_a$ et $y(b) = y_b$. Déterminer le système tridiagonal résultant lorsqu'on utilise une différence arrière d'ordre 1 pour $y'(x)$ et une différence centrée d'ordre 2 pour $y''(x)$. Quel est l'ordre de précision de cette méthode ?

7.18 Transformer le système de 2 équations différentielles d'ordre 2 suivant en un système de 4 équations différentielles d'ordre 1. Bien indiquer les conditions initiales.

$$\begin{cases} x''(t) = \dfrac{-x(t)}{((x(t))^2 + (y(t))^2)^{\frac{3}{2}}} & x(0) = 0{,}4 \quad x'(0) = 0{,}0 \\[4mm] y''(t) = \dfrac{-y(t)}{((x(t))^2 + (y(t))^2)^{\frac{3}{2}}} & y(0) = 0{,}0 \quad y'(0) = 2{,}0 \end{cases}$$

7.19 On vous demande de résoudre le système d'équations différentielles suivant pour modéliser le mouvement d'un pendule de Foucault :

$$\begin{cases} x''(t) = 2\omega y'(t)\sin\psi - k^2 x(t) & x(0) = 1 \quad x'(0) = 0 \\[2mm] y''(t) = -2\omega x'(t)\sin\psi - k^2 y(t) & y(0) = 0 \quad y'(0) = 0 \end{cases}$$

où $(x(t), y(t))$ désigne la trajectoire du pendule dans le plan, ω est la vitesse angulaire de la terre, ψ est la latitude locale et $k^2 = g/l$, g étant l'accélération gravitationnelle et l la longueur du pendule.

Discuter brièvement d'une stratégie de résolution et, si nécessaire, reformuler ce problème pour que l'on puisse le résoudre par les techniques numériques vues dans ce chapitre. **Ne pas résoudre.**

7.20 La vitesse verticale d'un parachutiste en chute libre est solution de :

$$\begin{cases} v'(t) = g - \dfrac{c}{m}v(t) \\ v(0) = 0 \end{cases}$$

où la masse $m = 68$ kg, le coefficient de résistance à l'air $c = 14$ kg/s et $g = 9{,}8$ m/s^2. On a résolu cette équation différentielle par la méthode de Runge-Kutta d'ordre 4 et l'on a obtenu les résultats suivants :

Solution $v(t)$			
t (s)	v (m/s)	t (s)	v (m/s)
0	0,000 000		
1	8,855 846	6	33,760 03
2	16,065 71	7	36,335 21
3	21,933 24	8	38,431 23
4	26,709 01	9	40,137 25
5	30,596 16	10	?

(a) Compléter le tableau.

(b) Donner une approximation d'ordre 2 de l'accélération du parachutiste en $t = 4{,}5$ s.

(c) Obtenir une approximation d'ordre au moins 4 de la distance verticale que le parachutiste parcourt pendant les 4 premières secondes.

(d) Obtenir une approximation d'ordre au moins 4 de la distance verticale que le parachutiste parcourt pendant les 5 premières secondes.

7.21 On veut résoudre l'équation différentielle :

$$y'(t) = t - y(t) \tag{7.69}$$

dans l'intervalle $[0 , 1]$ sous la condition de périodicité $y(0) = y(1)$. Pour ce faire, on résout les 2 problèmes intermédiaires suivants :

$$\begin{cases} y_1'(t) &= t - y_1(t) \quad y_1(0) = 0 \\ y_2'(t) &= -y_2(t) \quad y_2(0) = 1 \end{cases}$$

Pour ces 2 problèmes, on a obtenu les résultats suivants :

Solution $y_1(t)$			Solution $y_2(t)$		
j	t_j	y_{1j}	j	t_j	y_{2j}
0	0,000	$0{,}000\,000 \times 10^{+0}$	0	0,000	$1{,}000\,000 \times 10^{+0}$
1	0,100	$4{,}837\,500 \times 10^{-3}$	1	0,100	$9{,}048\,375 \times 10^{-1}$
2	0,200	$1{,}873\,090 \times 10^{-2}$	2	0,200	$8{,}187\,309 \times 10^{-1}$
3	0,300	$4{,}081\,842 \times 10^{-2}$	3	0,300	$7{,}408\,184 \times 10^{-1}$
4	0,400	$7{,}032\,029 \times 10^{-2}$	4	0,400	$6{,}703\,203 \times 10^{-1}$
5	0,500	$1{,}065\,309 \times 10^{-1}$	5	0,500	$6{,}065\,309 \times 10^{-1}$
6	0,600	$1{,}488\,119 \times 10^{-1}$	6	0,600	$5{,}488\,119 \times 10^{-1}$
7	0,700	$1{,}965\,856 \times 10^{-1}$	7	0,700	$4{,}965\,856 \times 10^{-1}$
8	0,800	$2{,}493\,293 \times 10^{-1}$	8	0,800	$4{,}493\,293 \times 10^{-1}$
9	0,900	$3{,}065\,700 \times 10^{-1}$	9	0,900	$4{,}065\,700 \times 10^{-1}$
10	1,000	$3{,}678\,798 \times 10^{-1}$	10	1,000	$3{,}678\,798 \times 10^{-1}$

(a) Montrer si c est une constante, $y(t) = y_1(t) + c y_2(t)$ est une solution de l'équation différentielle 7.69.

(b) Calculer la constante c qui permettra d'avoir $y(0) = y(1)$.

(c) Quelle est la valeur de $y(0{,}5)$?

7.22 On veut résoudre l'équation différentielle avec conditions aux limites :

$$\begin{cases} y''(x) & = & \frac{1}{8}\left(32 + 2x^3 - y(x)y'(x)\right) \\ y(1) & = & 17 \\ y(3) & = & \frac{43}{3} \end{cases}$$

(a) Cette équation différentielle est-elle linéaire ?

Pour résoudre ce problème, on va se servir de l'équation différentielle avec conditions initiales suivante :

$$\begin{cases} y''_\beta(x) & = & \frac{1}{8}\left(32 + 2x^3 - y_\beta(x)y'_\beta(x)\right) \\ y_\beta(1) & = & 17 \\ y'_\beta(1) & = & \beta \end{cases}$$

Il suffit ensuite de trouver la valeur du paramètre β de sorte que $y_\beta(3) = \frac{43}{3}$.

(b) Donner une interprétation géométrique de cette méthode.

(c) Écrire cette dernière équation différentielle sous la forme d'un système de 2 équations différentielles d'ordre 1 avec conditions initiales.

On a résolu le système obtenu en c) pour $\beta_1 = -10$ et $\beta_2 = -12$ par une méthode de Runge-Kutta d'ordre 4 en utilisant un pas de temps $h = 0{,}1$ (la solution est indiquée seulement à tous les 4 pas de temps). On a ainsi obtenu :

$\beta_1 = -10$		
x	$y_\beta(x)$	$y'_\beta(x)$
1,0	$1{,}700\,000 \times 10^1$	$-1{,}000\,000 \times 10^1$
1,4	$1{,}452\,246 \times 10^1$	$-3{,}341\,190 \times 10^0$
1,8	$1{,}388\,176 \times 10^1$	$-1{,}877\,628 \times 10^{-1}$
2,2	$1{,}420\,276 \times 10^1$	$+1{,}656\,797 \times 10^0$
2,6	$1{,}513\,410 \times 10^1$	$+2{,}941\,136 \times 10^0$
3,0	$1{,}652\,553 \times 10^1$	$+3{,}994\,271 \times 10^0$

$\beta_2 = -12$		
x	$y_\beta(x)$	$y'_\beta(x)$
1,0	$1{,}700\,000 \times 10^1$	$-1{,}200\,000 \times 10^1$
1,4	$1{,}395\,818 \times 10^1$	$-4{,}336\,713 \times 10^0$
1,8	$1{,}301\,724 \times 10^1$	$-7{,}342\,975 \times 10^{-1}$
2,2	$1{,}318\,164 \times 10^1$	$+1{,}404\,508 \times 10^0$
2,6	$1{,}405\,758 \times 10^1$	$+2{,}905\,261 \times 10^0$
3,0	$1{,}546\,717 \times 10^1$	$+4{,}110\,557 \times 10^0$

(d) En vous servant de ces données et à l'aide de la méthode de la sécante, proposer une nouvelle valeur de β qui permette de s'approcher de la solution de l'équation différentielle avec conditions aux limites de départ.

Réponses aux exercices

Réponses aux exercices du chapitre 1

1.1   (a) $\Delta x \leq 0,5 \times 10^{-4}, E_r \simeq 0,405 \times 10^{-3}$

       (b) $\Delta x \leq 0,5 \times 10^{-3}, E_r \simeq 0,570 \times 10^{-4}$

       (c) $\Delta x \leq 0,5 \times 10^{-5}, E_r \simeq 0,159 \times 10^{-5}$

       (d) $\Delta x \leq 0,5 \times 10^{-8}, E_r \simeq 0,445 \times 10^{-4}$

       (e) $\Delta x \leq 0,5 \times 10^{-3}, E_r \simeq 0,625 \times 10^{-4}$

       (f) $\Delta x \leq 0,5 \times 10^{+3}, E_r \simeq 0,223 \times 10^{-4}$

1.2   Le passage en binaire donne :

     a) $(32)_{10} = (100\,000)_2$ d) $(876)_{10} = (1\,101\,101\,100)_2$

     b) $(125)_{10} = (1\,111\,101)_2$ e) $(999)_{10} = (1\,111\,100\,111)_2$

     c) $(1231)_{10} = (10\,011\,001\,111)_2$ f) $(12\,345)_{10} = (11\,000\,000\,111\,001)_2$

1.3   (a)   Complément à 2 : $(+125)_{10} = (01\,111\,101)_2$, $(-125)_{10} = (10\,000\,011)_2$, $(0)_{10} = (00\,000\,000)_2$, $(\pm 175)_{10}$ ne peuvent pas être représentés sur 8 bits, $(-100)_{10} = (10\,011\,100)_2$

       (b)   Représentation par excès $(d = 2^7)$: $(+125)_{10} = (11\,111\,101)_2$, $(-125)_{10} = (00\,000\,011)_2$, $(0)_{10} = (10\,000\,000)_2$, $(\pm 175)_{10}$ ne peuvent pas être représentés sur 8 bits, $(-100)_{10} = (00\,011\,100)_2$

1.4   (a)   Binaire classique : $(00\,000\,011)_2 = (3)_{10}$, $(10\,000\,001)_2 = (129)_{10}$, $(11\,111\,111)_2 = (255)_{10}$

       (b)   Complément à 2 : $(00\,000\,011)_2 = (+3)_{10}$, $(10\,000\,001)_2 = (-127)_{10}$, $(11\,111\,111)_2 = (-1)_{10}$

       (c)   Représentation par excès $(d = 2^7)$: $(00\,000\,011)_2 = (-125)_{10}$, $(10\,000\,001)_2 = (+1)_{10}$, $(11\,111\,111)_2 = (+127)_{10}$

1.5   Le passage en binaire donne :

     a) $(0,5)_{10} = (0,1)_2$ d) $(\frac{1}{3})_{10} = (0,010\,101\,010\cdots)_2$

     b) $(0,2)_{10} = (0,001\,100\,110\,011\cdots)_2$ e) $(0,25)_{10} = (0,01)_2$

     c) $(0,9)_{10} = (0,111\,001\,100\,110\,011\cdots)_2$ f) $(\frac{3}{8})_{10} = (0,011)_2$

1.6   (a)   1100 0010 0101 0000 1111 0000 0000 0000

       (b)   0100 0101 1101 1110 0100 0000 0000 0000

       (c)   0100 0001 1000 0001 1001 1001 1001 1010 (valeur arrondie)

   En retransformant ces réponses en décimal, on trouve :

   a)$-52,234\,375$, b) $7\,112,0$ et c) $16,200\,000\,75$.

Les deux premières représentations sont exactes, mais la troisième comporte une erreur absolue de $0,75 \times 10^{-6}$ et une erreur relative de $0,46 \times 10^{-7}$ qui est bien entendu inférieure à la précision machine ϵ_m en simple précision.

1.7 (a) Les valeurs binaires des exposants admissibles sont 001, 010, 011, 100, 101, et 110. Compte tenu de l'excès de 3, les valeurs décimales correspondantes sont -2, -1, 0, 1, 2 et 3.

   (b) Le nombre est positif (0) et il faut utiliser le plus petit exposant (001) et la plus petite mantisse 0000. Le nombre correspondant est :

$$(-1)^0 2^{(001)_2} 2^{-3} 1{,}0000 = 2^{-2}$$

   (c) La mantisse comporte 4 bits plus un bit muet qui n'est pas mis en mémoire. La précision machine est donc 2^{1-5}.

   (d) On montre facilement que $(3{,}25)_{10} = (11{,}01)_2 = 1{,}1010 \times 2^1$. L'exposant est 1 qui devient $(100)_2$ tel que vu en a). La mantisse est tout simplement 1010. En somme, on représente 3,25 par 0100 1010 en notation IEEE-FICT.

1.8 (a) $e \rightarrow 0{,}2718 \times 10^1$

   (b) $\frac{1}{6} \rightarrow 0{,}1667 \times 10^0$

   (c) $\frac{2}{3} \rightarrow 0{,}6667 \times 10^0$

   (d) $12{,}487 \times 10^5 \rightarrow 0{,}1249 \times 10^7$

   (e) $213\,456 \rightarrow 0{,}2135 \times 10^6$

   (f) $2000{,}1 \rightarrow 0{,}2000 \times 10^4$

1.9 $(x + y) + z = 0{,}196 \times 10^4$, alors que $x + (y + z) = 0{,}195 \times 10^4$

1.10 On obtient :

   a) $0{,}999 \times 10^0$ b) $0{,}214 \times 10^8$ c) $0{,}237 \times 10^1$
   d) $0{,}105 \times 10^5$ e) $0{,}700 \times 10^3$ f) $0{,}316 \times 10^4$

   N.B. : En a) par exemple, la représentation flottante de $1/\pi$ est :

$$\mathrm{fl}\left(\frac{\mathrm{fl}(1)}{\mathrm{fl}(\pi)}\right) = \mathrm{fl}\left(\frac{0{,}100 \times 10^1}{0{,}314 \times 10^1}\right) = \mathrm{fl}(0{,}318\,471 \cdots \times 10^0) = 0{,}318 \times 10^0.$$

1.11 (a) La valeur exacte est : $x = 0{,}1011$
      La valeur approximative est : $x_{app} = 0{,}1$

   (b) En sommant de droite à gauche, on obtient : $x_{app} = 0{,}101$ et on évite de sommer deux nombres d'ordres de grandeur différents.

1.12 (a) $\dfrac{1}{1} + \dfrac{1}{4} + \cdots + \dfrac{1}{100} = 1{,}53$

   (b) $\dfrac{1}{100} + \dfrac{1}{81} + \cdots + 1 = 1{,}54$

   En double précision on obtient :

$$\sum_{i=1}^{10} \frac{1}{i^2} = 1{,}549\,767\,731\,166\,541$$

Le deuxième calcul est donc plus précis car la somme est effectuée par ordre croissant des termes.

1.13 Non, voir l'exercice a) du numéro 10 pour un exemple.

1.14 $9 \times 10 \times 10$ possibilités pour la mantisse, 19 exposants différents et 2 signes ($\pm$) pour un total de $34\,200$ nombres. On ajoute 1 à ce nombre pour tenir compte de l'exception 0.

1.15 Si x est près de 0, $\cos x$ est également près de 1 et il y a risque d'élimination par soustraction des chiffres significatifs. Une solution de rechange est :

$$(1 - \cos x)\frac{(1 + \cos x)}{(1 + \cos x)} = \frac{\sin^2 x}{(1 + \cos x)}$$

1.16 (a) $\cos 2\theta$

(b) Horner : $p(x) = 1 + x(-2 + x(3 - 4x))$

(c) On effectue la somme à rebours.

1.17 Au fur et à mesure que n augmente et que l'on cumule la somme, $1/n$ devient de plus en plus petit. On finit par additionner un très petit nombre à un très grand et l'espace limité de la mantisse le fait disparaître.

1.18 Si $f(x, y) = xy$, alors $\frac{\Delta f}{|x^* y^*|} \simeq \frac{|x^*|\Delta y + |y^*|\Delta x}{|x^* y^*|} = \frac{\Delta x}{|x^*|} + \frac{\Delta y}{|y^*|}$.

1.19 Puisque $\Delta x \leq 0{,}5 \times 10^{-5}$ on a $0{,}2495 \times 10^{-2} \leq x \leq 0{,}2505 \times 10^{-2}$.

1.20 (a) $f(x_0 + h) = \cos(0 + h) = 1 - \frac{h^2}{2!} + \frac{h^4}{4!} - \frac{h^6}{6!} + \frac{\cos(\xi(h))h^8}{8!}$ pour $\xi(h)$ entre 0 et h. Une borne pour l'erreur est $\left|\frac{\cos(\xi(h))h^8}{8!}\right| \leq \frac{|h|^8}{8!} = \frac{h^8}{8!}$ puisque la fonction $\cos(x)$ est comprise entre -1 et 1.

(b) $f(x_0 + h) = \sin(0 + h) = h - \frac{h^3}{3!} + \frac{h^5}{5!} - \frac{h^7}{7!} + \frac{\cos(\xi(h))h^9}{9!}$ pour $\xi(h)$ entre 0 et h. Borne pour l'erreur : $\left|\frac{\cos(\xi(h))h^9}{9!}\right| \leq \frac{|h|^9}{9!}$, en rappelant que h peut être négatif.

(c) $f(x_0 + h) = \frac{1}{1+h} = 1 - h + h^2 - h^3 + \frac{h^4}{(\xi(h))^5}$ pour $\xi(h)$ entre 1 et $1+h$. La borne de l'erreur dépend du signe de h. Si $h > 0$, alors $\xi(h) \in [1, 1+h]$ et puisque la fonction $1/x^5$ est décroissante, $1/(\xi(h))^5 \leq 1$ et on a $\left|\frac{h^4}{(\xi(h))^5}\right| \leq h^4$. Par contre, si $h < 0$, alors $\xi(h) \in [1 + h, 1]$ et $1/(\xi(h))^5 \leq 1/(1 + h)^5$ de sorte que $\left|\frac{h^4}{(\xi(h))^5}\right| \leq \left|\frac{h^4}{(1+h)^5}\right| \leq \frac{|h|^4}{|1+h|^5}$.

(d) $f(x_0 + h) = \cos(\frac{\pi}{2} + h) = -h + \frac{h^3}{3!} - \frac{h^5}{5!} + \frac{\sin(\xi(h))h^7}{7!}$ pour $\xi(h)$ entre $\frac{\pi}{2}$ et $\frac{\pi}{2} + h$. Borne pour l'erreur : $\left|\frac{\sin(\xi(h))h^7}{7!}\right| \leq \frac{|h|^7}{7!}$.

1.21 (a) $\Delta f \simeq 0{,}248 \times 10^{-2}, f(x^*) = 0{,}698\,13$ (2 chiffres significatifs)

(b) $\Delta f \simeq 0{,}247 \times 10^{-4}, f(x^*) = 0{,}790\,37$ (4 chiffres significatifs)

(c) $\Delta f \simeq 0{,}9 \times 10^{-2} \leq 0{,}5 \times 10^{-1}, f(x^*) = 2{,}529\,519$ (2 chiffres significatifs)

(d) $\Delta f \simeq 0{,}109 \times 10^{-2}, f(x^*) = 0{,}012\,0512$ (1 chiffre significatif)

1.22 (a) $\Delta f \simeq 0{,}6538 \times 10^2 \leq 0{,}5 \times 10^3, f(x^*, y^*) = 7\,543{,}098$ (1 chiffre significatif)

(b) $\Delta f \simeq 0{,}82 \times 10^{-3}$, $f(x^*, y^*, z^*) = -0{,}008\,145$ (0 chiffre significatif)

1.23 Pour chacune des variables, on a une borne pour l'erreur absolue : $\Delta F = 0{,}5 \times 10^0$, $\Delta L = 0{,}5 \times 10^{-1}$, $\Delta E = 0{,}5 \times 10^7$ et $\Delta I = 0{,}5 \times 10^{-5}$. On a alors :

$$\Delta y \;\simeq\; |y| \left(\frac{\Delta F}{|F|} + \frac{4\Delta L}{|L|} + \frac{\Delta E}{|E|} + \frac{\Delta I}{|I|} \right) = 0{,}7118 \times 10^{-2} \le 0{,}5 \times 10^{-1}$$

Puisque $y = 0{,}271\,129\,630$ m, il n'y a qu'un seul chiffre significatif.

1.24 (a) $\Delta R = 0{,}5 \times 10^4$ m et R possède 2 chiffres significatifs. $\Delta \rho = 0{,}9 \times 10^2 \le 0{,}5 \times 10^3$ kg/m^3 et ρ n'a qu'un seul chiffre significatif.

(b) $m = \rho V = \dfrac{4\pi R^3 \rho}{3}$ de sorte que $\Delta m \simeq \left| \dfrac{\partial m}{\partial R} \right| \Delta R + \left| \dfrac{\partial m}{\partial \rho} \right| \Delta \rho = $

$\left| \dfrac{4}{3} \times 3\pi R^2 \rho \right| \Delta R + \left| \dfrac{4\pi R^3}{3} \right| \Delta \rho = 2{,}5695 \times 10^{20} = \boxed{0{,}256\,95 \times 10^{21} \text{ kg}}$.

Puisque $m = 3{,}410\,01 \times 10^{21}$ kg, l'approximation de la masse n'a qu'un seul chiffre significatif.

1.25 (a) Respectivement 5 (25,312) et 6 (25,3125) chiffres significatifs.

(b) $\frac{e_1}{e_2} = 16 = 2^n$, ordre 4.

1.26 Lorsque l'on passe de $h = 10^{-1}$ à $h = 10^{-9}$ l'erreur décroît comme on s'y attend. Elle commence ensuite à croître parce que l'on soustrait des nombres voisins. Rappelons qu'en double précision, $\cos(0{,}5) = 0{,}877\,582\,561\,890\,373$.

$(\sin(x))' = \cos(x) \approx \frac{(\sin(x+h)-\sin(x))}{h}$		
h	Approximation	Erreur relative
10^{-1}	0,852 169 35	$2{,}89 \times 10^{-2}$
10^{-5}	0,877 580 16	$2{,}73 \times 10^{-6}$
10^{-9}	0,877 582 56	$3{,}24 \times 10^{-10}$
10^{-11}	0,877 581 34	$1{,}39 \times 10^{-6}$
10^{-13}	0,877 631 30	$5{,}55 \times 10^{-5}$
10^{-16}	1,110 223 02	$2{,}65 \times 10^{-1}$
10^{-17}	0,000 000 00	$1{,}00 \times 10^0$
10^{-20}	0,000 000 00	$1{,}00 \times 10^0$

1.27 (a) Voici les 16 premiers résultats. Les autres termes décroissent vers 0 très rapidement.

$x_n = \left(\frac{3\beta - \alpha}{11} \right) 4^n + \left(\frac{12\alpha - 3\beta}{11} \right) \frac{1}{3^n}$			
n	x_n	n	x_n
1	0,333 333 33	9	0,000 050 81
2	0,111 111 11	10	0,000 016 94
3	0,037 037 04	11	0,000 005 65
4	0,012 345 68	12	0,000 001 88
5	0,004 115 23	13	0,000 000 63
6	0,001 371 74	14	0,000 000 21
7	0,000 457 25	15	0,000 000 07
8	0,000 152 42	16	0,000 000 02

(b) Si $\epsilon = 10^{-12}$, on obtient, pour n allant de 1 à 14 :

$y_n = \left(\frac{3\beta-\alpha}{11} + \epsilon\right) 4^n + \left(\frac{12\alpha-3\beta}{11} + \epsilon\right)\frac{1}{3^n}$			
n	y_n	n	y_n
1	0,333 333 333 376	8	0,000 153 071 150
2	0,111 111 111 272	9	0,000 053 426 703
3	0,037 037 037 677	10	0,000 027 420 847
4	0,012 345 681 572	11	0,000 047 588 069
5	0,004 115 236 577	12	0,000 169 653 836
6	0,001 371 783 072	13	0,000 671 715 865
7	0,000 457 411 210	14	0,002 684 563 635

On peut constater que la suite est croissante à partir de $n = 11$, contrairement à la suite x_n. La valeur de y_{50} serait $1,26 \times 10^{19}$, ce qui est totalement faux. Pour $\epsilon = 10^{-50}$, les valeurs obtenues sont similaires à celles de x_n.

(c) Pour expliquer ce comportement, il suffit de constater que :

$$y_n = x_n + \epsilon \left(4^n + \frac{1}{3^n}\right).$$

Puisque $4^{20} \approx 10^{12}$, on voit qu'à partir de $n = 20$, lorsque $\epsilon = 10^{-12}$, le terme d'erreur est de l'ordre de l'unité, ce qui est grand par rapport à $x_{20} = 3^{-20} \simeq 2,8 \times 10^{-10}$. Enfin, pour $\epsilon = 10^{-50}$, le terme d'erreur n'est jamais plus grand que 10^{-20} et ne se voit pas.

1.28 (a) On intègre deux fois par parties pour obtenir :

$$\int_0^\pi \left(\frac{x}{\pi}\right)^{2n} \sin x \, dx = -\cos \pi \left(\frac{\pi}{\pi}\right)^{2n} + \frac{2n}{\pi} \int_0^\pi \left(\frac{x}{\pi}\right)^{2n-1} \cos x \, dx$$

$$= 1 - \frac{2n}{\pi}\frac{(2n-1)}{\pi} \int_0^\pi \left(\frac{x}{\pi}\right)^{2n-2} \sin x \, dx$$

qui est une suite positive décroissante.

(b) Les valeurs en double précision sont :

$S_n = f(S_{n-1});$	$S_0 = 2$		
n	S_n	n	S_n
1	0,594 715	9	0,025 428
2	0,276 913	10	0,020 987
3	0,158 286	11	0,017 611
4	0,101 890	12	0,015 029
5	0,070 877	13	0,010 194
6	0,052 069	14	0,219 134
7	0,039 831	15	−18,316 499
8	0,031 433	16	1 842,002 591

On constate que la récurrence donne un résultat négatif pour $n = 15$ et que la valeur absolue des termes commence à croître.

(c) Si on calcule à l'envers, la récurrence devient $S_{n-1} = \frac{\pi^2}{2n(2n-1)}(1 - S_n)$ et en posant $n = 15$ et $S_{15} = 0$, on obtient :

$S_{n-1} = f(S_n); \quad S_{15} = 0$			
n	S_n	n	S_n
15	0	7	0,039 831
14	0,011 344	6	0,052 069
13	0,012 907	5	0,070 877
12	0,014 988	4	0,101 890
11	0,017 612	3	0,158 286
10	0,020 987	2	0,276 913
9	0,025 428	1	0,594 715
8	0,031 433	0	2

Les valeurs sont bonnes pour les indices n de 1 à 10. On remarque donc que la récurrence directe est instable et que la récurrence inverse est stable.

1.29 Cette approximation est le développement de Taylor d'ordre 3 de $\sin x$ autour de 0.

1.30 On a $e_1 = |e^{0,2} - r(0,2)| = 0,544 \times 10^{-6}$ et $e_2 = |e^{0,1} - r(0,1)| = 0,15 \times 10^{-7}$. Puisque $\frac{e_1}{e_2} = 2^n$, on trouve $n \simeq 5,18$ et l'on a une approximation d'ordre 5 de l'exponentielle.

1.31   (a) $\ln(1 + h) = h - \frac{h^2}{2} + \frac{h^3}{3} - \frac{h^4}{4} + \frac{h^5}{5\xi^5}$

    (b) $\ln(1,1) \simeq 0,095\,308\,333$ avec 4 chiffres significatifs.

    (c) On divise h par 4, ce qui revient à diviser l'erreur par 4^5.

1.32 C'est un développement d'ordre 7.

1.33   (a) $f(x) = 1 + x + x^2 + x^3 + x^4 + \cdots$

    (b) $g(t) = 1 - t^2 + t^4 - t^6 + t^8 - \cdots$

    (c) $\arctan(t) = t - \frac{t^3}{3} + \frac{t^5}{5} - \frac{t^7}{7} + \cdots$

    (d) $\ln(1 + x) = x - \frac{x^2}{2} + \frac{x^3}{3} - \frac{x^4}{4} + \cdots$

1.34   (a) $e^{-x} = 1 - x + \frac{x^2}{2!} - \frac{x^3}{3!} + \frac{x^4}{4!} - \frac{x^5}{5!} + \cdots$

    (b) $e^{-t^2} = 1 - t^2 + \frac{t^4}{2!} - \frac{t^6}{3!} + \frac{t^8}{4!} - \frac{t^{10}}{5!} + \cdots$

    (c) $f(x) = (\frac{2}{\sqrt{\pi}})(x - \frac{x^3}{3} + \frac{x^5}{10} - \frac{x^7}{42} + \frac{x^9}{216} + \cdots)$

    (d) $f(1) \simeq (\frac{2}{\sqrt{\pi}})(1 - \frac{1}{3} + \frac{1}{10} - \frac{1}{42}) = 0,838\,224\,524$

    (e) C'est une approximation d'ordre 9.

    (f) 2 chiffres significatifs.

1.35   (a) Le développement de Taylor de degré 2 et d'ordre 3 au voisinage de $x_0 = 0$ est :

$$f(x_0 + h) = f(h) = \sqrt{1 + h} \approx P_2(h) = 1 + \frac{h}{2} - \frac{h^2}{8}$$

    (b) Puisque $f'''(x) = \frac{3}{8}(1 + x)^{-\frac{5}{2}}$, on en déduit de 1.26 que $R_2(h) = \frac{1}{16}(1 + \xi(h))^{-\frac{5}{2}}h^3$ pour un certain $\xi(h)$ entre 0 et h.

(c) $\sqrt{1,1} \simeq P_2(0,1) = 1,048\,75$ et $e_1 = 0,588 \times 10^{-4} < 0,5 \times 10^{-3}$ et donc 4 chiffres significatifs. De même, $\sqrt{1,025} \simeq P_2(0,025) = 1,012\,421\,875$ et $e_2 = 0,962 \times 10^{-6} < 0,5 \times 10^{-5}$ et donc 6 chiffres significatifs.

(d) Le rapport $\frac{e_1}{e_2} = 61,17 \simeq 64 = 4^3$, ce qui vient du fait que l'approximation utilisée est d'ordre 3 et que la valeur de h a été divisée par 4.

1.36 (a) $f(x_0 + h) = f(h) = \sqrt{4+h} \simeq P_2(h) = 2 + \dfrac{h}{4} - \dfrac{h^2}{64}$.

(b) Puisque $\sqrt{3,9} = \sqrt{4 - 0,1}$, on prend donc $h = -0,1$ de sorte que $P_2(-0,1) = 1,974\,843\,75$. La valeur «exacte» en double précision est $1,974\,841\,765\,813\,15$. L'erreur absolue est donc $0,198 \times 10^{-5}$ tandis que l'erreur relative est $0,100 \times 10^{-5}$.

(c) Puisque $\Delta x = 0,198 \times 10^{-5} \leq 0,5 \times 10^{-5}$, les chiffres significatifs sont $1,974\,84$

Réponses aux exercices du chapitre 2

2.1 L'erreur absolue désirée est $0,5 \times 10^{-3}$ et on utilise la formule 2.3.

(a) $x_m = 2,9, \ 2,85, \ 2,875 \ \cdots$ (9 itérations)

(b) $x_m = 1,75, \ 1,625, \ 1,6875 \ \cdots$ (10 itérations)

(c) $x_m = 2,0, \ 3,0, \ 3,5 \ \cdots$ (13 itérations)

(d) $x_m = 1,5, \ 1,25, \ 1,125 \ \cdots$ (11 itérations)

2.2 $x_m^* = x_1 - \dfrac{f(x_1)(x_2 - x_1)}{f(x_2) - f(x_1)}$

2.3 (a) $2,857\,95, \ 2,860\,03, \ 2,860\,10$

(b) $1,67, \ 1,641\,95, \ 1,639\,57$

(c) $1,354\,38, \ 1,946\,33, \ 2,084\,07$

(d) $1,016\,13, \ 1,030\,67, \ 1,043\,72$

2.4 (a) $f(1) = f'(1) = 0$, $f''(1) = 2$, racine de multiplicité 2

(b) $f(0) = 0$, $f'(0) = 1$, racine de multiplicité 1

(c) $f(0) = f'(0) = 0$, $f''(0) = 2$, racine de multiplicité 2

(d) $f(0) = 1$, 0 n'est pas une racine

2.5 (a) $f'(x) > 0 \quad \forall x > 0$ et donc f est strictement croissante. Puisque $f(0) = -4$ et $f(2) = 0,38$, il y a une racine entre 0 et 2.

(b) On obtient $x = 1,936\,847\,3291$ en 25 itérations à partir de $[0, 2]$.

(c) L'intervalle initial est de longueur $L = 2$. La formule 2.3 impose que $n > \ln(2/10^{-8})/\ln 2$, c.-à-d. $n = \lceil 1 + 8\ln(10)/\ln(2) = 27,57 \rceil$ et donc $n = 28$.

2.6 (a) Si on factorise ce polynôme, on obtient :

$$f_1(x) = (3x - 2)^6$$

La racine $2/3$ est multiple, il n'y a pas de changement de signe et le polynôme croît très vite au voisinage de celle-ci, ce qui la rend difficilement détectable.

(b) $f_2(1000) = -799\,908{,}2515$ alors que $f_2(1001) = 200\,391{,}8444$.

2.7 (a) $r = 0$, $g'(0) = 4$ (répulsif), $r = 3$, $g'(3) = -2$ (répulsif)

(b) $r = 0$, $g'(0) = \infty$ (répulsif), $r = 1$, $g'(1) = \frac{1}{2}$ (attractif)

(c) $r = 0$, $g'(0) = 1$ (indéterminé)

(d) $r = \pm\sqrt{5}$, $g'(\pm\sqrt{5}) = 1 \mp 2\sqrt{5}$ (répulsifs)

2.8 (a) L'algorithme des points fixes ne converge pas et oscille entre les valeurs $\pm 2{,}236\,067$.

(b) $x_n \to 1{,}618\,0339$, $|e_n| \to 0$, $\left|\dfrac{e_{n+1}}{e_n}\right| \to 0{,}3090$, convergence linéaire

2.9 Pour la méthode de Steffensen, l'itéré est calculé par

$$x_1 = \cos x_0, \ x_2 = \cos x_1 \quad \text{et} \quad x_e = x_0 - \frac{(x_1 - x_0)^2}{x_2 - 2x_1 + x_0}.$$

On obtient le tableau suivant des écarts ($E_n = x_n - x_{n+1}$) :

n	$(x_e)_n$	$|E_n|$	$|E_{n+1}/E_n|$	E_{n+1}/E_n^2
0	1	$0{,}271 \times 10^0$	$0{,}406 \times 10^{-1}$	$0{,}149\,457$
1	$0{,}728\,010\,361\,468$	$0{,}110 \times 10^{-1}$	$0{,}164 \times 10^{-2}$	$0{,}148\,601$
2	$0{,}739\,066\,966\,909$	$0{,}181 \times 10^{-4}$	$0{,}270 \times 10^{-5}$	—
3	$0{,}739\,085\,133\,166$	$0{,}490 \times 10^{-10}$	—	—
4	$0{,}739\,085\,133\,215$	—	—	—

Même avec aussi peu de décimales, le comportement quadratique de l'algorithme est évident.

2.10 (a) $x_n \to 2{,}690\,647$, $|e_n| \to 0$, $\left|\dfrac{e_{n+1}}{e_n}\right| \to 0$, $\left|\dfrac{e_{n+1}}{(e_n)^2}\right| \to 0{,}5528$, convergence quadratique

(b) $x_n \to 1{,}872\,322$, $|e_n| \to 0$, $\left|\dfrac{e_{n+1}}{e_n}\right| \to 0$, $\left|\dfrac{e_{n+1}}{(e_n)^2}\right| \to 0{,}5968$, convergence quadratique

(c) $x_n \to 1{,}134\,724$, $|e_n| \to 0$, $\left|\dfrac{e_{n+1}}{e_n}\right| \to 0$, $\left|\dfrac{e_{n+1}}{(e_n)^2}\right| \to 2{,}44$, convergence quadratique

(d) $x_n \to 1{,}0$, $|e_n| \to 0$, $\left|\dfrac{e_{n+1}}{e_n}\right|$ ne tend pas vers 0, convergence linéaire

2.11 (a) $x_0 = 3{,}0$, $x_1 = 4{,}0 : 2{,}826\,086,\ 2{,}752\,249,\ 2{,}694\,940,\ 2{,}690\,790,\ 2{,}690\,647$

(b) $x_0 = 2{,}0$, $x_1 = 3{,}0 : 1{,}913\,390,\ 1{,}886\,169,\ 1{,}872\,646,\ 1{,}872\,324,\ 1{,}872\,322$

(c) $x_0 = 1{,}5$, $x_1 = 2{,}5 : 1{,}461\,637,\ 1{,}429\,202,\ 1{,}263\,943,\ 1{,}193\,273,\ 1{,}149\,644$

(d) $x_0 = 1{,}2$, $x_1 = 2{,}2 : 1{,}198\,062,\ 1{,}196\,180,\ 1{,}135\,400,\ 1{,}108\,143,\ 1{,}081\,331$

2.12 On pose $g(x) = x - m\dfrac{f(x)}{f'(x)}$ et $f(x) = (x - r)^m h(x)$ avec $h(r) \neq 0$ et l'on montre que $g'(r) = 0$.

2.13 (a) $g_1'(r_1) = -0{,}2294$ (attractif), $g_2'(r_1) = 0$ (attractif), $g_3'(r_1) = -0{,}099$ (attractif)

(b) La fonction $g_2(x)$ converge quadratiquement.

(c) Oui, car il y a changement de signe de $f(x) = e^x - 3x^2$.

(d) Convergence quadratique vers 3,733 079.

2.14   a) Cela se voit facilement à l'aide d'un graphique.

b) Le premier algorithme produit la racine $r_1 = 1,370\ 713\ 181\ 379\ 51$ en quinze itérations. Le second produit des itérés qui croissent lentement en s'éloignant de la racine.

c) Le second algorithme s'approche de la racine négative en oscillant très lentement de part et d'autre. Il lui faut plus de 100 itérations pour que les deux premiers chiffres $r_2 = -0,65$ se stabilisent. Le premier algorithme converge toujours vers la première racine et donne $r_1 = 1,3707$ en 6 itérations.

d) La première méthode itérative converge pour tout $x \in I$ si et seulement si $\left| \left(\sqrt{1 + \tanh x} \right)' \right| < 1 \iff \left| \frac{1}{2} \left(\frac{1 - \tanh^2 x}{\sqrt{1 + \tanh(x)}} \right) \right| < 1$. Or, la fonction $\tanh(x)$ est strictement croissante, $\tanh(0) = 0$, $\lim\limits_{x \to \infty} \tanh(x) = 1$ et donc $\left| \frac{1}{2} \left(\frac{1 - \tanh^2 x}{\sqrt{1 + \tanh(x)}} \right) \right|$ est toujours plus petit que 1. L'algorithme converge donc $\forall\ x_0 > 0$.

2.15   (a) Voici deux algorithmes possibles :

$$x_{n+1} = -\sqrt{2} + \frac{8}{x_n^2 (x_n - \sqrt{2})} = g_1(x_n)$$

$$x_{n+1} = \left(2x_n + \frac{8}{x_n} \right)^{\frac{1}{3}} = g_2(x_n)$$

(b) Le premier est divergent pour la racine positive et convergent pour la seconde. Le deuxième algorithme est convergent pour les deux racines mais pour $r = -2$, il faut être prudent pour éviter de passer par les nombres complexes. En effet, on a une racine cubique à extraire et le traitement informatique des nombres négatifs peut poser un problème. Par exemple, Matlab® donnera le résultat suivant :

$$(-8)^{\frac{1}{3}} = 1 + 1,732\ 050\ 807i$$

qui est bien l'une des 3 racines cubiques de -8, même si nous aurions préféré obtenir -2. Pour contourner cette difficulté, on peut écrire :

$$x_{n+1} = \text{signe}\left(2x_n + \frac{8}{x_n} \right) \left| 2x_n + \frac{8}{x_n} \right|^{\frac{1}{3}}$$

où la fonction signe(x) vaut 1 si x est positif, -1 s'il est négatif et 0 si $x = 0$. De cette manière, on extrait toujours la racine cubique de nombres positifs et tout se passe bien.

(c) Pour le premier algorithme, le taux approximatif pour $r = -2$ après 50 itérations vaut :

$$\frac{|x_{n+1} - x_{n+2}|}{|x_n - x_{n+1}|} \approx 0,7573$$

Pour le second algorithme, la dérivée :

$$g_2'(x) = \frac{1}{3}\left(2x + \frac{8}{x}\right)^{-\frac{2}{3}}\left(2 - \frac{8}{x^2}\right)$$

est nulle aux deux racines et la convergence est quadratique.

e) La méthode de la bissection nous donnerait la précision requise en $n > \frac{\ln(4/10^{-6})}{\ln 2} = 21{,}93$ et donc 22 itérations ce qui est beaucoup plus lent que la seconde méthode, mais comparable au coût de la première pour capturer $r = -2$ à partir de $x_0 = -3$.

2.16 Il suffit de remarquer que $s^3 = 3 + s$. La méthode de Newton converge vers $1{,}671\,699\,88$.

2.17 (a) $|g'(\sqrt{2})| = |1 - 2\rho\sqrt{2}| < 1$ pour $0 < \rho < \frac{\sqrt{2}}{2}$.

    (b) Si $\rho = \frac{\sqrt{2}}{4}$, $g'(\sqrt{2}) = 0$, convergence quadratique.

    (c) Si $\rho = 3\sqrt{2}$, $g'(\sqrt{2}) > 1$, divergence.

2.18 (a) La dérivée de l'itérateur est $-\frac{2}{x^2}$. Elle vaut 1 à la racine, elle est plus petite que 1 pour $x \geq \sqrt{2}$ et plus grande que 1 sinon. Il est donc difficile de voir ce qui se passe en une itération. Par contre, si on itère deux fois, on a :

$$x_1 = \frac{2}{x_0}, \quad x_2 = \frac{2}{x_1} = x_0.$$

L'algorithme devient tout de suite stationnaire en x_0, sauf si $x_1 = x_0$, c'est-à-dire si x_0 est la racine.

    (b) Puisque $x_2 = x_0$, l'extrapolation d'Aitken s'écrit :

$$x_e = x_0 - \frac{(x_0 - \frac{2}{x_0})^2}{2(x_0 - \frac{2}{x_0})} = x_0 - \frac{1}{2}\left(x_0 - \frac{2}{x_0}\right) = \frac{1}{2}\left(x_0 + \frac{2}{x_0}\right),$$

qui n'est rien d'autre que la méthode de Newton appliqué à l'équation de départ.

2.19 (a) $g'(r) \simeq 0{,}51 < 1$

    (b) $g'(1{,}365\,23) = 0{,}511\,96$

    (c) Puisque $g'(1{,}365\,23) \neq 0$ et $|g'(1{,}365\,23)| < 1$, convergence linéaire

2.20 Le comportement des deux méthodes itératives est étudié en analysant le comportement des écarts successifs de la façon suivante :

n	Racine $= -1$		
	$|E_n|$	$|E_{n+1}/E_n|$	$|E_{n+1}/E_n^2|$
1	$0{,}61 \times 10^{+0}$	$0{,}391 \times 10^{+0}$	$0{,}641 \times 10^{+0}$
2	$0{,}24 \times 10^{+0}$	$0{,}165 \times 10^{+0}$	$0{,}693 \times 10^{+0}$
3	$0{,}39 \times 10^{-1}$	$0{,}279 \times 10^{-1}$	$0{,}709 \times 10^{+0}$
4	$0{,}11 \times 10^{-2}$	0	0
5	0	—	—
6	—	—	—

On voit que le rapport des écarts tends vers 0 alors que $|E_{n+1}/E_n^2|$ se stabilise. On a donc convergence quadratique et la racine est simple.

\multicolumn{3}{c}{**Racine** $= -2$}		
n	$|E_n|$	$|E_{n+1}/E_n|$
1	$0{,}18 \times 10^{+0}$	$0{,}450 \times 10^{+0}$
2	$0{,}80 \times 10^{-1}$	$0{,}478 \times 10^{+0}$
3	$0{,}38 \times 10^{-1}$	$0{,}490 \times 10^{+0}$
4	$0{,}19 \times 10^{-1}$	$0{,}494 \times 10^{+0}$
5	$0{,}93 \times 10^{-2}$	—
6	—	—

La convergence est linéaire à un taux approximatif de 0,495. La valeur théorique est $1 - 1/m$, il faut donc que $m = 2$, c'est-à-dire que l'on ait une racine double.

2.21 (a) La pente est fixée une fois pour toutes à $f'(x_0)$. Par conséquent, les droites sont toutes parallèles.

(b) On pose :

$$g(x) = x - \frac{f(x)}{f'(x_0)} = x - \frac{x^2 - 2}{2x_0}$$

La condition de convergence est alors $|g'(r)| = |g'(\sqrt{2})| < 1$. On obtient $\frac{\sqrt{2}}{2} < x_0 < \infty$.

2.22 (a) On pose :

$$g(x) = \frac{2x}{3} + \frac{N}{3x^2}$$

et l'on vérifie aisément que $g(\sqrt[3]{N}) = \sqrt[3]{N}$.

(b) On a aussi :

$$g'(x) = \frac{2}{3} - \frac{2N}{3x^3} \quad g''(x) = \frac{2N}{x^4}$$

de sorte que $g'(\sqrt[3]{N}) = 0$ et $g''(\sqrt[3]{N}) = \frac{2}{\sqrt[3]{N}} \neq 0$. On a donc convergence quadratique.

(c) On complète le tableau :

\multicolumn{3}{c}{$x_{n+1} = \frac{2x_n}{3} + \frac{100}{3x_n^2}$}		
n	$\left\vert\frac{e_{n+1}}{e_n}\right\vert$	$\left\vert\frac{e_{n+1}}{e_n^2}\right\vert$
0	$0{,}069\,9670$	$0{,}195\,21$
1	$0{,}005\,3642$	$0{,}213\,91$
2	$0{,}000\,0289$	$0{,}215\,44$
3	$-----$	$-----$

La colonne $\left\vert\frac{e_{n+1}}{e_n}\right\vert$ converge vers $g'(r)$ qui est 0. La colonne $\left\vert\frac{e_{n+1}}{e_n^2}\right\vert$ vers $\frac{g''(r)}{2} = \frac{1}{\sqrt[3]{100}} = 0{,}215\,44$. La correspondance est très bonne.

2.23 (a) Le seul point fixe dans l'intervalle $]0\,,\infty[$ est $r = \sqrt{a}$.

(b) Il faut montrer que $g'(r) = g''(r) = 0$, ce qui est le cas puisque :

$$g'(x) = \frac{3(x^2 - a)^2}{(3x^2 + a)^2} \quad \text{et} \quad g''(x) = \frac{48ax(x^2 - a)}{(3x^2 + a)^3}$$

2.24 (a) $\cos(x) - x$ est une fonction strictement décroissante dans l'intervalle $[0, \infty)$ et de plus elle vaut 1 en $x = 0$ et environ $-0,4597$ en $x = 1$.

(b) La racine est dans l'intervalle $(0, 1)$ et l'algorithme itératif sera convergent car $|g'(x)| = |\sin x| < 1$, ce qui est bien le cas dans $(0, 1)$.

(c) La racine est dans l'intervalle $(0, 1)$. L'algorithme ne convergera pas puisque la dérivée de arccos qui est $\frac{1}{\sqrt{1-x^2}}$ est plus grande que 1 dans cet intervalle.

2.25 (a) Les points fixes sont $r_1 = 0$ et $r_2 = \frac{\lambda - 1}{\lambda}$.

(b) Le point fixe r_1 est attractif ($|g'(r_1)| < 1$) pour λ dans l'intervalle $]-1, 1[$ et le point fixe r_2 est attractif ($|g'(r_2)| < 1$) pour λ dans l'intervalle $]1, 3[$.

(c) La convergence est quadratique ($g'(r_1) = 0$) pour $\lambda = 0$ (mais alors on a $g(x) = 0$, ce qui est peu intéressant). Par contre, $g'(r_2) = 0$ pour $\lambda = 2$ (on note que, dans ce dernier cas, $g''(r_2) = -2\lambda \neq 0$).

2.26 (a) Les points fixes sont $r_1 = 0$ et $r_2 = 1$.

(b) Le point fixe r_1 est attractif ($|g'(r_1)| < 1$) pour λ dans l'intervalle $]-2, 0[$ et le point fixe r_2 est attractif ($|g'(r_2)| < 1$) pour λ dans l'intervalle $]0, 2[$.

(c) La convergence est quadratique ($g'(r_1) = 0$) pour $\lambda = -1$ et $g'(r_2) = 0$ pour $\lambda = 1$ (on note que, dans les 2 cas, $g''(r) = -2\lambda \neq 0$).

2.27

\multicolumn{3}{c}{$\ln(1 + x) - 0{,}5x + 1 = 0$}		
n	x_n	$|E_n|$
0	1	9
1	10	$0{,}516 \times 10^{+1}$
2	$0,484\ 163\ 0372 \times 10^1$	$0{,}912 \times 10^{+0}$
3	$0,575\ 866\ 0000 \times 10^1$	$0{,}973 \times 10^{-1}$
4	$0,585\ 119\ 2832 \times 10^1$	$0{,}332 \times 10^{-2}$
5	$0,584\ 786\ 8002 \times 10^1$	$0{,}950 \times 10^{-5}$
6	$0,584\ 787\ 7500 \times 10^1$	$0{,}948 \times 10^{-9}$
7	$0,584\ 787\ 7501 \times 10^1$	—

c) La figure obtenue est une droite de pente supérieure à 1.

d) Nous savons que la relation entre les écarts est de la forme :

$$E_{n+1} \approx C E_n^\alpha$$

où C est une constante et α l'ordre de convergence. Pour trouver α, nous prenons le logarithme des deux côtés :

$$\ln(E_{n+1}) = \alpha \ln(E_n) + \ln C,$$

L'ordre α est donc la pente de la droite. Cette pente, difficile à déterminer sur le graphique, vaut 1,62286. La valeur théorique est $2^{-1}(1 + \sqrt{5}) = 1,6180$. On peut voir que l'accord entre la théorie et la pratique est excellent.

2.28 (a) La multiplicité de la racine r est 1.

(b) Il faut montrer que $g'(r) = g''(r) = 0$ et que $g'''(r) \neq 0$ où $g(x) = x - \frac{f(x)}{f'(x)}$. Ces conditions sont bien vérifiées puisque :

$$g'(x) = \frac{f(x)f''(x)}{(f'(x))^2}, \ g''(x) = \frac{f''(x)}{f'(x)} + \frac{f(x)f'''(x)}{(f'(x))^2} - 2\frac{f(x)(f''(x))^2}{(f'(x))^3}$$

Enfin, on montre que $g'''(r) = 2\frac{f'''(r)}{f'(r)} \neq 0$.

2.29 (a) Puisque -1 est un point fixe, $g(-1) = -1$.

(b) La suite $\frac{e_{n+1}}{e_n}$ tend vers $g'(-1)$. Par exemple, on a $\frac{e_{15}}{e_{14}} \simeq \frac{e_{16}}{e_{15}} \simeq -0,333$ qui est une bonne approximation de $g'(-1)$.

(c) Les itérations oscillent de part et d'autre du point fixe, car $-1 < g'(-1) < 0$ et, en vertu de l'approximation $e_{n+1} \simeq g'(r)e_n$, l'erreur change de signe à chaque itération.

(d) La convergence est d'ordre 1, car $-1 < g'(-1) < 0$.

2.30 (a) Il suffit de résoudre l'équation $f(x) = x^2 - 2 = 0$. On a ensuite $f'(x) = 2x$ et $f''(x) = 2$. En remplaçant et en simplifiant, on trouve l'algorithme :

$$x_{n+1} = \frac{3x_n}{8} + \frac{3}{2x_n} - \frac{1}{2x_n^3} = g(x_n)$$

(b) C'est donc une méthode des points fixes et l'on a $g(\sqrt{2}) = \sqrt{2}$. De plus :

$$\begin{aligned} g'(x) &= \frac{3}{8} - \frac{3}{2x^2} + \frac{3}{2x^4} \\ g''(x) &= \frac{3}{x^3} - \frac{6}{x^5} \\ g'''(x) &= -\frac{9}{x^4} + \frac{30}{x^6} \end{aligned}$$

de sorte que $g'(\sqrt{2}) = g''(\sqrt{2}) = 0$ et $g'''(\sqrt{2}) = \frac{3}{2} \neq 0$. La convergence est donc cubique.

(c) $x_1 = 1,4375$ et $x_2 = 1,414\,216\,606$

2.31 Il suffit de résoudre par l'une ou l'autre des techniques vues dans ce chapitre l'équation :

$$t'(x) = T\left(\frac{3,7}{2\sqrt{x}} - 3,4 - 1,2x^3\right)$$

qui donnera l'abscisse où l'épaisseur est maximale. On recommande cependant d'utiliser la méthode de Newton ou de la sécante. En s'inspirant de la figure 2.10, on prendra comme estimé de départ $x_0 = 0,3$. La valeur de x où on trouve l'épaisseur maximale est 0,290 9815. L'épaisseur maximale est alors 0,150 6588 qui est légèrement supérieure à la valeur nominale.

2.32 (a) On voit immédiatement que : $x = \dfrac{1}{1+x}$ et donc que $x^2 + x - 1 = 0$.

Les solutions sont donc $x = \frac{-1 \pm \sqrt{5}}{2}$ et on retient la racine positive $r = \frac{-1+\sqrt{5}}{2}$.

(b) $x_{n+1} = g(x_n)$ où $g(x) = \frac{1}{1+x}$.

(c) $g'(x) = \frac{-1}{(1+x)^2}$ de sorte que $|g'(r))| < 1$.

Réponses aux exercices du chapitre 3

3.1 (a) $T = \begin{bmatrix} 1 & 0 & 0 \\ -3 & 1 & 0 \\ 0 & 0 & 1 \end{bmatrix}$ (dét $T = 1$)

(b) $P = \begin{bmatrix} 1 & 0 & 0 \\ 0 & 0 & 1 \\ 0 & 1 & 0 \end{bmatrix}$ (dét $P = -1$)

(c) $M = \begin{bmatrix} 1 & 0 & 0 \\ 0 & 5 & 0 \\ 0 & 0 & 1 \end{bmatrix}$ (dét $M = 5$)

(d) $T = \begin{bmatrix} 1 & 0 & 0 \\ 0 & 1 & 0 \\ 0 & 5 & 1 \end{bmatrix}$ (dét $T = 1$)

3.2 (a) $\vec{x} = \begin{bmatrix} 3 & 2 & 1 \end{bmatrix}^T$, dét $A = 90$

(b) $\vec{x} = \begin{bmatrix} 2 & 2 & -2 \end{bmatrix}^T$, dét $A = -9$

3.3 (a) Matrice augmentée triangularisée :

$$\begin{bmatrix} 1 & 2 & 1 & | & 0 \\ 0 & -2 & 1 & | & 3 \\ 0 & 0 & \frac{1}{2} & | & \frac{1}{2} \end{bmatrix}$$

dont la solution est $\vec{x} = \begin{bmatrix} 1 & -1 & 1 \end{bmatrix}^T$ et dét $A = -1$.

(b) Matrice augmentée triangularisée :

$$\begin{bmatrix} 1 & 2 & 1 & 4 & | & 13 \\ 0 & -4 & 2 & -5 & | & 2 \\ 0 & 0 & -5 & -\frac{15}{2} & | & -35 \\ 0 & 0 & 0 & -9 & | & -18 \end{bmatrix}$$

dont la solution est $\vec{x} = \begin{bmatrix} 3 & -1 & 4 & 2 \end{bmatrix}^T$ et dét $A = -180$.

3.4 Il suffit de construire les matrices correspondant à chacune des opérations élémentaires effectuées et de les multiplier par leur inverse pour obtenir une décomposition LU.

3.5 (a) Matrice augmentée triangularisée (sans permutation de lignes) :

$$\begin{bmatrix} 0{,}7290 & 0{,}8100 & 0{,}9000 & 0{,}6867 \\ 0{,}0000 & -0{,}1110 & -0{,}2350 & -0{,}1084 \\ 0{,}0000 & 0{,}0000 & 0{,}02640 & 0{,}008\,700 \end{bmatrix}$$

dont la solution est $\vec{x} = \begin{bmatrix} 0{,}2251 & 0{,}2790 & 0{,}3295 \end{bmatrix}^T$.

(b) Matrice augmentée triangularisée (avec permutation de lignes) :

$$\begin{bmatrix} 1{,}331 & 1{,}210 & 1{,}100 & 1{,}000 \\ 0{,}0000 & 0{,}1473 & 0{,}2975 & 0{,}1390 \\ 0{,}0000 & 0{,}0000 & -0{,}010\,00 & -0{,}003\,280 \end{bmatrix}$$

dont la solution est $\vec{x} = \begin{bmatrix} 0{,}2246 & 0{,}2812 & 0{,}3280 \end{bmatrix}^T$.

(c) La solution en b) est plus précise.

3.6 (a) Matrice augmentée triangularisée :

$$\begin{bmatrix} 1 & 1 & 0 & 1 \\ 0 & 1 & 1 & -2 \\ 0 & 0 & 0 & 2 \end{bmatrix}$$

dét $A = (1)(1)(0) = 0$ et A est donc singulière.

(b) La dernière équation signifie que $0 = 2$; il n'y a donc pas de solution.

3.7 (a) Matrice augmentée triangularisée :

$$\begin{bmatrix} 2 & -6\alpha & 3 \\ 0 & 9\alpha^2 - 1 & \beta - \frac{9\alpha}{2} \end{bmatrix}$$

(b) Le déterminant de la matrice est dét $A = (2)(9\alpha^2 - 1) = 18\alpha^2 - 2$.

(c) $\alpha = \pm\frac{1}{3}$

(d) Si $\alpha = \frac{1}{3}$, la matrice est singulière. Si $\beta = 1$, la dernière équation n'a pas de solution.

3.8 (a) Décomposition LU sous forme compacte :

$$\begin{bmatrix} 1 & 2 & 1 \\ 2 & -2 & -\frac{1}{2} \\ -1 & -1 & \frac{1}{2} \end{bmatrix}$$

On obtient $\vec{y} = \begin{bmatrix} 0 & -\frac{3}{2} & 1 \end{bmatrix}^T$ et $\vec{x} = \begin{bmatrix} 1 & -1 & 1 \end{bmatrix}^T$.

(b) Décomposition LU sous forme compacte :

$$\begin{bmatrix} 1 & 2 & 1 & 4 \\ 2 & -4 & -\frac{1}{2} & \frac{5}{4} \\ 4 & -6 & -5 & \frac{3}{2} \\ -3 & 7 & \frac{19}{2} & -9 \end{bmatrix}$$

On obtient $\vec{y} = \begin{bmatrix} 13 & -\frac{1}{2} & 7 & 2 \end{bmatrix}^T$ et $\vec{x} = \begin{bmatrix} 3 & -1 & 4 & 2 \end{bmatrix}^T$.

3.9 Décomposition LU sous forme compacte :

$$\begin{bmatrix} 4 & 2 & -\frac{1}{4} \\ -2 & 7 & \frac{3}{14} \\ 1 & 0 & \frac{25}{4} \end{bmatrix} \quad \vec{O} = \begin{bmatrix} 2 \\ 3 \\ 1 \end{bmatrix}$$

On obtient $\vec{y} = \begin{bmatrix} \frac{17}{4} & \frac{37}{14} & 3 \end{bmatrix}^T$ et $\vec{x} = \begin{bmatrix} 1 & 2 & 3 \end{bmatrix}^T$.

3.10 (a) La factorisation n'est pas possible car il faudrait avoir simultanément $l_{11} = 0$ et $l_{11}u_{12} = 3$.

(b) $P^{-1} = \begin{bmatrix} 0 & 1 & 0 \\ 1 & 0 & 0 \\ 0 & 0 & 1 \end{bmatrix}$ et $B = \begin{bmatrix} 1 & 2 & 0 \\ 0 & 3 & 0 \\ 3 & 5 & 2 \end{bmatrix} = LU$

(c) $x_1 = -\frac{2}{3}$ $x_2 = \frac{1}{3}$ $x_3 = \frac{2}{3}$

3.11 Si $A = LU$, dét $(A) = $ dét (L)dét (U). Or la factorisation de Crout donne :

$$L = \begin{bmatrix} 2 & 0 & 0 & 0 & 0 \\ 4 & 1 & 0 & 0 & 0 \\ 0 & 4 & -5 & 0 & 0 \\ 0 & 0 & 4 & 9,4 & 0 \\ 0 & 0 & 0 & 4 & 5,7234 \end{bmatrix}, \quad U = \begin{bmatrix} 1 & 1,5 & 0 & 0 & 0 \\ 0 & 1 & 3 & 0 & 0 \\ 0 & 0 & 1 & -0,6 & 0 \\ 0 & 0 & 0 & 1 & 0,31 \\ 0 & 0 & 0 & 0 & 1 \end{bmatrix}$$

Comme dét $(U) = 1$, dét $(A) = $ dét $(L) = -538$.

3.12 (a) On calcule les 4 déterminants des mineurs principaux.

$$\text{dét } \begin{bmatrix} 1 \end{bmatrix} = \text{dét } \begin{bmatrix} 1 & 2 \\ 2 & 5 \end{bmatrix} = \text{dét } \begin{bmatrix} 1 & 2 & 0 \\ 2 & 5 & -3 \\ 0 & -3 & 10 \end{bmatrix} =$$

$$\text{dét } \begin{bmatrix} 1 & 2 & 0 & 0 \\ 2 & 5 & -3 & 0 \\ 0 & -3 & 10 & 2 \\ 0 & 0 & 2 & 5 \end{bmatrix} = 1$$

(b) La matrice L est :

$$\begin{bmatrix} 1 & 0 & 0 & 0 \\ 2 & 1 & 0 & 0 \\ 0 & -3 & 1 & 0 \\ 0 & 0 & 2 & 1 \end{bmatrix}$$

et la solution est : $\begin{bmatrix} x_1 & x_2 & x_3 & x_4 \end{bmatrix}^T = \begin{bmatrix} 1 & 0 & 0 & 0 \end{bmatrix}^T$.

3.13 (a) dét $A = (1)(3)(6) = 18$

(b) $\|A\|_\infty = \max(6 , 27 , 55) = 55$

(c) Ces deux vecteurs sont les deux premières colonnes de A^{-1}. En résolvant $A\vec{x} = \begin{bmatrix} 0 & 0 & 1 \end{bmatrix}^T$, on obtient la dernière colonne, qui est $\begin{bmatrix} \frac{5}{6} & -\frac{2}{3} & \frac{1}{6} \end{bmatrix}^T$.

(d) $\|A^{-1}\|_\infty = \max(4{,}666\,53 , 2{,}333 , 0{,}555\,55) = 4{,}666\,53$ et donc $\text{cond}_\infty A = 55 \times 4{,}666\,53 = 256{,}659$

3.14   (a) $\vec{x} = \begin{bmatrix} 1 & 1 \end{bmatrix}^T$.

(b) Le résidu $\vec{r} = \vec{b} - A\vec{x}^* = \begin{bmatrix} 0{,}01 & -0{,}01 \end{bmatrix}^T$.

(c) On utilise la formule 3.40. En utilisant la norme infinie, on trouve $\mathrm{cond}_\infty A \geq 100$ et la matrice est donc mal conditionnée.

(d) Par exemple avec $\vec{u} = \begin{bmatrix} 2 & 0 \end{bmatrix}^T$, le résidu est $\vec{r} = \vec{b} - A\vec{u} = \begin{bmatrix} -1{,}01 & 0{,}01 \end{bmatrix}^T$.

(e) Un calcul direct montre que :

$$A^{-1} = \begin{bmatrix} 50{,}5 & -49{,}5 \\ -49{,}5 & 50{,}5 \end{bmatrix}$$

et donc que $\mathrm{cond}_\infty A = \|A\|_\infty \, \|A^{-1}\|_\infty = 1 \times 100 = 100$.

(f) Le graphique représente deux droites presque parallèles qui se coupent en $(x_1, x_2) = (1, 1)$.

3.15 Il s'agit de trouver la plus grande valeur de la fonction (voir la borne 3.41) :

$$f(x_1, x_2) = \frac{\left\| \begin{bmatrix} x_1 & x_2 \end{bmatrix}^T - \begin{bmatrix} 1 & 1 \end{bmatrix}^T \right\|_\infty}{\left\| \begin{bmatrix} 1 & 1 \end{bmatrix}^T \right\|_\infty} \frac{\|\vec{b}\|_\infty}{\|\vec{r}\|_\infty}$$

Or $\|\vec{r}\|_\infty = \max\{(5 - 4{,}02x_1 - 0{,}98x_2 \,; 5 - 0{,}98x_1 - 4{,}02x_2)\}$ et $\|\vec{b}\|_\infty = 5$, $\left\| \begin{bmatrix} 1 & 1 \end{bmatrix}^T \right\|_\infty = 1$. Avec un graphique fait à l'ordinateur on peut observer que la plus grande valeur de la fonction f est environ 1,6, ce qui nous fournit une borne inférieure : $\mathrm{cond}_\infty A \geq 1{,}6$. Le calcul de $\mathrm{cond}_\infty A = \|A\|_\infty \, \|A^{-1}\|_\infty = 5 \times 0{,}3289 = 1{,}6445$ confirme le résultat.

3.16   (a) dét $A = (2)(1)(2) = 4$

(b) $\vec{y} = \begin{bmatrix} -1 & 18 & 12 \end{bmatrix}^T$ et $\vec{x} = \begin{bmatrix} -4 & -6 & 12 \end{bmatrix}^T$

(c) On doit résoudre $A(A\vec{x}) = \vec{b}$. Il suffit de résoudre $A\vec{u} = \vec{b}$ et par la suite $A\vec{x} = \vec{u}$. Ces deux systèmes sont ensuite résolus au moyen de la décomposition LU de A. On trouve (voir a)) $\vec{u} = \begin{bmatrix} -4 & -6 & 12 \end{bmatrix}^T$ et ensuite $\vec{x} = \begin{bmatrix} -2 & 0 & 1 \end{bmatrix}^T$.

3.17 Décomposition LU sous forme compacte :

$$\begin{bmatrix} 0{,}500 & 2{,}00 & 4{,}00 \\ 0{,}333 & -0{,}416 & 2{,}72 \\ 0{,}250 & -0{,}300 & -0{,}0170 \end{bmatrix} \qquad \vec{O} = \begin{bmatrix} 3 \\ 2 \\ 1 \end{bmatrix}$$

On obtient $\vec{y} = \begin{bmatrix} 16{,}0 & -6{,}42 & -181 \end{bmatrix}^T$ et $\vec{x}^* = \begin{bmatrix} -232 & 486 & -181 \end{bmatrix}^T$. $\|\vec{x} - \vec{x}^*\|_\infty = \max(|-4{,}92| \,, |9{,}08| \,, |-3{,}30|) = 9{,}08$ et l'erreur relative est donc $\frac{9{,}08}{476{,}92} = 0{,}019$

3.18 $A^{-1} = \begin{bmatrix} -83{,}077 & 64{,}615 & 0{,}461\,54 \\ 156{,}92 & -115{,}38 & -1{,}5384 \\ -57{,}692 & 41{,}538 & 1{,}1538 \end{bmatrix}$

On a $\|A\|_\infty = \max(0{,}6166 \,, 0{,}7833 \,, 3{,}5) = 3{,}5$ et $\|A^{-1}\|_\infty = \max(148{,}15 \,, 273{,}83 \,, 100{,}38) = 273{,}83$. Enfin, $\mathrm{cond}_\infty A = 3{,}5 \times 273{,}83 = 958{,}4$.

3.19 (a) C'est le disque de rayon 1 centré en l'origine.

    (b) C'est le carré $[-1, 1]^2$.

3.20 Non, puisque le déterminant peut s'annuler (si la matrice est singulière) sans que la matrice soit nulle.

3.21 Non, puisque A^{-1} n'existe pas.

3.22 $A^{-1} = \begin{bmatrix} -100 & 100 \\ 50{,}5 & -50 \end{bmatrix}$ et donc $||A||_\infty = 3{,}01$ et $||A^{-1}||_\infty = 200$. On a alors $\text{cond}_\infty A = 602$.

3.23 On considère la matrice $A = \begin{bmatrix} 10^{-100} & 0 \\ 0 & 10^{-100} \end{bmatrix}$, dont le déterminant est très petit (10^{-200}), mais dont le conditionnement est 1.

3.24 (a)

n	cond_∞ de la matrice de Hilbert de dimension n.
5	$0{,}944 \times 10^6$
10	$0{,}354 \times 10^{14}$
15	$0{,}803 \times 10^{18}$
20	$0{,}564 \times 10^{19}$

    (b)

$$\vec{b} = A\vec{x} = \begin{bmatrix} 1{,}203\ 267\ 294 \\ 0{,}698\ 577\ 190 \\ 0{,}503\ 929\ 489 \\ 0{,}397\ 151\ 672 \\ 0{,}328\ 802\ 708 \end{bmatrix} \quad \vec{r} = \vec{b} - A\vec{y} = \begin{bmatrix} -0{,}396\ 6667 \times 10^{-2} \\ -0{,}116\ 6667 \times 10^{-2} \\ 0{,}142\ 8572 \times 10^{-3} \\ 0{,}720\ 2380 \times 10^{-3} \\ 0{,}098\ 0159 \times 10^{-3} \end{bmatrix}$$

Pour obtenir une borne sur le conditionnement, utilisons la norme $||.||_\infty$ et l'équation 3.41. Puisque $\frac{||b||_\infty}{||r||_\infty} = 303{,}85$ et $\frac{||\vec{x}-\vec{y}||_\infty}{||\vec{x}||_\infty} = 0{,}130$, on a que le $\text{cond}_\infty A \geq 39{,}5$. Cette estimation est très optimiste car la valeur exacte du conditionnement de A est 943 656.

3.25 La matrice est singulière et le système linéaire possède dans ce cas une infinité de solutions. Il est possible d'obtenir les 2 solutions proposées, car numériquement, un système singulier devient souvent un système dont le déterminant est très petit et qui est donc mal conditionné.

3.26 (a) $\vec{r}_1 = \vec{b} - A\vec{x}_1 = \begin{bmatrix} -0{,}6 & -0{,}600\ 01 \end{bmatrix}^T$, $\vec{r}_2 = \begin{bmatrix} 0{,}0 & 0{,}0004 \end{bmatrix}^T$, ce qui signifie que $||\vec{r}_1||_\infty = 0{,}600\ 01$ et $||\vec{r}_2||_\infty = 0{,}0004$. De plus, $||\vec{x} - \vec{x}_1||_\infty = 0{,}1$ alors que $||\vec{x} - \vec{x}_2||_\infty = 4{,}0$. On en conclut que la solution approximative $\vec{x}_2$ est bien plus éloignée de la solution exacte, mais donne un résidu beaucoup plus petit. Cela montre que la norme du résidu n'est pas toujours un bon indice de la qualité d'une solution.

    (b) La nouvelle solution est $[0 \ \ 1{,}2]^T$. Une petite perturbation du second membre entraîne une forte perturbation de la solution.

    (c) La matrice est mal conditionnée car $||A||_\infty = 6{,}0001$, $||A^{-1}||_\infty = 20\,000$ et $\text{cond}_\infty A = 120\,002$.

3.27

$$J = \begin{bmatrix} 2x_1 - 10 & 2x_2 \\ x_2^2 + 1 & 2x_1 x_2 - 10 \end{bmatrix}$$

Itération 1 : $\vec{\delta x} = \begin{bmatrix} 0{,}800\,000 & 0{,}880\,000 \end{bmatrix}^T$, $\vec{x}^1 = \begin{bmatrix} 0{,}800\,000 & 0{,}880\,000 \end{bmatrix}^T$;

Itération 2 : $\vec{\delta x} = \begin{bmatrix} 0{,}191\,787 & 0{,}111\,711 \end{bmatrix}^T$, $\vec{x}^2 = \begin{bmatrix} 0{,}991\,787 & 0{,}991\,711 \end{bmatrix}^T$.

3.28 La matrice jacobienne du système est :

$$J = \begin{bmatrix} 3 & x_3 \sin(x_2 x_3) & x_2 \sin(x_2 x_3) \\ 2x_1 & -162(x_2 + 0{,}1) & \cos x_3 \\ -x_2 e^{-x_1 x_2} & -x_1 e^{-x_1 x_2} & 20 \end{bmatrix}$$

Itération 1 : $\vec{x}^1 = \begin{bmatrix} 0{,}499\,8697 & 0{,}019\,4669 & -0{,}521\,5205 \end{bmatrix}^T$

Itération 2 : $\vec{x}^2 = \begin{bmatrix} 0{,}500\,0142 & 0{,}001\,5886 & -0{,}523\,5569 \end{bmatrix}^T$

Les itérations convergent vers $\begin{bmatrix} 0{,}5 & 0 & -0{,}523\,5987 \end{bmatrix}^T$.

3.29 Nous avons une convergence d'ordre 2 dans tous les cas. On remarquera qu'en b), la convergence devient quadratique seulement à la toute fin. C'est également le cas en d).

(a)

	$\begin{bmatrix} x_1^0 & x_2^0 \end{bmatrix}^T = \begin{bmatrix} 1{,}2 & 2{,}5 \end{bmatrix}^T$		
Itération	x_1^i	x_2^i	$\lVert \vec{r} - \vec{x}^i \rVert_\infty$
0	$1{,}200\,000 \times 10^{+0}$	$2{,}500\,000 \times 10^{+0}$	$4{,}160 \times 10^{+1}$
1	$1{,}439\,062 \times 10^{+0}$	$1{,}811\,152 \times 10^{+0}$	$1{,}069 \times 10^{+1}$
2	$1{,}701\,172 \times 10^{+0}$	$1{,}533\,494 \times 10^{+0}$	$1{,}505 \times 10^{+0}$
3	$1{,}765\,462 \times 10^{+0}$	$1{,}493\,559 \times 10^{+0}$	$2{,}952 \times 10^{-2}$
4	$1{,}766\,847 \times 10^{+0}$	$1{,}492\,851 \times 10^{+0}$	$8{,}561 \times 10^{-6}$
5	$1{,}766\,847 \times 10^{+0}$	$1{,}492\,851 \times 10^{+0}$	$4{,}989 \times 10^{-13}$
Approximation finale de la solution :			
$\vec{r} = \begin{bmatrix} 1{,}766\,847 \times 10^{+0} & 1{,}492\,851 \times 10^{+0} \end{bmatrix}^T$			

(b)

	$\begin{bmatrix} x_1^0 & x_2^0 \end{bmatrix}^T = \begin{bmatrix} -2 & 2{,}5 \end{bmatrix}^T$		
Itération	x_1^i	x_2^i	$\lVert \vec{r} - \vec{x}^i \rVert_\infty$
0	$-2{,}000\,000 \times 10^{+0}$	$2{,}500\,000 \times 10^{+0}$	$4{,}183 \times 10^{+1}$
1	$-1{,}499\,056 \times 10^{+0}$	$1{,}688\,626 \times 10^{+0}$	$1{,}565 \times 10^{+1}$
2	$-7{,}405\,739 \times 10^{-1}$	$7{,}066\,197 \times 10^{-1}$	$9{,}544 \times 10^{+0}$
3	$+7{,}541\,878 \times 10^{+1}$	$-8{,}461\,086 \times 10^{+1}$	$4{,}567 \times 10^{+7}$
$\vdots$	$\vdots$	$\vdots$	$\vdots$
25	$-2{,}994\,870 \times 10^{+0}$	$1{,}411\,355 \times 10^{-1}$	$2{,}144 \times 10^{-1}$
26	$-3{,}001\,630 \times 10^{+0}$	$1{,}483\,807 \times 10^{-1}$	$8{,}328 \times 10^{-4}$
27	$-3{,}001\,633 \times 10^{+0}$	$1{,}483\,494 \times 10^{-1}$	$3{,}344 \times 10^{-9}$
28	$-3{,}001\,633 \times 10^{+0}$	$1{,}483\,494 \times 10^{-1}$	$8{,}881 \times 10^{-16}$
Approximation finale de la solution :			
$\vec{r} = \begin{bmatrix} -3{,}001\,633 \times 10^{+0} & 1{,}483\,494 \times 10^{-1} \end{bmatrix}^T$			

	$\begin{bmatrix} x_1^0 & x_2^0 \end{bmatrix}^T = \begin{bmatrix} -1{,}2 & -2{,}5 \end{bmatrix}^T$		
Itération	x_1^i	x_2^i	$\lVert \vec{r} - \vec{x}^i \rVert_\infty$
0	$-1{,}200\,000 \times 10^{+0}$	$-2{,}500\,000 \times 10^{+0}$	$3{,}397 \times 10^{+1}$
1	$-1{,}304\,837 \times 10^{+0}$	$-1{,}918\,680 \times 10^{+0}$	$7{,}634 \times 10^{+0}$
2	$-1{,}412\,950 \times 10^{+0}$	$-1{,}712\,941 \times 10^{+0}$	$8{,}247 \times 10^{-1}$
3	$-1{,}436\,954 \times 10^{+0}$	$-1{,}689\,908 \times 10^{+0}$	$9{,}915 \times 10^{-3}$
4	$-1{,}437\,347 \times 10^{+0}$	$-1{,}689\,694 \times 10^{+0}$	$6{,}812 \times 10^{-7}$
5	$-1{,}437\,347 \times 10^{+0}$	$-1{,}689\,694 \times 10^{+0}$	$3{,}552 \times 10^{-15}$
Approximation finale de la solution :			
$\vec{r} = \begin{bmatrix} -1{,}437\,347 \times 10^{+0} & -1{,}689\,694 \times 10^{+0} \end{bmatrix}^T$			

(c)

	$\begin{bmatrix} x_1^0 & x_2^0 \end{bmatrix}^T = \begin{bmatrix} 2 & -2{,}5 \end{bmatrix}^T$		
Itération	x_1^i	x_2^i	$\lVert \vec{r} - \vec{x}^i \rVert_\infty$
0	$2{,}000\,000 \times 10^{+0}$	$-2{,}500\,000 \times 10^{+0}$	$3{,}846 \times 10^{+1}$
1	$1{,}316\,063 \times 10^{+0}$	$-1{,}745\,354 \times 10^{+0}$	$1{,}455 \times 10^{+1}$
2	$6{,}359\,924 \times 10^{-2}$	$-8{,}388\,455 \times 10^{-1}$	$9{,}306 \times 10^{+0}$
3	$-1{,}926\,340 \times 10^{+1}$	$-2{,}143\,735 \times 10^{-1}$	$4{,}360 \times 10^{+2}$
⋮	⋮	⋮	⋮
7	$-3{,}041\,157 \times 10^{+0}$	$8{,}675\,218 \times 10^{-2}$	$1{,}613 \times 10^{+0}$
8	$-3{,}001\,277 \times 10^{+0}$	$1{,}466\,575 \times 10^{-1}$	$4{,}637 \times 10^{-2}$
9	$-3{,}001\,632 \times 10^{+0}$	$1{,}483\,497 \times 10^{-1}$	$8{,}000 \times 10^{-6}$
10	$-3{,}001\,633 \times 10^{+0}$	$1{,}483\,494 \times 10^{-1}$	$3{,}536 \times 10^{-12}$
Approximation finale de la solution :			
$\vec{r} = \begin{bmatrix} -3{,}001\,633 \times 10^{+0} & 1{,}483\,494 \times 10^{-1} \end{bmatrix}^T$			

(d)

3.30 (a) C'est l'intersection de deux cercles : le premier centré en $(1, 0)$ et de rayon 1, et l'autre centré en $(0, 0)$ et de rayon 2. Le point de tangence des deux cercles est donc l'unique solution du système et celui-ci est $\begin{bmatrix} 2 & 0 \end{bmatrix}^T$.

b) La résolution donne les itérations suivantes :

i	$\vec{x}_1^i$	x_2^i	$\lVert R(\vec{x}_i) \rVert$
0	$0{,}000\,000$	$1{,}000\,000 \times 10^0$	$3{,}1623 \times 10^0$
1	$2{,}000\,000$	$2{,}500\,000 \times 10^0$	$8{,}8388 \times 10^0$
2	$2{,}000\,000$	$1{,}250\,00 \times 10^0$	$2{,}2097 \times 10^0$
3	$2{,}000\,000$	$6{,}250\,000 \times 10^{-1}$	$5{,}5243 \times 10^{-1}$
4	$2{,}000\,000$	$3{,}125\,000 \times 10^{-1}$	$1{,}3811 \times 10^{-1}$
5	$2{,}000\,000$	$1{,}562\,500 \times 10^{-1}$	$3{,}4527 \times 10^{-2}$
6	$2{,}000\,000$	$7{,}812\,500 \times 10^{-2}$	$8{,}6317 \times 10^{-3}$
7	$2{,}000\,000$	$3{,}906\,250 \times 10^{-2}$	$2{,}1579 \times 10^{-3}$
8	$2{,}000\,000$	$1{,}953\,125 \times 10^{-2}$	$5{,}3948 \times 10^{-4}$

et par la suite :

i	$\vec{x}_1^i$	x_2^i	$\|R(\vec{x}_i)\|$
9	2,000 000	$9,765\,625 \times 10^{-3}$	$1,3487 \times 10^{-4}$
10	2,000 000	$4,882\,813 \times 10^{-3}$	$3,3717 \times 10^{-5}$
11	2,000 000	$2,441\,406 \times 10^{-3}$	$8,4294 \times 10^{-6}$
12	2,000 000	$1,220\,703 \times 10^{-3}$	$2,1073 \times 10^{-6}$
13	2,000 000	$6,103\,516 \times 10^{-4}$	$5,2684 \times 10^{-7}$
14	2,000 000	$3,051\,758 \times 10^{-4}$	$1,3171 \times 10^{-7}$
15	2,000 000	$1,525\,878 \times 10^{-4}$	$3,2927 \times 10^{-8}$

    c) On a que $\vec{e}^k = (0, x_2^k)$ et que $\|\vec{e}^k\|/\|\vec{e}^{k-1}\| \simeq 0,5$. La convergence est donc linéaire.

    d) Tous les points de la forme $\begin{bmatrix} x_1 & 0 \end{bmatrix}^T$, car alors la matrice jacobienne est singulière.

3.31 La matrice jacobienne est singulière en $\begin{bmatrix} 0 & -0,2 \end{bmatrix}^T$. Il faut alors amorcer la méthode de Newton à partir d'un autre point.

3.32 (a) Puisque $P = P^{-1}$, on a $A = PLU$ et dét $A = $ dét P dét L dét U. La matrice P est une permutation de 2 lignes de la matrice identité et son déterminant est donc -1. On a alors dét $A = (-1)(1)(2)(-8)\left(\frac{3}{2}\right) = 24$.

    (b) On permute d'abord le vecteur $\vec{b}$ en faisant $P\vec{b} = \begin{bmatrix} 51 & 19 & 6 \end{bmatrix}^T$. On résout $L\vec{y} = [51\ \ 19\ \ 6]^T$ pour obtenir $\vec{y} = \begin{bmatrix} 51 & -32 & \frac{9}{2} \end{bmatrix}^T$ et ensuite $U\vec{x} = [51\ \ -32\ \ \frac{9}{2}]^T$ pour calculer la solution $\vec{x} = \begin{bmatrix} 1 & -2 & 3 \end{bmatrix}^T$.

3.33 (a) De la matrice de permutation P, on constate qu'il y a eu 3 permutations de lignes. Le déterminant est donc :
dét $A = (-1)^3$dét L dét $U = (-1)(1)(0,499\,820\,670)$.

    (b) On résout $L\vec{y} = P\vec{b} = \begin{bmatrix} 1 & 3 & 6 & 5 & 4 & 2 \end{bmatrix}^T$ et ensuite $U\vec{x} = \vec{y}$.

3.34 (a) $\vec{r} = \vec{b} - A\vec{x}^* = \begin{bmatrix} -0,1 & 0,1 & -0,1 & 0,1 \end{bmatrix}^T$ et $\|\vec{r}\|_\infty = 0,1$

    (b) $\|A\|_\infty = \max(32\,,\, 23\,,\, 33\,,\, 31) = 33$

    (c) $\|A^{-1}\|_\infty = \max(82\,,\, 136\,,\, 35\,,\, 21) = 136$ et $\text{cond}_\infty A = 4488$

    (d) La borne supérieure pour l'erreur relative est donc :

$$\frac{\|\vec{x} - \vec{x}^*\|_\infty}{\|\vec{x}\|_\infty} \le \text{cond}_\infty A \frac{\|\vec{r}\|_\infty}{\|\vec{b}\|_\infty} = \frac{4448 \times 0,1}{33} = 13,6$$

3.35 On résout dans un premier temps $C\vec{x}_2 = \vec{b}_2$ en utilisant la décomposition LU de C ($L^C\vec{y} = \vec{b}_2$ et $U^C\vec{x}_2 = \vec{y}$). Par la suite, on résout $A\vec{x}_1 = \vec{b}_1 - B\vec{x}_2$ ($L^A\vec{y} = \vec{b}_1 - B\vec{x}_2$ et $U^A\vec{x}_1 = \vec{y}$).

3.36 La matrice jacobienne et le vecteur résidu s'écrivent :

$$J(\vec{x}) = \begin{bmatrix} 2x_1 + 3x_2 & 3x_1 & 2x_3 \\ \cos x_1 & e^{x_2} & -3 \\ 3 & 4 & -3 \end{bmatrix} \qquad \vec{R}(\vec{x}) = \begin{bmatrix} x_1^2 + 3x_1x_2 + x_3^2 - 7 \\ \sin x_1 + e^{x_2} - 3x_3 + 8 \\ 3x_1 + 4x_2 - 3x_3 + 1 \end{bmatrix}$$

(a) En partant de $\begin{bmatrix} 0 & 0 & 1 \end{bmatrix}^T$, on doit résoudre :

$$\begin{bmatrix} 0 & 0 & 2 \\ 1 & 1 & -3 \\ 3 & 4 & -3 \end{bmatrix} \begin{bmatrix} \delta x_1 \\ \delta x_2 \\ \delta x_3 \end{bmatrix} = -\begin{bmatrix} -6 \\ 6 \\ -2 \end{bmatrix}$$

(b) En résolvant (sans oublier de permuter suivant le vecteur $\vec{O}$), on trouve dans un premier temps $\vec{y} = \begin{bmatrix} \frac{2}{3} & 20 & 3 \end{bmatrix}^T$ et par la suite $\vec{\delta x} = \begin{bmatrix} 1 & 2 & 3 \end{bmatrix}^T$. La nouvelle solution est donc $\vec{x}^1 = \begin{bmatrix} 0 & 0 & 1 \end{bmatrix}^T + \begin{bmatrix} 1 & 2 & 3 \end{bmatrix}^T = \begin{bmatrix} 1 & 2 & 4 \end{bmatrix}^T$.

(c) La convergence est d'ordre 2 puisque le rapport $\frac{||\vec{x}-\vec{x}^{i+1}||_\infty}{||\vec{x}-\vec{x}^i||_\infty}$ tend vers 0 tandis que le rapport $\frac{||\vec{x}-\vec{x}^{i+1}||_\infty}{||\vec{x}-\vec{x}^i||_\infty^2}$ ne tend pas vers 0.

3.37 (a) Le problème est équivalent à trouver l'intersection du cercle de rayon $\sqrt{2}$ et d'une hyperbole. Ces 2 courbes sont tangentes aux points $(1, 1)$ et $(-1, -1)$.

(b) $\begin{bmatrix} x_1^1 & x_2^1 \end{bmatrix}^T = \begin{bmatrix} \frac{3}{2} & 1 \end{bmatrix}^T$ et $\begin{bmatrix} x_1^2 & x_2^2 \end{bmatrix}^T = \begin{bmatrix} 1{,}15 & 0{,}9 \end{bmatrix}^T$

(c) En calculant la colonne contenant les termes $\frac{||\vec{x}-\vec{x}^{i+1}||_2}{||\vec{x}-\vec{x}^i||_2}$, on constate que les valeurs de cette colonne semblent converger vers 0,5, ce qui indique que la convergence est linéaire. Or, la méthode de Newton converge habituellement à l'ordre 2. Pour expliquer ce comportement, il suffit de remarquer que la matrice jacobienne :

$$\begin{bmatrix} 2x_1 & 2x_2 \\ x_2 & x_1 \end{bmatrix}$$

est singulière en $\begin{bmatrix} 1 & 1 \end{bmatrix}^T$ correspondant à la solution exacte du système. Cette explication est similaire à celle donnée pour la méthode de Newton en une variable dans le cas de racines multiples ($f'(r) = 0$). La matrice jacobienne joue le même rôle dans le cas des systèmes.

3.38 La matrice jacobienne et le vecteur résidu s'écrivent :

$$J(\vec{x}) = \begin{bmatrix} 2x & 4y \\ 4x-y & 3-x \end{bmatrix} \quad \vec{R}(\vec{x}) = \begin{bmatrix} x^2+2y^2-22 \\ 2x^2-xy+3y-11 \end{bmatrix}$$

(a) En partant de $\begin{bmatrix} 1 & 2 \end{bmatrix}^T$, on doit résoudre :

$$\begin{bmatrix} 2 & 8 \\ 2 & 2 \end{bmatrix} \begin{bmatrix} \delta x \\ \delta y \end{bmatrix} = -\begin{bmatrix} -13 \\ -5 \end{bmatrix}$$

ce qui donne $\delta x = \frac{7}{6}$ et $\delta y = \frac{4}{3}$ et une nouvelle approximation $\begin{bmatrix} \frac{13}{6} & \frac{10}{3} \end{bmatrix}^T$.

(b) En partant de $\begin{bmatrix} \frac{13}{6} & \frac{10}{3} \end{bmatrix}^T$, on doit résoudre :

$$\begin{bmatrix} \frac{13}{3} & \frac{40}{3} \\ \frac{16}{3} & \frac{5}{6} \end{bmatrix} \begin{bmatrix} \delta x \\ \delta y \end{bmatrix} = -\begin{bmatrix} 4{,}916\,667 \\ 1{,}166\,667 \end{bmatrix}$$

Réponses aux exercices du chapitre 4

4.1 Si x est un point fixe, alors $x = g(x)$ et $g(g(x)) = g(x) = x$. L'inverse est cependant faux.

4.2 Il suffit de calculer par exemple $g(r_1^{(2)}) = \lambda r_1^{(2)}(1 - r_1^{(2)})$ et de montrer que l'on obtient $r_2^{(2)}$ (après simplification).

4.3 (a) Le polynôme caractéristique est $\lambda^2 - 4\lambda + 3$. Les valeurs propres sont 1 et 3, et le rayon spectral est donc 3. La matrice est divergente.

   (b) Le polynôme caractéristique est $(\lambda - \frac{1}{2})(\lambda - \frac{1}{3})(\lambda - \frac{1}{4})$. Les valeurs propres sont $\frac{1}{4}$, $\frac{1}{3}$ et $\frac{1}{2}$, et le rayon spectral est donc $\frac{1}{2}$. La matrice est convergente.

4.4 La convergence de la méthode de Jacobi dépend du rayon spectral de la matrice $T_J = -D^{-1}(T_I + T_S)$ et non du rayon spectral de la matrice A elle-même. Dans ce cas :

$$T_j = \begin{bmatrix} 0 & \frac{1}{2} \\ \frac{1}{2} & 0 \end{bmatrix}$$

et son rayon spectral est $\frac{1}{2}$.

4.5 (a) Seul $(1 , 1)$ est un point fixe.

   (b) Il est attractif car $\rho(J(1 , 1)) = \frac{\sqrt{2}}{2} < 1$.

   (c) Les 5 premières itérations donnent : $(1{,}4142 , 0)$, $(1{,}4142 , 1{,}1892)$, $(0{,}7653 , 1{,}1892)$, $(0{,}7654 , 0{,}8749)$ et $(1{,}1111 , 0{,}8749)$.

4.6 (a) Il faut démontrer que $|g_1'(r_1)| < 1$, où $g_1(x) = g(g(x))$. Le résultat vient immédiatement de la règle de dérivation en chaîne.

   (b) $\{r_1, r_2, r_3, \cdots, r_n\}$ est une orbite n-périodique attractive si :

$$g(g(g(\cdots g(r_1)))) < 1 \qquad (g \text{ est composée } n \text{ fois})$$

Par dérivation en chaîne, $\displaystyle\prod_{i=1}^{n} |g'(r_i)| < 1$.

4.7 $\{-1 , 0\}$ est une orbite 2-périodique attractive.

4.8 Il suffit de montrer que $T(\frac{2}{7}) = \frac{4}{7}$, $T(\frac{4}{7}) = \frac{6}{7}$ et $T(\frac{6}{7}) = \frac{2}{7}$, et que $T(\frac{2}{9}) = \frac{4}{9}$, $T(\frac{4}{9}) = \frac{8}{9}$ et $T(\frac{8}{9}) = \frac{2}{9}$. Ces orbites 3-périodiques sont toutes deux répulsives, car $|T'(\frac{2}{7})T'(\frac{4}{7})T'(\frac{6}{7})| = 8$ et $|T'(\frac{2}{9})T'(\frac{4}{9})T'(\frac{8}{9})| = 8$.

4.9 Il suffit d'expliciter le terme $T\vec{x} + \vec{c}$ et de constater que la matrice jacobienne est T. Cette méthode des points fixes convergera si $\rho(T) < 1$. On remarque de plus que les méthodes de Jacobi et de Gauss-Seidel sont de cette forme.

4.10 On peut prendre par exemple la matrice :

$$\begin{bmatrix} 3 & 1 & 1 \\ 1 & 3 & 1 \\ 1 & 1 & 3 \end{bmatrix}$$

pour laquelle la matrice T_J est :

$$
\begin{bmatrix}
0 & -\frac{1}{3} & -\frac{1}{3} \\
-\frac{1}{3} & 0 & -\frac{1}{3} \\
-\frac{1}{3} & -\frac{1}{3} & 0
\end{bmatrix}
$$

On a alors $||T_J||_\infty = \frac{2}{3}$, qui est inférieur à 1.

4.11   (a) Dès la première équation, $a_{11} = 0$ et la méthode de Jacobi ne peut pas s'appliquer.

(b) On réordonne les équations de telle sorte que la nouvelle matrice soit à diagonale strictement dominante : E_3, E_4, E_2, E_1.

4.12 Les itérations de la méthode de Jacobi donnent :

	Méthode de Jacobi		
n	x_1^n	x_2^n	x_3^n
1	1,444 444	1,800 000	−1,222 222
2	1,980 247	1,844 444	−0,982 716
3	1,963 512	1,999 506	−1,032 373
4	2,003 487	1,986 228	−0,996 056
5	1,996 501	2,001 486	−1,003 448

Avec la méthode de Gauss-Seidel, on obtient :

	Méthode de Gauss-Seidel		
n	x_1^n	x_2^n	x_3^n
1	1,444 444	$2,088\,889 \times 10^1$	−0,918 519
2	2,010 700	$2,018\,436 \times 10^1$	−0,997 092
3	2,003 774	$2,001\,336 \times 10^1$	−1,000 122
4	2,000 311	$2,000\,038 \times 10^1$	−1,000 026
5	2,000 011	$1,999\,997 \times 10^1$	−1,000 002

et une convergence plus rapide vers $\begin{bmatrix} 2 & 2 & -1 \end{bmatrix}^T$.

Réponses aux exercices du chapitre 5

5.1 Cette affirmation est vraie en général. Cependant, dans certains cas, il est possible de construire ce polynôme. Par exemple, si l'on choisit 3 points sur une droite, on peut construire le polynôme de degré 1 (la droite) passant par ces 3 points.

5.2 On doit résoudre le système :

$$
\begin{bmatrix}
1 & 1 & 1 \\
1 & 2 & 4 \\
1 & 3 & 9
\end{bmatrix}
\begin{bmatrix}
a_0 \\
a_1 \\
a_2
\end{bmatrix}
=
\begin{bmatrix}
2 \\
6 \\
12
\end{bmatrix}
$$

dont la solution est $[0 \ 1 \ 1]^T$. Le polynôme est donc $p_2(x) = x + x^2$.

5.3 a) $p_2(x) = \frac{1}{2}x^2 - \frac{3}{2}x + 1$. b) $p_2(x) = 1$. c) $p_2(x) = -2x^2 + x + 1$. La solution de ces problèmes est unique car le déterminant des systèmes linéaires correspondants est différent de 0.

5.4 (a) $p_2(x) = 0\dfrac{(x-1)(x-2)}{(0-1)(0-2)} + 2\dfrac{(x-0)(x-2)}{(1-0)(1-2)} + 36\dfrac{(x-0)(x-1)}{(2-0)(2-1)}$

(b) $p_3(x) = 0\dfrac{(x-1)(x-2)(x-3)}{(0-1)(0-2)(0-3)} + 2\dfrac{(x-0)(x-2)(x-3)}{(1-0)(1-2)(1-3)}$

$+ 36\dfrac{(x-0)(x-1)(x-3)}{(2-0)(2-1)(2-3)} + 252\dfrac{(x-0)(x-1)(x-2)}{(3-0)(3-1)(3-2)}$

(c) $E_2(x) = \dfrac{f^{(3)}(\xi)(x)(x-1)(x-2)}{3!}, \quad \xi \in [0\,,\,2]$

$E_3(x) = \dfrac{f^{(4)}(\xi)(x)(x-1)(x-2)(x-3)}{4!}, \quad \xi \in [0\,,\,3]$

(d) $p_2(1{,}5) = 15{,}0, \quad p_3(1{,}5) = 5{,}625$

5.5 (a) $p_2(x) = 2x + 16x(x-1)$

(b) $p_3(x) = p_2(x) + 25x(x-1)(x-2)$

(c) Les expressions analytiques des erreurs sont les mêmes qu'à l'exercice précédent. Cependant, on peut estimer la valeur de ces erreurs :

$$E_2(x) \simeq 25x(x-1)(x-2), \quad E_3(x) \simeq 10x(x-1)(x-2)(x-3)$$

(d) Mêmes réponses qu'au numéro précédent. De plus, $E_2(1{,}5) \simeq -9{,}375$ et $E_3(1{,}5) \simeq 5{,}625$.

5.6 Puisque l'ordonnée est toujours égale à 1, le polynôme constant $p_0(x) = 1$ est une solution possible. La solution est unique puisqu'il n'y a qu'un seul polynôme de degré inférieur ou égal à 4 passant par 5 points.

5.7 (a) $p_3(x) = 1 - 10x - 3x^2 + x^3$

(b) $p_3(x) = -23\dfrac{(x-1)(x-2)(x-5)}{-160} - 11\dfrac{(x+3)(x-2)(x-5)}{16}$

$- 23\dfrac{(x+3)(x-1)(x-5)}{-15} + 1\dfrac{(x+3)(x-1)(x-2)}{96}$

(c) $p_3(x) = -23 + 3(x+3) - 3(x+3)(x-1) + (x+3)(x-1)(x-2)$

5.8 (a) $p_3(x) = 0{,}055\,389\dfrac{(x-362{,}6)(x-423{,}3)(x-491{,}4)}{(308{,}6-362{,}6)(308{,}6-423{,}3)(308{,}6-491{,}4)}$

$+ 0{,}047\,485\dfrac{(x-308{,}6)(x-423{,}3)(x-491{,}4)}{(362{,}6-308{,}6)(362{,}6-423{,}3)(362{,}6-491{,}4)}$

$+ 0{,}040\,914\dfrac{(x-308{,}6)(x-362{,}6)(x-491{,}4)}{(423{,}3-308{,}6)(423{,}3-362{,}6)(423{,}3-491{,}4)}$

$+ 0{,}035\,413\dfrac{(x-308{,}6)(x-362{,}6)(x-423{,}3)}{(491{,}4-308{,}6)(491{,}4-362{,}6)(491{,}4-423{,}3)}$

(b) On obtient $p_3(400) = 0{,}043\ 199$.

5.9 Le polynôme de Taylor de degré 3 s'écrit $t_3(x) = \pi x - \frac{\pi^3}{6}x^3$ tandis que le polynôme de Lagrange de degré 3 s'écrit $p_3(x) = -\frac{8}{3}\sqrt{2}x^2 + \frac{8}{3}\sqrt{2}x$.

La valeur exacte de la dérivée est $f'(1/3) = \pi/2 = 1{,}570\ 796\ 326$. D'autre part, $t'_3(1/3) = 1{,}419\ 021\ 726$ et $p'_3(1/3) = 1{,}257\ 078\ 722$ de sorte que l'approximation de Taylor est plus précise. Ceci est dû au fait que les nœuds d'interpolation choisis sont trop éloignés de $x = 1/3$. Si on avait fait la même comparaison en $x = \frac{2}{3}$ le polynôme de Lagrange aurait donné un meilleur résultat.

5.10 (a) Le polynôme de degré 4 est :
$$p_4(x) = 0{,}693\ 147\ 180\ 6(x-1) - 0{,}143\ 841\ 036\ 1(x-1)(x-2)$$
$$+\ 0{,}028\ 316\ 505\ 97(x-1)(x-2)(x-3)$$
$$-\ 0{,}004\ 860\ 605\ 018(x-1)(x-2)(x-3)(x-4)$$

(b) $p_4(6{,}32) = 1{,}681\ 902$ alors que $\ln(6{,}32) = 1{,}843\ 719$. L'erreur absolue est donc de $0{,}161\ 817$. L'équation 5.23 nous donne $0{,}183\ 563$.

(c) On veut maintenant diminuer cette erreur d'un facteur 100 et donc obtenir une erreur absolue de $0{,}001\ 618$. Le polynôme de Newton de degré 5 obtenu en ajoutant le nœud $x_5 = 5{,}5$ est :

$$\begin{aligned}
p_5(x) &= p_4(x) + f[x_0, \ldots, x_5](x-1)(x-2)\cdots(x-5) \\
&= 0{,}785\ 58 \times 10^{-3}(x-1)(x-2)(x-3)(x-4)(x-5)
\end{aligned}$$

de sorte que $p_5(6{,}32) = 1{,}681\ 902 + 0{,}183\ 563 = 1{,}865\ 465$. L'erreur absolue est de $|\ln(6{,}32) - 1{,}865\ 465| = 0{,}021\ 746$ et il faut encore ajouter un noeud $(x_6 = 6{.}0)$ pour obtenir :

$$\begin{aligned}
p_6(x) &= p_5(x) + f[x_0, \ldots, x_6](x-1)(x-2)\cdots(x-5)(x-5{,}5) \\
&= -0{,}119\ 05 \times 10^{-3}(x-1)(x-2)\cdots(x-5{,}5)
\end{aligned}$$

On a alors $p_6(6{,}32) = 1{,}865\ 465 - 0{,}228\ 1 = 1{,}842\ 654$ et l'erreur absolue est de $0{,}001\ 065$, ce qui est mieux que la précision requise.

(d) L'équation 5.21 nous donne une expression pour l'erreur :

$$E_4(x) = \frac{f^{(5)}(\xi(x))}{5!}\left[(x-1)(x-2)(x-3)(x-4)(x-5)\right]$$

où $\xi(x) \in\ ]1\ ,\ 5[$ et nous sommes intéressés au signe de cette erreur. Or $f^{(5)}(x) = \frac{24}{x^5}$ est positif dans l'intervalle $[3\ ,\ 4]$ et le signe de l'erreur ne dépend que du produit entre les crochets. Toujours dans l'intervalle $[3\ ,\ 4]$, trois des facteurs sont positifs et deux négatifs. L'erreur $E(x) = \ln x - p_4(x)$ est donc positive et le graphe de $\ln x$ est au dessus de celui de $p_4(x)$.

5.11 Sur l'intervalle $[x_i, x_{i+1}]$, l'erreur d'interpolation est donnée par

$$\begin{aligned}
|E_1(x)| &= \left|\frac{f^{(2)}(\xi(x))}{2}\right|\,|(x-x_i)(x-x_{i+1})| \\
&= \frac{1}{8\,(\xi(x))^{3/2}}\,|(x-x_i)(x-x_{i+1})|
\end{aligned}$$

où $x_i \leq \xi(x) \leq x_{i+1}$. Or $\dfrac{1}{x^{3/2}} \leq 1$ car $1 \leq x$ et on obtient l'estimation :

$$
\begin{aligned}
|E_1(x)| &= \frac{1}{8\,(\xi(x))^{3/2}}\,|(x - x_i)(x - x_{i+1})| \\
&\leq \frac{1}{8}\,|(x - x_i)(x - x_{i+1})| \leq \frac{1}{8}(h/2)(h/2) = \frac{h^2}{32}
\end{aligned}
$$

où $h = 9/n$ est l'espacement entre les nœuds. Il faut donc choisir h de sorte que $h^2/32 \leq 10^{-6} \iff n \geq (9/\sqrt{32}) \times 10^3 = 1590{,}99$, c.-à-d. à partir de $n = 1591$.

5.12 (a) Voici la table des différences divisées :

x_i	$f(x_i)$	$f[x_i, x_{i+1}]$	$f[x_i, x_{i+1}, x_{i+2}]$	$f[x_i, x_{i+1}, x_{i+2}, x_{i+3}]$
0,0	0,1			
		1		
0,1	0,2		0	
		1		50/3
0,2	0,3		5	
		2		
0,3	0,5			

(b) $p_3(x) = 0{,}1 + x + \dfrac{50}{3}x(x - 0{,}1)(x - 0{,}2)$

(c) $E_2(x) = \dfrac{f^{(3)}(\xi(x))}{6}(x - 0{,}1)(x - 0{,}2)(x - 0{,}3)$ pour $x \in]0$, $0{,}3[$. Au point $x = 0{,}18$, on aura :

$$
|E_2(0{,}18)| = \left|\frac{f^{(3)}(\xi(x))}{6}\right|\,|(0{,}18 - 0{,}1)||(0{,}18 - 0{,}2)||(0{,}18 - 0{,}3)|
$$

$$
|E_2(0{,}18)| \leq \frac{\displaystyle\max_{0{,}1 \leq x \leq 0{,}3}\left|f^{(3)}(x)\right|}{6}(0{,}08)(0{,}02)(0{,}12)
$$

$$
\leq 3/6\ (0{,}08)(0{,}02)(0{,}12) = 9{,}6\ 10^{-5} < 10^{-4}
$$

et la réponse est donc oui.

5.13 (a) Le système linéaire est :

$$
\begin{bmatrix}
1 & 0 & 0 & 0 & 0 \\
\frac{1}{2} & 2 & \frac{1}{2} & 0 & 0 \\
0 & \frac{1}{2} & 2 & \frac{1}{2} & 0 \\
0 & 0 & \frac{1}{2} & 2 & \frac{1}{2} \\
0 & 0 & 0 & 0 & 1
\end{bmatrix}
\begin{bmatrix}
f_0'' \\ f_1'' \\ f_2'' \\ f_3'' \\ f_4''
\end{bmatrix}
=
\begin{bmatrix}
0 \\ 96 \\ 546 \\ 1716 \\ 0
\end{bmatrix}
$$

(b) La solution est $\begin{bmatrix} 0 & 34{,}7143 & 53{,}1428 & 844{,}714 & 0 \end{bmatrix}^T$.

(c) L'abscisse 1,5 est dans le deuxième intervalle ($i = 1$). L'équation de la spline est :

$$
p_1(x) = 2 + 13{,}5714(x - 1) + 17{,}3572(x - 1)^2 + 3{,}0716(x - 1)^3
$$

ce qui signifie que $p(1{,}5) = 13{,}5089$.

5.14 (a) On prend les points dont les abscisses sont les plus rapprochées de 4,5 (il y a deux possibilités). En prenant les points d'abscisses 5, 3,5 et 7,0, on trouve :

$$p_2(x) = 1{,}6094 + 0{,}237\,733(x-5) - 0{,}019\,8523(x-5)(x-3{,}5)$$

qui prend la valeur 1,500 459 65 en $x = 4{,}5$. L'expression analytique du terme d'erreur est :

$$E_2(x) = \frac{f^{(3)}(\xi)(x-5)(x-3{,}5)(x-7)}{3!} \quad \text{avec} \ \xi \in [3{,}5\,,\,7]$$

(b)

$$p_2(x) = 1{,}6094\frac{(x-3{,}5)(x-7)}{(5-3{,}5)(5-7)} + 1{,}2528\frac{(x-5)(x-7)}{(3{,}5-5)(3{,}5-7)}$$

$$+ 1{,}9459\frac{(x-5)(x-3{,}5)}{(7-5)(7-3{,}5)}$$

(c) $E_2(x) \simeq 0{,}005(x-5)(x-3{,}5)(x-7)$, de telle sorte que $E_2(4{,}5) \simeq 0{,}006\,25$.

(d) Non. Il faut utiliser la méthode de Newton.

(e) Les deux méthodes donnent le même polynôme, mais exprimé différemment. Elles ont le même terme d'erreur, mais seule la méthode de Newton peut fournir une approximation de l'erreur.

5.15 On donne le tableau des valeurs des différents polynômes en fonction du degré ainsi que l'approximation de l'erreur commise.

n	$p_n(1{,}05) =$	$E_n(1{,}05) \simeq$
1	0,852 839 300	$0{,}299\,125 \times 10^{-3}$
2	0,853 138 425	$0{,}410\,000 \times 10^{-5}$

On constate que l'approximation de l'erreur absolue est inférieure à $0{,}5 \times 10^{-5}$ pour le polynôme de degré 2.

5.16 On peut regrouper les termes comme pour la méthode de Horner. Pour $n = 3$ on a :

$$p(x) = c_1 + (x - x_1)(c_2 + (x - x_2)(c_3 + (x - x_3)c_4))$$

Dans le cas général, un programme Matlab® pourrait s'écrire :

```
p = c(n);
for i=n-1:-1:1
    p = c(i) + (x - x(i)).*p;
end
```

5.17 $f[x_i, x_{i+1}] = \dfrac{f(x_{i+1}) - f(x_i)}{h}$

$f[x_i, x_{i+1}, x_{i+2}] = \dfrac{f(x_{i+2}) - 2f(x_{i+1}) + f(x_i)}{2h^2}$

$f[x_i, x_{i+1}, x_{i+2}, x_{i+3}] = \dfrac{f(x_{i+3}) - 3f(x_{i+2}) + 3f(x_{i+1}) - f(x_i)}{3!h^3}$

5.18 (a) Le système linéaire est :

$$\begin{bmatrix} 1 & 0 & 0 \\ \frac{1}{2} & 2 & \frac{1}{2} \\ 0 & 0 & 1 \end{bmatrix} \begin{bmatrix} f_0'' \\ f_1'' \\ f_2'' \end{bmatrix} = \begin{bmatrix} 0 \\ 18 \\ 0 \end{bmatrix}$$

d'où $f_0'' = f_2'' = 0$ et $f_1'' = 9$

(b) $p_0(x) = -\frac{1}{2}x + \frac{3}{2}x^3$, d'où $p_0(\frac{1}{2}) = -0{,}0625$

(c) Pour la spline naturelle, on utilise l'approximation $f_0'' = f_2'' = 0$. Cependant, la fonction $f(x) = x^3$ a comme dérivée seconde $f''(x) = 6x$ qui ne s'annule pas en $x = 2$, d'où l'erreur.

5.19 (a) Le nouveau système s'écrit :

$$\begin{bmatrix} 1 & 0 & 0 \\ \frac{1}{2} & 2 & \frac{1}{2} \\ 0 & 0 & 1 \end{bmatrix} \begin{bmatrix} f_0'' \\ f_1'' \\ f_2'' \end{bmatrix} = \begin{bmatrix} 0 \\ 18 \\ 12 \end{bmatrix}$$

ce qui donne $f_0'' = 0$, $f_1'' = 6$, et $f_2'' = 12$. L'équation de la spline est alors $p_0(x) = p_1(x) = x^3$ et l'approximation est exacte.

(b) Le système s'écrit dans ce cas :

$$\begin{bmatrix} 1 & -1 & 0 \\ \frac{1}{2} & 2 & \frac{1}{2} \\ 0 & -1 & 1 \end{bmatrix} \begin{bmatrix} f_0'' \\ f_1'' \\ f_2'' \end{bmatrix} = \begin{bmatrix} 0 \\ 18 \\ 0 \end{bmatrix}$$

ce qui donne $f_0'' = f_1'' = f_2'' = 6$. Or, pour la fonction x^3, on devrait avoir $f_0'' = 0$, $f_1'' = 6$ et $f_2'' = 12$. L'approximation est donc inexacte.

5.20 (a) Il y a 4 conditions. Il faut donc un polynôme de degré 3.

(b) $p_3(x) = x^2(2{,}7 - 1{,}7x)$

5.21 (a) Il suffit de calculer la table de différences divisées.

(b) On ne peut rien conclure de général sur la fonction inconnue $f(x)$. Tout ce que l'on peut dire est que les points d'interpolation fournis se situent sur une parabole dont l'équation est $p(x) = 3 - (x - 0) + x(x - 1) = 3 - x + x^2 - x = x^2 - 2x + 3$.

5.22 Le polynôme calculé de cette manière n'est autre que $p_9(x) = x^2$ de sorte qu'il n'y a aucune oscillation indésirable.

5.23 Il faut utiliser les 3 points dont les abscisses (dans l'ordre $x = 2, x = 3$ et $x = 1$) sont les plus rapprochées de $x = 2{,}1$. On obtient ainsi le polynôme :

$$p_2(x) = 3{,}762\,196 + 6{,}305\,464(x - 2) + 2{,}043\,1745(x - 2)(x - 3)$$

qui prend la valeur $4{,}208\,856\,695$ en $x = 2{,}1$.

5.24 (a) Il faut vérifier les relations suivantes : $p_0(0) = 1$, $p_0(1) = 2$, $p_1(1) = 2$ et $p_1(2) = 7/6$. À la jonction, on doit avoir $p_0'(1) = p_1'(1)(= 0$ dans ce cas) et $p_0''(1) = p_1''(1)(= -3$ dans ce cas).

(b) Pour avoir une spline naturelle, il faudrait que $p_0''(0) = 0$ et $p_1''(2) = 0$. Or dans ce cas $p_1''(2) = 1$ et ce n'est pas une spline naturelle.

5.25 (a) Il faut classer les points par distance croissante par rapport à l'abscisse $x = 3{,}1$. On prend donc successivement les abscisses : 3,0, 3,5, 2,5, 4,0 et 1,5. En prenant le polynôme de degré 0, on trouve :

$$p_0(3{,}1) = 1{,}098\,612 \text{ et } |E_0(3{,}1)| \simeq |0{,}030\,830| > 0{,}5 \times 10^{-3}$$

Polynôme de degré 1 :

$$p_1(3{,}1) = p_0(3{,}1) + E_0(3{,}1) = 1{,}129\,4422 \text{ et } |E_1(3{,}1)| \simeq 0{,}002\,25$$

Polynôme de degré 2 :

$$p_2(3{,}1) = p_1(3{,}1) + E_1(3{,}1) = 1{,}131\,6958 \text{ et } |E_2(3{,}1)| \simeq 0{,}000\,24$$

et cette erreur est inférieure à $0{,}5 \times 10^{-3}$.

(b) $E_2(3{,}1) = \frac{f'''(\xi)}{3!}(3{,}1 - 3{,}0)(3{,}1 - 3{,}5)(3{,}1 - 2{,}5)$ pour un certain $\xi \in [2{,}5\,,\,3{,}5]$.

5.26 (a) Le point 0,75 est dans l'intervalle $[0{,}5\,,\,1{,}0]$ et l'on doit donc utiliser le polynôme :

$$
\begin{aligned}
p_1(x) \quad = \quad & 1{,}127\,626 + 0{,}493\,995(x - 0{,}5) \\
& + \frac{1{,}432\,458}{2}(x - 0{,}5)^2 - \frac{0{,}508\,788}{6}(x - 0{,}5)^3
\end{aligned}
$$

qui prend la valeur $1{,}294\,564$ en $x = 0{,}75$.

(b) Les 2 polynômes donnent le même résultat, car la dérivée de la spline est continue en $x = 1$.

(c) À l'aide du tableau, on trouve, $f''(1{,}5) \simeq f_3'' = 3{,}308\,238$.

5.27 (a)
$$
\begin{bmatrix}
1 & 0 & 0 & 0 & 0 \\
0{,}5 & 2 & 0{,}5 & 0 & 0 \\
0 & 0{,}5 & 2 & 0{,}5 & 0 \\
0 & 0 & 0{,}5 & 2 & 0{,}5 \\
0 & 0 & 0 & 0 & 1
\end{bmatrix}
\begin{bmatrix}
f_0'' \\ f_1'' \\ f_2'' \\ f_3'' \\ f_4''
\end{bmatrix}
=
\begin{bmatrix}
a \\
6 \times 0{,}575\,658 \\
6 \times 0{,}787\,746 \\
6 \times 1{,}200\,918 \\
b
\end{bmatrix}
$$

(b)
$$
\begin{bmatrix}
1 & -1 & 0 & 0 & 0 \\
0{,}5 & 2 & 0{,}5 & 0 & 0 \\
0 & 0{,}5 & 2 & 0{,}5 & 0 \\
0 & 0 & 0{,}5 & 2 & 0{,}5 \\
0 & 0 & 0 & -1 & 1
\end{bmatrix}
\begin{bmatrix}
f_0'' \\ f_1'' \\ f_2'' \\ f_3'' \\ f_4''
\end{bmatrix}
=
\begin{bmatrix}
0 \\
6 \times 0{,}575\,658 \\
6 \times 0{,}787\,746 \\
6 \times 1{,}200\,918 \\
0
\end{bmatrix}
$$

(c) Dans le cas général, si l'on veut imposer $p_0'(x_0) = a$ et $p_{n-1}'(x_n) = b$, on remplace dans les équations 5.37 et l'on trouve les conditions :

$$2f_0'' + f_1'' = 12\,(0{,}255\,252 - a)$$

$$f_{n-1}'' + 2f_n'' = 12\,(b - 2{,}819\,574))$$

Le système à résoudre est :

$$
\begin{bmatrix}
2 & 1 & 0 & 0 & 0 \\
0{,}5 & 2 & 0{,}5 & 0 & 0 \\
0 & 0{,}5 & 2 & 0{,}5 & 0 \\
0 & 0 & 0{,}5 & 2 & 0{,}5 \\
0 & 0 & 0 & 1 & 2
\end{bmatrix}
\begin{bmatrix}
f_0'' \\ f_1'' \\ f_2'' \\ f_3'' \\ f_4''
\end{bmatrix}
=
\begin{bmatrix}
12\,(0{,}255\,252 - a) \\
6 \times 0{,}575\,658 \\
6 \times 0{,}787\,746 \\
6 \times 1{,}200\,918 \\
12\,(b - 2{,}819\,574)
\end{bmatrix}
$$

5.28 Pour un certain $\xi(x)$ entre -1 et 1, l'erreur d'interpolation s'écrit :

$$E_2(x) \;=\; \frac{f^{(3)}(\xi(x))}{6}(x+1)(x)(x-1) = \frac{6}{6}(x+1)(x)(x-1) = x^3 - x$$

car $f^{(3)}(\xi(x)) = 6$. Dans $[-1,1]$, l'erreur $E_2(x)$ sera maximale soit aux extrémités de l'intervalle, soit aux points où la dérivée est nulle. On constate d'une part que l'erreur est nulle aux extrémités $x = \pm 1$ car ce sont des points d'interpolation. D'autre part, la dérivée de l'erreur s'annule lorsque $E_2'(x) = 3x^2 - 1 = 0 \iff x = \pm\sqrt{3}/3$. L'erreur en $x = \sqrt{3}/3$ vaut $-2\sqrt{3}/3$ tandis qu'elle vaut $2\sqrt{3}/3$ en $x = -\sqrt{3}/3$. Habituellement, on s'intéresse à la plus grande erreur en valeur absolue et la réponse est donc $x = \pm\sqrt{3}/3$.

5.29 Pour une spline cubique naturelle on utilise : $f_0'' = f_2'' = 0$ et comme $n = 2$ il ne reste qu'à déterminer f_1''. Nous avons seulement une équation :

$$(1/2)f_0'' + 2f_1'' + (1/2)f_2'' = 6f[x_0, x_1, x_2]$$

et donc $f_1'' = 3$. L'équation de la spline cubique sur l'invervalle $[-1\,,\,0]$ est $p_0(x) = 2 - \frac{5}{2}(x+1) + \frac{1}{2}(x+1)^3$, tandis que celle sur l'intervalle $[0\,,\,1]$ est $p_1(x) = -x + \frac{3}{2}x^2 - \frac{x^3}{2}$.

5.30 a) Non car il faudrait imposer $S'(3) = 6$. b) Oui. c) x n'interpole pas x^3. d) Oui. e) Non car il faudrait imposer $S'(2) = 12$.

5.31 (a) On interpole linéairement entre les points $(0\,,\,\frac{2}{11})$ et $(3\,,\,2)$.

(b) On calcule les coefficients du polynôme de degré 3 ($p_3(x)$) passant par les points $(0\,,\,\frac{2}{11})$ et $(3\,,\,2)$ et vérifiant de plus $p_3'(0) = 0$ et $p_3'(3) = 0$.

5.32 (a)

$$\begin{bmatrix} 0 & 2 & 5 & 1 & 0 \\ 2 & 0 & 3 & 1 & 2 \\ 5 & 3 & 0 & 1 & 5 \\ 1 & 1 & 1 & 0 & 0 \\ 0 & 2 & 5 & 0 & 0 \end{bmatrix} \begin{bmatrix} \alpha_1 \\ \alpha_2 \\ \alpha_3 \\ a_1 \\ a_2 \end{bmatrix} = \begin{bmatrix} 1 \\ 4 \\ 7 \\ 0 \\ 0 \end{bmatrix}$$

(b) $u(x) = 0{,}15|x - 0| - 0{,}25|x - 2| + 0{,}1|x - 5| + 1{,}0 + 1{,}2x$ et $u(3) = 5$

(c) Il suffit d'effectuer une interpolation linéaire entre les deux derniers points de la table et l'on obtient le même résultat en $x = 3$.

5.33 (a)

$$\begin{bmatrix} 0 & 8 & 125 & 1 & 0 \\ 8 & 0 & 27 & 1 & 2 \\ 125 & 27 & 0 & 1 & 5 \\ 1 & 1 & 1 & 0 & 0 \\ 0 & 2 & 5 & 0 & 0 \end{bmatrix} \begin{bmatrix} \alpha_1 \\ \alpha_2 \\ \alpha_3 \\ a_1 \\ a_2 \end{bmatrix} = \begin{bmatrix} 1 \\ 4 \\ 7 \\ 0 \\ 0 \end{bmatrix}$$

(b) $u(x) = -0{,}0125|x - 0|^3 + 0{,}020\,833|x - 2|^3 - 0{,}008\,333|x - 5|^3 + 1{,}875 + 1{,}225x$ et $u(3) = 5{,}1667$

5.34

$$\begin{bmatrix} 0 & 4 & 25 & 1 & 0 \\ 4 & 0 & 9 & 1 & 2 \\ 25 & 9 & 0 & 1 & 5 \\ 1 & 1 & 1 & 0 & 0 \\ 0 & 2 & 5 & 0 & 0 \end{bmatrix} \begin{bmatrix} \alpha_1 \\ \alpha_2 \\ \alpha_3 \\ a_1 \\ a_2 \end{bmatrix} = \begin{bmatrix} 1 \\ 4 \\ 7 \\ 0 \\ 0 \end{bmatrix}$$

Le déterminant de cette matrice est nul.

5.35

$$\begin{bmatrix} 0 & 0 & 0 & 0,6931 & 1 & 1 & 1 \\ 0 & 0 & 0,6931 & 0 & 1 & 2 & 1 \\ 0 & 0,6931 & 0 & 0 & 1 & 1 & 2 \\ 0,6931 & 0 & 0 & 0 & 1 & 2 & 2 \\ 1 & 1 & 1 & 1 & 0 & 0 & 0 \\ 1 & 2 & 1 & 2 & 0 & 0 & 0 \\ 1 & 1 & 2 & 2 & 0 & 0 & 0 \end{bmatrix} \begin{bmatrix} \alpha_1 \\ \alpha_2 \\ \alpha_3 \\ \alpha_4 \\ a_1 \\ a_2 \\ a_3 \end{bmatrix} = \begin{bmatrix} 1 \\ 2 \\ 2 \\ 4 \\ 0 \\ 0 \\ 0 \end{bmatrix}$$

En résolvant le système, on trouve $\alpha_1 = 0,360\,674$, $\alpha_2 = -0,360\,674$, $\alpha_3 = -0,360\,674$, $\alpha_4 = 0,360\,674$, $a_1 = -2,25$, $a_2 = 1,5$ et $a_3 = 1,5$. La fonction :

$$u(x_1, x_2) = \sum_{j=1}^{4} \alpha_j ||\vec{x} - \vec{x}^j||_2^2 \ln ||\vec{x} - \vec{x}^j||_2 + a_1 + a_2 x_1 + a_3 x_2$$

évaluée en $(\frac{3}{2}, \frac{3}{2})$, vaut précisément $\frac{9}{4}$.

5.36 Suivant la formule 5.41, on obtient $t_1 = 0$, $t_2 = 1$, $t_3 = 2$, $t_4 = 3$ et $t_5 = 4$. Les systèmes à résoudre sont :

$$\begin{bmatrix} 0 & 1 & 2 & 3 & 4 & 1 & 0 \\ 1 & 0 & 1 & 2 & 3 & 1 & 1 \\ 2 & 1 & 0 & 1 & 2 & 1 & 2 \\ 3 & 2 & 1 & 0 & 1 & 1 & 3 \\ 4 & 3 & 2 & 1 & 0 & 1 & 4 \\ 1 & 1 & 1 & 1 & 1 & 0 & 0 \\ 0 & 1 & 2 & 3 & 4 & 0 & 0 \end{bmatrix} \begin{bmatrix} \alpha_1 \\ \alpha_2 \\ \alpha_3 \\ \alpha_4 \\ a_1 \\ a_2 \\ a_3 \end{bmatrix} = \begin{bmatrix} 0 & 0 \\ 1 & 0 \\ 1 & 1 \\ 0 & 1 \\ 0 & 0 \\ 0 & 0 \\ 0 & 0 \end{bmatrix}$$

En résolvant ces systèmes, on trouve $[\frac{1}{2} \quad -\frac{1}{2} \quad -\frac{1}{2} \quad \frac{1}{2} \quad 0 \quad 0 \quad 0]^T$ et $[0 \quad \frac{1}{2} \quad -\frac{1}{2} \quad -\frac{1}{2} \quad \frac{1}{2} \quad 0 \quad 0]^T$, ce qui signifie que :

$$\gamma_1(t) = \frac{1}{2}|t| - \frac{1}{2}|t - 1| - \frac{1}{2}|t - 2| + \frac{1}{2}|t - 3|$$

et :

$$\gamma_2(t) = \frac{1}{2}|t - 1| - \frac{1}{2}|t - 2| - \frac{1}{2}|t - 3| + \frac{1}{2}|t - 4|$$

qui est l'équation paramétrique du carré.

Réponses aux exercices du chapitre 6

6.1 Voir le tableau de la page 303.

6.2 Voir le tableau de la page 303.

6.3 Différences avant : $f'(0) \simeq 0{,}999\,135$ pour $h = 0{,}05$, $f'(0) \simeq 0{,}999\,788$ pour $h = 0{,}025$. Le rapport des erreurs est d'environ $4{,}08 \simeq 2^2$.

$$\text{Richardson :} \quad \frac{(4 \times 0{,}999\,788 - 0{,}999\,135)}{3} = 1{,}000\,005\,667$$

Différences arrière : $f'(0) \simeq 0{,}999\,1972$ pour $h = 0{,}05$, $f'(0) \simeq 0{,}999\,7955$ pour $h = 0{,}025$. Le rapport des erreurs est d'environ $3{,}92 \simeq 2^2$.

$$\text{Richardson :} \quad \frac{(4 \times 0{,}999\,7955 - 0{,}999\,1972)}{3} = 0{,}999\,994\,96$$

6.4 $$\frac{f(x+h) - f(x-h)}{2h} = f'(x) + \frac{h^2 f'''(x)}{3!} + \frac{h^4 f^{(5)}(x)}{5!} + \frac{h^6 f^{(7)}(x)}{7!} + \cdots$$
L'extrapolation de Richardson permet de gagner 2 ordres de précision.

6.5 Pour calculer l'approximation de $f'(1{,}005)$ on utilise la deuxième formule du tableau 6.13 avec $x = 1{,}005$ et $h = 0{,}005$:

$$f'(1{,}005) \simeq \frac{f(1{,}01) - f(1{,}00)}{0{,}01} = \frac{f_{app}(1{,}01) \pm \Delta f - f_{app}(1{,}00) \pm \Delta f}{0{,}01}$$

$$\Rightarrow \quad f'(1{,}005) = \frac{f_{app}(1{,}01) - f_{app}(1{,}00)}{0{,}01} \pm \frac{2\Delta f}{0{,}01}$$

On obtient finalement $f'(1{,}005) = 5 \pm 1$ car $\Delta f = 0{,}005$. Pour calculer l'approximation de $f'(1{,}015)$ on utilise la même formule avec $h = 0{,}005$ et $x = 1{,}015$. On obtient $f'(1{,}005) = 6 \pm 1$. Pour le calcul de l'approximation de $f''(1{,}01)$ on utilise la troisième formule du tableau 6.15 avec $h = 0{,}01$:

$$f''(1{,}01) = \frac{f_{app}(1{,}02) - 2f_{app}(1{,}01) + f_{app}(1{,}00)}{(0{,}01)^2} \pm \frac{4\Delta f}{(0{,}01)^2}$$

et donc $f''(1{,}01) = 100 \pm 200$, ce qui est fort peu précis.

6.6 (a) Les formules à 3 points sont exactes pour les polynômes de degré 2. On peut donc les utiliser pour obtenir $p'(1)$. Pour ce calcul, on utilise la deuxième formule du tableau 6.13. En $x = 1$ et avec $h = 1$, on a :
$$p'(1) = \frac{p(2) - p(0)}{2} = 8$$

(b) On ne peut évaluer $p''(x)$ exactement que si $x \in \{0, \ 1, \ 2\}$ (à moins de calculer explicitement $p(x)$).

(c) Par la méthode des systèmes linéaires on trouve $p(x) = 2x^2 + 4x + 1$ et donc $p'(1) = 8$.

6.7 Puisque les abscisses ne sont pas également espacées, il n'y a que 2 possibilités. La formule centrée ($h = 0{,}1$) donne $\frac{f(3{,}1) - f(2{,}9)}{0{,}2} = -0{,}255\,3626$ tandis que la formule avant d'ordre 2 (toujours avec $h = 0{,}1$) donne $\frac{-f(3{,}2) + 4f(3{,}1) - 3f(3)}{0{,}2} = -0{,}255\,8386$. Les erreurs commises sont comparables avec un léger avantage pour la formule avant.

6.8 Pour $x_0 = 0{,}5$, la valeur exacte de la dérivée est $0{,}866\,025\,4038$. Si on calcule les erreurs exactes en valeurs absolues, on obtient :

$f(x) = \dfrac{1}{2}\left(x\sqrt{1-x^2} + \arcsin(x)\right)$		$x_0 = 0{,}5$
n	h_n	e_n — e_n/e_{n+1}

n	h_n	e_n	e_n/e_{n+1}
1	0,1	0,004 517 696 856 111	3,772
2	0,05	0,001 197 491 175 961	3,870
3	0,025	0,000 309 428 655 761	3,930
4	0,0125	0,000 078 729 449 561	3,964
5	0,00625	0,000 019 861 825 961	— —

Le ratio e_n/e_{n+1} tend vers 4 ce qui correspond à une erreur en $O(h^2)$.

6.9 Il faut calculer le polynôme de degré 4 passant par les points $(x - 2h, f(x - 2h))$, $(x - h, f(x - h))$, $(x, f(x))$, $(x + h, f(x + h))$, $(x + 2h, f(x + 2h))$ et le dériver 2 fois.

6.10 Il suffit d'intégrer respectivement $p_1(x)$ sur l'intervalle $[x_0 , x_1]$, $p_2(x)$ sur l'intervalle $[x_0 , x_2]$ et $p_3(x)$ sur l'intervalle $[x_0 , x_3]$.

6.11 L'erreur globale de la formule des trapèzes composée est donnée par $-((b-a)/12)\ f''(\xi)h^2$. Or la fonction f est convexe et elle est donc caractérisée par le fait que $f''(x) > 0$. L'erreur est donc négative et l'approximation sera alors plus grande que la valeur exacte.

6.12 (a) L'erreur pour la formule des trapèzes composée est inférieure à $\max\limits_{[0,2\pi]} \dfrac{\pi}{6}|f''(x)|h^2$. On calcule $f''(x) = -2\cos(2x) - 2\sin(x)$ et on constate que $|f''(x)| \le 4$. Puisque $h = 2\pi/n$, il faut donc que :

$$8\pi^3 \frac{1}{3n^2} \le 10^{-8} \Rightarrow n = \left\lceil 10^4\sqrt{8\pi^3/3} = 90\,930{,}4 \right\rceil = 90\,931$$

Ce nombre de sous-intervalles est considérable (il faut donc $90\,932$ points d'intégration et donc $90\,932$ évaluations de la fonction $f(x)$). En fait, cette borne est très pessimiste pour les fonctions périodiques quand l'intervalle d'intégration est la période. Avec la méthode des trapèzes composée on obtient, avec 4 sous-intervalles, c'est-à-dire 5 points, $3{,}141\,592\,654$. L'erreur absolue est alors inférieur à $0{,}5 \times 10^{-10}$.

(b) Le tableau obtenu avec 16 sous-intervalles est :

Méthode de Romberg					
6,283 185	6,283 185	3,141 593	3,141 593	3,141 593	(ordre 2)
6,283 185	2,094 395	3,141 593	3,141 593		(ordre 4)
1,815 142	3,211 406	3,141 593			(ordre 6)
3,233 569	3,140 485				(ordre 8)
3,140 119					(ordre 10)

On voit que les méthodes d'ordre plus élevé ne font pas mieux car dès que deux valeurs sont identiques la valeur de la colonne suivante est la même (voir $T_{2,3}$ et $T_{2,4}$ avec $T_{3,3}$). Ici la méthode des trapèzes est trop efficace et la méthode de Romberg n'apporte rien! Ceci est typique du comportement de la méthode du trapèze pour le calcul de l'intégrale d'une fonction périodique sur une période.

6.13 Trapèzes : 1,727 221 905 pour 4 intervalles ($h = 0,25$) et 1,720 518 592 pour 8 intervalles ($h = 0,125$).

Richardson : $\dfrac{(4 \times 1,720\,518\,592 \;-\; 1,727\,221\,905)}{3} = 1,718\,284\,154$ (ordre 4). Les erreurs respectives sont $0,894 \times 10^{-2}, 0,223 \times 10^{-2}$ et $0,2326 \times 10^{-5}$.

6.14 Simpson 1/3 : 1,718 318 843 pour 4 intervalles ($h = 0,25$) et 1,718 284 154 pour 8 intervalles ($h = 0,125$).

Richardson : $\dfrac{(2^4 \times 1,718\,284\,154 \;-\; 1,718\,318\,843)}{15} = 1,718\,281\,843$ (ordre 6). Les erreurs respectives sont $0,37 \times 10^{-4}, 0,2326 \times 10^{-5}$ et $0,15 \times 10^{-7}$.

6.15 Simpson 3/8 ($h = \frac{4}{3}$) : 17,327 866 29 avec une erreur absolue de $0,54 \times 10^{-2}$

6.16 La formule 6.28 stipule que l'erreur dans la formule de Simpson est de la forme $-C\,f^{(4)}(\eta)$ où $C > 0$ et η est un point inconnu entre 1 et 2. Or la dérivée quatrième de $\ln x$ est $-6/x^4$, ce qui veut dire que l'erreur est positive et que la valeur donnée par la formule de Simpson est inférieure à la valeur exacte.

6.17 Boole ($h = \frac{\pi}{32}$) : 0,881 374 32 avec une erreur absolue de $0,733 \times 10^{-6}$

6.18

Méthode de Romberg			
0,785 398 164	0,916 297 857	0,968 361 509	(ordre 2)
0,959 931 089	0,985 716 059		(ordre 4)
0,987 435 057			(ordre 6)

6.19 Il suffit de développer les expressions de $T_{1,2}$ et $T_{1,1}$ et de faire l'opération.

6.20 (a) $\ln 2$

(b) Il faut se rendre jusqu'à $T_{1,4}$, pour lequel le rapport est 0,004.

	Méthode de Romberg			
	0,75	0,708 333 33	0,697 023 80	0,694 121 85	(ordre 2)
(c)	0,694 444 44	0,693 253 96	0,693 154 53		(ordre 4)
	0,693 174 60	0,693 147 90			(ordre 6)
	0,693 147 47				(ordre 8)

(d) La deuxième ligne du tableau correspond à la méthode de Simpson 1/3 avec 2, 4 et 8 intervalles.

6.21 (a) Il faut $n = 26$ sous-intervalles.

(b) En faisant le graphique, on voit que le maximum de $|f^{(4)}(t)|$ est atteint en $t = 0$. Ceci fournit la borne $|f^{(4)}(t)| \le 7$, pour tout $t \in [0, 2\pi]$.

(c) L'expression de l'erreur pour la formule de Simpson composée est $-\frac{b-a}{180} f^{(4)}(\xi)\, h^4$, pour une valeur ξ dans l'intervalle $[a, \quad b]$ d'où :

$$\left| \frac{b-a}{180} f^{(4)}(\xi)\, h^4 \right| \le \frac{2\pi - 0}{180} 7\, h^4 \le 10^{-6}$$

Ceci donne $h \leq 0{,}04498$. Le nombre de points est fourni par la relation $h = (b - a)/2n$ et donc $n \geq 40$. On note que cette borne est de loin supérieure à celle obtenue par l'expérimentation.

6.22 Il faut utiliser les méthodes de Gauss-Legendre, car la fonction $\ln x$ n'est pas définie en $x = 0$. Les formules à 2, à 3 et à 5 points donnent respectivement les approximations $-0{,}405\,465$, $-0{,}509\,050\,405$ et $-0{,}571\,707\,615$. La valeur exacte est $-0{,}613\,705\,639$.

6.23 La formule à 3 points est exacte pour les polynômes de degré 5.

6.24 a) $a = b = \frac{3h}{2}$. b) $1{,}25$. c) $1{,}425$. d) Respectivement 1 et 2 chiffres significatifs.

6.25 $\dfrac{\text{Erreur}(h = 0{,}2)}{\text{Erreur}(h = 0{,}1)} = \dfrac{0{,}009\,872}{0{,}001\,234} = 7{,}99 \simeq 2^3$ et la méthode est d'ordre 3.

6.26 (a) Le terme de droite devient :

$$hf(x_0) + \frac{h^2 f'(x_0)}{2} + \frac{h^3 f''(x_0)}{6} + \frac{h^4 f'''(x_0)}{27} + \frac{h^5 f^{(4)}(x_0)}{162} + O(h^6)$$

(b) Le terme de gauche devient, après intégration :

$$hf(x_0) + \frac{h^2 f'(x_0)}{2} + \frac{h^3 f''(x_0)}{6} + \frac{h^4 f'''(x_0)}{24} + \frac{h^5 f^{(4)}(x_0)}{120} + O(h^6)$$

(c) Le premier terme de l'erreur est : $h^4 f'''(x_0) \left(\frac{1}{24} - \frac{1}{27} \right)$ et la méthode est d'ordre 4.

(d) Degré 2.

6.27 (a) On montre que :

$$\frac{f(x + h) - 2f(x) + f(x - h)}{h^2} = f''(x) + \frac{2f^{(4)}(x)h^2}{4!} + \frac{2f^{(6)}(x)h^4}{6!} + O(h^6)$$

et l'approximation est donc d'ordre 2.

(b) Pour $h = 0{,}2$, on obtient $f''(2{,}0) \simeq -0{,}251\,2575$ tandis que, pour $h = 0{,}1$, on obtient $f''(2{,}0) \simeq -0{,}250\,3200$.

(c) Une extrapolation de Richardson (avec $n = 2$) donne $f''(2{,}0) \simeq -0{,}250\,0075$ qui est une approximation d'ordre 4 puisque le deuxième terme de l'erreur obtenue en a) est de degré 4 en h.

(d) On a le tableau :

Méthode de Romberg			
0,675 248 82	0,676 253 85	0,676 506 045	(ordre 2)
0,676 588 86	0,676 590 11		(ordre 4)
0,676 590 193			(ordre 6)

6.28 (a) Il faut utiliser les points dont les abscisses sont les plus rapprochées de $t = 1,2$ soit dans l'ordre $t = 1,0$, $t = 1,5$ et $t = 0,5$. On obtient ainsi le polynôme $p_2(x) = 75,5 + 13,4(t - 1,0) - 0,8(t - 1,0)(t - 1,5)$ qui vaut 78,228 km/h à $t = 1,2$.

(b) $E_2(t) = \dfrac{1}{3!} v'''(\xi)(t-1,0)(t-1,5)(t-0,5)$ pour un certain $\xi \in [0,5 \, , \, 1,5]$

(c) On introduit le point d'abscisse $t = 2,0$ et l'on complète la table de différences divisées. On obtient $E_2(t) \simeq 1,2(t - 1,0)(t - 1,5)(t - 0,5)$ qui vaut 0,0504 à $t = 1,2$.

(d) Pour $h = 1,0$, la différence centrée donne 14,7 km/(h $\cdot$ s) = 4,083 333 m/s^2 tandis que, pour $h = 0,5$, on obtient 3,833 333 m/s^2. Une extrapolation de Richardson avec $n = 2$ donne $a = 3,75$ m/s^2 qui est une approximation d'ordre 4.

(e) Il suffit d'intégrer la fonction tabulée.

Méthode de Romberg			
149,4	150,2	150,4	(ordre 2)
150,466 666 667	150,466 666 667		(ordre 4)
150,466 666 667			(ordre 6)

La distance d est donc 150,466 666 667 (km $\cdot$ s)/h ou encore 41,796 2963 m.

6.29 Il suffit de prendre successivement $f(t) = 1$, $f(t) = t$ et $f(t) = t^2$ et l'on obtient un système de 3 équations en 3 inconnues. La solution est $a_0 = a_2 = \frac{4}{3}$ et $a_1 = -\frac{2}{3}$. Ceci nous assure d'un degré de précision d'au moins 2. Avec ces valeurs, on vérifie que la formule de quadrature est exacte aussi pour $f(t) = t^3$ mais pas pour $f(t) = t^4$. On a donc un degré de précision de 3.

6.30 Il suffit de prendre successivement $f(t) = 1$, $f(t) = t$ et $f(t) = t^2$ et l'on obtient un système de 3 équations en 3 inconnues. La solution est $w_1 = \frac{1}{2}$, $w_2 = \frac{3}{2}$ et $t_2 = \frac{1}{3}$. Ceci nous assure d'un degré de précision d'au moins 2. Avec ces valeurs, on vérifie que la formule de quadrature n'est pas exacte pour $f(t) = t^3$. On a donc un degré de précision de 2.

6.31 La formule sera exacte pour les polynômes de degré au plus 2, si elle est exacte pour $1, x, x^2$ c'est-à-dire si :

$$\begin{array}{lcccl} f(x) = 1 & \Rightarrow & \int_0^1 f(x)\,dx & = & 1 & = & A + B + C \\ f(x) = x & \Rightarrow & \int_0^1 f(x)\,dx & = & \frac{1}{2} & = & \frac{B}{3} + C \\ f(x) = x^2 & \Rightarrow & \int_0^1 f(x)\,dx & = & \frac{1}{3} & = & \frac{B}{9} + C \end{array}$$

La solution du système est $A = 0$, $B = \frac{3}{4}$, $C = \frac{1}{4}$ et donc la quadrature est $\displaystyle\int_0^1 f(x)\,dx = (1/4)\left[3f(1/3) + f(1)\right]$. Pour connaître son degré de précision, on vérifie pour $f(x) = x^3$. La valeur exacte de l'intégrale est $1/4$, alors qu'avec la quadrature on obtient $5/18$. Le degré de précision est donc 2.

6.32 (a) Si on note f l'intégrant, t_1, t_2, t_3 et w_1, w_2, w_3 les 3 nœuds et poids de Gauss-Legendre, on a

$$F = \int_0^{\frac{1}{4}} f(x)\,dx + \int_{\frac{1}{4}}^{\frac{1}{2}} f(x)\,dx + \int_{\frac{1}{2}}^{\frac{3}{4}} f(x)\,dx + \int_{\frac{3}{4}}^{1} f(x)\,dx$$

On effectue le changement de variables sur chaque sous-intervalle et on applique la formule de quadrature. Puisque les poids sont les mêmes, on peut faire une mise en facteur et obtenir :

$$F \approx \frac{1}{8} \sum_{i=1}^{3} w_i \left(f\left(\frac{t_i + 1}{8}\right) + f\left(\frac{t_i + 3}{8}\right) + f\left(\frac{t_i + 5}{8}\right) \right.$$
$$\left. + f\left(\frac{t_i + 7}{8}\right) \right)$$

On peut maintenant prendre les nœuds et les poids dans le tableau 6.9 et obtenir : $F = 0{,}246\ 448\ 371\ 250\ 480$, ce qui nous donne une précision de 5×10^{-4} en faisant 12 évaluations fonctionnelles.

(b) Pour la méthode des trapèzes composée, l'erreur sera inférieure à 5×10^{-4} si :

$$\frac{1}{12n^2} \max |f''(t)| \leq 5 \times 10^{-4}$$

Une représentation graphique montre que le maximum de f'' est au plus 315. On veut donc que :

$$n^2 \geq \frac{315 \times 10^4}{60} \Rightarrow n \geq 230$$

Le nombre d'évaluations fonctionnelles sera de 230. Un calcul sur ordinateur donne $0{,}245\ 914\ 605\ 882\ 472$, ce qui montre que la quadrature de Gauss-Legendre est très précise.

6.33 On se ramène sur $[-1,\ 1]$ et on doit évaluer $\pi \displaystyle\int_{-1}^{1} f(\pi t + \pi)\,dt$

$\approx w_1 f(\pi(t_1 + 1)) + w_2 f(\pi(t_2 + 1)) + w_3 f(\pi(t_3 + 1)) + w_4 f(\pi(t_4 + 1))$
$= 7{,}820\ 887\ 734$. L'erreur absolue est environ de 0,18 avec 4 nœuds. Avec 4 sous-intervalles, c'est-à-dire 5 nœuds, la méthode de Simpson 1/3 donne 8,01823 pour une erreur absolue de 0,37.

6.34 (a) La différence centrée s'écrit en prenant respectivement h et $2h$:

$$f'(x_0) \simeq \frac{f(x_0 + h) - f(x_0 - h)}{2h}$$

$$f'(x_0) \simeq \frac{f(x_0 + 2h) - f(x_0 - 2h)}{4h}$$

Puisqu'il s'agit d'une approximation d'ordre 2, l'extrapolation de Richardson donne alors :

$$\frac{2^2\left(\frac{f(x_0+h)-f(x_0-h)}{2h}\right)-\left(\frac{f(x_0+2h)-f(x_0-2h)}{4h}\right)}{2^2-1}$$

et l'on obtient en simplifiant la formule donnée.

(b) En utilisant $h = 0,1$, on trouve $0,999\,996\,66$ tandis qu'avec $h = 0,3$ on trouve $0,999\,727\,092$. Les erreurs absolues respectives obtenues en comparant avec la valeur exacte 1 sont respectivement $3,3375 \times 10^{-6}$ et $2,7291 \times 10^{-4}$. Le rapport des valeurs de h est 3 et le rapport des erreurs est $81,77 \simeq 3^4$, ce qui donne un ordre $n = 4$.

6.35 (a) On peut prendre une différence centrée d'ordre 2 avec $h = 0,1$ et l'on trouve $P'(X \leq 1,2) \simeq 0,194\,328$. En prenant ensuite $h = 0,2$, on trouve $P'(X \leq 1,2) \simeq 0,194\,7465$. On fait ensuite une extrapolation de Richardson (avec $n = 2$) pour obtenir $P'(X \leq 1,2) \simeq 0,194\,1885$ qui est une approximation d'ordre 4. La valeur exacte est :

$$P'(X \leq 1,2) = \frac{1}{\sqrt{2\pi}}e^{-(1,2)^2/2} = 0,194\,186\,055$$

et l'erreur commise est de $0,2445 \times 10^{-5}$.

(b) On prend directement une différence centrée d'ordre 2 (pour la dérivée seconde) pour obtenir $P''(X \leq 1,2) \simeq -0,232\,720$.

6.36 On se place en $t = 15$. Une différence centrée d'ordre 2 avec $h = 10$ donne $T'(15) \simeq -1,835$. Prenant ensuite $h = 5$, on obtient $T'(15) \simeq -1,63$. Une extrapolation de Richardson donne l'approximation d'ordre 4 : $T'(15) \simeq -1,561\,6667$. On a alors en divisant, $k \simeq 0,1001$.

Réponses aux exercices du chapitre 7

7.1 (a) Euler : $y_1 = 2$, $y_2 = 2,009\,0929$, $y_3 = 2,027\,202\,49$
Euler modifiée : $y_1 = 2,004\,546\,487$, $y_2 = 2,018\,118\,919$, $y_3 = 2,040\,539\,939$
Runge-Kutta d'ordre 4 : $y_1 = 2,004\,541\,741$, $y_2 = 2,018\,109\,47$, $y_3 = 2,040\,526\,45$

(b) Euler : $y_1 = 0,2$, $y_2 = 0,425$, $y_3 = 0,687\,0625$
Euler modifiée : $y_1 = 0,2125$, $y_2 = 0,456\,850\,69$, $y_3 = 0,749\,830\,45$
Runge-Kutta d'ordre 4 : $y_1 = 0,211\,7831$, $y_2 = 0,455\,527\,18$, $y_3 = 0,748\,199$

(c) Euler : $y_1 = 2,2$, $y_2 = 2,443\,1376$, $y_3 = 2,741\,543$
Euler modifiée : $y_1 = 2,221\,5688$, $y_2 = 2,494\,994$, $y_3 = 2,836\,326$
Runge-Kutta d'ordre 4 : $y_1 = 2,221\,8007$, $y_2 = 2,495\,651$, $y_3 = 2,837\,7328$

7.2 (a) Pour $h = 0,1$, $y(0,3) \simeq y_3 = 3,170\,000\,1557$ avec une erreur absolue de $0,001\,977$

(b) Pour $h = 0,05$, $y(0,3) \simeq y_6 = 3,171\,450\,217$ avec une erreur absolue de $0,000\,527$

(c) Le rapport des erreurs est de $3,75 \simeq 2^2$, ce qui confirme que la méthode est d'ordre 2.

(d) Richardson : $\frac{(2^2 \times 3,171\,450\,217 - 3,170\,000\,1557)}{3} = 3,171\,933\,572$

7.3 (a) Pour $h = 0,1$, $y(0,3) \simeq y_3 = 3,171\,976\,0094$ avec une erreur absolue de $0,1599 \times 10^{-5}$

(b) Pour $h = 0,05$, $y(0,3) \simeq y_6 = 3,171\,977\,5025$ avec une erreur absolue de $0,83 \times 10^{-7}$

(c) Le rapport des erreurs est de $19,26 \simeq 2^4$, ce qui confirme que la méthode est d'ordre 4.

(d) Richardson : $\frac{(2^4 \times 3,171\,977\,5025 - 3,171\,976\,0094)}{15} = 3,171\,977\,601$

7.4 b) L'algorithme s'écrit : $y_{n+1} = y_n + h(2y_n) = (1 + 2h)y_n$ et on a donc :

$$
\begin{aligned}
y_{n+1} &= (1 + 2h)((1 + 2h)y_{n-1}) \\
&= (1 + 2h)^2((1 + 2h)y_{n-2}) \\
&= \quad \vdots \\
&= (1 + 2h)^{n+1}y_0 = 5(1 + 2h)^{n+1}
\end{aligned}
$$

c) On peut chercher la constante en calculant e_n/h_n.

n	h_n	e_n	e_n/h_n
2	0,5	16,9462	33,9
10	0,1	5,9866	59,9
20	0,05	3,3077	66,7
100	0,01	0,7220	72,2
200	0,005	0,3651	73,0

et donc $K \simeq 73$.

7.5 (a) En procédant comme à l'exercice b) précédent, on obtient $y_n = 2(1 - 11h)^n$. La solution exacte est $y(t) = 2e^{-11t}$.

(b) Pour $h = 0,2$ ($N = 5$), la solution oscille entre des valeurs positives et négatives et est inacceptable. Pour $h = 0,1$ ($N = 10$), il y a encore des oscillations, mais elles sont très faibles. Au début, la solution est mauvaise, mais elle devient acceptable par la suite puisque l'on approche 0. Pour $h = 0,09$ la solution numérique est essentiellement nulle, ce qui est acceptable après le premier noeud et il n'y a pas d'oscillation puisque $h < 1/11$. Pour $h = 0,01$ la décroissance exponentielle est quasi parfaite.

(c) Pour la méthode d'Euler modifiée, on a :

$$
y_{n+1} = y_n + \frac{h}{2}\left(-11y_n - 11(y_n + h(-11y_n))\right) = y_n\left(1 - 11h + \frac{121h^2}{2}\right)
$$

On obtient exactement le même résultat avec la méthode du point-milieu. Si on se fie au cas précédent, on voit que, pour que le comportement de la solution numérique reflète bien celui de la solution exacte, il faut que le facteur qui multiplie y_n soit dans $(0,1)$ c.-à-d. :

$$1 - 11h + \frac{121}{2}h^2 \in (0,1)$$

ce qui est vrai si $h \in (0, \frac{2}{11})$. Ceci nous donne un intervalle deux fois plus long que dans le cas (b).

7.6 Pour la méthode du point-milieu, on a :

$$\phi(t_n, y(t_n)) = f\left(t_n + \frac{h}{2}, y(t_n) + \frac{h}{2}f(t_n, y(t_n))\right)$$

D'une part on a :

$$
\begin{aligned}
y(t_{n+1}) &= y(t_n) + hy'(t_n) + \frac{y''(t_n)}{2}h^2 + O(h^3)\\
&= y(t_n) + hf(t_n, y(t_n))\\
&\quad + \left(\frac{\partial f}{\partial t}(t_n, y(t_n))\frac{\partial f}{\partial y}(t_n, y(t_n)f(t_n, y(t_n)))\right)\frac{h^2}{2} + O(h^3)
\end{aligned}
$$

d'où :

$$
\begin{aligned}
\frac{y(t_{n+1}) - y(t_n)}{h} &= f(t_n, y(t_n)) + \frac{h}{2}\frac{\partial f}{\partial t}(t_n, y(t_n))\\
&\quad + \frac{h}{2}(f(t_n, y(t_n))\frac{\partial f}{\partial y}(t_n, y(t_n)) + O(h^2)
\end{aligned}
$$

D'autre part, du développement de Taylor en 2 variables :

$$f\left(t_n + \tfrac{h}{2}, y(t_n) + \frac{h}{2}f(t_n, y(t_n))\right)$$

$$= f(t_n, y(t_n)) + \frac{h}{2}\frac{\partial f}{\partial t}(t_n, y(t_n)) + \frac{h}{2}f(t_n, y(t_n))\frac{\partial f}{\partial y}(t_n, y(t_n)) + O(h^2)$$

En soustrayant, on trouve :

$$\tau_{n+1}(h) = \frac{y(t_{n+1}) - y(t_n)}{h} - f\left(t_n + \frac{h}{2}, y(t_n) + \frac{h}{2}f(t_n, y(t_n))\right) = O(h^2)$$

On vient en fait de montrer que l'erreur de troncature locale de la méthode du point milieu est au moins d'ordre 2. Pour véritablement montrer l'ordre 2, il faudrait écrire un terme de plus dans chacun des développements de Taylor précédents et s'assurer que le terme en $O(h^2)$ ne s'annule pas.

7.7 $y_1^1 = 2{,}331\,733$, $y_2^1 = 1{,}321\,041$, $y_1^2 = 2{,}734\,468$, $y_2^2 = 1{,}688\,708$

7.8 (a)
$$
\begin{cases}
y_1'(t) = y_2(t) & (y_1(0) = 2)\\
y_2'(t) = y_3(t) & (y_2(0) = 2)\\
y_3'(t) = y_3(t) + y_2(t) - y_1(t) + 1 & (y_3(0) = 1)
\end{cases}
$$

(b)
$$\begin{cases} y_1'(t) & = & y_2(t) & (y_1(1) = 0) \\ y_2'(t) & = & (y_1(t))^2 + t^2 + 1 & (y_2(1) = 2) \end{cases}$$

(c)
$$\begin{cases} y_1'(t) & = & y_2(t) & (y_1(0) = 2) \\ y_2'(t) & = & y_3(t) & (y_2(0) = 1) \\ y_3'(t) & = & y_4(t) & (y_3(0) = 0) \\ y_4'(t) & = & e^t y_3(t) + (y_4(t))^3 & (y_4(0) = 4) \end{cases}$$

7.9   (a)
$$\begin{cases} y_1''(x) & = & -y_1'(x) + 2y_1(x) - 16 \\ y_1(0) & = & -7 \\ y_1'(0) & = & 0 \end{cases}$$

$$\begin{cases} y_2''(x) & = & -y_2'(x) + 2y_2(x) - 16 \\ y_2(0) & = & -7 \\ y_2'(0) & = & 1 \end{cases}$$

(b)
$$\begin{cases} u_1'(x) & = & u_2(x) & (u_1(0) = -7) \\ u_2'(x) & = & -u_2(x) + 2u_1(x) - 16 & (u_2(0) = 0) \end{cases}$$

$$\begin{cases} v_1'(x) & = & v_2(x) & (v_1(0) = -7) \\ v_2'(x) & = & -v_2(x) + 2v_1(x) - 16 & (v_2(0) = 1) \end{cases}$$

(c) Puisque $y(x) = \left(\frac{y_b - y_2(b)}{y_1(b) - y_2(b)} \right) y_1(x) + \left(\frac{y_1(b) - y_b}{y_1(b) - y_2(b)} \right) y_2(x)$ on a :

$$y(1{,}2) = -29{,}6158 y_1(1{,}2) + 30{,}6158 y_2(1{,}2) = 0{,}730\,2166 \times 10^1$$

(d) Puisque $y(x) = \left(\frac{y_b' - y_2'(b)}{y_1'(b) - y_2'(b)} \right) y_1(x) + \left(\frac{y_1'(b) - y_b'}{y_1'(b) - y_2'(b)} \right) y_2(x)$ on a :

$$y(1{,}2) = -29{,}6158 y_1(1{,}2) + 30{,}6158 y_2(1{,}2) = 0{,}730\,2166 \times 10^1$$

7.10 Il suffit de prouver que $y(x)$ est bien une solution de l'équation différentielle et que $y(a) = y_a$ et $y'(b) = y_b'$.

7.11 Il suffit de prouver que $y(x)$ est bien une solution de l'équation différentielle et que $y'(a) = y_a'$ et $y(b) = y_b$.

7.12 (a) $y(t) = -\dfrac{2}{9} + \dfrac{2}{3} t + \dfrac{11}{9} e^{-3t}$ et $y(t)$ satisfait bien la condition initiale. D'autre part,

$$y'(t) = +\frac{2}{3} - \frac{11}{3} e^{-3t}, \quad -3y(t) = \frac{2}{3} - 2t - \frac{11}{3} e^{-3t},$$

et on voit que la relation $y'(t) = 2t - 3y(t)$ est bien satisfaite.

(b) Voici ce qu'on obtient en prenant un pas $h = 0{,}25$:

    i. $1 + 0{,}25\,(-3 + (0{,}125)(2 + (-3)(-3))) = 0{,}593\,75$

    ii. $1 + 0{,}125((-3) - 0{,}25) = 0{,}593\,75$

Ce sont bien les mêmes approximations.

(c) Il suffit de développer les deux algorithmes.

$$\text{Méthode de Taylor :}$$
$$
\begin{aligned}
y_{n+1} &= y_n + h(2\,t_n - 3\,y_n) + (\tfrac{h^2}{2})(2 - 3(2\,t_n - 3\,y_n)) \\
&= (1 - 3h + \tfrac{9h^2}{2})y_n + ht_n(2 - 3\,h) + h^2
\end{aligned}
$$

$$\text{Méthode d'Euler modifiée :}$$
$$
\begin{aligned}
y_{n+1} &= y_n + (\tfrac{h}{2})\{(2\,t_n - 3\,y_n) \\
&\quad + 2(t_n + h) - 3\,[y_n + h(2\,t_n - 3\,y_n)]\} \\
&= (1 - 3h + \tfrac{9h^2}{2})y_n + ht_n(2 - 3\,h) + h^2
\end{aligned}
$$

La réponse est toujours la même, car lorsque l'on passe de la méthode de Taylor aux méthodes de Runge-Kutta d'ordre 2, on néglige les termes qui dépendent des dérivées partielles d'ordre ≥ 2 de $f(t, y)$. Or dans le cas présent, ces dérivées sont toutes nulles et on ne change donc rien.

7.13 (a) Cette équation est séparable. Son intégration conduit à :

$$-\frac{1}{y} = \frac{t^2}{2} + C \Rightarrow y(t) = -\frac{2}{t^2 + 2C} \Rightarrow y(t) = -\frac{2}{t^2 - 2}.$$

Le dénominateur s'annule pour $t = \sqrt{2}$.

(b) Si on veut représenter la solution sur $[0,\ 1{,}41]$ (il ne faut pas se rendre à $t = \sqrt{2}$) avec la méthode d'Euler explicite, il faut prendre un pas très petit ($h = 1{,}41/1000$) pour obtenir une bonne approximation de la dernière section de la courbe. On obtient une aussi bonne approximation avec la méthode d'Euler modifiée pour $h = 1{,}41/100$. Cependant, on observera aussi que toutes les méthodes ont de la difficulté à donner une bonne approximation de la solution en $t = b$ si b s'approche de $\sqrt{2}$, ce qui est normal.

En se limitant à la méthode d'Euler explicite, on peut observer que si le pas h est grand, par exemple 0,2, on peut intégrer sur $[0, 2]$ sans problème. Si on dimimue le pas pour augmenter la précision, la méthode va exploser et donnera « Inf » pour toutes les valeurs plus grande que $\sqrt{2}$. Il y aurait donc moyen de vérifier la présence de singularités à partir des résultats numériques.

7.14 On vérifie facilement (par séparation des variables) que la solution de l'équation différentielle est $y(t) = 2e^{3/t}$. Regardons les résultats en $t = 1{,}4$:

Méthode	Nombre de pas de temps n	Solution y_n	Erreur
Euler	250	17,001 381 264	0,046 131
Point milieu	10	17,098 897 242	0,051 384
Runge-Kutta d'ordre 4	2	17,053 271 893	0,005 758

Chaque pas de la méthode d'Euler explicite exige une évaluation de $f(t, y)$ et donc 250 évaluations au total. Pour la méthode du point-milieu, il faut deux évaluations par pas de temps et donc 20 évaluations pour une précision comparable. Pour la méthode de Runge-Kutta d'ordre 4, il faut 4 évaluations par pas de temps soit 8 au total pour une précision nettement supérieure.

7.15 Prédiction-correction d'ordre 2 : la première valeur a été obtenue à l'exercice 1a) à l'aide de la méthode de Runge-Kutta d'ordre 4.

Prédiction-correction d'ordre 2		
t	y_n^p	y_n
0,1		2,004 5417
0,2	2,018 1527	2,018 0947
0,3	2,040 6062	2,040 4857
0,4	2,071 5964	2,071 4053

Prédiction-correction d'ordre 4 : les 3 premières valeurs ont été obtenues à l'exercice 1a) à l'aide de la méthode de Runge-Kutta d'ordre 4.

Prédiction-correction d'ordre 4		
t	y_n^p	y_n
0,1		2,004 5417
0,2		2,018 1095
0,3		2,040 5264
0,4	2,071 4899	2,071 4842
0,5	2,110 5338	2,110 5267
0,6	2,157 0371	2,157 0304

7.16 On pose $a_0(x) = -(x+2)$, $a_1(x) = 1 + \frac{2}{x}$ et $a_2(x) = 0$, et l'on obtient le système de dimension 4 suivant :

$$\begin{bmatrix} 4,88 & -2,0 & 0,0 & 0,0 \\ -2,0 & 4,48 & -2,0 & 0,0 \\ 0,0 & -2,0 & 4,346\,667 & -2,0 \\ 0,0 & 0,0 & -2,0 & 4,28 \end{bmatrix} \begin{bmatrix} y_1 \\ y_2 \\ y_3 \\ y_4 \end{bmatrix} = \begin{bmatrix} 0,176 \\ 0,192 \\ 0,208 \\ 4,224 \end{bmatrix}$$

dont la solution est $\begin{bmatrix} 0,290\,236 & 0,620\,176 & 1,002\,959 & 1,455\,588 \end{bmatrix}^T$.

7.17 On obtient le système :

$$-y_{i-1} + (2 + ha_1(x_i) + h^2 a_2(x_i))y_i + (-1 + ha_2(x_i))y_{i+1} = -h^2 a_0(x_i)$$

pour $i = 1, 2, 3, \ldots, (n-1)$. La première équation $(i = 1)$ fait intervenir $y_0 = y_a$ et le terme correspondant est envoyé à droite. De même, la dernière équation $(i = n-1)$ utilise $y_n = y_b$. L'ordre de cette méthode de différences finies est 1.

7.18 En posant $x_1(t) = x(t)$, $x_2(t) = x'(t)$, $x_3(t) = y(t)$, $x_4(t) = y'(t)$, on obtient le système :

$$\begin{cases} x_1'(t) & = & x_2(t) & x_1(0) = 0{,}4 \\[2mm] x_2'(t) & = & \dfrac{-x_1(t)}{((x_1(t))^2 + (x_3(t))^2)^{\frac{3}{2}}} & x_2(0) = 0{,}0 \\[4mm] x_3'(t) & = & x_4(t) & x_3(0) = 0{,}0 \\[2mm] x_4'(t) & = & \dfrac{-x_3(t)}{((x_1(t))^2 + (x_3(t))^2)^{\frac{3}{2}}} & x_4(0) = 2{,}0 \end{cases}$$

7.19 En posant $x_1(t) = x(t)$, $x_2(t) = x'(t)$, $x_3(t) = y(t)$, $x_4(t) = y'(t)$, on obtient le système :

$$\begin{cases} x_1'(t) & = & x_2(t) & x_1(0) = 1 \\ x_2'(t) & = & 2\omega x_4(t)\sin\psi - k^2 x_1(t) & x_2(0) = 0 \\ x_3'(t) & = & x_4(t) & x_3(0) = 0 \\ x_4'(t) & = & -2\omega x_2(t)\sin\psi - k^2 x_3(t) & x_4(0) = 0 \end{cases}$$

On peut alors résoudre par une méthode de Runge-Kutta d'ordre 4 pour une plus grande précision.

7.20 (a) On a $h = 1$, ce qui donne $y_{10} = 41{,}525\,827\,03$ m/s.

(b) On prend une différence centrée avec $h = \frac{1}{2}$ et l'on trouve :

$$v'(4{,}5) \simeq \frac{v(5) - v(4)}{2 \times \frac{1}{2}} = 3{,}887\,15 \quad \text{m/s}^2$$

(c) La méthode de Simpson 1/3 donne 60,6656 m.

(d) Si l'on souhaite une approximation d'ordre 4, on peut utiliser la méthode de Simpson 1/3 dans les 2 premiers intervalles et la méthode de Simpson 3/8 dans les 3 intervalles suivants (S_1) ou encore Simpson 3/8 dans les 3 premiers intervalles et ensuite Simpson 1/3 dans les 2 derniers (S_2). On obtient ainsi :

$$S_1 = 17{,}163\,031\,33 + 72{,}220\,7325 = 89{,}383\,763\,83 \text{ m}$$

ou encore :

$$S_2 = 36{,}261\,7155 + 53{,}121\,813\,33 = 89{,}383\,528\,83 \text{ m}$$

7.21 (a) Il suffit de remplacer $y(t) = y_1(t) + cy_2(t)$ dans l'équation différentielle et d'utiliser les équations différentielles qui définissent $y_1(t)$ et $y_2(t)$.

(b) On résout l'équation $y_1(0) + cy_2(0) = y_1(1) + cy_2(1)$ et l'on trouve $c = 0{,}581\,977\,605$.

(c) $y(0{,}5) = 0{,}459\,518$.

7.22 (a) Il suffit de regarder le terme $y(x)y'(x)$ qui est non linéaire.

(b) Dans l'équation différentielle pour $y_\beta(x)$, β est la pente en $x = 1$. Trouver la bonne valeur de β revient donc à déterminer l'angle de tir en $x = 1$ de sorte qu'en $x = 3$, on ait $y_\beta(3) = \frac{43}{3}$.

(c)
$$\left\{ \begin{array}{lll} u_1'(x) & = & u_2(x) \\ u_2'(x) & = & \frac{1}{8}\left(32 + 2x^3 - u_1(x)u_2(x)\right) \end{array} \right. \quad \begin{array}{l} u_1(1) = 17 \\ u_2(1) = \beta \end{array}$$

(d) On utilise la méthode de la sécante (voir le chapitre 2) pour résoudre $f(\beta) = y_\beta(3) - \frac{43}{3} = 0$. On pose $\beta_1 = -10$ et $\beta_2 = -12$ et l'on a $f(\beta_1) = f(-10) = 16{,}525\,53 - \frac{43}{3} = 2{,}192\,196\,67$ et $f(\beta_2) = f(-12) = 15{,}467\,17 - \frac{43}{3} = 1{,}133\,836\,67$. On en tire :

$$\beta_3 = \beta_2 - \frac{f(\beta_2)(\beta_2 - \beta_1)}{f(\beta_2) - f(\beta_1)} = -14{,}142\,629\,484$$

On obtient ainsi une meilleure valeur de β. On doit ensuite poursuivre les itérations avec β_3 et calculer une nouvelle valeur de $y_1(3)$ par la méthode de Runge-Kutta. La méthode de la sécante permet d'itérer et de modifier β jusqu'à ce que la valeur de $y_\beta(3) - \frac{43}{3}$ soit très petite.

Bibliographie

[1] *France IOI.* http://www.france-ioi.org/algo/course.php?
idChapter=667&idCourse=0&iOrder=14, visité le 1er décembre 2013.

[2] Alessandrini, S.M.: *A motivational example for the numerical solution of two-point boundary value problems.* SIAM Review, 37(3) :423–427, 1995.

[3] Asher, U. M. et Petzold L. R.: *Computer Methods for Ordinary Differential Equations and Differential-Agebraic Equations.* SIAM, Philadelphia, USA, 1998.

[4] Bourdeau, M. et J. Gélinas: *Analyse numérique élémentaire.* Gaëtan Morin éditeur, Chicoutimi, 1982.

[5] Brière, F.G.: *Distribution et collecte des eaux.* Presses internationales Polytechnique, Montréal, 2ᵉ édition, 2000.

[6] Burden, R.L. et J.D. Faires: *Numerical Analysis.* Brooks/Cole, Pacific Grove, 7ᵉ édition, 2001, ISBN 0-534-38216-9.

[7] Carreau, P.J., D. De Kee et R.P. Chhabra: *Rheology of Polymeric Systems : Principles and Applications.* Hanser, Munich, 1997.

[8] Chapra, C.S. et R.P. Canale: *Numerical Methods for Engineers.* McGraw-Hill, New York, 2ᵉ édition, 1988, ISBN 0-07-079984-9.

[9] Cheney, W. et D. Kincaid: *Numerical Mathematics and Computing.* Pacific Grove, Brooks-Cole, 3ᵉ édition, 1994.

[10] Cody, Jr. W.D. et W. Waite: *Software Manuel for the Elementary Functions.* Prentice Hall, Englewood Cliffs, 1980, ISBN 0-13-822064-6.

[11] Cooley, J. W. et J. W. Tukey: *An algorithm for the machine calculation of complex Fourier series.* Mathematics of Computation, 19 :297–301, 1965.

[12] Dahlquist, G.: *Convergence and stability in the numerical integration of ordinary differential equations.* Math. Scand., 4 :33–53, 1956.

[13] de Boor, C.: *A Practical Guide to Splines*, tome 27 de *Applied mathematical sciences.* Springer-Verlag, New York, 1978.

[14] Derrick, W.R. et S.I. Grossman: *Introduction to Differential Equations.* West Publishing Company, St-Paul, 3ᵉ édition, 1987.

[15] Derrida, B., A. Gervois et Y. Pomeau: *Universal metric properties of bifurcations and endomorphisms.* Journal of Physics A, 12(3) :269–296, 1979.

[16] Deteix, J., A. Jendoubi et A. Fortin: *Mesh update procedures for fluid-structure interaction problems.* 2014. En préparation.

[17] Duchon, J.: *Interpolation des fonctions de deux variables suivant le principe de la flexion des plaques minces.* RAIRO, Analyse numérique, 10 :5–12, 1976.

[18] Farin, G.: *NURBS for Curve and Surface Design.* AK Peters Inc., Boston, 2e édition, 1999.

[19] Fehlberg, E.: *Klassische Runge-Kutta Formeln vierter und niedrigerer Ordnung mit Schrittweiten-Kontrolle und ihre Anwendung auf Wärmeleitungsprobleme.* Computing, 6 :61–71, 1970.

[20] Feigenbaum, M.: *Universal Behavior in Nonlinear Systems.* Physica 5D, pages 16–39, 1983.

[21] Forni, O.: *Dans la ronde des soixante lunes.* Science & Vie, 196, Septembre 1996.

[22] Fortin, A., M. Fortin et J. J. Gervais: *A numerical simulation of the transition to turbulence in a two-dimensional flow.* Journal of Computational Physics, 70(2) :295–310, 1987, ISSN 0021-9991. http://www.sciencedirect.com/science/article/B6WHY-4DDR641-162/2/ab38c8a94b307d67ff220d46f2ccd29a.

[23] Fortin, A. et A. Garon: *Les éléments finis : de la théorie à la pratique.* 2013. http://www.giref.ulaval.ca/~afortin/cours_elements_finis/documents/notes_elements_finis.pdf, 400 pages, Notes de cours.

[24] Gander, W. et D. Gruntz: *Derivation of numerical methods using computer algebra.* SIAM Review, 41(3) :577–593, 1999.

[25] Gerald, C.F. et P.O. Wheatly: *Applied Numerical Analysis.* Addison-Wesley, Reading, 6e édition, 1999, ISBN 0-201-87072-X.

[26] Gulick, D.: *Encounters with Chaos.* McGraw-Hill, New York, 1992.

[27] Higham, N. J.: *Accuracy and Stability of Numerical Algorithms.* Society for Industrial and Applied Mathematics, Philadelphia, PA, USA, 2e édition, 2002, ISBN 0-89871-521-0.

[28] Institute for Electric and Electronic Engineers, New York: *IEEE Recommended Practices and Requirements for Harmonic Control in Electrical Power Systems*, 1993. Norme Std 519-1992.

[29] James, M. L., G. M. Smith et J. C. Wolford: *Applied Numerical Methods for Digital Computation.* Harper-Collins College Publishers, New York, 4e édition, 1993, ISBN 0-06-500494-9.

[30] Kreyszig, E.: *Advanced Engineering Mathematics.* Wiley, New York, 6e édition, 1988.

[31] Krige, D.G.: *A Statistical Method for Mine Variation Problems in the Witwatersrand.* Journal of Chemistry and Metallurgy of the Mining Society of South Africa, 52 :119–139, 1951.

[32] Lorenz, E.N.: *Deterministic Nonperiodic Flow.* Journal of Atmospheric Sciences, 20 :130–141, 1963.

[33] Mandelbrot, B.: *The Fractal Geometry of Nature.* W.H. Freeman and Co., San Francisco, 1982.

[34] Matheron, G.: *The intrinsec ramdom functions and their applications.* Advances in Applied Probability, 5 :439–468, 1973.

[35] The MathWorks Inc.: *Matlab User's guide*, 1996.

[36] Rainville, E.D.: *Special functions.* Chelsea Publishing Company, Bronx, New York, 1960.

[37] Rappaz, J. et M. Picasso: *Introduction à l'analyse numérique.* Presses polytechniques et universitaires romandes, Lausanne, 1998.

[38] Reddy, J.N.: *An Introduction to the Finite Element Method.* McGraw-Hill, New York, 2e édition, 1993.

[39] Saad, Y.: *Iterative Methods for Sparse Linear Systems.* SIAM, Philadelphia, 2e édition, 2003.

[40] Scheid, F.: *Numerical Analysis.* Schaum's Outline Series. McGraw-Hill, New York, 1968.

[41] Simmons, G.S.: *Differential Equations with Applications and Historical Notes.* McGraw-Hill, New York, 1972.

[42] Strang, G.: *Introduction to Applied Mathematics.* Wellesley-Cambridge Press, Wellesley, 1986.

[43] Swokowski: *Analyse.* De Boeck Université, Bruxelles, 5e édition, 1993.

[44] Thomas, B.T. Jr. et R.L. Finney: *Calculus and Analytic Geometry.* Addison-Wesley, Reading, 8e édition, 1992.

[45] Trochu, F.: *A contouring program based on dual kriging interpolation.* Engineering with Computers, 9 :160–177, 1993.

[46] Varga, R.: *Matrix Iterative Analysis.* Prentice-Hall, Englewood Cliffs, 1962.

Index